现代交流调速技术

姚绪梁　编著

哈尔滨工程大学出版社

内容简介

本书主要以目前常用的异步电动机和三相永磁同步电动机为对象,介绍了变极调速、变频调速和变转差率调速等传统交流调速技术;介绍了交-直-交电压型/电流型变频调速系统、交-交变频的原理及应用技术;重点介绍了矢量控制技术及直接转矩控制技术;书中对目前较流行的无位置传感器交流调速技术也进行了论述;最后介绍了交流调速技术在船舶电力推进系统及零航速减摇鳍电伺服系统中的应用。

本书可作为研究生及高年级相关专业本科生教材,也可供交流调速方面的工程技术人员参考。

图书在版编目(CIP)数据

现代交流调速技术/姚绪梁编著.—哈尔滨:哈尔滨工程大学出版社,2009.8(2018.8 重印)
ISBN 978-7-81133-512-5

Ⅰ.现… Ⅱ.姚… Ⅲ.交流电机-调速 Ⅳ.TM340.12

中国版本图书馆 CIP 数据核字(2009)第 143816 号

出版发行 哈尔滨工程大学出版社
社　　址 哈尔滨市南岗区东大直街 124 号
邮政编码 150001
发行电话 0451-82519328
传　　真 0451-82519699
经　　销 新华书店
印　　刷 黑龙江龙江传媒有限责任公司
开　　本 787mm×1 092mm　1/16
印　　张 15.25
字　　数 367 千字
版　　次 2009 年 9 月第 1 版
印　　次 2018 年 8 月第 5 次印刷
定　　价 35.00 元
http://www.hrbeupress.com
E-mail:heupress@hrbeu.edu.cn

前言

电动机作为将电能转化为机械能的主要动力装置已经普遍应用到各个领域，可以说现代社会的发展已经离不开电动机。在电动机调速应用的初期，直流电动机一直占有重要的地位，而交流电动机只应用在一些对调速要求不高的场合。

随着电动机单机容量的加大和转速的提高，直流电动机由于存在换相电刷和单机容量有限等缺点而难以胜任。交流电动机的调速得益于电力电子器件和计算机技术的发展，以及调速控制理论的进步而得到了持续发展。1971 年在德国学者 Blaschke 提出交流电动机矢量控制理论后，交流调速获得了长足发展。1985 年德国鲁尔大学的 M. Depenbrock 教授通过对瞬时空间理论的研究，提出了直接转矩控制理论，使交流电动机调速系统更加多样化。目前许多学者还在从事交流电动机调速的新器件、控制理论及应用的研究。以上的研究成果得到了广泛地应用，现在几乎在所有领域都能看到交流电动机及交流变频器的应用。

本书主要以目前最常用的异步电动机和三相永磁同步电动机为对象，介绍现代交流调速控制技术的原理及应用技术。书中介绍了变极调速、变频调速和变转差率调速等传统的交流调速技术；介绍了交－直－交变频调速系统、交－交变频调速系统的原理及应用技术；重点介绍了异步电动机和三相永磁同步电动机的矢量控制技术及直接转矩控制技术；书中对目前较流行的无位置传感器交流调速系统也进行了论述；最后结合作者所在单位的科研背景和作者及同事们近年的研究成果，选用了与船舶控制和船舶特辅装置相关的交流调速系统作为应用实例，介绍了应用交流调速技术的船舶电力推进系统，以及在构造零航速减摇鳍电伺服系统 CARIMA 模型的基础上，设计基于广义预测控制的减摇鳍电伺服系统的方法。

本书采用理论推导与实际应用相结合的方法，结合交流调速技术的应用和发展趋势来组织书中内容，利用 MATLAB 等仿真软件进行研究和分析，用可视化图形力求达到化繁为简、化难为易，使读者对书中的相关理论及推导易于理解，增强该书的可读性。

全书共分 9 章。第 1 章介绍了交流调速技术的概况与发展趋势、传统交流调速基本方法、交流调速技术的特点及主要应用领域。第 2 章介绍了交－直－交变频器的原理、构成及变频调速系统，探讨了多重化变频器、脉冲宽度调制（PWM）技术；介绍了谐振型变频器基本原理及典型的应用电路，对电压、频率协调控制的交－直－交变频调速系统和转差频率控制的交－直－交变频调速系统也进行了论述。第 3 章介绍了交－交变频器的原理、构成及其组成的变频调速系统,特别介绍了近年发展起来的矩阵式变频器。第4章和第5章介绍了异步电动机和三相永磁同步电动机的矢量控制技术;采用空间矢量理论,对矢量控制技术进行分析,利用空间矢量理论统一性的特点分析矢量控制技术及直接转矩控制技术;利用MATLAB仿真软件进行研究并分析了研究结果。第6章和第7章介绍了异步电动机和三相永磁同步电动机直接转矩控制的原理,各种观测器的建立;利用MATLAB仿真软件对系统进行研究并分析了研究结果。第8章介绍了近年兴起的无位置传感器的交流调速技术。第9章介绍了交流调速系统在船舶控制中的应用。

本书可作为电气工程、控制科学与工程、机械电子工程等学科的研究生教材,也可用于自动化专业和电气工程及其自动化等专业的高年级本科生教材,也可作为从事电气传动自动化、电动机及其控制、电力电子技术和控制工程方面科研人员的参考资料。

在本书第2章的2.4和第3章的3.1的编写过程中参考了Bimal K. Bose教授编写的《现代电力电子学与交流传动》的相关章节;在第4章的4.4,4.5的编写中参考了陈伯时教授编写的《电力拖动自动控制系统》的第6章;在第7章、第8章的编写过程中参考了王成元教授主编的《电动机现代控制技术》的相关章节。书中还参考和引用了相关同行专家的著述,均在书后参考文献中列出,在此表示衷心的感谢。

本书由哈尔滨工程大学研究生教材建设专项资金资助,作者对学校研究生院在本教材编写过程中的支持表示感谢。本书的文字录入工作及大部分插图原图的绘制工作得到了硕士研究生于乐、官占英、赵继成、王善芬等同学的大力协助,谨向上述同学表示诚挚感谢。

由于作者学识水平有限,书中难免有错漏之处,恳切期望各位专家和读者给予批评指正。

姚绪梁

2009年3月于哈尔滨工程大学

目录

第1章 概 述

1.1 交流调速技术发展概况和类型

交流调速技术诞生于19世纪,但由于初期其性能无法与直流调速技术相比,所以在20世纪70年代之前直流调速系统一直在电气传动领域中占统治地位。随着单机容量的进一步加大和转速的逐步提高,直流电动机由于存在自身缺陷而越来越难以胜任。而交流电动机的结构简单、运行可靠、便于维修和价格低廉等特点一直吸引人们对它的研究。随着电力电子技术的发展,产生了采用半导体开关器件的交流调速系统,尤其是20世纪80年代以后,大规模集成电路和计算机控制技术的发展,以及现代控制理论的应用,为现代交流调速技术的发展创造了有利条件,促进了各种类型的交流调速系统的飞速发展,如串极调速系统、变频调速系统、无换相器电动机调速系统以及矢量控制调速系统和直接转矩控制调速系统等。目前,在电气传动领域中现代交流调速技术已有逐步替代直流调速技术的趋势。

1.1.1 现代交流调速技术的发展概况

1. 电力电子器件的蓬勃发展

电力电子器件是现代交流调速装置的支柱,其发展直接影响甚至决定交流调速技术的发展。迄今为止,电力电子器件的发展经历了分立换流关断器件、自关断器件、功率集成电路PIC、智能功率模块IPM四个阶段。

20世纪80年代中期以前,变频装置功率电路主要采用晶闸管元件。装置的效率、可靠性、成本、体积均无法与同容量的直流调速装置相比。

20世纪80年代中期以后用第二代电力电子器件(自关断器件)GTR、GTO、MOSFET、IGBT等制造的变频装置在性价比上可以与直流调速装置相媲美。第二代电力电子器件是当时制造的主流变频器产品中的主要开关器件,如中、小功率的变频调速装置(1~100 kW)主要采用IGBT,中、大功率的变频调速装置(100~10 000 kW)采用GTO器件。

20世纪90年代至今,主要采用的器件有:高压IGBT器件, IGCT(Intergrated Gate Commutated Thyristors)集成门极换流晶闸管器件,IEGT(Injection Enhanced Gate Transistor)电子注入增强栅晶体管器件,SGCT(Symmetrical Gate Commutated Thyristor)对称门极换流晶闸管器件。

随着向大电流、高电压、高频化、集成化、模块化方向继续发展,新型电力电子器件模块化将更为成熟。如智能化模块IPM、专用功率器件模块ASPM等。

2. 脉宽调制(PWM)技术

20世纪60年代中期,德国的A Schonung等学者率先提出了脉宽调制(PWM)变频的思想,为现代交流调速技术的发展和实用化开辟了新的道路。

PWM技术基本上可分为四类,即等宽PWM法、正弦PWM法(SPWM)、磁链追踪型

PWM 法及电流跟踪型 PWM 法。PWM 技术的应用克服了相控原理的弊端，使交流电动机定子得到了接近正弦波形的电压和电流，提高了电动机的功率因数和输出功率。

3. 矢量变换控制技术及直接转矩控制技术

众所周知，直流电动机双闭环调速系统具有优良的静、动态调速特性，其根本原因在于作为控制对象的他励直流电动机电磁转矩能够容易而灵活地进行控制。而交流电动机是多变量、非线性、强耦合的被控对象，如果能模仿直流电动机转矩控制规律而加以控制就可得到类似于直流电动机的控制结果。

1975 年，德国学者 Blaschke 提出了矢量变换控制原理，成功地解决了交流电动机电磁转矩的有效控制，在定向于转子磁通的基础上，采用参数重构和状态重构的现代控制理论概念实现了交流电动机定子电流的励磁分量和转矩分量之间的解耦，实现了将交流电动机的控制过程等效为直流电动机的控制过程，在理论上实现了重大突破，从而使得交流调速的动态和静态性能完全可能同直流传动系统相媲美。矢量控制的关键是静止坐标轴与旋转坐标轴系之间的坐标变换，而两坐标轴系之间变换的关键是要找到两坐标轴之间的夹角。目前，较为成熟的矢量变换控制法有转子磁场定向矢量变换控制、定子磁场定向矢量变换控制、滑差频率矢量控制等。受矢量控制的启发，近年来又派生出诸如多变量解耦控制、变结构滑模控制等方法。

1985 年，德国鲁尔大学的 M. Depenbrock 教授通过对瞬时空间理论的研究，提出了直接转矩控制理论，其原理是让电动机的磁链矢量沿六边形运动。随后日本学者 I. Ttakahashi 提出了磁链轨迹的圆形方案。与矢量变换控制不同，直接转矩控制无须考虑如何将定子电流分解为励磁电流分量和转矩电流分量，而是以转矩和磁通的独立跟踪自调整并借助于转矩的 Bang - Bang 控制来实现转矩和磁通直接控制。从理论上看，直接转矩控制是控制电动机的磁链和转矩，而电动机主要控制的是转矩，控制了转矩，也就控制了速度。由于采用转矩直接控制，可使逆变器切换频率低，电动机磁场接近圆形，谐波小，损耗小，噪声及温升均比一般逆变器驱动的电动机小得多。多年的实际应用表明，与矢量控制法相比直接转矩控制可获得更大的瞬时转矩和极快的动态响应。因此，交流电动机直接转矩控制是一种很有前途的控制技术。目前，采用 IGBT、IGCT 的直接转矩控制方式的变频调速装置已成功应用于工业生产及交通运输部门中。

4. 仿真技术在交流调速系统中的应用

近年来计算机仿真技术在各行各业得到了广泛的应用，特别是在进行复杂系统的设计时，采取计算机仿真方法来分析和研究其性能是非常有效和必要的。传统的计算机仿真软件包用微分方程和差分方程建模，其直观性、灵活性差，编程量大，操作不便。随着一些大型的高性能计算机仿真软件的出现，实现交流调速系统的实时仿真可以较容易地实现。如 matlab 软件包、pspice 软件包和 saber 软件包已经能够在计算机中仿真交流调速系统的整个过程。上述软件包适合于交流调速领域内的仿真及研究，能够为绝大多数问题的解决带来极大的方便，并能显著提高工作效率。随着新型计算机仿真软件的出现，交流调速技术必将在成本控制、工作效率、实时监控等方面得到长足的进步。

5. 微型控制器控制技术

随着微机控制技术，特别是以单片机及数字信号处理器 DSP 为控制核心的微机控制技术的迅速发展，现代交流调速系统的控制方法由模拟控制已逐步转向数字控制。当今全数字化的交流调速系统已得到普遍应用。

数字化使得控制器对信息处理能力大幅度提高，许多难以实现的复杂控制，如矢量控制中的复杂坐标变换运算、解耦控制、滑模变结构控制、参数辨识的自适应控制等，采用微机控制器后都得到了解决。此外，微机控制器的控制技术又给交流调速系统增加了多方面的功能，特别是故障诊断技术得到了实现。微机控制器的控制技术的应用提高了交流调速系统的可靠性，操作、设置的多样性和灵活性，降低了变频调速装置的成本和体积。

1.1.2 现代交流调速系统的类型

现代交流调速系统由交流电动机、电力电子功率变换器、控制器和检测器四大部分组成。电力电子功率变换器、控制器、电量检测器集成于一体，称为变频器或变频调速装置。现代交流调速系统可分为异步电动机调速系统和同步电动机调速系统。目前较常用的有三种方案，即异步电动机交流调速系统、开关磁阻电动机交流调速系统和永磁同步电动机交流调速系统。

(1) 异步电动机交流调速系统，按转差功率处理方式的不同可以把现代异步电动机交流调速系统分为转差功率消耗型调速系统、转差功率回馈型调速系统和转差功率不变型调速系统三类。

(2) 开关磁阻电动机交流调速系统是由开关磁阻电动机、功率变换器、控制装置、角位移传感器和驱动电路五部分安装在一起的一种新型机电一体化调速装置，它的效率在很宽的调速范围内可大于87%，电动机结构十分独特，转子上无绕组或永磁体定子为集中绕组，其线圈安装容易，端部短而牢固，比传统的直流电动机、同步电动机和异步电动机都简单，制造和维修十分方便。同时，开关磁阻电动机控制方便，可以四象限运行，具有结构简单、体积小、质量轻、工作可靠、控制方便的优点，其性能和经济指标优于普通的异步电动机交流调速系统。

(3) 同步电动机调速系统根据频率控制方式的不同可分为两类：他控式同步电动机调速系统，如永磁同步电动机、磁阻同步电动机；自控式同步电动机调速系统，如负载换向自控式同步电动机调速系统（无换向器电动机）、交－交变频供电的同步电动机调速系统。

1.2 传统交流调速技术的基本方法

交流电动机的转子转速与定子在空间形成的同步旋转磁场的转速有直接联系，电机同步转速定义为

$$n_0 = \frac{60f_0}{p_n} \tag{1-1}$$

式中 n_0——同步转速；

f_0——定子电源频率；

p_n——极对数。

由式(1－1)可以看出交流电动机同步转速与电源频率成正比，而与极对数成反比。由此改变电源频率和极对数就可以改变交流电动机转子的转速。但由于交流电动机是一个强耦合的复杂系统，常用的三相交流电动机，其励磁与电枢之间并不成正交的关系，单纯地调整上述参数并不能达到满意的调速结果，特别是在电动机启动和制动过程，如频率控制调

速，还要结合定子每相绕组感应电动势 E_1 与 f_0 的协调控制，才能达到较为满意的调速效果。

1.2.1 异步电动机的调速技术

变极对数调速与变频调速是异步电动机常用的调速方法，异步电动机的特有构造决定其转子转速与电机同步转速之间有一定的差值，即转差率 s。异步电动机转子转速与同步转速的关系定义为

$$n = n_0(1 - s) \tag{1-2}$$

由式(1－2)可知异步电动机对转差率的调整也可以达到调速的目的。

1. 变极调速

改变定子的极对数，可使异步电动机的同步转速 $n_0 = \dfrac{60f_0}{p_n}$ 改变，使电动机转速得到调整。通常用改变定子绕组连接法的方法，这种调速方法适用于鼠笼式异步电动机，因其转子的极对数能自动地与定子极对数相对应。如图 1－1 所示，改变定子绕组连接方法，即改变流过线圈的电流方向，即可达到改变极对数的目的。将一相绕组平均分成两半，将这两个半绕组按图 1－1(a)顺接串联连接时，并通以如图 1－1(a)所示方向的电流，会在空间上形成如图 1－1(a)所示的四极磁场，图 1－1(b)反接串联或图 1－1(c)并联连接法，则在空间得到两极磁场，同步转速将提高一倍。变极调速改变极对数是成倍地增加，相应地同步转速也是成倍地变化，因此该调速方法为有级调速方法。

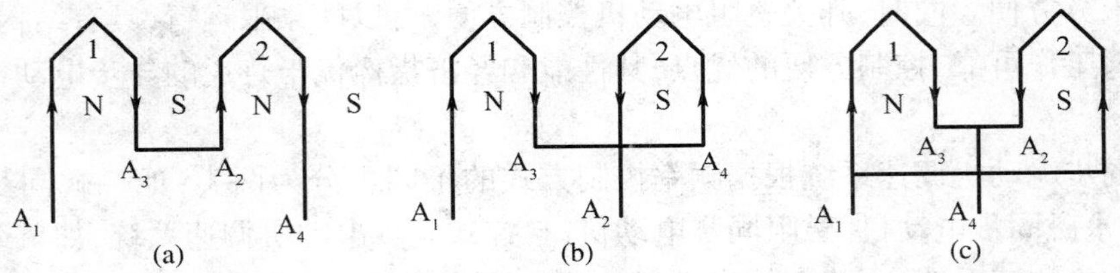

图 1－1 改变定子绕组连接方法以改变定子极对数

(a) $2p=4$；(b) $2p=2$；(c) $2p=2$

三相异步电动机三相绕组连接方法是相同的，一般采用 Y→YY 和 Δ→YY 两种变极连接法，如图 1－2 所示。由图 1－2 可知，YY 接法中，每项都有一半绕组中电流改变了方向，因而极对数减少一半，同步转速增加一倍。绕组连接改变后，应将 B，C 两相的出线端交换，以保持高速与低速时电动机的转向相同。因为在极对数为 p 时，如果 B，C 两相的出线端与 A 端的相位关系为 0，120°，240°；则在极对数为 $2p$ 时，三者的相位关系将变为 $2\times0°=0°$，$2\times120°=240°$，$2\times240°=480°$(相当于 120°)，显然，在极对数为 p 及 $2p$ 下的相序将相反，B，C 两端必须对调，以保持变速前后电动机的转向相同。

下面讨论变极调速时异步电动机的容许输出功率或转矩在变速前后的关系，输出功率为

$$P_2 = \eta P_s = 3U_s I_s \eta\cos\varphi_1 \tag{1-3}$$

式中 η——电动机效率；

U_s——电动机定子相电压；

I_s——电动机定子相电流；

P_s——定子输入功率；

$\cos\varphi_1$—定子功率因数。

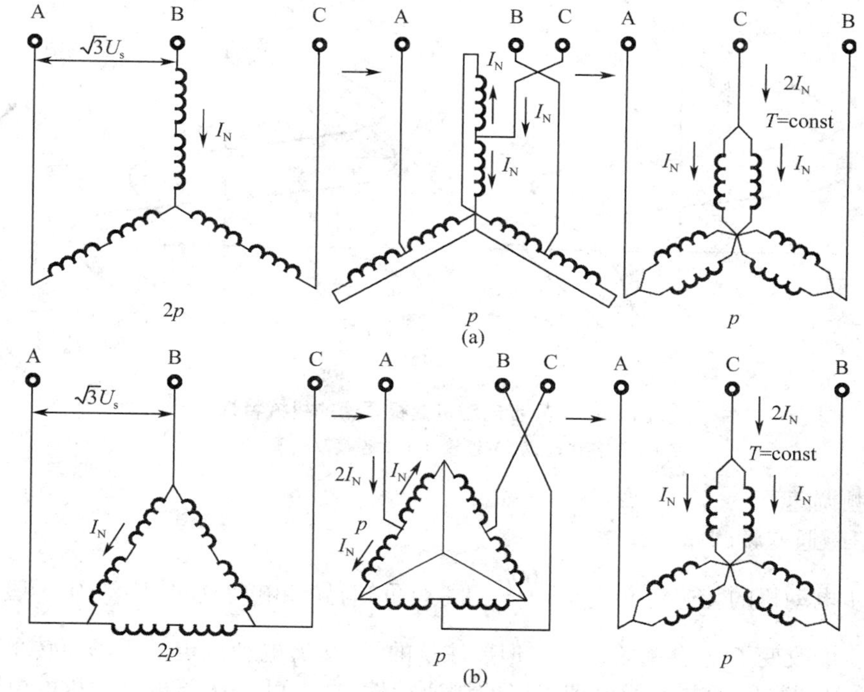

图 1-2　常用的两种三相绕组改变连接的方法

(a) Y→YY；(b) Δ→YY

设在不同极对数下，η 与 $\cos\varphi_1$ 均保持不变

$$P_2 \propto U_s I_s \tag{1-4}$$

如果忽略定子损耗，则电磁功率 P_m 与输入功率相等，转矩 T 为

$$T = 9\ 550 \frac{P_m}{n_0} \propto \frac{U_s I_s}{n_0} \propto U_s I_s p_n \tag{1-5}$$

如图 1-2(a) 所示，定子绕组由 Y 改变为 YY 时，极对数减少一倍，n_0 增加一倍。为使调速过程中电动机得到充分利用，在整个调速过程中，电动机绕组内流过额定电流 I_N，则 Y→YY的转矩比为

$$\frac{T_Y}{T_{YY}} = \frac{U_s I_N (2p)}{U_s (2I_N) p} = 1 \tag{1-6}$$

可见，Y→YY 换接时，输出转矩不变，属于恒转矩调速，其机械特性如图 1-3(a) 所示。对于图 1-2(b)，即 Δ→YY 换接时，极对数也减少一倍，n_0 也增加一倍，两种方法的功率比为

$$\frac{P_{2\Delta}}{P_{2YY}} = \frac{\sqrt{3} U_s I_N}{U_s (2I_N)} = \frac{\sqrt{3}}{2} = 0.866 \tag{1-7}$$

可见，Δ→YY 换接时，输出功率变化不太大，也可以粗略地看作恒功率调速。

改变定子极对数，除以上介绍的两种方法外，还可以在定子上安装两组独立的绕组，各连接成不同的极对数，则可获得更多的调速级数，如 3∶2，4∶3，甚至 3∶1，4∶1 等。但以采用一组独立绕组的变极调速较为经济。由于变极调速为有级调速，相对无级调速，应用场合受到限制。

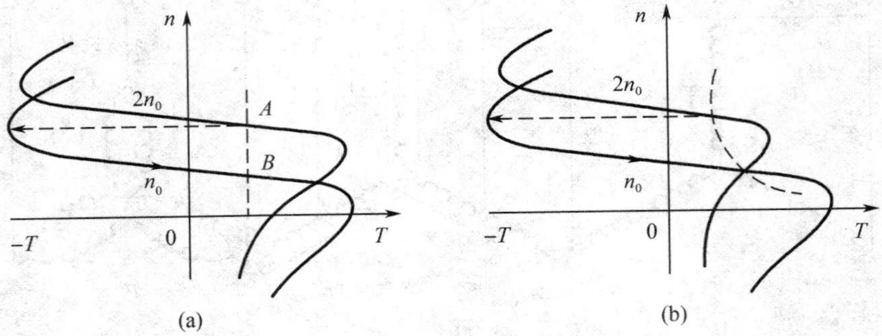

图 1－3　异步电动机变极调速的机械特性

(a) Y 连接改成 YY 连接；(b) Δ 连接改成 YY 连接

2. 变频调速

(1) 恒磁通变频调速

由异步电动机的转速定义式 $n=\frac{60f_0}{p_n}(1-s)$ 可知，异步电动机的转速与定子磁场同步转速成正比。f_0 改变了，n 会随之改变。但要注意的是，交流电动机定子磁场与转子磁场耦合性很强，单单调整定子并不能得到很好的调速特性，这点可以从异步电动机的电势方程得到。例如，单纯地改变频率而不相应地改变定子电压，当频率低于额定值很多时，电动机将剧烈发热，不能正常运行。因此，对于变频调速系统，在改变频率的同时还要控制定子的反电动势。原因如下：若异步电动机定子供电电源电压一定时，异步电动机的电势方程为

$$E_s = 4.44 f_0 N_s K_{w1} \Phi_m \tag{1-8}$$

式中　N_s——定子绕组每项串联匝数；

K_{w1}——基波绕组系数；

Φ_m——每项气隙磁通。

如果忽略定子压降，则式(1－8)可写成

$$U_s \approx E_s = 4.44 f_0 N_s K_{w1} \Phi_m \tag{1-9}$$

若异步电动机供电电源电压一定时，则磁通 Φ_m 随频率 f_0 的变化而变化。一般在电动机设计中，为了充分利用铁芯材料，都把磁通的数值选在接近磁饱和的数值上。因为，如果频率 f_0 从额定值(通常为 50 Hz)往下降低，磁通会增加，造成磁路过饱和、励磁电流大大增加。这将使电动机带负载能力降低，功率因数降低，铁损增加，电动机过热，因此这是不允许的。反之，如果频率升高，磁通减少，在一定的负载下有过电压(流)的危险，这也是不允许的。为此通常要求磁通保持恒定，即

$$\Phi_m = \text{const} \tag{1-10}$$

根据式式(1－8)、式(1－9)可知，为了保持 Φ_m 恒定，必须保持定子电压和频率的比值不变，即

$$\frac{E_s}{f_0} \approx \frac{U_s}{f_0} = \text{const} \tag{1-11}$$

式(1－11)是恒磁通变频原则所要遵循的协调控制条件。

根据异步电动机的转矩物理表达式

$$T_a = C_M \Phi_m I_r \cos\varphi_2 \tag{1-12}$$

式中 C_M——转矩常数；

I_r——转子电流；

φ_2——转子功率因数角。

当有功电流额定，Φ_m 为常数时，电动机的输出转矩也恒定，因而这种按比例的协调控制方式属于恒转矩调速性质。

这种状态的机械特性方程可由图1－4异步电动机的稳态等效电路得到，转子电流I'_r为

$$I'_r = \frac{U_s}{\sqrt{(r_s + c_s \frac{r'_r}{s})^2 + (x_s + c_s x'_r)^2}} \tag{1-13}$$

式中 $c_s = 1 + x_1/x_m \approx 1$；

x_m——与气隙主磁通相对应的定子每相绕组励磁电抗；

x_s——定子绕组每相漏抗；

r_s——定子绕组每相电阻。

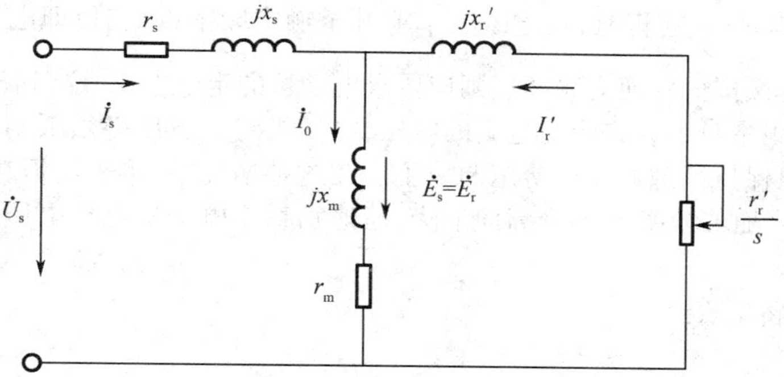

图1－4　异步电动机的稳态等效电路

电磁转矩

$$T = \frac{P_M}{\Omega_s} = \frac{m_s p_n}{2\pi}(\frac{U_s}{f_0})^2 \frac{f_0 r'_r/s}{(r_s + \frac{r'_r}{s})^2 + (x_s + x'_r)^2} \tag{1-14}$$

式中 m_s——定子相数。

式(1－14)即为保持 U_s/f_0 恒定的机械特性方程式。令 $dT/ds = 0$，可以求得产生最大转矩时的转差率

$$s_m = \frac{r'_r}{\sqrt{r_s^2 + (x_s + x'_r)^2}} \tag{1-15}$$

相应的最大转矩

$$T_m = \frac{m_s p_n}{8\pi^2}(\frac{U_s}{f_0})^2 \frac{1}{\frac{r_s}{2\pi f_0} + \sqrt{(\frac{r_s}{2\pi f_0})^2 + (L_{s\sigma} + L'_{r\sigma})^2}} \tag{1-16}$$

式中　$L_{s\sigma}$——定子每相漏感。

可见，保持 U_s/f_s 恒定进行变频调速时，最大转矩将随 f_0 的降低而降低。此时直线部分的斜率仍不变，机械特性如图 1－5 实线所示。

由 U_s 代替理想条件下的反电动势 E_s，使控制易于实现，但也带来误差。由图 1－4 的等效电路可知，U_s 扣除定子漏阻抗压降之后的部分即由感应电动势 E_s 所平衡。显然，被忽略掉的定子漏阻抗压降在 U_s 中所占比例的大小决定了它的影响的大小。当频率 f_0 的数值相对较高时，由式(1－16)可知，此时 E_s 数值较大，定子漏阻抗压降在 U_s 中所占比例较小，认为 $U_s \approx E_s$ 不致引起太大的误差；当频率相对较低时，E_s 数值变小，U_s 也变小，此时定子漏阻抗压降在 U_s 中所占比例增大，已经不能满足 $U_s \approx E_s$，此时若仍以 U_s/f_0 恒定代替 E_s/f_0 恒定，则会带来较大误差。为此，可在低频段提高定子电压 U_s，目的是补偿定子漏阻抗压降，近似地维持 E_s/f_0 恒定。补偿后的机械特性，如图 1－5 虚线所示。

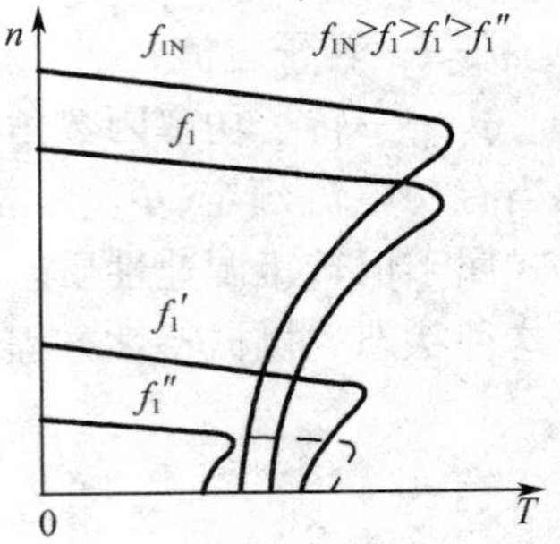

图 1－5　保持 U_s/f_0 恒定时变频调速的机械特性

(2)恒功率变频调速

电动机以$\dfrac{U_s}{f_0}=\text{const}$ 运行时，当定子频率上升至额定频率以上时，即电动机在额定转速以上运行时，如继续按恒磁通变频调速则应要求电动机的定子电压升高到额定电压以上，但是由于电动机绕组本身不允许耐受过高的电压，电动机定子电压必须限制在一定允许范围内，由此就不能再保持恒磁通或恒转矩调速了。在这种情况下，可采用恒功率变频调速，此时气隙磁通 Φ_m 将随着频率 f_0 的升高而下降，与他励直流电动机电枢电压一定减弱磁通的调速方法类似。

异步电动机转矩表达式：

$$T = \frac{m_s p_n U_s^2 \dfrac{r_r'}{s}}{2\pi f_0\left[\left(r_s + \dfrac{r_r'}{s}\right)^2 + (x_s + x_r')^2\right]} \tag{1-17}$$

令 $\mathrm{d}T/\mathrm{d}s=0$，即可求出产生最大转矩时的转差率

$$s_m = \frac{r_r'}{\sqrt{r_s^2 + (x_s + x_r')^2}} \tag{1-18}$$

相应最大转矩为

$$T_m = \frac{m_s p_n U_s^2}{4\pi} \frac{1}{f_0\left[r_s + \sqrt{r_s^2 + 4\pi^2 f_0^2 (L_{s\sigma} + L_{r\sigma}')^2}\right]} \tag{1-19}$$

可见，保持电压为额定值进行变频调速时，最大转矩将随 f_0 的升高而减小。

当 s 很小时，有 $r_r'/s \gg r_s$ 及 $r_r'/s \gg (x_s + x_r')$，式(1－17)可简化为

$$T \approx \frac{m_s p_n U_s^2}{2\pi} \frac{s}{f_0 r_r'} \propto s \tag{1-20}$$

此时近似为一条直线，在此直线上，有

$$s = \frac{2\pi f_0 r_r' T}{m_s p_n U_s^2} \tag{1-21}$$

带负载后的转速降为

$$\Delta n = sn_s = \frac{60f_0}{p_n}s = \frac{120\pi r_r' T}{m_s p_n^2 U_s^2} f_0^2 \tag{1-22}$$

上式说明，保持 U_s 为额定电压进行变频调速时，对应于同一转矩 T，转速降 Δn 随 f_1 的增加而平方倍增加，频率越高，转速降越大，即直线部分的硬度随 f_0 增加而迅速降低。机械特性如图1－6所示。

由式(1－20)可知，当保持电压为额定值且 s 变化范围不大时，如果频率 f_0 增加，则转矩 T 减小，而同步机械角速度 $\Omega_s = 2\pi f_0 / p_n$ 将随频率升高而增大，即随着频率升高，转矩减小，而转速增大。$P_M = T_e \Omega_s$ 可近似看作恒功率调速。

以上两种情况下定子电压和气隙磁通与 f_0 的关系如图 1－7 所示。

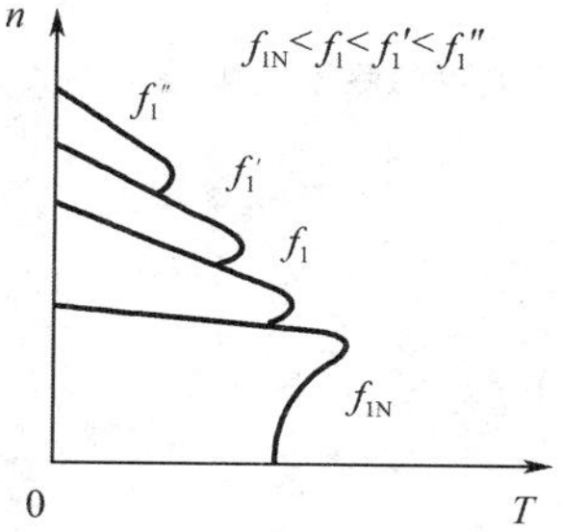

图 1－6 保持电压 U_s 为额定电压时变频调速的机械特性

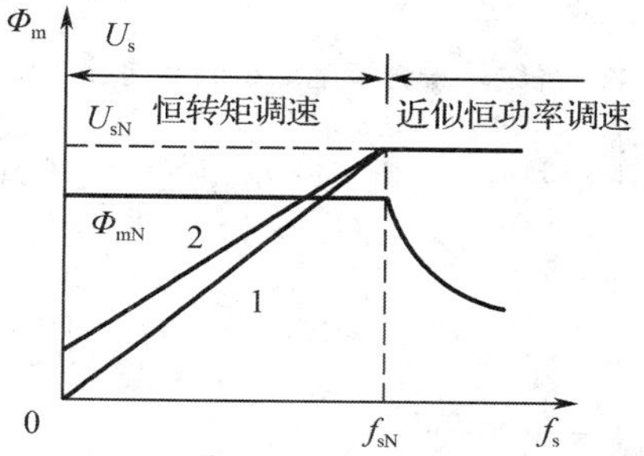

图 1－7 异步电动机变频调速的控制特性

1—不含定子压降补偿；2— 含定子压降补偿

除上述两种状态外，异步电动机变频调速系统还可采用恒流变频调速，即 $I_s = \text{const}$（变频电源属于恒流源）。当电流设定值给定后，通过电流调节器的闭环控制，可以保持异步电动机的定子电流不变。恒流调速方式与恒磁通变频调速方式的机械特性形状基本相同，却具有恒转矩特性，但其最大转矩比恒磁通变频时小，因而仅适用于小容量负载变化不大的地方。

3. 变转差率调速

由式(1－2)可知，保持同步转速不变，改变转差率可以改变电动机转速。变转差率调速根据转差功率处理方式又分为转差功率消耗型和转差功率回馈型。转差功率消耗型是指转差功率全部消耗掉，故此种调速方式效率低不经济。转差功率消耗型调速又分为绕线转子串电阻调速、定子调压调速和电磁转差离合器调速；转差功率回馈型指转差功率能回馈到电网，故效率高于消耗型。

(1) 转子电路串电阻

图1－8 中，转子电路串电阻 R 后，使转子电流 I_r' 减小引起转矩 T($T = C_M \Phi_m I_r' \cos\varphi_2$)减小，$T < T_{负}$ 时电动机减速，转差率 s 将增加到 s_s，引起 I_r 增加，直到 $T = T_{负}$ 时电动机达到新的平衡状态，电动机以对应于 s_s 的转速带负载稳定运行。

转子电路串联电阻 R_{Ω_1} 及 R_{Ω_2} 时机械特性如图 1－9 所示，串入调速电阻 R_{Ω_1}，转子回路总电阻变为 $r_r + R_{\Omega_1}$，机械特性由固有特性 1 变为人为特性 2，对于同样的 ΔT，由于曲线的斜率不同，$\Delta n_1 < \Delta n_2 < \Delta n_3$，转子电路串联电阻数值愈大，人为机械特性愈软。

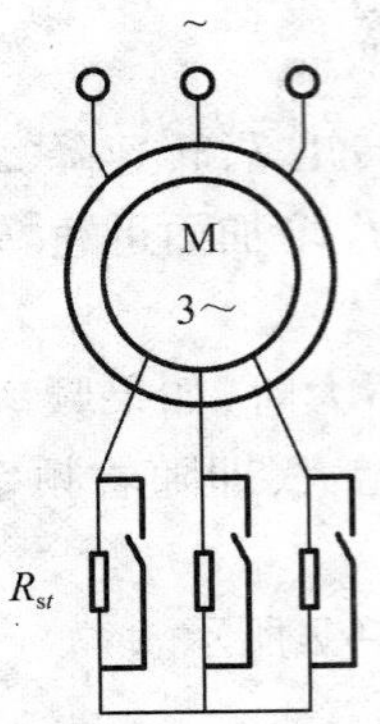

图 1-8　绕线转子异步电动机转子电路串联电阻

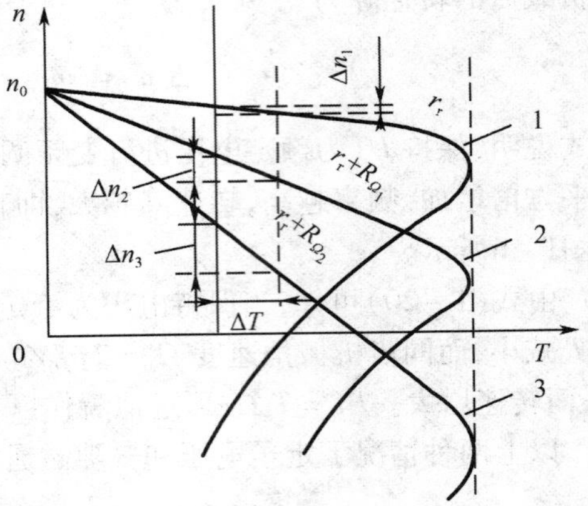

图1-9　转子电路串联不同电阻时的人为机械特性

由于 $T = C_M\Phi I'_r\cos\varphi_r$，在额定电压时，磁通 $\Phi = \Phi_N$ = 定值，调速时 $I_r = I_{rN}$，则

$$I_r = I_{rN} = \frac{E_r}{\sqrt{\left(\frac{r_r}{s_N}\right)^2 + X_r^2}} = \frac{E_r}{\sqrt{\left(\frac{r_r + R_\Omega}{s_s}\right)^2 + X_r^2}} = \text{定值} \tag{1-23}$$

由式(1-23)可见

$$\frac{r_r}{s_N} = \frac{r_r + R_\Omega}{s_s} \tag{1-24}$$

串联电阻 R_Ω后，转差率由 s_N增加到 s_s，转子电路的功率因数为

$$\cos\varphi_2 = \frac{\frac{r_r + R_\Omega}{s_s}}{\sqrt{\left(\frac{r_r + R_\Omega}{s_s}\right)^2 + X_r^2}} \tag{1-25}$$

将式(1-24)代入式(1-25)，得

$$\cos\varphi_2 = \frac{(r_r + R_\Omega)/s_s}{\sqrt{\left(\frac{r_r + R_\Omega}{s_s}\right)^2 + X_r^2}} = \frac{r_r/s_N}{\sqrt{\left(\frac{r_r}{s_N}\right)^2 + X_r^2}} = \cos\varphi_{2N} = \text{定值} \tag{1-26}$$

这样，转矩 T 为

$$T = C_M\Phi I'_{rN}\cos\varphi_{2N} = T_N \tag{1-27}$$

可见，转子串联电阻为恒转矩调速方法。

这种调速方法转速越低，即转差率 s 越大，则需要串入的调速电阻越大，转子回路损耗的转差功率增高，分析如下

$$\Delta P_r = sP_T = 3I_r^2(r_r + R_\Omega) \tag{1-28}$$

如忽略机械损耗，则输出功率为

$$P_r = P_T(1 - s) \tag{1-29}$$

调速时转子电路的效率为

$$\eta = \frac{P_r}{P_r + \Delta P_r} = \frac{P_T(1 - s)}{P_T(1 - s) + sP_T} = 1 - s \tag{1-30}$$

由式(1-30)可见，效率 η 随 s 增高而下降，故经济性不高，因调节电路电流较大，所以调速级数少，平滑性不好。由于其方法简单、初期投资不大，多用于起重机、轧钢机等设备。

(2) 定子调压调速

改变异步电动机定子端电压时机械特性如图1-10所示，图中 $U_s > U_s' > U_s''$。由图可见，当负载转矩为某一固定值 T_N 时，如定子电压由 U_s 减到 U_s''，转速将由 n_1 降到 n_3，因转速低于 n_{min} 的机械特性部分对恒转矩负载不能稳定运转，因此不能用以调速，调速范围很小(仅为 n_0 到 n_{min} 的转速区段)。负载为通风机时，如图中特性 T_Z，其在 n_{min} 以下也能稳定运行，调速范围扩大了。

为了扩大恒转矩负载时调速范围，应该设法增大异步电动机转子电阻(如绕线转子异步电动机或高转差率笼型异步电动机)，而改变定子电压可得较宽的调速范围，如图1-11所示。由图可见，调速范围扩大了，但机械特性变得很软，其静差率常不能满足生产机械的需要，而且低压时的过载能力较低，负载波动稍大，电动机有可能停转。

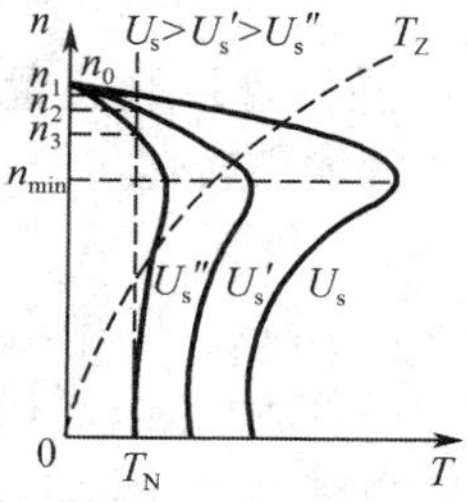

图1-10 改变异步电动机定子电压的人为机械特性

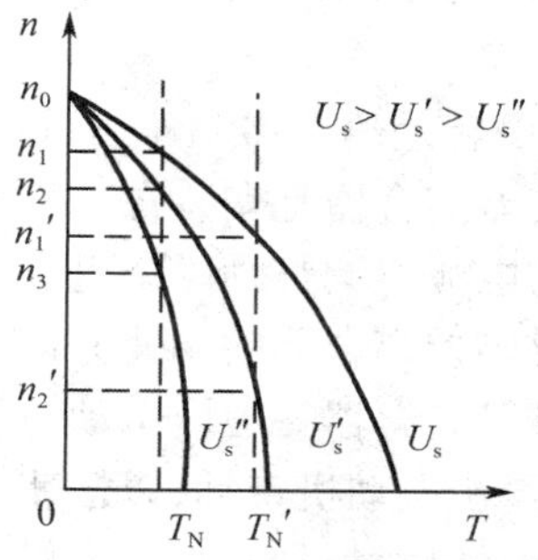

图1-11 转子电路电阻较高时改变定子电压的人为机械特性

为提高特性硬度，减小静差率，可采用闭环系统。带转速负反馈的闭环调压调速系统框图如图1-12所示。控制信号 U_{ct} 为给定信号 U_g 与来自测速反馈信号 U_f 之差，再经速度调节器产生。机械特性由图1-11所示，当 U_x 为 U_s' 时，对应于额定负载 T_N 时转速为 n_2，当负载增加至 T_N' 后，在开环系统中转速将沿着对应于 U_s' 机械特性曲线下降到 n_2'，速度下降很大。在图1-12所示闭环系统中，负载增加引起转速下降，正比于转速的 U_f 也将减小，ΔU 增大，使输出升高，电动机将产生较大转矩与负载平衡。如负载增至 T_N'，U_x 增至 U_s，则转速仅降为 n_1'，闭环系统中的机械特性显著提高了。

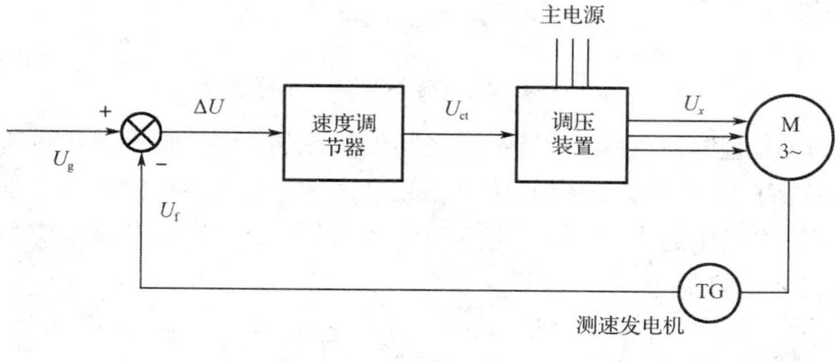

图1-12 闭环调压调速系统框图

在闭环系统中，需要进行转速调节时，只改变速度给定信号可得到一些基于平行的特性族，如图1－13所示。

现分析这种调速方法下电动机的输出转矩的变化。由于转矩 $T \propto 3I_r'^2 R_r'/s$，为使调速时电动机能充分利用，应使 $I_r = I_{rN}' =$ 恒值，则 $T \propto \frac{1}{s}$，由此可知输出转矩 T 随转速降低（s 增加）而降低，可见这种调速方法既不是恒转矩又不是恒功率的调速方法。可用于通风机类负载。

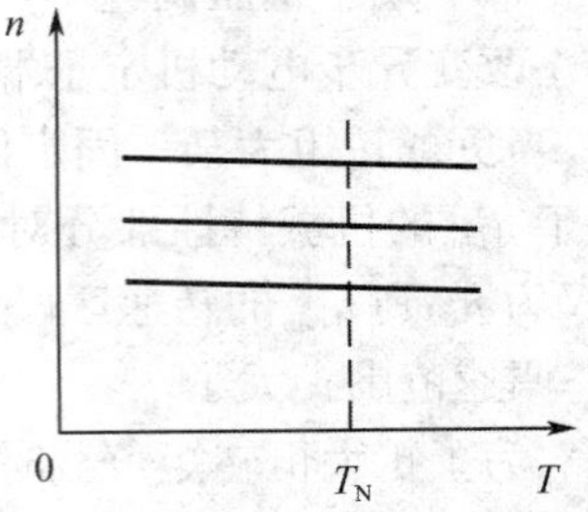

图1－13 异步电动机改变定子电压的闭环系统特性

改变定子电压调速方法的缺点是调速时效率较低，功率因数比转子串联电阻调速系统更低。由于低速时转子电路的消耗功率很大，引起的电动机发热严重，因此，改变定子电压调速方法一般适用于高转差笼型异步电动机。用于普通的笼型异步电动机须在低速时欠载运行或短时工作，或采用其他冷却方法改善电动机的发热情况。

（3）电磁转差离合器调速

电磁转差离合器是安装在异步电动机轴上的调速装置，由晶闸管控制装置控制离合器励磁绕组的电流。调整励磁绕组的电流大小，就可调节离合器的输出转速。

①电磁转差离合器的调速原理

电磁转差离合器一般由主动与从动两部分组成，如图1－14所示。图中电枢为主动部分，由笼型异步电动机带动，以恒速旋转，由铁磁材料制成的圆筒称为电枢；磁极又称为从动部分，也是由铁磁材料制成，在磁极上装有励磁绕组，被拖动的负载接在磁极上，绕组的引线接于集电环上，通过电刷与直流电源接通，绕组内流过的励磁电流由直流电源供给。电枢与磁极之间的气隙一般很小。

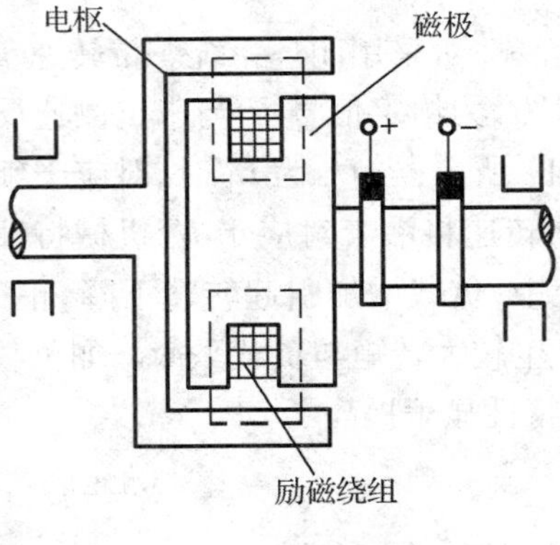

图1－14 电磁转差离合器示意图

当绕组内有电流通过时，在电枢与磁极之间便有磁通相连，如图中虚线所示。当异步电动机带动电枢旋转时，电枢便以相应的转速在磁极所建立的磁场内旋转，于是电枢的各点上磁通处在不断重复的变化之中，根据电磁感应定律可知，电枢上将出现感应电动势。当磁极也旋转时，此感应电动势为

$$E = BlR(\Omega_s - \Omega_r) \tag{1-31}$$

式中　B——气隙磁感应强度；

l——电枢的有效长度；

R——电枢的有效半径；

Ω_1——电枢旋转的角速度，rad · s^{-1}；

Ω_2——磁极旋转的角速度，rad · s^{-1}。

在此感应电动势的作用下，电枢内将形成涡流，涡流与磁极磁场相互作用力为

$$F = BlI \tag{1-32}$$

式中 I——涡流，表达式为

$$I = \frac{E}{Z} = \frac{BlR}{Z}(\Omega_1 - \Omega_2) \tag{1-33}$$

式中 Z——一个极 F 的等效阻抗。

离合器输出的电磁转矩为

$$T = FR = 2P_n \frac{B^2 l^2 R^2}{Z}(\Omega_s - \Omega_r) \tag{1-34}$$

此转矩是磁极拖动负载沿电枢的旋转方向旋转。平滑地调节电磁转差离合器的励磁电流，即可实现离合器输出的无级调速。显然，从动部分与主动部分必须保持一定的转差，否则电枢与磁极之间没有相对运动，不会产生感应电动势，也就没有输出转矩。

②电磁转差离合器的调速性能

电磁转差离合器改变励磁电流时的机械特性如图 1－15 所示。它表示离合器从动部分转速 n_1 与其电磁转矩 T 关系，可近似地用下列经验公式表示，即

$$n_r = n_s - K\frac{T^2}{I_B^4}T \tag{1-35}$$

式中 n_s——离合器主动部分的转速；

n_r——离合器从动部分的转速 ；

T——离合器转矩；

I_B——励磁电流；

K——与离合器类型有关的系数。

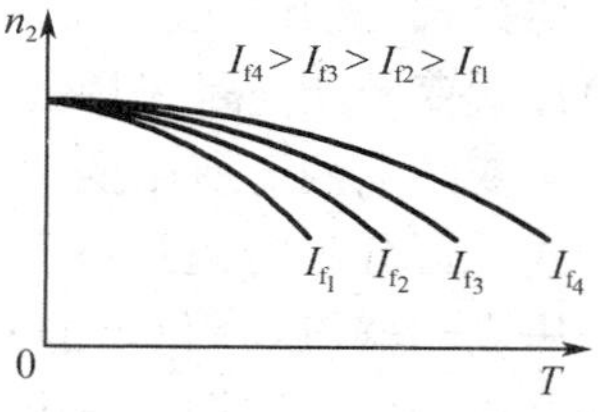

图 1－15 电磁转差率离合器的机械特性

由图可知励磁电流愈小，特性愈软。要得到较大的调速范围，提高调速的平滑性，需采用闭环系统。

电磁转差离合器调速时消耗了全部转差功率，使电枢发热，引起离合器温度升高。转差越大（转速越低），离合器的效率越低。显然，离合器的这种发热限制了离合调速时的容许输出，为使离合器既能充分利用又不过热，其消耗的转差功率应有个最大限度。设 P_s 为主动轴输入功率，则

$$P_s = \frac{T_s n_s}{9\,550} \tag{1-36}$$

P_2 为从动轴输出功率，则

$$P_2 = \frac{T_2 n_2}{9\,550} \tag{1-37}$$

设 $T_1 = T_2 = T$ 得

$$\Delta P = \frac{T(n_1 - n_2)}{9\,550} \tag{1-38}$$

离合器输出转矩为

$$T = T_2 = \frac{9\,550\Delta P}{n_1 - n_2} \tag{1-39}$$

由式(1－39)可见,当转差功率 ΔP 一定时,允许输出转矩随转速的降低而降低,这种调速既非恒转矩,也非恒功率调速。比较适合于通风机型负载,如用于恒转矩负载,低速时必须欠载运行,或短期运行,或强制通风冷却。

电磁转差离合器调速由于结构简单、运行可靠、维护方便,而且加工容易、能够平滑调速,在低速运行时间不长的生产机械中(如纺织、印染、造纸等工业部门)得到比较广泛的应用。其缺点是必须增加滑差离合器设备,调速时效率低。

1.2.2 同步电动机调速系统

同步电动机调速系统接入恒频电源,由于同步电动机的转速与电源频率保持严格的同步关系,因而其转速不可调。同步电动机的转速就是同步转速 $n_0\left(n_0 = \frac{60f_0}{p_n}\right)$。同步电动机转速恒定且功率因数可调,以前仅用于补偿电网功率因数及不调速的风机、水泵等设备上。随着电力电子器件和控制技术的发展,同步电动机同样可以进行变频调速。而且,由于定子旋转磁场转速的大小和方向可以调节,曾经困扰同步电动机的启动、振荡及失步问题也随之得到解决,扩大了同步电动机的应用范围。

同步电动机的转子旋转速度就是与定子旋转磁场同步的转速,转差角速度恒为0,没有转差功率,其变压变频调速自然属于转差功率不变的调速系统。就频率控制的方法而言,同步电动机变压变频调速系统可以分为他控式变频调速和自控式变频调速两大类。

1. 他控式变频调速

他控式变频调速是采用独立的变频器(即输出频率由外部振荡器控制)作为同步电动机的变压变频电源。所用变频器和变频调速的基本原理以及方法都和异步电动机变频调速基本相同。可分为转速开环恒压频比控制的同步电动机调速系统、交－直－交电流型负载换相变压变频器(LCI)供电的同步电动机调速系统、交－交变压变频器供电的大功率低速同步电动机调速系统和同步电动机矢量控制系统。其中同步电动机矢量控制系统将在第5章作详细介绍。对于同步电动机,定子上有三相绕组,转子上有直流励磁,转子本身以同步转速旋转,因此还需要考虑励磁系统、阻尼绕组以及凸极式同步电动机气隙磁阻的不均匀性等。

2. 自控式变频调速(无换向器电动机)

自控式变频调速是由电动机轴上所带的转子位置检测器发出信号来控制逆变器的触发换相,即采用输出频率由电动机转子位置来控制的变压变频电源为同步电动机供电,这样就从内部结构和原理上保证了频率与转速必然同步,构成了“自控式”。

自控式变频同步电动机又称为无换向器电动机。这是因为静止变频器取代了直流电动机的机械式换向器,转子位置检测器代替了电刷,由逆变器供电的具有转子位置检测器的三相同步电动机相当于只有三个换向片的直流电动机,具有类似于直流电动机的调速特性。

自控式变频调速系统又可分为梯形波永磁同步电动机的自控变频调速系统和正弦波永磁同步电动机的自控变频调速系统。这里不详细介绍,可参考相关文献。

1.3 交流调速技术的特点及发展趋势

1.3.1 交流调速技术的特点

在变频调速出现之前，直流电动机一直占据着统治地位，当时的交流调速只限于异步电动机（即感应电动机）的变极、变压、转子回路串电阻等有极调速方式，根本无法与直流调速竞争。交流调速系统唯一的优势是交流电动机本身的优点，即结构坚固，无电刷、维修方便、质量轻、价格低等。随着变频调速的出现，特别是矢量控制、直接转矩控制等现代电动机控制理论的产生及电力电子器件的发展，使得交流调速技术的效果大大提高，已经接近直流调速系统的性能，在绝大多数领域里交流调速会代替直流调速。

交流调速系统与直流调速系统相比较，主要具有如下特点。

（1）交流电动机具有更大的单机容量。

（2）交流电动机的运行转速高且耐高压能力强。

（3）交流电动机的体积、质量均小于、价格低于同容量的直流电动机；直流电动机的主要劣势在其机械换向部分。相比而言，交流电动机构造简单、坚固耐用、经济可靠、转动惯量小。

（4）交流电动机特别是鼠笼型异步电动机的环境适应性广。

（5）调速装置方面，计算机技术、电力电子器件技术的发展，新控制算法的应用，使交流电动机调速装置反应速度快、精度高且可靠性高，达到与直流电动机调速系统相近的性能指标。

1.3.2 交流调速技术的发展趋势

现代交流调速技术中电力电子技术的应用主要受到以下几方面的限制：

（1）电力电子器件的性能；

（2）电力电子技术的控制策略和控制手段；

（3）电力变换器的结构；

（4）电力电子器件的价格。

现代交流调速技术发展的趋势如下。

（1）电力电子器件与材料的更新

全控型器件向高压、大电流方向发展。在提高现有的电力电子开关器件的同时，人们不断研究新型大容量的电力电子器件，如：将 IGBT 的电压等级提高到 3 300 ~ 6 000 V；从 GTO 到 IGCT（Integrated Gate-commutated Thyristor）——集成门极换流晶闸管；从 IGBT 到 IEGT（Injection Enhanced Gate Transistor）——注入增强栅晶体管等。

①降低 MOSFET 的通态电阻，提高电压

在对 MOSFET 器件改进中已取得或正在研究的方向：

A　Cool MOS —— 通态电阻只有常规 MOS 管的 1/10 左右，工作电压可以提高到 1 200 V；

B　超低通态电阻 MOSFET——可用于新型汽车电源（36 ~ 42V）和计算机电源（1 V，甚至更低），工作电流可达 100 A；

C　超高频 MOSFET——工作频率达到几百 MHz,甚至几 GHz,进入微波频段,使超高频设备实现全固态化。

②研制集成电力电子模块(Integrated Power Electronic Module 简称 IPEM)

内含功率器件、各种集成芯片、传感器、磁芯元件等完整的电力电子系统,无引线或用无感功率母线连接,采用标准模块封装技术,提供功率传输接口和数据通信接口。

实现标准化、模块化、集成化、高可靠性、高效率、高功率密度、低成本、低污染、可编程。

③采用新型半导体材料——碳化硅(SiC)

碳化硅是一种新型的高温半导体材料,主要特性有:禁带宽,工作温度可达 600 ℃;PN 结耐压可达 5 000 ~ 10 000 kV;导通电阻比硅器件小得多;导热性比硅好;漏电流特别小。

现在碳化硅高压二极管、MOSFET 均已问世,预计不久的将来耐压上万伏的大功率碳化硅器件会在市场上出现。

(2)交流调速技术的控制策略和控制手段研究

在以矢量控制和直接转矩控制技术为中心的控制理论不断完善的研究中,又开辟了如下几方面的研究内容:

①应用非线性控制理论的控制系统中的非线性系统反馈线性化解耦控制和基于无源性能量成型非线性控制;

②自适应控制和滑模变结构控制;

③智能控制——模糊控制,神经网络控制;

④单神经元自适应 PID 控制系统;

⑤无速度传感器控制系统。

(3)交流调速系统电路结构的研究

交流调速系统较多采用交 - 直 - 交变换器,其技术已经非常成熟。但由于目前元器件的开关频率不高,限制了其进一步提高开关频率的发展。而且交 - 直 - 交由输入到输出为两级,使得由输入到输出的输出效率一直不高。近年来人们又把研究兴趣放在软开关谐振电路那种能提高效率的交 - 交变换器及矩阵式变换器上,矩阵式变换器是一种可供选择的交 - 交变频器结构,其输出频率可提高到 45 000 Hz 以上。

1.4　交流调速技术的主要应用领域

目前,交流调速技术已遍及国民经济各部门的传动领域。原来不适合直流调速应用的特大容量、极高转速和恶劣的环境中,现在已由交流调速系统发挥了作用;原来使用交流传动但不调速的领域,通过采用交流调速传动,大大节约了能源。

冶金机械　主要用于轧钢机主传动和高炉热风炉鼓风机等。众所周知,轧钢机主传动是高性能电气传动系统,有的要求大容量、低转速、过载能力强,有的要求速度控制精度高等,过去一直是直流调速独领风骚,现在正为交 - 交变频调速所取代。有色冶金行业(如冶炼厂)对回转炉、焙烧炉、球磨机、给料机等进行变频无级调速控制。

电气牵引　主要用于电气机车、电动汽车等。电动汽车无须消耗汽油,更不排放废气,噪声又小,目前世界各国竞相开发,美国加利福尼亚州从 1998 年开始强制性地将 2% 的燃油汽车改为电动汽车。

数控机床　主轴传动、进给传动均采用交流传动，主轴传动要求调速范围宽、静差率小；伺服进给系统要求输出转矩大、动态响应好、定位精度高，都正在用异步电动机或同步电动机取代直流电动机。

矿井提升机械　为保证在较高速度下的安全运行，要求具备优良的调速性能和位置控制以获得平稳、安全的制动运行，消除失控现象，提高可靠性。

油田　利用变频器拖动输油泵控制输油管线输油。此外，在炼油行业变频器还被应用于锅炉引风、送风、输煤等控制系统。

船舶动力装置　传统的柴油机直接推进＋柴油发电机组的常规动力装置已广泛应用，电力推进系统具有布置方便，工作噪声低、节能、操纵灵活、易于实现自动控制等优点，它的使用范围已由水下工程船舶扩大到水面舰船，并有逐步取代直接推进之势。在十几年的时间里，船舶电力推进系统的调速技术也取得了日新月异的进步，这对船舶电力推进的发展无疑起到了巨大的推进作用。

建材、陶瓷行业　如水泥厂的回转窑、给料机、风机均可采用交流无级变速。

机械行业　是企业最多、分布最广的基础行业。从电线电缆的制造到数控机床的制造，电线电缆的拉制需要大量的交流调速系统。一台数控机床上就需要多台交流调速甚至精确定位传动系统，主轴一般采用变频器调速（只调节转速）或交流伺服主轴系统（既无级变速又使刀具准确定位停止），各伺服轴均使用交流伺服系统，各轴联动完成指定坐标位置移动。

除了上述领域外交流电动机还在如下领域有典型应用，这些应用包括水泵、压缩机、变速风能系统、风机、舰载变速恒频（VSCF）系统、造纸、纺织、食品、饮料、包装生产线、供水企业、高层建筑的恒压供水、机器人、家用电器、空调器、电梯和风力发电系统等。

第2章　交－直－交变频调速系统

2.1　交－直－交变频调速系统的基本电路

交－直－交变频调速系统主要包含交－直－交变频器、控制对象（交流电动机）和用于反馈的各种传感器等三部分，其中交－直－交变频器的电源输入端接到三相交流电源上。交－直－交变频器的优劣决定了交－直－交变频调速系统控制效果的优劣。交流调速系统的交流输出绝大多数是交－交变换得来的，由于交－交变换包含交流变频、调压两部分，所以交－交变换器又常称为变频器。目前，交－交变换又分为间接交－交变频器和直接交－交变频器，间接交－交变换器指交－直－交变频器，直接交－交变频器又称为交－交变频器，交－交变频器将在第3章讨论，按输出电源性质不同交－直－交变频调速系统又分为交－直－交电压型变频器和交－直－交电流型变频器。本章主要讨论交－直－交变频器的相关内容。

2.1.1　交－直－交电压型变频器

交－直－交电压型变频器既可以为单台交流电源提供变压、变频电源，又可以为多台容量相近的交流电动机同时供电，实现多级、多机同步运行或转速协调控制。交－直－交电压型变频器在技术上已较为成熟，实际应用十分广泛。

图2－1给出了典型的交－直－交电压型变频器主电路。其中桥Ⅰ是电源侧相控整流桥；桥Ⅱ是三相逆变器，其中反并联二极管又称为回馈二极管，是用于能量回馈的通路，中间直流回路的LC回路用于滤波和储能，L_d 电感量一般很小，C 的容值一般很大，称为直流侧储能环节。由于电容 C 的作用是使整流器的直流输出阻抗很小，因此电动机端电压波形为方波。由于电动机定子线圈的电感量很大，这个电压加在异步电动机的定子端，其电流为近似的正弦波。当电动机制动出现再生电能时，这部分能量经回馈二极管回馈到直流侧，存储在电容 C 中。整流桥中的电流不能反向流动，所以再生能量无法回馈到交流电网。当系统容量不大时，为防止电容 C 因储能而电压过高，可以在其两端并联一耗能电阻如图中 R_0，当电容电压升高到一定程度时触发功率开关 VT_0，将再生能量消耗于耗能电阻 R_0 上，这种系统称为能耗制动系统，当然这种办法是极不经济的，特别是当系统容量很大且长时间工作时，这部分能耗占整个系统能耗的很大一部分，这时可在电源侧反方向并联一套三相桥Ⅳ，当有再生电能需要向交流电网回馈时，使桥Ⅳ工作在有源逆变状态 $\alpha > 90°$，以回收这部分能量，提高运行的效率。

交－直－交电压型变频器的核心部分为逆变器。下面介绍交－直－交电压型变频器的逆变器部分。

1. 电压型逆变器的基本电路

三相电压型逆变器的基本电路如图2－2所示。

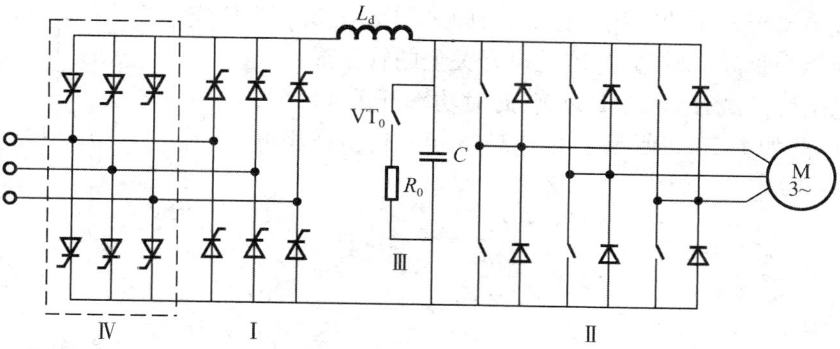

图 2－1 交－直－交电压型变频器主电路

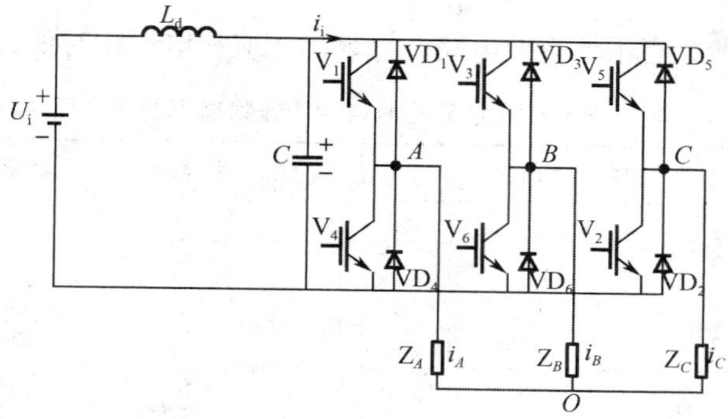

图 2－2 三相电压型逆变器的基本电路

图中，直流回路电感 L_d 起限流作用，电感量很小。大容量滤波电容器 C 使直流输出电压具有电压源特性，内阻很小。C 同时又是负载无功功率回馈时的储能元件。

三相逆变电路由 6 只具有单向导电性的功率开关组成 $V_1 \sim V_6$。每只功率开关反并联一只续流二极管，为负载的滞后电流提供反馈到电源的通路。6 只功率开关每隔 60°电角度触发导通一只，相邻两相的功率开关触发导通时间互差 120°，一个周期内共换相 6 次，对应 6 个不同的工作状态（又称 6 拍）。

现以 180°导电型为例，说明逆变器的输出电压波形。180°导电型的特点是，每只功率开关导通时间皆为 180°。当按 $V_1 \rightarrow V_6$ 的顺序导通时，每个工作状态下都有三只功率开关同时导通，其中每个桥臂上都有一只功率开关导通，形成三相负载同时通电。导通规律如表 2－1 所示。

表 2－1 180°导电型逆变器功率开关导通规律

工作状态	每种工作状态下被导通的功率开关					
状态 1（0°～60°）	V_1				V_5	V_6
状态 2（60°～120°）	V_1	V_2				V_6
状态 3（120°～180°）	V_1	V_2	V_3			
状态 4（180°～240°）		V_2	V_3	V_4		
状态 5（240°～300°）			V_3	V_4	V_5	
状态 6（300°～360°）				V_4	V_5	V_6

设负载为星形连接的三相对称负载，即 $Z_A=Z_B=Z_C=Z$ 假定逆变器的换相为瞬间完成，并忽略功率开关上的管压降。

对于电阻性负载，以状态 1 为例，此时功率开关 V_1, V_5, V_6 导通，其等效电路如图 2－3 所示。由图 2－3 可求得负载相电压

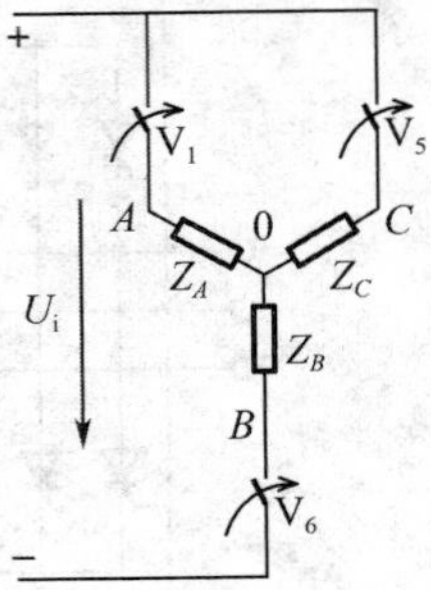

图 2－3　状态 1 的等效电路

$$u_{A0}=u_{C0}=U_d\frac{\dfrac{Z_AZ_C}{Z_A+Z_C}}{Z_B+\dfrac{Z_AZ_C}{Z_A+Z_C}}=\frac{1}{3}U_d$$

$$u_{B0}=-U_d\frac{Z_B}{Z_B+\dfrac{Z_AZ_C}{Z_A+Z_C}}=-\frac{2}{3}U_d$$

同理，可求得其他状态下的等效电路并计算出相应相电压瞬时值，如表 2－2 所示。

表 2－2　负载为 Y 接时各种工作状态下的相电压

相电压	状态 1	状态 2	状态 3	状态 4	状态 5	状态 6
u_{A0}	$\frac{1}{3}U_d$	$\frac{2}{3}U_d$	$\frac{1}{3}U_d$	$-\frac{1}{3}U_d$	$-\frac{2}{3}U_d$	$-\frac{1}{3}U_d$
u_{B0}	$-\frac{2}{3}U_d$	$-\frac{1}{3}U_d$	$\frac{1}{3}U_d$	$\frac{2}{3}U_d$	$\frac{1}{3}U_d$	$-\frac{1}{3}U_d$
u_{C0}	$\frac{1}{3}U_d$	$-\frac{1}{3}U_d$	$-\frac{2}{3}U_d$	$-\frac{1}{3}U_d$	$\frac{1}{3}U_d$	$\frac{2}{3}U_d$

负载相电压可按下式求得

$$u_{AB}=u_{A0}-u_{B0}$$
$$u_{BC}=u_{B0}-u_{C0}$$
$$u_{CA}=u_{C0}-u_{A0}$$

将上述各状态下对应的相电压、线电压画出，即可得到 180°导电型的三相电压型逆变器的输出电压波形，如图 2－4 所示。

由图 2－4 可见，逆变器输出为三相交流电压。各相之间互差 120°，三相对称，相电压为阶梯波，线电压为方波(矩形波)。输出电压的交变频率取决于逆变器开关元件的切换频率。

选择适当的坐标原点，对输出电压波形进行谐波分析，可以展开成如下的傅氏级数。相电压为

$$u_{A0}=\frac{2U_d}{\pi}\left(\sin\omega t+\frac{1}{5}\sin5\omega t+\frac{1}{7}\sin7\omega t+\cdots\right) \tag{2-1}$$

线电压为

$$u_{AB}=\frac{2\sqrt{3}U_d}{\pi}\left(\sin\omega t-\frac{1}{5}\sin5\omega t-\frac{1}{7}\sin7\omega t+\frac{1}{11}\sin11\omega t+\cdots\right) \tag{2-2}$$

线电压基波有效值 U_1 与直流电压 U_d 的关系为

$$U_1=\frac{\sqrt{6}}{\pi}U_d \tag{2-3}$$

上述傅氏级数表明，输出线电压和相电压中都存在着$(6k\pm1)$次谐波，特别是 5 次和 7 次谐

波，对负载电动机的运行十分不利。

对于电感性负载，设三相负载阻抗 $Z_A = Z_B = Z_C = R_A + j\omega L_A$ 对称，按照负载角 $\varphi = \arctan\omega L_A/R_A$ 的不同，逆变器的换流过程可以分成 $\varphi < \pi/3$ 和 $\varphi > \pi/3$ 两种情况，分别如图 2－5、图 2－6、图 2－7 和图 2－8 所示。

（1）当 $\varphi_L < \pi/3$ 时，设原导通的功率开关为 V_1，V_5，V_6，则各电流 i_A，i_B，i_C和 i_i 的实际方向如图 2－5 所示。某个时刻功率开关 V_5 截止，由于电流 i_C 不能突变，所以功率开关 V_1，V_2，V_6 导通，V_5 与 V_2间换流结束。因负载角 $\varphi_L < \pi/3$，故 VD_2续流，如图 2－6 所示。电流 i_C逐渐下降到零后反向增长，从而使 VD_2续流时间小于 $\pi/3$，续流时 i_i的方向不变。尽管电阻性负载和电感性负载时二极管 VD_2的工作状况不同，但逆变器的输出电压波形并未变化。

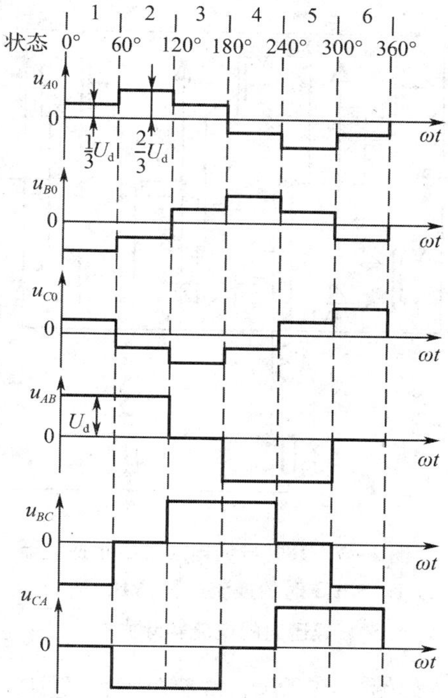

图 2－4　三相电压型逆变器的输出电压波形（180°导电型）

（2）当 $\varphi_L > \pi/3$ 时，设原导通的功率开关为 VD_1，V_6，V_5，则各电流 i_A，i_B，i_C和 i_i的实际方向如图 2－7 所示。当功率开关 V_5截止后，VD_2续流，如图 2－8 所示。VD_1和 VD_2同时续流，负载储能回馈到输入电源。当 VD_1 截止后，V_1 导通，电流 i_A 反向，出现 V_1，V_6，VD_2 导通状态。电感性负载时逆变器输出电压波形仍与对称电阻性负载时相同。

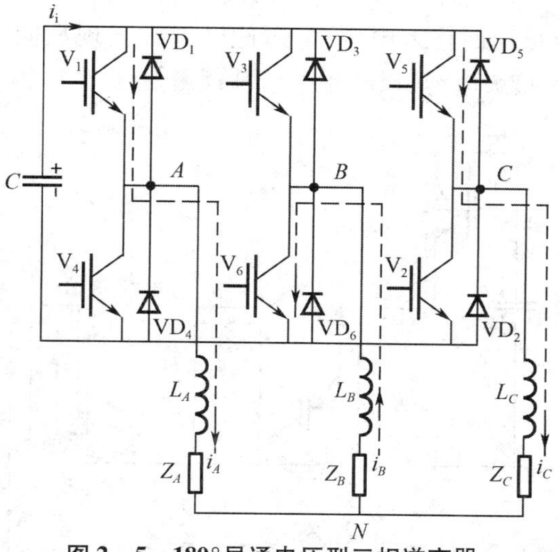

图 2－5　180°导通电压型三相逆变器 $\varphi_L < \pi/3$ 时的换流过程；V_1，V_6，V_5 导通时的电流实际方向

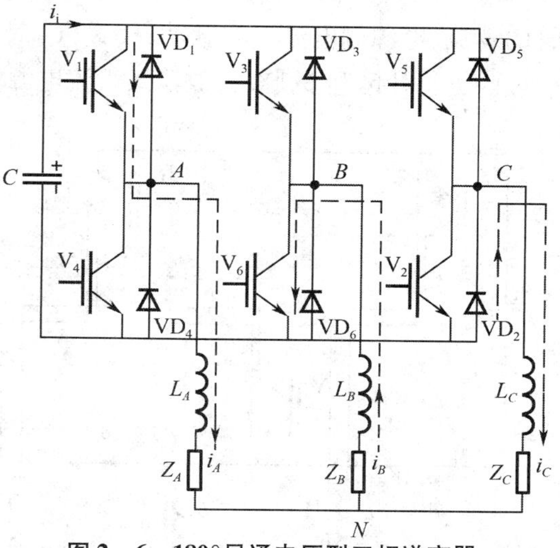

图 2－6　180°导通电压型三相逆变器 $\varphi_L < \pi/3$ 时的换流过程；V_1，V_6，VD_2 导通时的电流实际方向

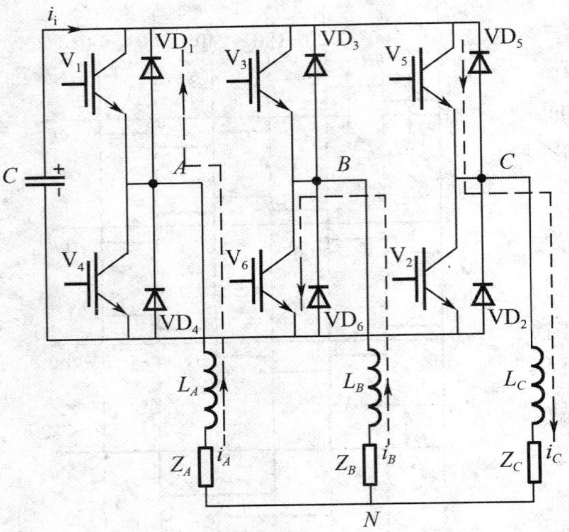

图 2-7　180°导通电压型三相逆变器 $\varphi_L > \pi/3$ 时的换流过程；VD_1，V_6，V_5 导通时的电流实际方向

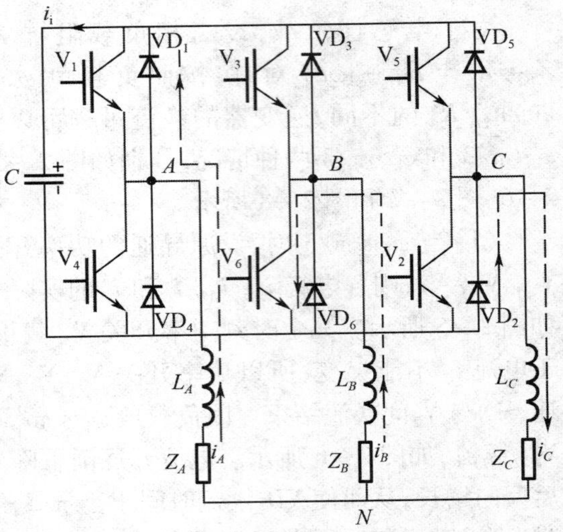

图 2-8　180°导通电压型三相逆变器 $\varphi_L > \pi/3$ 时的换流过程；VD_1，V_6，VD_2 导通时的电流实际方向

如图 2-9 所示，按照负载性质划分，180°导通电压型三相逆变器有四种工作模式：

(a)三个功率开关导通；

(b)两个功率开关、一个二极管导通；

(c)一个功率开关、两个二极管导通；

(d)两个或三个二极管导通。

阻性负载时只有(a)模式；$\varphi_L < \pi/3$ 的感性负载时有(a)(b)两种模式；$\varphi_L > \pi/3$ 的感性负载时有(b)(c)两种模式；电动机再生制动时，只有模式(d)。在模式(b)(c)时，由于二极管的续流，电源侧电流 i_i 有脉动；模式(c)时，能量返回输入电源，电源侧电流 i_i 出现反向。i_i 的脉动会引起 U_i 的脉动，故输入直流电源端要接大电容，以减小电压脉动量。

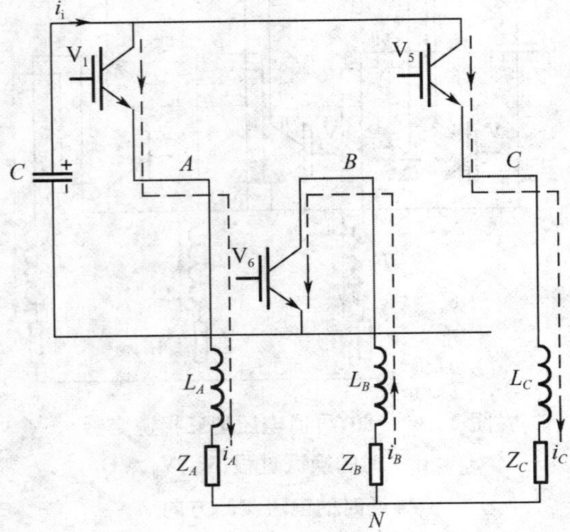

(a)

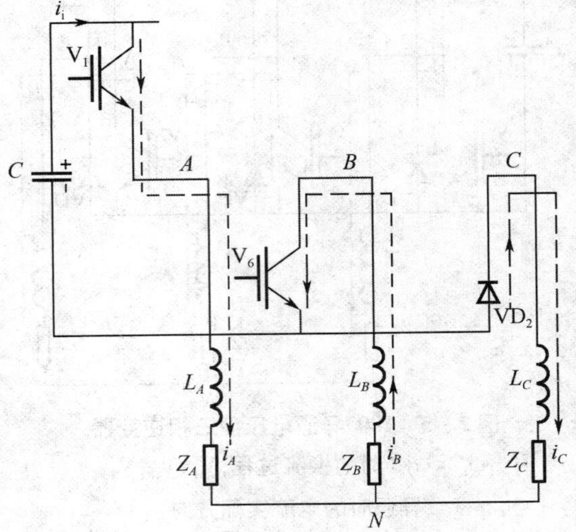

(b)

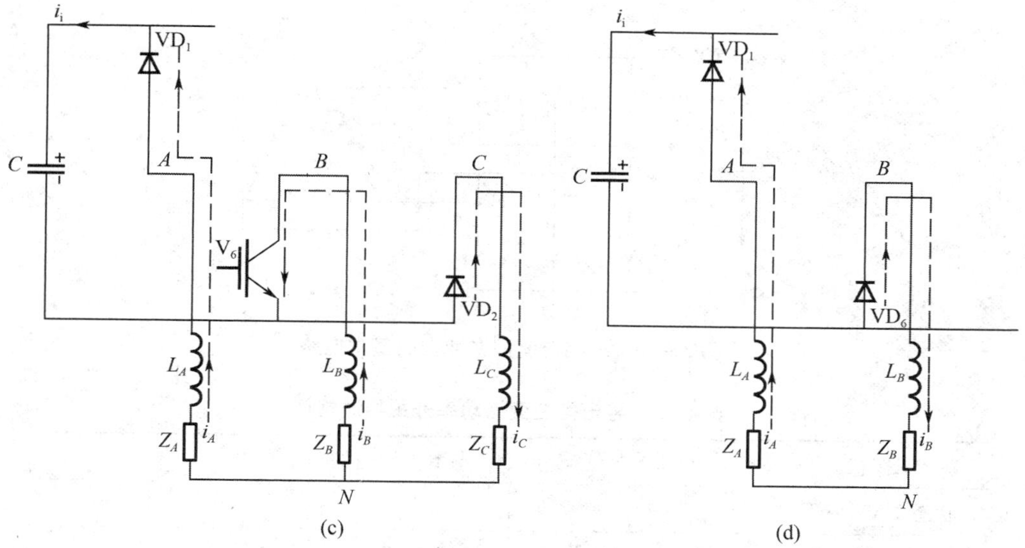

图 2-9 180°导通电压型三相逆变器不同负载性质时的工作模式

(a)三个功率开关导通;(b)两个功率开关导通、一个二极管续流;

(c)一个功率开关导通、两个二极管续流;(d)电动机再生制动

如果将电压型逆变器用于交-直-交变频调速系统,则其能量回馈电网必须采取附加措施。这是由于中间储能电容的电压极性不能改变,当负载电动机工作于回馈制动状态时,只能使直流侧的电流反向。因此,通常交-直-交变换部分采用双向功率流的整流器,增加了装置及其控制的复杂性;或者采用能耗的办法,将回馈的能量消耗在直流侧的能耗电阻上。所以,电压型变频器不适于频繁启动、制动、正反转的场合。

2.1.2 交-直-交电流型变频器

电压型变频器,由于再生制动时必须接入附加电路,增加了系统复杂性,电流型变频器可以弥补上述不足,交-直-交电流源型变频器中间直流环节采用大电感滤波,使逆变器提供的直流波形平直、脉动很小,具有电流源特性。同时大电感又起到缓冲负载无功能量的作用。逆变器的开关只改变电流的方向,三相交流输出电流波形为矩形波或阶梯波,而输出的交流电压波形及相位随负载而变化。由于直流侧电压可以迅速改变甚至反向,所以动态响应快,且主电路结构简单、安全可靠,非常适用于大容量或要求频繁正、反转运行的系统。

1. 电流型逆变器的基本电路

三相电流型逆变器的基本电路如图2-10所示。逆变电路仍由6只功率开关 $V_1 \rightarrow V_6$ 组成,但无须反并联续流二极管,因为在电流型变频器中,电流方向无须改变。电流型逆变器采用120°导电型,其特点是,6只功率开关按 $V_1 \rightarrow V_6$ 的顺序每隔60°导通一次,每只功率管导通时间皆为120°,每个周期换相6次,共6个工作状态,每个状态都是共阳极组和共阴极组各有一只功率开关导通,换相是在相邻的桥臂中进行。当按 $V_1 \rightarrow V_6$ 的顺序导通时,导通规律如表2-3所示。

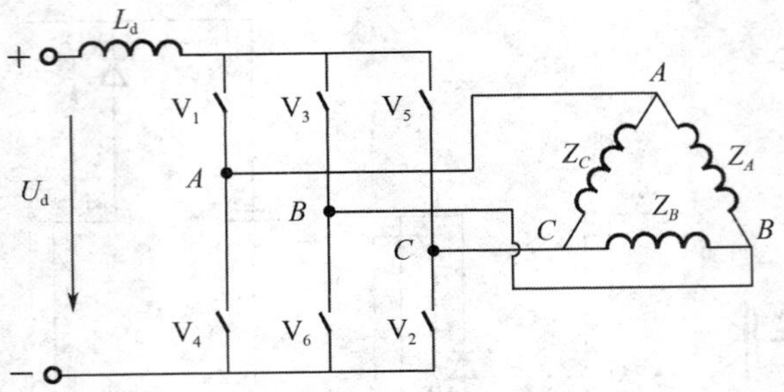

图 2-10　三相电流型逆变器的基本电路

表 2-3　导电型逆变器功率开关导通规律

工作状态	每个状态下被导通的功率开关					
状态 1(0°～60°)	V_1					V_6
状态 2(60°～120°)	V_1	V_2				
状态 3(120°～180°)		V_2	V_3			
状态 4(180°～240°)			V_3	V_4		
状态 5(240°～300°)				V_4	V_5	
状态 6(300°～360°)					V_5	V_6

中间直流回路中的 L_d 用以滤除直流电流中的纹波，其电感量较大，使直流电流平直。设三相负载接为 Δ 型，各相阻抗对称 $Z_A = Z_B = Z_C = Z$，忽略换相过程并设功率开关为理想元件。以状态 1 为例，此时 V_1 和 V_6 导通，Δ 型负载的 C 不通电，负载各线电流为 $i_A = I_d$，$I_B = -I_d$，$I_C = 0$。相电流可直接写出或由线电流求出。同理，可求得其他状态下的线电流及相电流，如表 2-4 所示。

表 2-4　负载为 Δ 型时，各状态下的线电流与相电流

电流	状态 1	状态 2	状态 3	状态 4	状态 5	状态 6
i_A	I_d	I_d	0	$-I_d$	$-I_d$	0
i_B	$-I_d$	0	I_d	I_d	0	$-I_d$
i_C	0	$-I_d$	$-I_d$	0	I_d	I_d
i_{AB}	$\frac{2}{3}I_d$	$\frac{1}{3}I_d$	$-\frac{1}{3}I_d$	$-\frac{2}{3}I_d$	$-\frac{1}{3}I_d$	$\frac{1}{3}I_d$
i_{BC}	$-\frac{1}{3}I_d$	$\frac{1}{3}I_d$	$\frac{2}{3}I_d$	$\frac{1}{3}I_d$	$-\frac{1}{3}I_d$	$-\frac{2}{3}I_d$
i_{CA}	$-\frac{1}{3}I_d$	$-\frac{2}{3}I_d$	$-\frac{1}{3}I_d$	$\frac{1}{3}I_d$	$\frac{2}{3}I_d$	$\frac{1}{3}I_d$

按照表 2-4 可画出负载为 Δ 型 120°导电型的三相电流型逆变器的输出电流波形，如图 2-11 所示。由图可知，此时线电流为矩形波，相电流为阶梯波，三相对称。

对输出电流波形进行谐波分析时，可将相电流和线电流分解为傅氏级数，即

$$i_{AB}=\frac{2}{\pi}I_{\mathrm{d}}\left(\sin\omega t+\frac{1}{5}\sin5\omega t+\frac{1}{7}\sin7\omega t+\frac{1}{11}\sin11\omega t+\cdots\right)\tag{2-4}$$

$$i_{A}=\frac{2\sqrt{3}}{\pi}\left(\sin\omega t-\frac{1}{5}\sin5\omega t-\frac{1}{7}\sin7\omega t+\frac{1}{11}\sin11\omega t+\cdots\right)\tag{2-5}$$

基波分量的有效值为

$$I_1=\frac{\sqrt{6}}{\pi}I_{\mathrm{d}}\tag{2-6}$$

可以看出输出线电流和相电流中都存在 $6k\pm1$ 次谐波。

2. 电流型变频器的再生制动运行

如果将电流型逆变器用于交－直－交变频调速方案，则其能量回馈电网很容易实现，而不必像电压型逆变器那样在整流侧专门为回馈能量添置逆变器。当电动机处于电动状态时，如图 2－10(a)所示，整流器的控制角 α 小于 90°，$U_{\mathrm{d}}>0$，整流器工作于整流状态，逆变器工作于逆变状态。电流的方向如图 2－12(a)所示，能量从电网输送到电动机。当负载电动机工作于回馈制动状态时，定子电压与电流的相位角由小于 90°变为大于 90°，定子电压相对定子电流来说是“反向”。因此，只要将电源侧相控整流器的控制角由小于 90°推到大于 90°，并适当加以控制，即可使整流器进入有源逆变工作状态，再生电能由电动机回馈到交流电网，如图 2－12(b)所示。所以，电流型变频器可以实现异步电动机的快速调速和频繁的四象限运行，同时可以实现电流的闭环控制，提高了装置的可靠性。

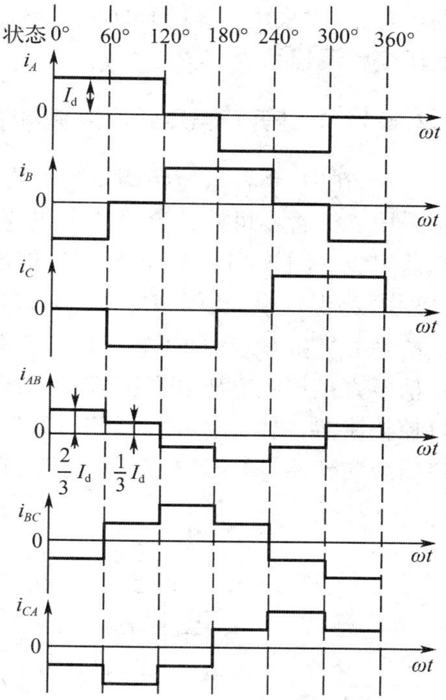

图 2－11 120°导电型的三相电流型逆变器的输出电流波形图

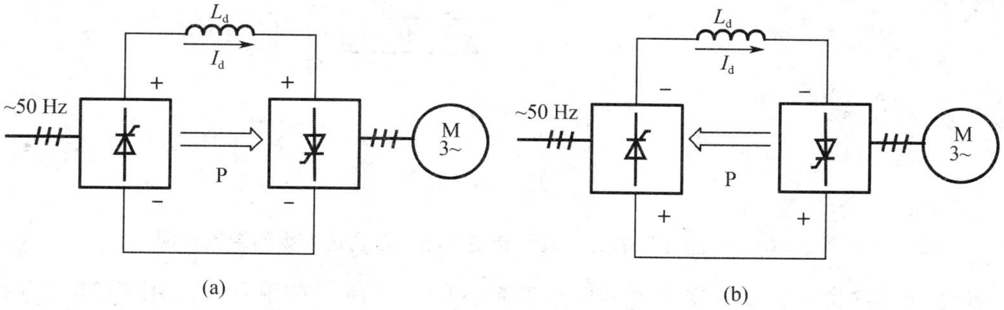

图 2－12 电流型变频器的电动状态与再生制动状态

(a)电动状态；(b)再生制动状态

2.2 交-直-交变压变频调速系统

在一些调速性能要求不高的场合，只要求在一定范围内实现高效率的调速而不需要很高的动态性能，如风机和水泵。大多数变频器控制系统为了实现电压-频率协调控制，采用转速开环恒压频比带低频电压补偿的控制方案。而在一些调速范围和起、制动性能要求较高的场合，可以采用转速闭环转差频率控制的方案加以解决。下面将分别介绍这两类常用的变压变频调速系统。

2.2.1 转速开环恒压频比控制调速系统

目前，在中、小容量变频调速装置的市场中，常用的交-直-交电压源型变压变频器大都是采用二极管不可控整流器和由快速全控开关器件 IGBT 或功率模块 IPM 组成的 PWM 逆变器组成。图 2-13 为转速开环的交-直-交电压源变频调速系统的结构原理图。图 2-13 中，为保证电压、频率二者的协调控制，电压和频率控制采用同一个控制信号 U_{abs}。在给定信号 U_{ω}^{*} 和 U_{abs} 之间设置了给定积分器 GI 和绝对值变换器 GAB，用来防止阶跃的转速给定信号直接加到电压和频率控制系统上产生很大的冲击电流而使电源跳闸等故障；VR 是可控整流器，用电压控制环节控制它的输出直流电压的幅值；VSI（Voltage Source Inverter）是电压源逆变器，用频率控制环节控制它输出交流电压的频率。

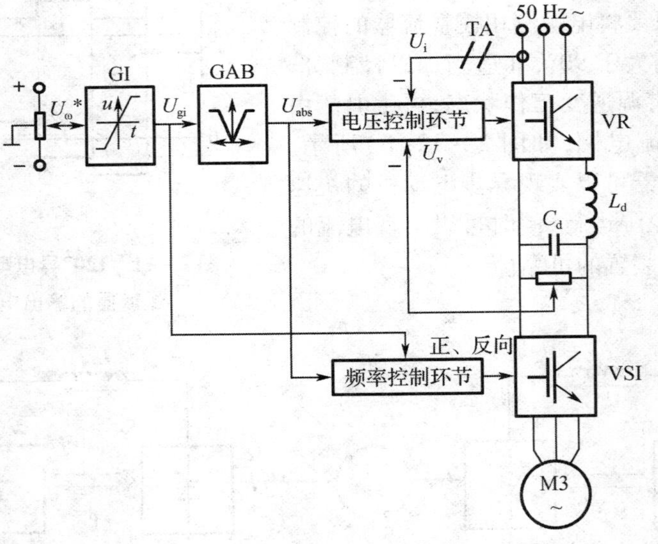

图 2-13 转速开环的交-直-交电压源变频调速系统的结构框图

转速开环的交-直-交电压源变频调速系统的工作流程如下：首先，用 GI 将阶跃信号 U_{ω}^{*} 转变成按设定的斜率逐渐变化的斜坡信号 U_{gi}，从而使电动机电压和转速都能平缓地升高或降低；其次，由于 U_{gi} 是可逆的，代表电机旋转方向是双向的，而电动机的旋转方向只取决于变频电压的相序，并不需要在电压和频率的控制信号上反映极性，因此用绝对值变换器 GAB 将 U_{gt} 变换成只输出其绝对值的信号 U_{abs}。U_{abs} 同时控制电压控制环节和频率控制环节,控制逆变器的输出信号,用来控制交流电动机工作。图 2 - 13 中的电路的控制环节部分最先采用分立元件搭建的模拟控制,目前已由数字控制替代。但图 2 - 13 作为原理控制的框图一直指导变频器数字控制部分的经典电路,在标量控制电压频率协调控制系统中一直沿用至今。

图 2 - 14 绘出了一种典型的数字控制通用变频器 - 异步电动机调速系统原理图。由主电路、微处理器(CPU)、显示设定部分、SPWM 发生器、驱动电路、电压电流等信号检测与故障综合电路等,图中未绘出电力开关器件的吸收电路和其他辅助电路。

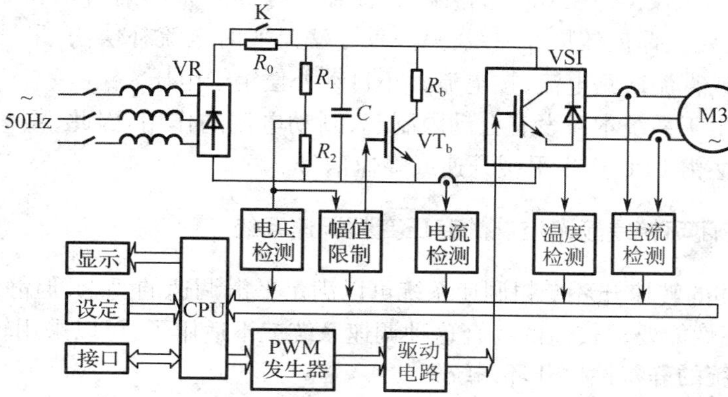

图 2 - 14 IPM - SPWM 变频调速系统原理框图

1. 主电路

由二极管整流器 VR,SPWM 逆变器 VSI 和中间直流电路三部分组成,一般都是电压源型的,采用大电容 C 滤波,同时兼有无功功率交换的作用,具体叙述如下。

限流电阻(R_0) 避免大电容 C 在通电瞬间产生过大的充电电流。在整流器和滤波电容间的直流回路上串入限流电阻(或电抗),通上电源时,先限制充电电流,再将延时用开关 K 短路,以免长期接入时影响变频器的正常工作,并产生附加损耗。

幅值限制电路(R_b,VT_b) 限制直流回路的电压幅值。因为二极管整流器不能为异步电动机的再生制动能量提供回馈通路,变频器一般都采用电阻吸收制动能量。减速制动时,异步电动机进入发电状态,产生的电能通过逆变器的续流二极管向电容 C 充电,当中间直流回路的电压(通称泵升电压)超过限制值时,通过幅值限制电路使 VT_b 导通,将电动机释放的动能消耗在制动电阻 R_b 上。

进线电抗器 抑制谐波电流。二极管整流器虽然是全波整流装置,但由于其输出端有滤波电容存在,输入电流呈脉冲波形,具有较大的谐波分量,使电源受到污染。为了抑制谐波电流,对于容量较大的 PWM 变频器,都应在输入端设有进线电抗器,有时也可以在整流器和电容器之间串接直流电抗器,还可用来抑制电源电压不平衡对变频器的影响。

2. 控制电路

现代 PWM 变频器的控制电路大都是以微控制器为核心的数字电路,其功能主要是接受各种设定信息和指令,再根据它们的要求形成驱动逆变器工作的 SPWM 信号。微控制器主要采用 8/16 位的单片机或 DSP。

SPWM 信号产生可以由微机本身的软件产生,由 PWM 端口输出,也可采用专用的 PWM 生成电路芯片。

检测与保护电路　各种故障的保护由电压、电流、温度等检测信号经信号处理电路进行分压、光电隔离、滤波、放大等综合处理，再进入 A/D 转换器，输入给 CPU 作为控制算法的依据，或者作为开关电平产生保护信号和显示信号。

信号设定　需要设定的控制信息主要有 U/f 特性、工作频率、频率升高时间、频率下降时间等，还可以有一系列特殊功能的设定。由于通用变频器－异步电动机系统是转速或频率开环、恒压频比控制系统，低频时或负载的性质和大小不同时，都得靠改变 U/f 函数发生器的特性来补偿，使系统达到恒定，在通用产品中称作电压补偿或转矩补偿。常用补偿方法有两种：一种是固定函数法，在 CPU 的程序存储器中存储多条不同斜率和折线段的 U/f 函数，由用户根据需要选择最佳特性曲线；另一种办法是实时电流补偿法，采用霍尔电流传感器检测定子电流或直流回路电流，按电流大小自动补偿定子电压。

给定积分　由于系统本身没有自动限制起、制动电流的作用，因此，频率设定信号必须通过给定积分算法由 CPU 产生平缓升速或降速信号。

2.2.2　转速闭环转差频率控制的变压变频调速系统

2.2.1 中所述的转速开环变频调速系统可以满足平滑调速的要求，但静、动态性能都有限。对于静、动态性能要求较高的场合这种调速系统就不适用了，可以采用转速反馈闭环控制。转速闭环系统的静特性比开环系统强。

1. 转差频率控制的基本概念

电力传动系统的基本运动方程式为

$$T_e - T_L = \frac{J}{n_p}\cdot\frac{d\omega}{dt} \tag{2-7}$$

调速系统动态性能主要靠对转速的变化率 $d\omega/dt$ 进行有效控制，根据式(2－7)，控制电磁转矩 T_e 就能控制 $d\omega/dt$，因此，调速系统的动态性能就是控制转矩的能力。

异步电动机采用磁通控制（即恒 E_s/ω_1 控制，$\omega_1=2\pi f_0$）时的电磁转矩公式为

$$T_e = 3n_p\left(\frac{E_g}{\omega_1}\right)^2\frac{s\omega_1R'_r}{R'^2_r+s^2\omega_1^2L'^2_{lr}} \tag{2-8}$$

将 $E_g=4.44f_1N_sk_{\omega s}\Phi_m=4.44\frac{\omega_1}{2\pi}N_sk_{\omega s}\Phi_m=\frac{1}{\sqrt{2}}\omega_1N_sk_{\omega s}\Phi_m$ 代入上式得

$$T_e = \frac{3}{2}n_pN_s^2k_{\omega s}^2\Phi_m^2\frac{s\omega_1R'_r}{R'^2_r+s^2\omega_1^2L'^2_{lr}}$$

$$= K_m\Phi_m^2\frac{\omega_fR'_r}{R'^2_r+(\omega_fL'_{lr})^2} \tag{2-9}$$

式中　$\omega_f=s\omega_1$——转差角频率；

$K_m=\frac{3}{2}n_pN_s^2k_{\omega s}^2$——电动机的结构常数。

当电动机稳态运行时，s 值很小，只有 2%～5%，因而 ω_f 也很小，可以认为 $\omega_fL'_{lr}\ll R'_r$，则转矩可近似表示为

$$T_e \approx K_m\Phi_m^2\frac{\omega_f}{R'_r} \tag{2-10}$$

由式(2－10)可知，在 s 很小的范围内，如果维持电动机气隙磁通 Φ_m 不变，异步电动机的转

矩就近似与转差角频率 ω_f 成正比，即控制转差频率就能间接控制转矩。这就是转差频率的基本概念。

2. 异步电动机转差频率控制规律

在 ω_f 较小时，上述分析所得的转差频率控制概念及转矩近似公式(2－10)是成立的，在实际中，应当控制 ω_f 在一定的取值范围内，使得转矩近似与转差角频率 ω_f 成正比。

图2－15为式(2－9)中的转矩与转差角频率的关系。由图可以看出，在 ω_f 较小的稳态运行阶段，转矩 T_e 基本上与转差角频率 ω_f 成正比，转矩 T_e 达到最大值后，随 ω_f 的增大，T_e 开始减小。对于式(2－9)，取 $dT_e/d\omega_f=0$，可得

$$\omega_{fmax}=\frac{R'_r}{L'_{lr}}=\frac{R_r}{L_{lr}} \qquad (2-11)$$

$$T_{emax}=\frac{K_m\Phi_m^2}{2L'_{lr}} \qquad (2-12)$$

因此，在转差频率控制系统中，限制 ω_f 幅值在 $\omega_{fm}<\omega_{fmax}$ 范围内，就可以基本保持 T_e 与 ω_f 的正比关系，也就可以用转差频率控制来控制转矩。

上述规律成立的前提条件是保持 Φ_m 恒定，由第1章的介绍可知，按恒 E_s/ω_1 控制时可保持 Φ_m 恒定。在实际中需在恒 E_s/ω_1 的基础上根据负载电流和转速大小适当提高定子电压，以便补偿定子电阻压降，避免气隙磁通 Φ_m 减弱。如果忽略电流向量相位变化影响，不同定子电流时恒 E_s/ω_1 控制所需的电压－频率特性如图2－16所示。

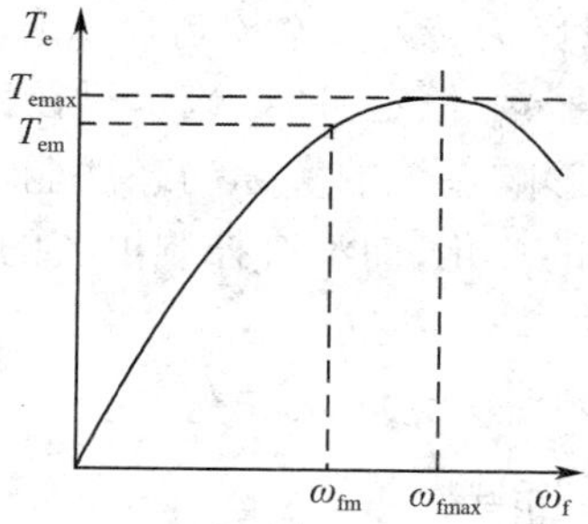

图2－15　恒 Φ_m 条件下的 $T_e=f(\omega_f)$ 特性

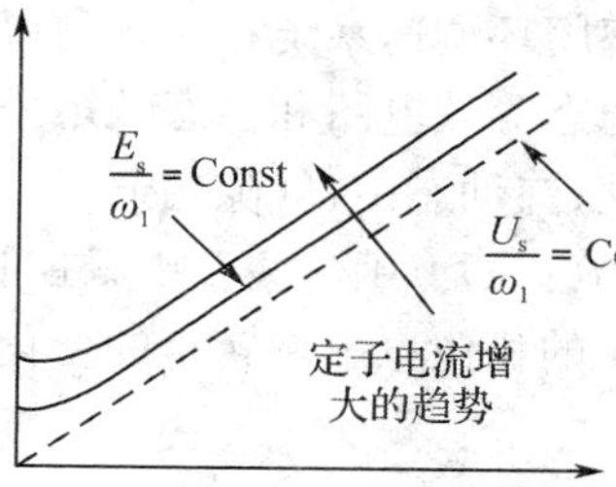

图2－16　不同定子电流时恒 E_s/ω_1 控制所需要的电压－频率特性

总结起来，转差频率控制的规律是

(1)在不同的定子电流值时，按图2－16的函数关系 $U_s=f(\omega_1, I_s)$ 控制定子电压和频率，就能保持气隙磁通 Φ_m 恒定；

(2)在气隙磁通 Φ_m 不变条件下，在 $\omega_f<\omega_{fm}$ 的范围内，转矩 T_e 基本上与 ω_f 成正比。

3. 转差频率控制的变压变频调速系统

采用转速闭环的转差频率控制变频调速系统结构框图如图2－17所示。转速调节器ASR中含有PI调节器和限幅器，限幅器的主要目的是限制最大转差角频率在允许的范围内。电动机角速度的误差信号经PI调节器并限幅后作为转差角频率的给定信号 ω_f^*。转差频率给定 ω_f^* 与实测转速信号 ω 相加，即得定子频率给定信号 ω_1^*，即

$$\omega_1^*=\omega_f^*+\omega \qquad (2-13)$$

由 ω_1^* 和定子电流反馈信号 I_s 从 $U_s=f(\omega_1, I_s)$ 函数中查得定子电压给定信号 U_s^*，用 U_s^* 和 ω_1^* 控制PWM电压型逆变器。

转差频率控制的突出优点就在于频率环节的输入是转差信号，而给定角频率信号是由转差信号与电动机的实际转速信号相加后得到的，因此，逆变器输出的实际角频率随着电动机转子角频率 ω 同步上升或下降，与转速开环系统相比，容易使系统稳定，且加、减速更为平滑。同时，由于在动态过程中，转速调节器饱和，系统将以最大转矩进行调节，保证了系统的快速性。

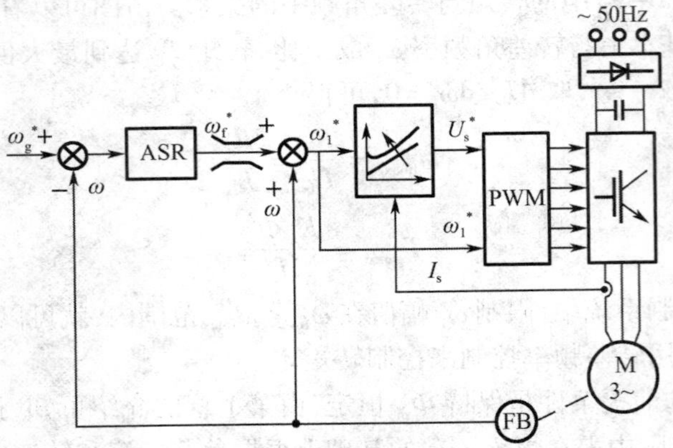

图 2-17　采用转速闭环的转差频率控制变频调速系统结构框图

转差频率控制的性能比转速开环恒压频比控制方式有了较大的提高，但是，其性能与直流电动机双闭环调速系统相比，还有很大差距。一方面，因为转差频率控制规律是基于异步电动机的稳态等效电路和稳态转矩公式，"保持气隙磁通 Φ_m 恒定"的结论也只在稳态情况下才能成立；在动态中，气隙磁通 Φ_m 是变化的，这就会影响系统的实际动态性能。另一方面，在 $U_s=f(\omega_1, I_s)$ 函数关系中只控制了定子电流幅值的变化，而没有控制电流的相位，在动态中电流的相位也影响转矩的变化。

2.3　多重叠加式变频器

由 2.1 可知，基本逆变电路输出波形为矩形波，含有 $6k\pm1$ 次谐波，其中影响较大的 5，7 次谐波引起的电动机的转矩脉动对电动机的稳定运行极为不利。目前，减少谐波的方法主要有多重叠加法（多重化）和级联法，本节以多重叠加法为例加以说明。

所谓多重叠加法是指把 N 个输出电压为方波电路，将它们的输出电压相位依次移开 φ_1，通过输出变压器二次侧进行串联叠加，使叠加后的输出电压成为多电平阶梯波电压，以达到消除基波谐波、改善输出电压波形、提高输出电压、扩大输出功率的目的。

下面仅以三相电流型逆变器为例说明多重化方法：将 N 个电流型基本逆变电路（以下称逆变单元）并联起来，并使其相位彼此错开 $\varphi=\dfrac{\pi}{3N}$ 电角度，即可得到 N 重电流型变频器。实现多重连接的方式有两种，分别为直接叠加型和变压器耦合输出型。

2.3.1　直接叠加型

直接叠加型即由 2 个以上逆变单元无输出变压器的直接多重叠加连接。图 2-18 示出两个逆变单元组成的两重电流型变频器的主电路和输出电流波形。两个逆变单元 UI_1 及 UI_2 的输出电流 i_1 与 i_2 皆为矩形波，相位彼此错开 $\varphi=\frac{\pi}{3N}=\frac{\pi}{6}$，叠加后输出电流 $i=i_1+i_2$，合成两种阶梯波。

对此两级阶梯波进行分析，若不考虑换相重叠期间，矩形波可写为

$$i_1=\sum_{n=1,3,5,\cdots}^{\infty}\frac{4I_d}{n\pi}\sin\frac{n\theta}{2}\sin n(\omega t) \tag{2-14}$$

$$i_2=\sum_{n=1,3,5,\cdots}^{\infty}\frac{4I_d}{n\pi}\sin\frac{n\theta}{2}\sin n(\omega t-\varphi) \tag{2-15}$$

$$\begin{aligned}i=i_1+i_2&=\sum_{n=1,3,5,\cdots}^{\infty}\frac{4I_d}{n\pi}\sin\frac{n\theta}{2}\sin n(\omega t)+\sum_{n=1,3,5,\cdots}^{\infty}\frac{4I_d}{n\pi}\sin\frac{n\theta}{2}\sin n(\omega t-\varphi)\\&=\frac{4I_d}{n\pi}\sum_{n=1,3,5,\cdots}^{\infty}\sin\frac{n\theta}{2}[\sin n(\omega t)+\sin n(\omega t-\varphi)]\\&=\frac{4I_d}{n\pi}\sin\left(\frac{n\theta}{2}\right)2\cos\left(\frac{n\varphi}{2}\right)\sum_{n=1,3,5,\cdots}^{\infty}\sin n\left(\omega t-\frac{\varphi}{2}\right)\end{aligned} \tag{2-16}$$

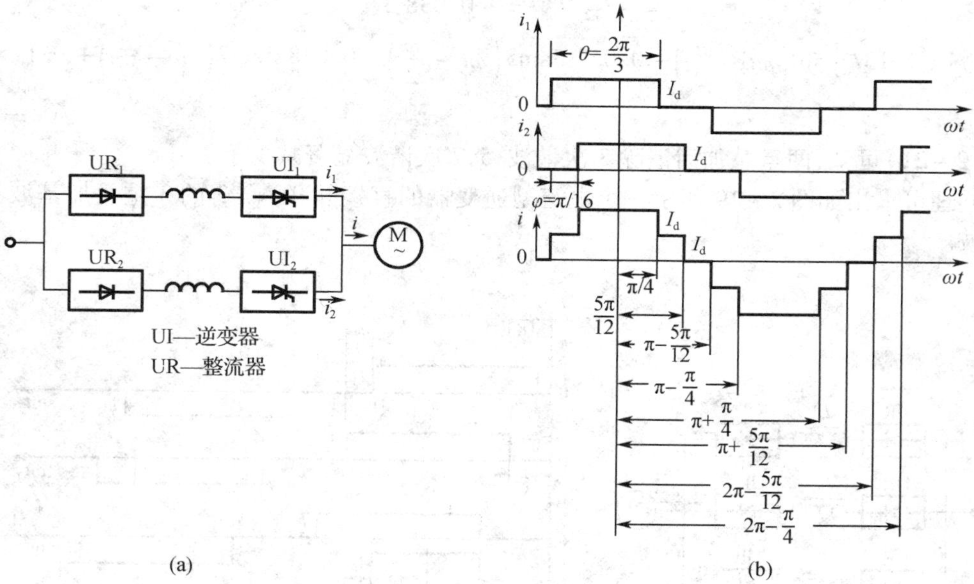

图 2-18　2 个三相电流型逆变器的多重叠加

(a)电路；(b)波形

基波与 n 次谐波的幅值为

$$I_{mn}=\frac{4I_d}{n\pi}\sin\left(\frac{n\theta}{2}\right)2\cos\left(\frac{n\varphi}{2}\right) \tag{2-17}$$

基波与 n 次谐波的有效值为

$$I_n=\frac{1}{\sqrt{2}}I_{mn}=\frac{2\sqrt{2}I_d}{n\pi}\sin\left(\frac{n\theta}{2}\right)2\cos\left(\frac{n\varphi}{2}\right) \tag{2-18}$$

当脉宽为 $\theta=120°$时

$$I_n = \frac{2\sqrt{2}I_d}{\pi}\sin\left(n\frac{\pi}{3}\right)2\cos\left(\frac{n\varphi}{2}\right) \tag{2-19}$$

基波有效值为

$$I_1 = \frac{2\sqrt{2}I_d}{\pi}\sin\left(\frac{\pi}{3}\right)2\cos\frac{\varphi}{2} = \frac{\sqrt{6}I_d}{\pi}\cos\frac{\varphi}{2} \tag{2-20}$$

基波与 n 次谐波的幅值如下

当 $\theta = 120°, \varphi = 30°$时

$$I_{m1} = \frac{4I_d}{\pi}\sin60° \times 2\cos15° = 2.13I_d$$

$$I_{m3} = \frac{4I_d}{3\pi}\sin(3\times60°) \times 2\cos(3\times15°) = 0$$

同理

$$I_{m5} = -0.114I_d$$
$$I_{m7} = -0.0816I_d$$
$$I_{m5}/I_{m1} = -0.0535$$
$$I_{m7}/I_{m1} = -0.0383$$

$$i = 2.13I_d\left[\sin\left(\omega t - \frac{\varphi}{2}\right) - 0.0535\sin5\left(\omega t - \frac{\varphi}{2}\right) - 0.0383\sin7\left(\omega t - \frac{\varphi}{2}\right) + \cdots\right] \tag{2-21}$$

由式(2－21)可知,两重叠加后消除 3 次谐波,5,7 次谐波显著减少了。

同理可求出如图 2－19 所示三个电流型逆变器的直接并联 $N=3$ 的 3 重叠加基波和各次谐波。

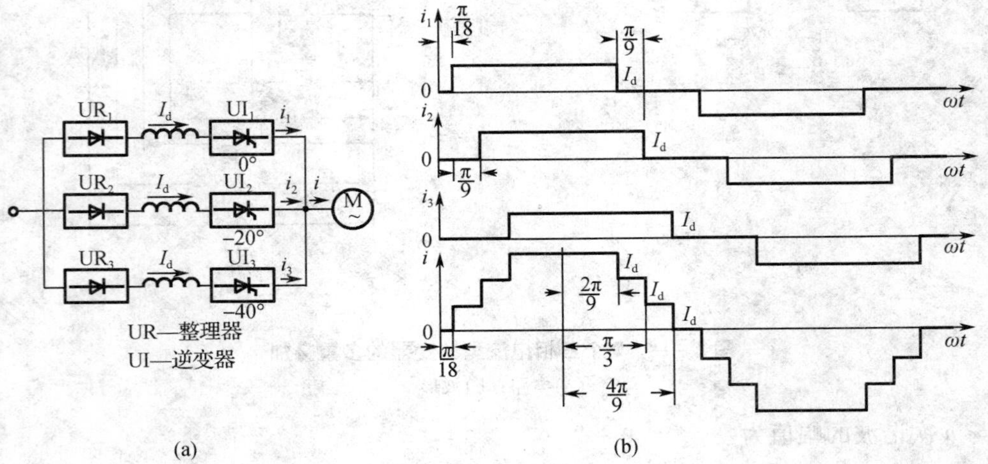

图 2－19　$N=3$ 的三个电流型逆变器的直接并联叠加

(a)主电路;(b)波形

3 个电流型逆变器依次滞后 $\varphi = \frac{\pi}{3\times3} = 20°$

输出电流基波与各次谐波的幅值表达式为

$$I_{mn}=\frac{2I_d(1-e^{-jn\pi})}{n\pi}\left[\sin n(3+2-1)\frac{\pi}{18}+\sin n(3+2\times2-1)\frac{\pi}{18}+\sin n(3+2\times3-1)\frac{\pi}{18}\right]$$

$$=\frac{2I_d(1-e^{-jn\pi})}{n\pi}\left(\sin n\frac{2\pi}{9}+\sin n\frac{\pi}{3}+\sin n\frac{4\pi}{9}\right) \tag{2-22}$$

由此算出基波和各次谐波的幅值为

$$I_{m1}=\frac{2I_d(1-e^{-j\pi})}{n\pi}\left(\sin\frac{2\pi}{9}+\sin\frac{\pi}{3}+\sin\frac{4\pi}{9}\right)=2.494\left(\frac{4I_d}{\pi}\right)$$

$$I_{m3}=\frac{2I_d(1-e^{-j3\pi})}{3\pi}\left(\sin3\frac{2\pi}{9}+\sin3\frac{\pi}{3}+\sin3\frac{4\pi}{9}\right)=0$$

$$I_{m5}=\frac{2I_d(1-e^{-j5\pi})}{5\pi}\left(\sin5\frac{2\pi}{9}+\sin5\frac{\pi}{3}+\sin5\frac{4\pi}{9}\right)=-0.113\left(\frac{4I_d}{\pi}\right)$$

$$I_{m7}=\frac{2I_d(1-e^{-j7\pi})}{7\pi}\left(\sin7\frac{2\pi}{9}+\sin7\frac{\pi}{3}+\sin7\frac{4\pi}{9}\right)=-0.066\left(\frac{4I_d}{\pi}\right)$$

$$I_{m9}=\frac{2I_d(1-e^{-j9\pi})}{9\pi}\left(\sin9\frac{2\pi}{9}+\sin9\frac{\pi}{3}+\sin9\frac{4\pi}{9}\right)=0$$

$$I_{m11}=\frac{2I_d(1-e^{-j11\pi})}{11\pi}\left(\sin11\frac{2\pi}{9}+\sin11\frac{\pi}{3}+\sin11\frac{4\pi}{9}\right)=0.0419\left(\frac{4I_d}{\pi}\right)$$

$$I_{m13}=\frac{2I_d(1-e^{-j13\pi})}{13\pi}\left(\sin13\frac{2\pi}{9}+\sin13\frac{\pi}{3}+\sin13\frac{4\pi}{9}\right)=0.0435\left(\frac{4I_d}{\pi}\right)$$

可得基波分量(有效值)为

$$\frac{I_{m5}}{I_{m1}}=\frac{-0.113\left(\frac{4I_d}{\pi}\right)}{2.494\left(\frac{4I_d}{\pi}\right)}=-0.0454$$

$$\frac{I_{m7}}{I_{m1}}=\frac{-0.066\left(\frac{4I_d}{\pi}\right)}{2.494\left(\frac{4I_d}{\pi}\right)}=-0.0264$$

$$\frac{I_{m11}}{I_{m1}}=\frac{0.0419\left(\frac{4I_d}{\pi}\right)}{2.494\left(\frac{4I_d}{\pi}\right)}=0.0168$$

$$\frac{I_{m13}}{I_{m1}}=\frac{0.435\left(\frac{4I_d}{\pi}\right)}{2.494\left(\frac{4I_d}{\pi}\right)}=0.0174$$

输出电流为

$$i=2.494\left(\frac{4I_d}{\pi}\right)(\sin\omega t-0.0454\sin5\omega t-0.0264\sin7\omega t+0.0168\sin11\omega t+0.0174\sin13\omega t) \tag{2-23}$$

由式(2-23)可知,三重叠加后零序谐波被消除掉了,5次、7次、11次、13次谐波显著减小了。

直接并联叠加的优点是电路简单、造价低。其缺点是各个逆变器的输出功率因数不同，对于同一电流，各整流器必须设置各自的电流控制电路、相位控制电路和脉冲放大器；由于在输出侧各逆变器之间不绝缘，必须将输入变压器的二次绕组分开隔离，防止产生环流；只能利用相位变化改善波形，波形改善效果较差。

2.3.2 变压器耦合输出型

2 个电流型变频器的二重叠加有两种形式，用 YΔ/Y 连接的变压器和用 Δ/YΔ 连接的变压器。

1. 用 YΔ/Y 连接的变压器

如图 2－20 所示，与直接并联输出多重叠加相似，得到输出电流的基波与各次谐波的幅值表示式

$$I_{mn}=\frac{2I_d(1-e^{-jn\pi})}{n\pi}\left[\frac{W_2}{W_3}\frac{1}{3}\sin n\frac{\pi}{6}+\frac{W_1}{W_3}\sin n\frac{\pi}{3}+\frac{W_2}{W_3}\frac{1}{3}\sin n\frac{\pi}{2}\right] \tag{2-24}$$

由式(2－24)写出 5 次和 7 次谐波方程式

$$I_{m5}=\frac{2I_d(1-e^{-j5\pi})}{5\pi}\left[\frac{W_2}{W_3}\frac{1}{3}\sin 5\frac{\pi}{6}+\frac{W_1}{W_3}\sin 5\frac{\pi}{3}+\frac{W_2}{W_3}\frac{1}{3}\sin 5\frac{\pi}{2}\right] \tag{2-25}$$

$$I_{m7}=\frac{2I_d(1-e^{-j7\pi})}{7\pi}\left[\frac{W_2}{W_3}\frac{1}{3}\sin 7\frac{\pi}{6}+\frac{W_1}{W_3}\sin 7\frac{\pi}{3}+\frac{W_2}{W_3}\frac{1}{3}\sin 7\frac{\pi}{2}\right] \tag{2-26}$$

令式(2－25)、式(2－26)等于 0，联立式(2－25)、式(2－26)可求得$\frac{W_1}{W_3}=1$，$\frac{W_2}{W_3}=\sqrt{3}$，亦即 $W_1=W_3$，$W_2=\sqrt{3}W_3$，即可消除 5 次、7 次谐波，以及它们的同组谐波 $6k\pm5$，$6k\pm7$($k=1,2,3,\cdots$)如 17 次、19 次谐波。此时的的基波电流幅值 $I_{m1}=\frac{4\sqrt{3}I_d}{\pi}$。

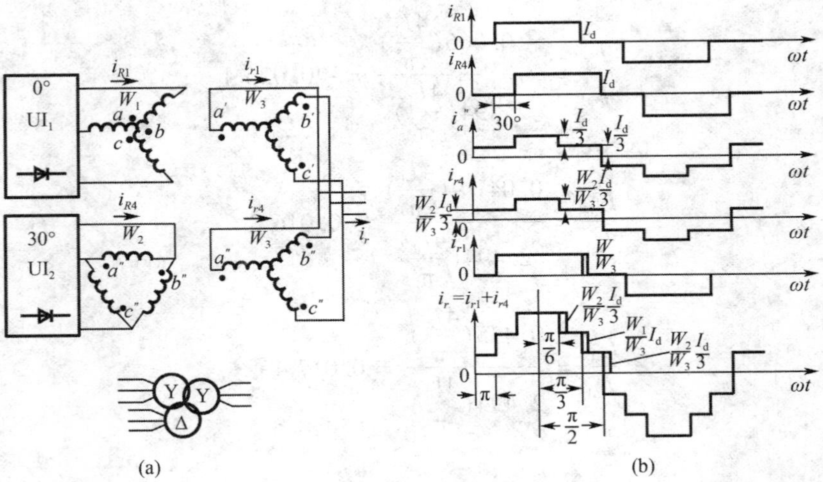

图 2－20 变压器耦合输出的二重叠加方式

(a)电路；(b)波形

2. 用 Δ/YΔ 连接的变压器

用 Δ/YΔ 连接的变压器的二重叠加电路与波形如图 2－21 所示。经分析，该 3 级阶梯波所包含的谐波次数比直接输出时的两级阶梯波少一半，原来 $6k\pm1$ 次谐波中凡 k = 奇数次的谐波被全部消除，仅含 $12k\pm1$ 次谐波，剩下的最低次谐波为 11 次和 13 次。当变压器 T_1，T_2 的电压比为 1:1 时，基波分量有效值为

$$I_{1.1}=\frac{\sqrt{6}}{\pi}I_d=0.78I_d \tag{2-27}$$

输出电流 i 的基波分量有效值为

$$I_1=\frac{2\sqrt{6}I_d}{\pi}=1.56I_d \tag{2-28}$$

电流 n 次谐波分量的有效值为

$$I_n=\frac{2\sqrt{6}I_d}{n\pi} \tag{2-29}$$

所包含的谐波次数为 $n=12k\pm1 \quad k=(0,1,2,3,\cdots)$

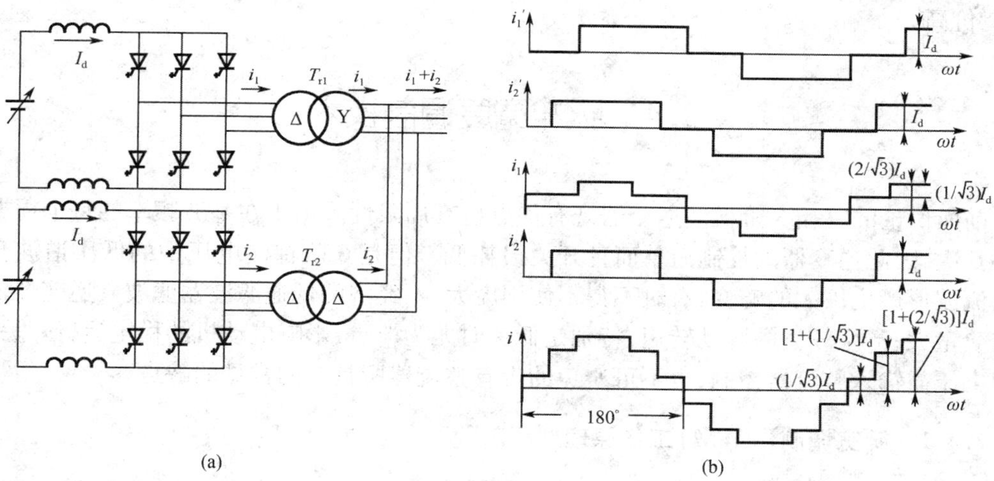

图 2－21 采用 Δ/YΔ 连接的变压器的两重叠加

(a)电路；(b)波形

3 个三相电流源型逆变器通过变压器进行的三重叠加的谐波含量见表 2－5。

表 2－5 3 个三相电流源型逆变器通过变压器进行的三重叠加的谐波含量

谐波次数＼系统	单元三相逆变器	3 个三相逆变器通过变压器叠加
基波(1)	100	100
5	20	0
7	14.3	0
11	9.1	0
13	7.7	0
17	5.9	5.9

表 2－5 (续)

谐波次数＼系统	单元三相逆变器	3 个三相逆变器通过变压器叠加
19	5.3	5.3
23	4.4	0
25	4	0
29	3.5	0
31	3.2	0
35	2.9	2.9
37	2.7	2.7

采用变压器叠加方法的优点有：可以利用幅值变化和相位变化来改善波形，因此改善波形效果好；各个逆变器的输出功率因数相同；输出侧各逆变器之间相互绝缘。缺点是电路复杂、造价高。

2.4 脉冲宽度调制技术

前面讨论的三相 6 阶梯波逆变器既有优点也有局限性。由于在基波频率的每个周期仅开关 6 次，因此逆变器的控制简单而且开关损耗低。但是 6 阶梯波电压中的低次谐波会导致电流波形产生极大的畸变，有时不得不使用庞大、不经济的低通滤波器滤波。逆变器输出谐波分量大，产生较大的脉动转矩，特别是低速时尤为严重，影响电动机的稳定运行。另外，输出电压靠输入整流器控制，也不可避免的带有整流器所具有的常见的缺点。

2.4.1 脉宽调制(PWM)工作原理

由于逆变器中电子开关的存在，在恒定的直流输入电压 U_d 作用下，逆变器可以通过自身的多次开关控制输出电压并优化输出谐波。PWM 控制输出电压的工作原理如图 2－22 所示。输出的电压基波 u_1 在方波工作模式下具有最大的幅值($4U_d/\pi$)。在正半周期内通过产生两个负电压输出，u_1 的幅值将减小；随着负电压宽度的增加，基波电压将随之减小，在负半周期内同样适用。

目前常用的 PWM 技术可分为

(1) 正弦 PWM(SPWM)；

(2) 特定谐波消除 PWM(SHEPWM)；

(3) 最小纹波电流 PWM；

(4) 空间矢量 PWM(SVPWM)；

(5) 随机 PWM；

(6) 滞环电流控制 PWM；

(7) 瞬时电流控制正弦 PWM；

(8) Delta 调制 PWM；

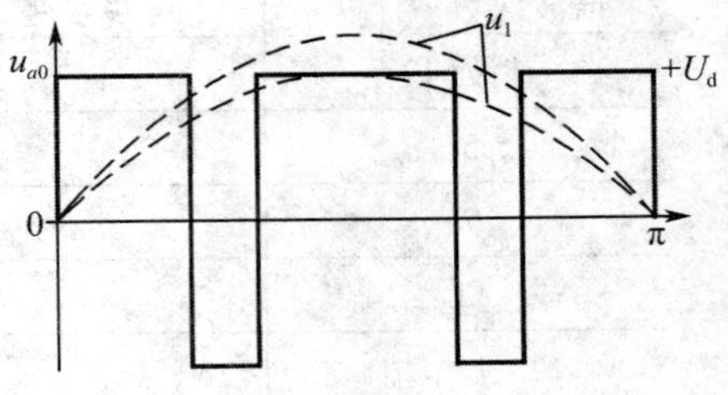

图 2－22 PWM 控制输出电压的工作原理

(9)Sigma-Delta 调制 PWM。

2.4.2 正弦 PWM

正弦 PWM(以下简称 SPWM)技术在实际工业变流器中的应用非常普遍。SPWM 的基本工作原理如图 2-23 所示。图中频率为f_c的等腰三角载波与频率为f的正弦调制波相比较,两者的交点确定电力电子器件的开关时刻。例如,图中给出了通过开关半桥逆变器中的V_1,V_4构成的的u_{a0}波形,图中忽略了为防止V_1和V_4的同时导通而设定的V_1,V_4之间的死区时间。u_{a0}波形的脉冲宽度按正弦规律变化,从而使其基波成分的频率等于且幅值正比于指令调制电压。如图 2-23 所示,三相可以共用同一个载波信号。图 2-24 给出了负载无中线连接的典型的线电压和相电压波形。

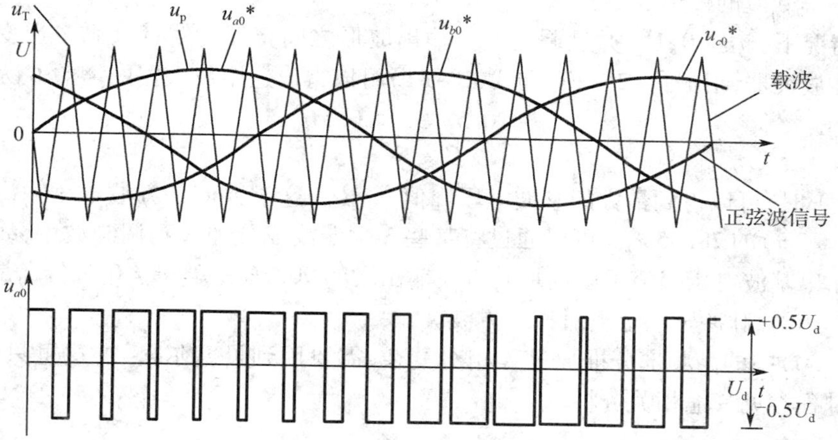

图 2-23 三相桥式逆变器正弦 PWM 的工作原理

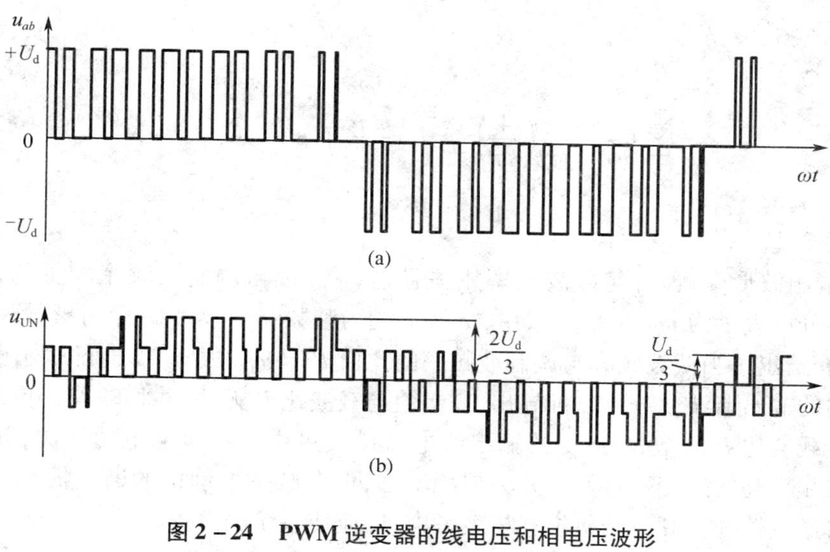

图 2-24 PWM 逆变器的线电压和相电压波形

(a)线电压;(b)相电压

波形的傅里叶分析如下

$$u_{a0} = 0.5mU_d \sin(\omega t + \varphi) + A \quad (2-30)$$

式中 m——调制系数；

ω_0——基波角频率，rad · s^{-1}；

φ——输出相位移，取决于调制波的实际位置；

A——高频部分。

调制系数 m 被定义为

$$m = \frac{U_P}{U_T} \quad (2-31)$$

式中 U_P——调制波的峰值；

U_T——载波的峰值。

理想情况下，$m \in [0,1]$，并且调制波与输出波形之间将保持线性关系。逆变器可以看作一个线性放大器，根据式(2－30)和式(2－31)可以得出这个放大器的增益 G 为

$$G = \frac{0.5mU_d}{U_P} = \frac{0.5U_d}{U_T} \quad (2-32)$$

当 $m = 1$ 时，可以得到最大的基波电压峰值 $0.5U_d$，这个数值是方波电压输出时基波电压峰值($4U_d/2\pi$)的 78.55%。可以通过将某些 3 次谐波成分加入到调制波中，线性工作范围的最大输出基波电压峰值可以增加到方波输出时的 90.7%。当 $m = 0$ 时，u_{a0} 是一个频率与载波频率相同、脉冲宽度上下对称的方波。

式(2－30)中的高频部分推导过程相对复杂，需要用到贝塞尔公式，这里只给出结果，相关推导过程参见其他相关资料。

$$A = \sum_{n=1}^{\infty}(-1)^{(n-1)/2}\left(\frac{4}{n\pi}\right)\left\{J_0\left(\frac{mn\pi}{2}\right)\cos(n\omega_c t) + \sum_{k=2}^{\infty}J_k\left(\frac{mn\pi}{2}\right)[\cos(n\omega_c \pm k\omega)t]\right\} \quad (2-33)$$

式中 $n = 1,3,5,\cdots$

$k = 0,2,4,\cdots$

$$A = \sum_{n=2}^{\infty}(-1)^{n/2}\left(\frac{4}{n\pi}\right)\sum_{k=1}^{\infty}J_k\left(\frac{mn\pi}{2}\right)[\sin(n\omega_c \pm k\omega)t] \quad (2-34)$$

式中 $n = 2,4,6,\cdots$

$k = 1,3,5,\cdots$

PWM 输出波形中，含有与载波频率相关且边(频)带与调制波频率相关的谐波成分。这些频率成分可表示为 $n\omega_c \pm k\omega$。式中，n 和 k 均为整数；$n + k$ 为一个奇整数。

表 2－6 给出了当载波频率与调制波频率的比值 $P = \omega_c/\omega = 15$ 时的输出谐波。

由上述的输出谐波成分可以推导出，其幅值与载波比 P 无关，并将随着 n 和 k 的增大而减小。随着载波比 P 的增大，逆变器输出线电流谐波可由电动机漏电感滤波，并接近于正弦波。载波频率高的逆变器将使其开关损耗增加，但会减少电动机的谐波损耗。选择载波频率需要将逆变器损耗和电动机损耗折衷考虑，即应使系统的总损耗最小。

PWM 开关频率较低时，逆变器向电动机提供功率时由于磁滞效应会产生噪声，这种噪声一方面可以通过人为改变 PWM 开关频率(如 SPWM)而降低，同时，逆变器输出端的低通滤波器也可以消除这种噪声。另一方面通过把开关频率增加到高于音频范围，也可以把这

种噪声完全消除。现代高速 IGBT 可以很容易地实现这种无音频噪声的变频传动。

表 2-6 SPWM 在 $\omega_c/\omega=15$ 时的输出波形

m	谐波成分
1	15ω $15\omega\pm2\omega$ $15\omega\pm4\omega$ ⋮
2	30ω $30\omega\pm3\omega$ $30\omega\pm5\omega$ ⋮
3	45ω $45\omega\pm2\omega$ $45\omega\pm4\omega$ ⋮
⋮	⋮

1. 过调制区操作

当调制指数 m 接近于1时，在正、负半周期接近方波。当正、负半周期内的输出为方波时，输出负电压的脉冲消失时，负载电流会产生一个瞬间跳变。对 IGBT 逆变器，这个跳变可能是比较小的；但对于电力 GTO 逆变器，由于 GTO 开关的速度较 IGBT 慢，这个跳变会很大，实际使用中要加以注意。m 的数值可以增大到大于1，进入准 PWM 区域，图 2-25 所示为正半周期操作。图中 u_{a0} 在正半周期中间附近负电压脉冲不见了，从而给出了一个具有较高基波成分的准方波输出。如图 2-26 所示，在过调制区，传递特性是非线性的，波形中重新出现了5次和7次谐波成分。随着 m 数值的增加，即调制信号的增大，最终逆变器将输出方波，半周期内在方波的上升沿和下降沿各开关一次。在这种情况下，输出基波相电压峰值达到 $4(0.5U_d)/\pi$，即达到 100% 的输出，如图 2-26 所示。

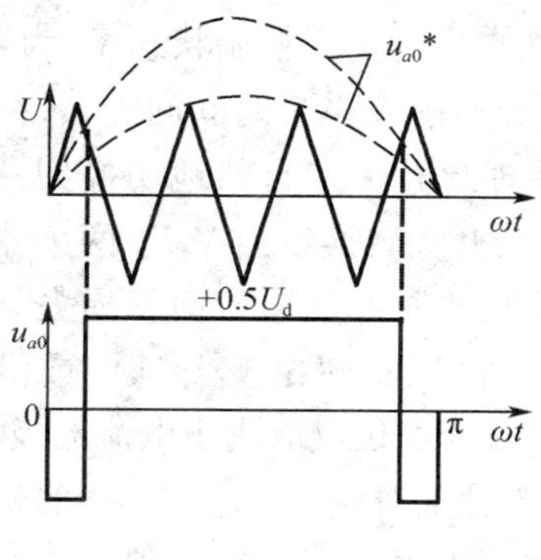

图 2-25 过调制区的波形

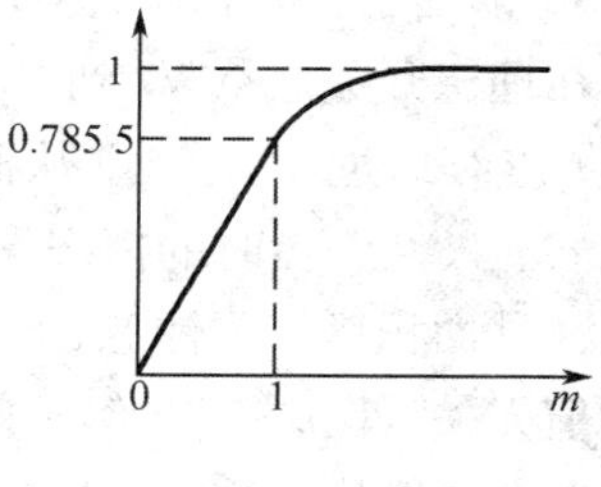

图 2-26 SPWM 过调制输出特性

2. 载波与调制波频率的关系

对于变速传动，逆变器输出电压和频率应按图 1－7 所示关系变化。在恒功率区，逆变器以方波模式工作可以获得最大电压。在恒转矩区，逆变器输出电压可以采用 PWM 控制。通常希望逆变器工作时载波与调制波频率之比 P 为一整数，即在整个工作范围内调制波与载波 P 保持同步。但当 P 保持为一定值，在基波频率下降时，会使载波频率也随之变得很低，使电动机的谐波损耗增加。图 2－27 给出了一个 GTO 晶闸管逆变器实际的载波与基波频率关系。当基波频率很低时，载波频率保持恒定。逆变器以异步调制模式工作。在这个区域，载波比 P 可以是一个非整数，相位可能连续地移动，由此产生谐波问题以及变化的直流偏移。随着 f_c/f 数值的下降，这个问题会变得越发严重。在这里应该提及的是，与基波频率变化范围相比，现代 IGBT 器件的开关频率是非常高的，这使得 PWM 逆变器可以在整个异步调制范围内得到满意的操作。如图 2－27 所示，在异步运行区后是同步调制区，在这个区，P 以一种阶梯的方式变化，这使得最大和最小载波频率保持在设定边界值内的一个特定区域。P 的数值总是保持为 3 的倍数，这是因为对 Δ 连接的负载，3 的倍数次谐波被滤除了。当调制波频率接近于额定频率（$f/f_b=1$）时，逆变器转换到方波模式工作，这里假设此时载波频率与基波频率相等。在整个工作范围，控制策略应该仔细地设计，使在载波频率跳变的时刻，不产生电压的跳变，并且为了避免相邻 P 值之间的抖动，在跳变点附近应设置一个窄的滞环带。

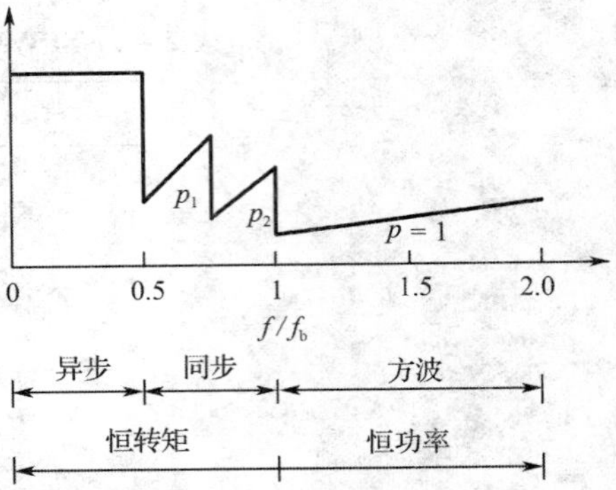

图 2－27　载波频率与 f/f_b 的关系

3. 死区时间效应及补偿

由于死区（或封锁）效应，实际的 PWM 逆变器相电压（u_{a0}）波形会在某种程度上偏离图 2－23 所示的理想波形。这种效应可以用图 2－28 中三相逆变桥中的 a 相桥臂来说明。电压源型逆变器的一个基本控制原则是要导通的器件应滞后于要关断的器件一个死区时间 t_d（典型值为几微秒）以防止桥臂的直通。这是因为器件的导通是非常快的，关断是比较慢的。死区效应会导致输出电压的畸变并减小其幅值。

考虑到图 2－28 所示正弦 PWM 操作，a 相电流 i_a 的方向为正。初始状态 V_1 为导通，u_{a0} 的幅值为 $+0.5U_d$。V_1 在理想的开关点关断后，在 V_4 导通前有一个时间间隔 t_d，在这个间隔，V_1 和 V_4 都处于关断状态，但 $+i_a$ 的流通使得 u_{a0} 在理想开关点自然地切换到 $-0.5U_d$。现在考虑在理想开关点从 V_4 到 V_1 的带有延迟时间 t_d 的开关转换。当 V_4V_1 两个器件都关断时，$+i_a$ 继续通过 VD_4 流通，从而造成了如图阴影面积的脉冲伏－秒面积损失。下面再考虑电流 i_a 的极性为负时的情况。仔细地观察图示波形可以看到在 V_4 导通的前沿有一个类似的伏－秒面积增加。注意，上述伏－秒面积的损失或增加仅仅取决于电流的极性，而与电流的幅值无关。图 2－28 给出了在每一个载波周期 T 分别对应于 $+i_a$ 和 $-i_a$ 的伏－秒面积（U_dt_d）损失和增加的积累效应对基波电压波形的影响。图中基波电流 i_a 滞后于基波电压 u_{a0} 一个相位角 φ。图 2－29（c）中解释了死区效应。把由 U_dt_d 构成的这些面积累加起来并在基波频率的半周期内加以平均可得出方波偏移电压 U_ε 为

$$U_\varepsilon = U_d t_d \left(\frac{P}{2}\right)(2f) = f_c t_d U_d \quad (2-35)$$

式中，$P = f_c / f$，f 为基波频率。图 2-29(a)中波形给出了 U_ε 波对理想 u_{a0} 波的影响。

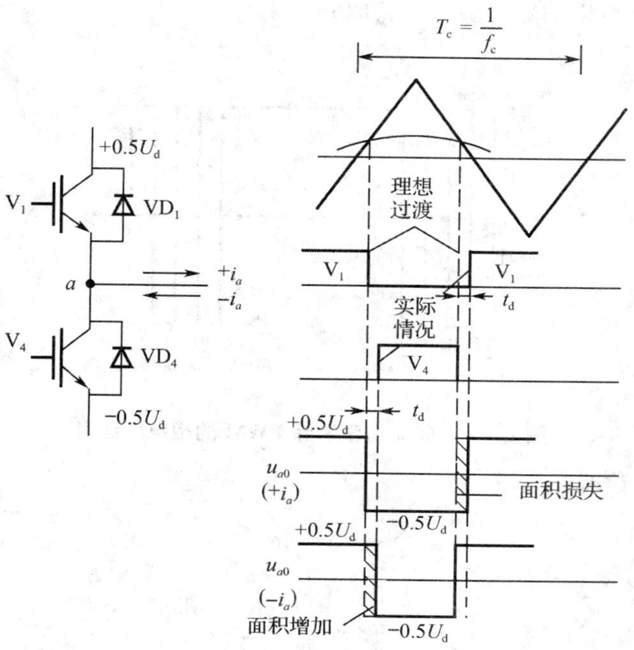

图 2-28 半桥逆变器死区效应的波形

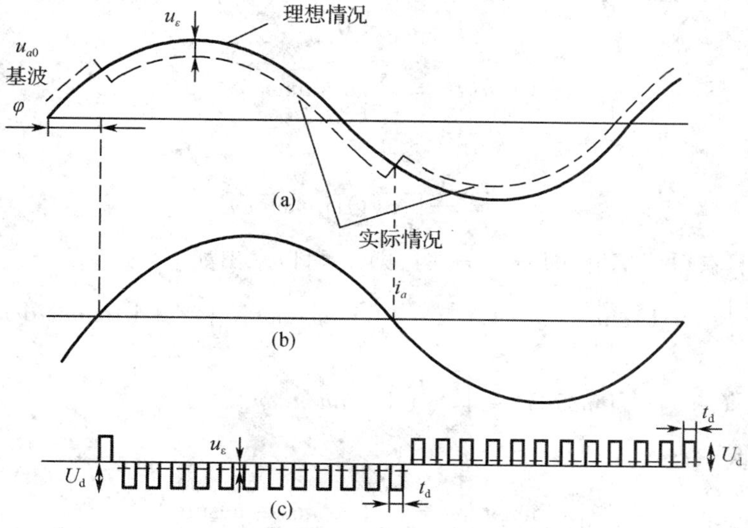

图 2-29 输出相电压波形的死区效应

2.4.3 特定谐波消除 PWM(SHEPWM)

应用特定谐波消除 PWM(SHEPWM)可以将方波中不希望有的低次谐波消除，并控制输出基波电压的大小，如图 2－30 所示。在这种方法中，要在方波电压中增加一些预先确定好角度的负脉冲。图中所示为四分之一波对称的正半周波形，可以通过控制图中四个负脉冲角 α_1，α_2，α_3 和 α_4 消除 3 个特定的谐波成分，同时控制输出基波电压。如果图示波形中有更多的负脉冲，则可以消除更多的谐波成分。

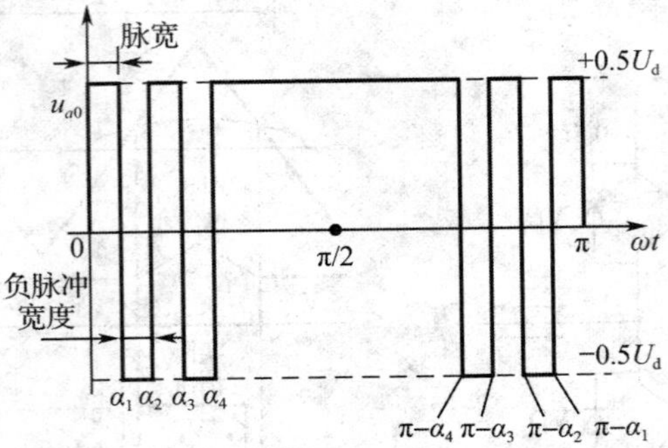

图 2－30　特定谐波消除 PWM 的相电压波形

可用傅里叶级数展开如下

$$u(t)=\sum_{n=1}^{\infty}(a_n\cos n\omega t+b_n\sin n\omega t) \tag{2-36}$$

$$a_n=\frac{1}{\pi}\int_0^{2\pi}u(t)\cos n\omega t\mathrm{d}\omega t \tag{2-37}$$

$$b_n=\frac{1}{\pi}\int_0^{2\pi}u(t)\sin n\omega t\mathrm{d}\omega t \tag{2-38}$$

对于四分之一周期的波形，波形中将只含有正弦项，并且只含有奇次谐波成分。因此有

$$a_n=0 \tag{2-39}$$

$$u(t)=\sum_{n=1}^{\infty}b_n\sin n\omega t \tag{2-40}$$

式中

$$b_n=\frac{4}{\pi}\int_0^{\frac{\pi}{2}}u(t)\sin n\omega t\mathrm{d}\omega t \tag{2-41}$$

假设图示波形具有单位幅值，即 $u(t)=\pm1$，即 b_n 可以求出如下

$$b_n=\frac{4}{\pi}\Big[\int_0^{\alpha_1}(+1)\sin n\omega t\mathrm{d}\omega t+\int_{\alpha_1}^{\alpha_2}(-1)\sin n\omega t\mathrm{d}\omega t+\int_{\alpha_2}^{\alpha_3}(+1)\sin n\omega t\mathrm{d}\omega t+\cdots+$$
$$\int_{\alpha_{k-1}}^{\alpha_k}(-1)^{k-1}\sin n\omega t\mathrm{d}\omega t+\int_{\alpha_k}^{\frac{\pi}{2}}(+1)\sin n\omega t\mathrm{d}\omega t\Big] \tag{2-42}$$

根据通用表达式

$$\int_{\theta_1}^{\theta_2}\sin n\omega t\mathrm{d}\omega t=\frac{1}{n}(\cos n\theta_1-\cos n\theta_2) \tag{2-43}$$

可以得出式(2－42)中的第一项和最后一项为

$$\int_0^{\alpha_1}(+1)\sin n\omega t\mathrm{d}\omega t=\frac{1}{n}(1-\cos n\alpha_1) \tag{2-44}$$

$$\int_{\alpha_k}^{\frac{\pi}{2}}(+1)\sin n\omega t\mathrm{d}\omega t=\frac{1}{n}\cos n\alpha_k \tag{2-45}$$

将式（2-44）、式（2-45）代入式（2-42）并求出式中其他的积分项，可得

$$b_n=\frac{4}{n\pi}[1+2(-\cos n\alpha_1+\cos n\alpha_2-\cdots+\cos n\alpha_k)]$$
$$=\frac{4}{n\pi}[1+2\sum_{i=1}^{k}(-1)^i\cos n\alpha_i] \tag{2-46}$$

注意在式（2-46）中有 k 个变量（即 $\alpha_1,\alpha_2,\alpha_3,\cdots,\alpha_k$），因此至少需要有 k 个方程式去求出这 k 个变量的数值。通过求解这 k 个 α 角度，可以使基波电压得到控制并且消除 $k-1$ 个频率的特定谐波。

考虑下面的例子，消除 5 次和 7 次谐波（最低次的特定谐波）并控制基波电压，3 次谐波以及 3 的倍数次谐波在 Δ 连接的电动机负载中可以不考虑。在这种情况下，$k=3$。根据式（2-46），可以得到如下方程：

基波 $$b_1=\frac{4}{\pi}(1-2\cos\alpha_1+2\cos\alpha_2-2\cos\alpha_3) \tag{2-47}$$

5 次谐波 $$b_5=\frac{4}{5\pi}(1-2\cos5\alpha_1+2\cos5\alpha_2-2\cos5\alpha_3)=0 \tag{2-48}$$

7 次谐波 $$b_7=\frac{4}{7\pi}(1-2\cos7\alpha_1+2\cos7\alpha_2-2\cos7\alpha_3)=0 \tag{2-49}$$

对于一个指定的基波电压幅值，可以通过计算机程序用数值算法求解上面这组非线性超越方程组，算出 α_1，α_2 和 α_3 的数值，如图 2-31 所示。例如，给定 50% 的基波电压（$b_1=0.5$），可得到 α 数值为 $\alpha_1=20.9°$，$\alpha_2=35.8°$，$\alpha_3=51.2°$。

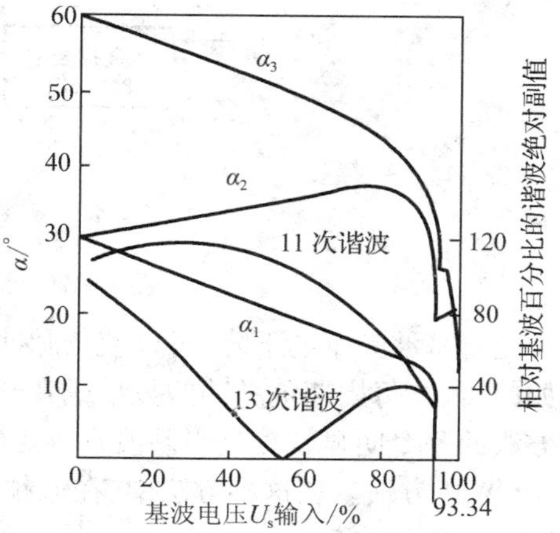

图 2-31 消除 5 次和 6 次谐波时负脉冲角与基波输出电压的关系

从图 2-31 可以看出低次谐波的消除会增大某些较低次的其他特定谐波（如 11 次和 13 次），但由于这些特定谐波的频率比基波频率高出很多，同时其能量占基波能量的比例也不大，因此他们的影响并不大。从图 2-31 还可以看出，在输出基波电压幅值从 0 变化到 93.34% 时（100% 对应于方波电压输出），5 次和 7 次谐波都可以被完全消除。在输出电压为 93.34% 时，$\alpha_1=0$，之后，在半周期外侧剩下的单一负脉冲可以通过减小 α_2 角度而对称地变窄，最后跳变为完整的方波。表 2-7 给出了输出基波电压以 1% 步距变化时的 α 角度变化。图 2-32 给出了输出电压为 98% 时的典型波形。注意，基波电压的方向与 α 角的整个变化范围无关，输出基波电压在 93.3% ~100% 范围内变化时，会有某种程度的 5 次和 7 次谐波成分重新出现，但其能量很小，可以忽略不计。

通过预先设置负脉冲角的查寻表格，特定谐波消除法可以很方便地用微控制器实现。图2-33所示简单框图给出了这种方法的实现策略。对于一个给定的指令电压 U^*，可以在查寻表格中查到对应的负脉冲角度，然后在时域里应用一个减法计数器就可以产生相应的相电压脉冲宽度。这里，计数器的脉冲为 $f_{ck}=kf$。例如，$k=360°$，可以产生分辨率为 1° 的波形。

表 2-7 电压在 93.3% ~100% 范围内变化时的 α 角变化

U_s/%	α_1/°	α_2/°	α_3/°
93	0	15.94	22.02
94	0	16.17	21.56
95	0	16.41	20.86
96	0	16.88	20.39
97	0	17.34	19.92
98	0	11.02	13.59
99	0	4.69	7.27
100(方波)	0	0	0

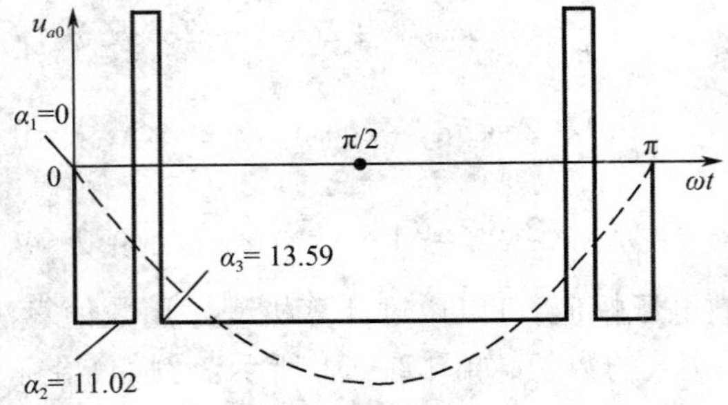

图 2-32 输出电压为 98% 时的典型波形

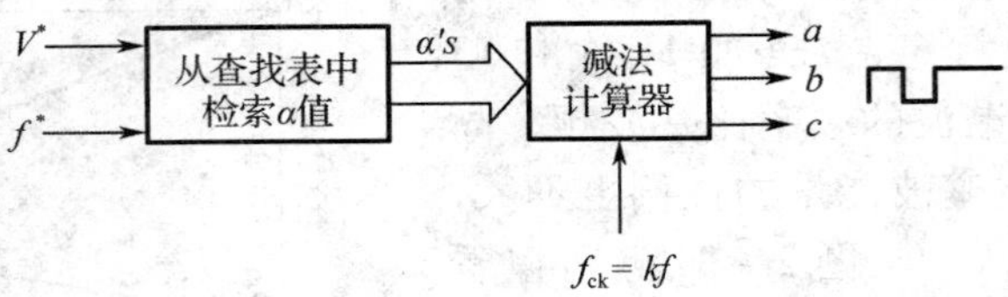

图 2-33 特定谐波消除法的实框图

随着基波频率的下降，可以使负脉冲的数量增多，这样就可以消除更多的特定谐波，但是如前所述，每周期负脉冲的数量或者开关频率本身是受到逆变器的开关损耗限制的。这种方法的一个明显缺点是当基波频率比较低时，查寻表会变得非常大，因此，可以采用一种混合 PWM 方法。在这种方法中，在低频、低电压区域中使用 SPWM 方法；而在高频区，使用特定谐波消除法。

2.4.4 最小纹波电流 PWM

特定谐波消除 PWM 法的一个显著缺点是当较低次的谐波被消除时，与其相邻的下一个较高次的谐波却被加强了，如图 2-31 所示。由于在电动机中谐波损耗是由纹波电流的有效值确定的，因此，应该减小的是纹波电流有效值而不是某些个别的谐波。前已述及，与各次谐波电压相对应的谐波电流本质上取决于电动机的有效漏电感。因此，纹波电流有效值可以表示如下

$$I_{\text{ripple}} = \sqrt{I_5^2 + I_7^2 + I_{11}^2 + \cdots} = \sqrt{\frac{\hat{I}_5^2}{2} + \frac{\hat{I}_7^2}{2} + \frac{\hat{I}_{11}^2}{2} + \cdots} = \sqrt{\frac{1}{2}\sum_{n=5,7,11,\cdots}^{\infty}\left(\frac{\hat{U}_n}{n\omega_0 L_{s\delta}}\right)^2} \quad (2-50)$$

式中 $I_5, I_7, \cdots$——谐波电流有效值；
$L_{s\delta}$——电动机每相的等效漏感；
$\hat{I}_5, \hat{I}_7, \cdots$——谐波电流的峰值；
n——谐波次数；
$\hat{U}_n$—— n 次谐波电压峰值；
ω_0——基波角频率。

相应的谐波铜损为

$$P_L = 3I_{\text{ripple}}^2 R \tag{2-51}$$

式中 R——电动机每相的有效电阻。

对于一组确定数的负脉冲角度，从式(2－43)可以得到 $\hat{U}_n$ 的表达式，将此式代入到式(2－50)中，就可以得到作为 α 角函数的 I_{ripple}^2。对于一个确定的基波幅值，通过计算机程序对 α 角迭代运算可以求出最小化的 I_{ripple}。与谐波消除法相比，基于谐波损耗最小化修改的 α 角查寻表是一种更理想的选择。

2.4.5 空间矢量 PWM

前述的 PWM 控制主要要求逆变器的输出电压波形尽量接近标准正弦波，使逆变器输出的 PWM 电压波形基波成分尽量大，尽量消去谐波含量；至于电流波形，则受负载参数的影响。三相异步电动机要求定子输入三相对称正弦电流的目的是在电动机内产生圆形气隙旋转磁场，从而产生恒定的电磁转矩。因此，以跟踪圆形旋转磁场为目标来控制逆变器的输出电压，一定会产生更好的控制效果。20 世纪 80 年代中期，国外学者在交流电动机调速中首先提出了磁通轨迹控制的思想，而磁通轨迹的控制是通过电压空间矢量的合成实现的，所以又称为“电压空间矢量 PWM(Space Vector Pulse Width Modulation，SVPWM)控制”。这种方法算法简单且适合数字实现，并具有转矩脉动小、噪声低、电压利用率高等优点，目前在高性能变频器中得到了广泛地应用。具体将在第 5 章结合同步电动机矢量控制系统加以介绍。

2.4.6 瞬时电流控制正弦 PWM

到目前为止，我们仅仅讨论了前馈电压控制 PWM 技术。在电动机传动技术控制系统中，对电动机电流的控制是非常重要的，因为电动机电流直接影响磁链和转矩。高性能的传动系统全都需要采用电流控制。对于采用电压 PWM 控制的电压源型逆变器，可以采用电流反馈环来控制电动机电流，在这种情况下，逆变器以一种可编程的电流源方式工作。

图 2－34 给出了一种内环采用正弦电压 PWM 控制的瞬时电流控制策略。正弦电流控制环的误差通过一个比例－积分(PI)控制器转换成正弦电压指令。对于三相逆变器，需要用到 3 个这样的控制器。这种控制方法是简单的，但是也存在着几个问题。由于控制系统的带宽有限，实际的电流会存在相位滞后和幅值误差，这种现象会随着频率的提高而加重，这种相位偏差对于高性能的传动系统是非常有害的。另外由电流控制环产生的正弦指令电压可能会含有纹波，从而使 SPWM 比较器产生多次过零的

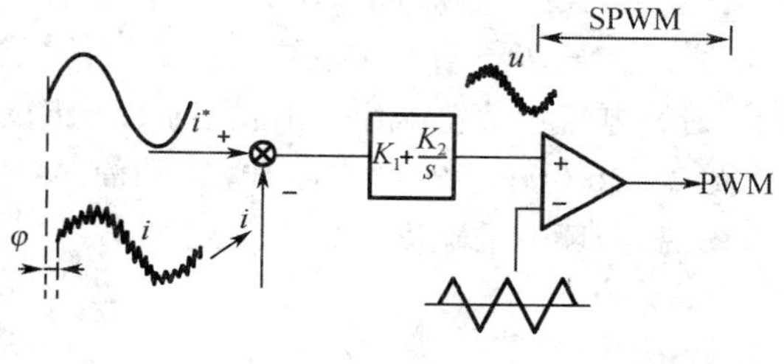

图 2－34 瞬时电流控制 SPWM 的控制框图

问题。上述问题目前都已得到解决。

2.4.7 滞环电流控制 PWM

滞环 PWM 本质上是一种瞬时电流反馈 PWM 控制方法,在这种方法中,实际电流在一个滞环带内连续的跟踪指令电流。图 2－35 给出了一个半桥逆变器采用滞环 PWM 的工作原理。控制电路产生具有希望幅值和频率的正弦参考电流波,然后这个正弦参考电流波与实际相电流波相比较,当实际相电流超过预先确定的滞环区间上限时,逆变器的上桥臂开关关断,下桥臂开关导通,使输出电压从 $+0.5U_d$ 转换到 $-0.5U_d$,引起实际相电流下降。当实际相电流达到滞环区间下限时,下桥臂开关关断,上桥臂开关导通。为防止桥臂直通,在每一次转换中应设有死区时间(t_d)。这样通过上、下桥臂开关器件的轮流导通,强迫实际电流波在一个滞环带内跟踪正弦指令波,因此,逆变器本质上成为了一个带有一定峰－峰值纹波的电流源。电流被控制在一个滞环带内而与电压 U_d 的波动无关。当上部开关导通时,电流以一个正的斜率变化,这时有

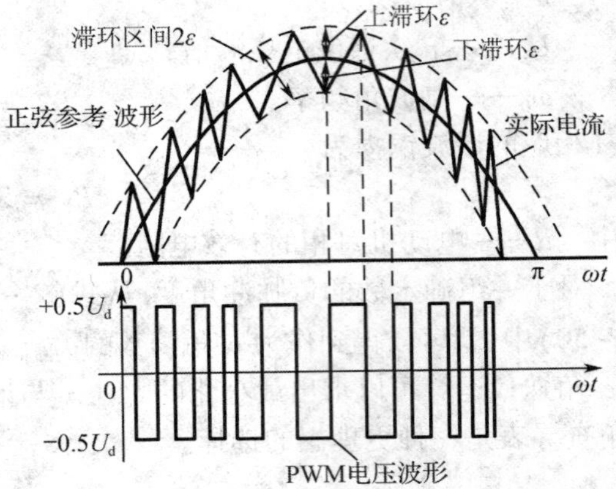

图 2－35 滞环电流控制原理

$$\frac{\mathrm{d}i}{\mathrm{d}t}=\frac{0.5U_d-U_{cm}\sin\omega_e t}{L} \quad (2-52)$$

式中 $0.5U_d$——施加的直流电压;

U_{cm}——负载反电动势的瞬时值;

L——负载有效电感。

当下部开关导通时,相应的电流变化率表达式为

$$\frac{\mathrm{d}i}{\mathrm{d}t}=\frac{-(0.5U_d+U_{cm}\sin\omega_e t)}{L} \quad (2-53)$$

纹波的峰－峰值以及开关频率都与滞环带的宽度有关,较窄的滞环带会在减小纹波的同时使开关频率增加。通常希望设置一个综合考虑谐波成分以及逆变开关损耗的最优带宽。滞环 PWM 可以平稳地穿过准 PWM 区进入方波电压工作模式,在电动机的低速工作区,反电动势较小,电流控制器的跟踪是没有任何困难的。但是在高速工作区,由于较高的反电动势,在某些周期电流控制器会饱和,因此会出现一些基波频率倍数的谐波,在这种情况下,谐波电流幅值会减小,相位会滞后于指令电流。

图 2－36 给出了实现滞环 PWM 的简单控制框图,电流控制环的误差加到滞环比较器的输入端,滞环带的宽度可以由下式给出:

$$\varepsilon=U\frac{R_2}{R_1+R_2} \quad (2-54)$$

式中 U——比较器供电电压。

器件的开关条件为

上桥臂开关开通:

$$(i^* - i) > \varepsilon \qquad (2-55)$$

下桥臂开关开通：

$$(i^* - i) < -\varepsilon \qquad (2-56)$$

对于三相逆变器，类似的控制电路被应用在每一相上。

滞环电流 PWM 的优点是实现简单，动态响应快，可直接限制器件的峰值电流，直流侧应用滤波电容较小等，因此在实际系统中应用得非常广泛。但是这种方法也有一些明显的缺点，由图 2-35 可以看出 PWM 频率不是恒定的，这种频率的变化，使得电动机电流中的谐波得不到最优化处理，可以采用自适应的滞环带减轻其影响。另外，在这种方法中基波电流有一个相位上的滞后，并且这个滞后随着频率的提高而加大。这个相位的偏差在高性能的电动机控制中会带来问题，当然，无中线连接负载还会产生其他的电流波畸变。

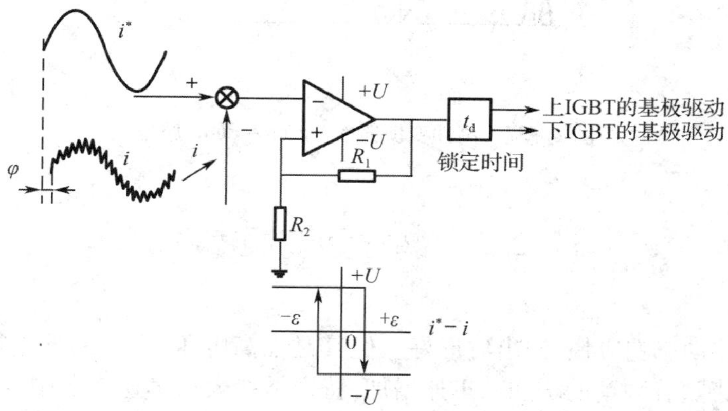

图 2-36 滞环 PWM 控制框图

2.4.8 Sigma-Delta 调制

在高频变流器系统中经常使用一种称为 Sigma-Delta 调制的 PWM 技术，这种技术通过组合整半周期脉冲产生变频变压的正弦波。图 2-37 给出了其工作原理。调制器接收幅值和频率都变化的指令相电压 u_{a0}^*，然后将其与实际的离散相电压脉冲相比较，对输出的误差（Delta 操作）进行积分（Sigma 操作），产生一个积分误差函数 e 为

$$e = \int u_{a0}^* - \int u_{a0}\,\mathrm{d}t \qquad (2-57)$$

误差函数的极性由一个双极性的比较器检测，e 为正极性时选择正的电压脉冲，而当 e 为负极性时选择负的电压脉冲。开关动作在零电压下进行，从而使逆变器具有软开关的优良特性，这一点将在后面讨论。例如，正电压脉冲的选择可以通过在正半周期使交流开关 S_1 闭合或在负半周期使 S_2 闭合。从图中可以很清楚地看到在较高的变换频率下，指令电压与反馈电压的伏-秒积分跟踪精度将会有很大的改善。如果 $u_{a0}^* = 0$，则高频交流（HFAC）变流器的脉冲为正负交替变化，当 u_{a0}^* 增大到某一个较高的数值时，调制器将平稳地转换到方波区域工作，在这种情况下，在基波半周期内，所有脉冲的极性都是单方向的，已获得最大的基波电压。在三相系统中需要用到 3 个这样的调制器。

如果希望控制基波电流而不是基波电压，可以应用这样简单的 Delta 调制原理，在这种情况下，可以在最近的零电压间隔根据电流控制环瞬时误差极性选择合适的电压脉冲。

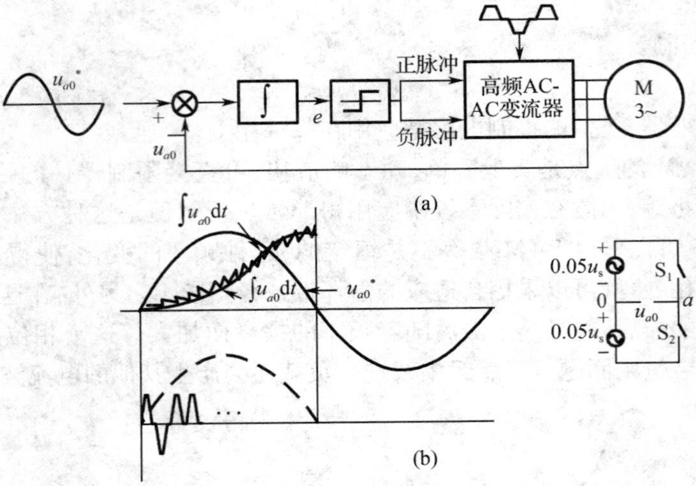

图 2-37　高频变流器的 sigma-delta 原理

2.5　谐振型变换器

PWM 逆变器动态响应快,输出波形好。但其是在高电压、大电流下进行通断转换的硬开关,开关损耗将随着频率的增加而迅速增加,特别是在大功率逆变器中,同时 EMI 也随着高频化而变得突出。

1986 年美国威斯康星大学 DM. Divan 教授研制的谐振直流环节逆变器解决了上述问题。它是利用谐振原理使 PWM 逆变器的开关元件在零电压或零电流下进行开关状态转换,即软开关技术。这样,器件的开关损耗几乎为零,也有效地防止了电磁干扰,可大大提高器件的工作频率,减少装置体积、质量。

2.5.1　谐振直流环节逆变器的基本原理

三相谐振直流环节逆变器的原理如图 2-38 所示,图中 L,C 组成串联谐振电路,插在直流输入电压和 PWM 逆变器之间,为逆变器提供周期过零电压,以便每一个桥臂上的功率开关都可以在零电压($u_c=0$)下开通或关断。

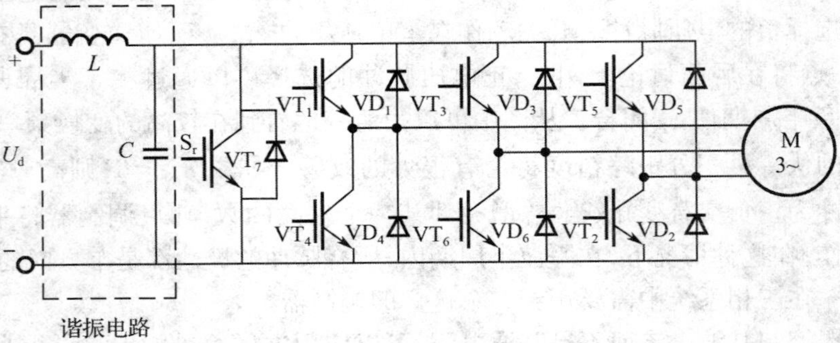

图 2-38　三相谐振直流环节逆变器的原理图

为便于说明基本概念，将图2-38在每一个谐振周期中对应等效电路简化为如图2-39所示。

图中 L，C 为谐振电感和谐振电容，R 为电感线圈中的电阻。谐振开关及其反并联二极管代表一个桥臂上的两个开关元件中的任一个。电路的负载以等效电流源 I_X 表示，I_X 的数值取决于各相电流。在PWM控制方式下，从一个周期转变到下一个周期，由于负载电感比谐振电感大得多，在一个谐振周期 I_X 仍可看作常数。

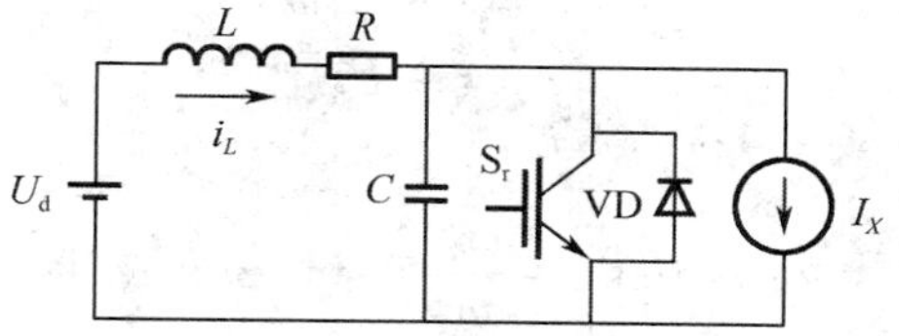

图2-39　三相谐振直流环节逆变器的等效电路

1. 忽略电路中的损耗

考虑一种理想情况，即令 $R=0$，不考虑负载影响。如图2-39所示，L，C 谐振电路的微分方程

$$L\frac{\mathrm{d}i}{\mathrm{d}t}+u_C=U_\mathrm{d} \tag{2-58}$$

$$C\frac{\mathrm{d}u_C}{\mathrm{d}t}=i_L \tag{2-59}$$

将式(2-59)代入式(2-58)得

$$LC\frac{\mathrm{d}^2u_C}{\mathrm{d}t^2}+u_C=U_\mathrm{d} \tag{2-60}$$

解方程(2-60)并代入初始条件 $i_L(0)=0$，$u_C(0)=0$，可得

$$u_C=U_\mathrm{d}(1-\cos\omega_0t) \tag{2-61}$$

$$i_L=\frac{U_\mathrm{d}}{\omega_0L}\sin\omega_0t \tag{2-62}$$

式中　$\omega_0=1/\sqrt{LC}$

这时 u_C 为一个在 $0\sim2U_\mathrm{d}$ 间周期性振荡的正弦信号，如图2-40所示。

2. 有损耗LC谐振槽路

考虑在实际电路中不可能做到无损耗振荡，因此，实际的LC谐振电路为RLC电路，其中 $R\ll\sqrt{L/C}$。相应动态过程可用如下微分方程描述

$$L\frac{\mathrm{d}i_L}{\mathrm{d}t}+i_LR+u_C=U_\mathrm{d} \tag{2-63}$$

$$C\frac{\mathrm{d}u_C}{\mathrm{d}t}=i_L \tag{2-64}$$

且 $i_L(0)=0$，$u_C(0)=0$，将式(2-64)代入式(2-63)得

$$LC\frac{\mathrm{d}^2u_C}{\mathrm{d}t^2}+RC\frac{\mathrm{d}u_C}{\mathrm{d}t}+u_C=U_\mathrm{d} \tag{2-65}$$

解式(2-65)得

$$u_C = U_d + A_1 e^{-\delta t}\sin\omega t + A_2 e^{-\delta t}\cos\omega t \tag{2-66}$$

$$i_L = CA_1 e^{-\delta t}(\omega\cos\omega t - \delta\sin\omega t) - CA_2 e^{-\delta t}(\delta\cos\omega t + \omega\sin\omega t) \tag{2-67}$$

由初始条件得

$$u_C(0) = 0 = U_d + A_2$$

$$i_L(0) = 0 = A_1\omega - A_2\delta$$

解上两式得

$$A_1 = -\delta U_d/\omega$$

$$A_2 = -U_d$$

将 A_1,A_2 代入式(2-66)、式(2-67)得

$$u_C = U_d\left[1 - \frac{\omega_0}{\omega}e^{-\delta t}\sin(\omega t + \beta)\right] \tag{2-68}$$

$$i_L = \frac{U_d\omega_0}{Z_0\omega}e^{-\delta t}\sin\omega t \tag{2-69}$$

式中 $\delta = R/2L$;

$\omega = \sqrt{\omega_0^2 - \delta^2}$;

$Z_0 = \sqrt{L/C}$,为特征阻性;

$\beta = \tan^{-1}\dfrac{\omega}{\delta} = \sin^{-1}\dfrac{\omega}{\omega_0} = \cos^{-1}\dfrac{\delta}{\omega_0}$。

图 2-41 为 u_C 随时间 t 变化的波形。从图中可知,由于 R,C 的存在,u_C 为一衰减振荡波形并最终稳定在电源电压 U_d 值,即这时 u_C 不再能周期性的返回零点,从而也就不能为后面的三相逆变桥周期性的创造零电压通断间隔。

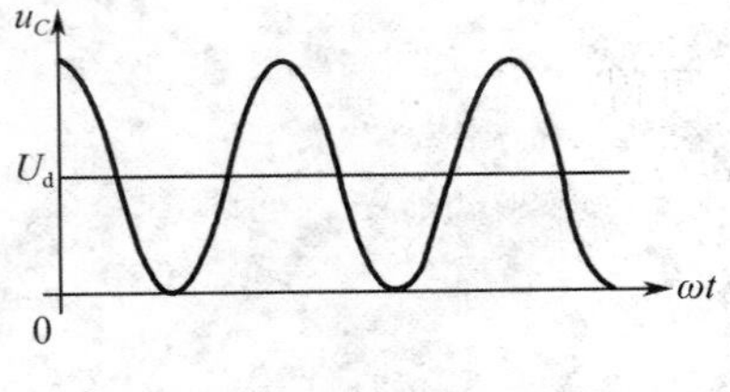

图 2-40 $u_C = U_d(1+\cos\omega_0 t)$ 波形图

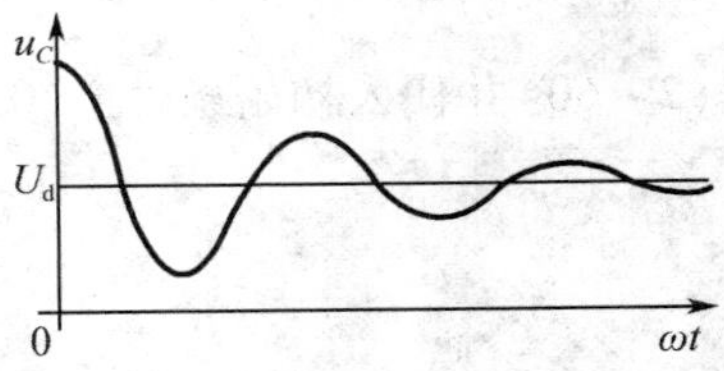

图 2-41 u_C 随时间 t 变化的波形

3. 开关 S_r 的作用

为了使 u_C 能周期性的回到零值,必须补充电路中的损耗,其办法是在 LC 谐振槽路开始振荡之前,先使电感 L 中储存有足够能量,这样就可以使 LC 振荡为等幅振荡。开关 S_r 正是为了这个作用设计的,也是这个电路的关键所在,见图 2-42。每当 u_C 回到零点后,导通 S_r,这时 u_C 被钳位在零值,i_L 则按指数增长。当 $i_L = I_{L0}$ 时,关断 S_r。这时 LC 谐振槽路开始振荡。初始时刻 L 中储存的能量 $LI_{L0}^2/2$ 应能保证 u_C 安全回零。这样在 u_C 每次回到零位后,导通 S_r。通过电感 L 预先充电使振荡过程中损耗的能量得以补充,从而使 u_C 的等幅振荡能持续下去,为后面的三相逆变桥创造出所需要的零电压间隔。

4. 考虑负载电流 I_d 对谐振槽路影响

假设空负载电感远大于谐振电感 L 时,负载电流 I_d 在一个谐振周期中可近似看作不变。其数值取决于各相电流的瞬时值及逆变桥 6 个器件的开关状态,如图 2-42 所示。

谐振 DC 环节的一个工作周期分为两个阶段。

第一阶段为谐振电感的预充电阶段。在这个阶段中，开关 S_r 导通，u_C 被钳位在 0 V，电感电流 i_L 在直流供电电压 U_s 的作用下按指数规律增长，当 $i_L = I_{L0}$ 时，预充电阶段结束，I_L 为考虑到负载电流 I_d 后的预充电电流阈值，目的是为了补充 LC 谐振电路在一个谐振周期中的能量损耗。

第二阶段为 LC 谐振阶段。定义这个初始时刻为 $t=0$，在这个时刻关断 S_r，这时 $i_L(0) = I_{L0}$，$u_C(0)=0$。在开关 S_r 断开后，图 2－43 所示电路的动态过程可用如下微分方程描述：

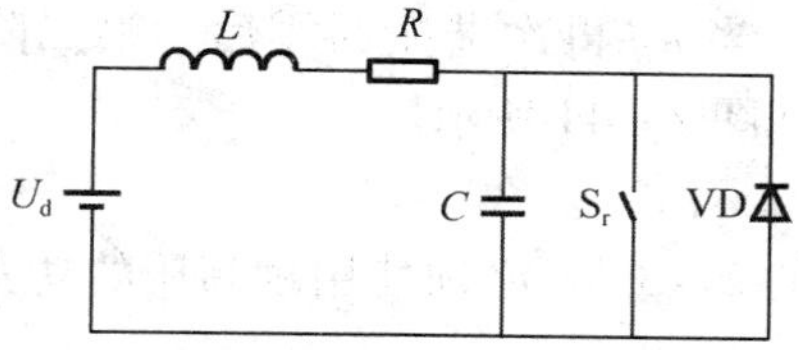

图 2－42 有损耗 LC 谐振槽路等效电路图

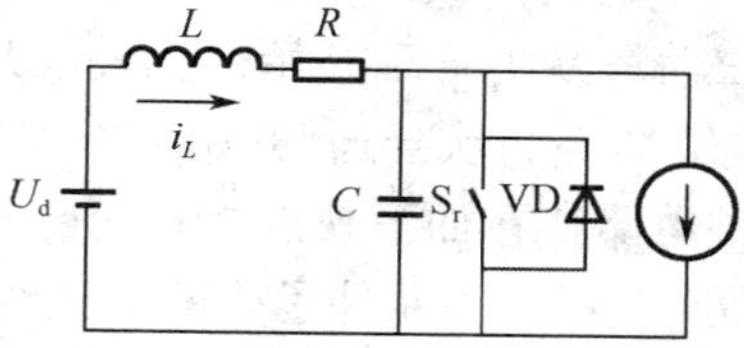

图 2－43 考虑负载电流对谐振槽路影响的等效电路图

$$U_d = i_L R + L\frac{di_L}{dt} + u_C \tag{2-70}$$

$$i_L = I_d + C\frac{du_C}{dt} \tag{2-71}$$

将式(2－71)代入式(2－70)得

$$LC\frac{d^2u_C}{dt^2} + RC\frac{du_C}{dt} + u_C = U_d - RI_d \tag{2-72}$$

解微分方程(2－72)式得

$$u_C = (U_d - I_d R) + A_1 e^{-\delta t}\sin\omega t + A_2 e^{-\delta t}\cos\omega t \tag{2-73}$$

$$I_L = I_d + C\frac{du_C}{dt} = -C\delta e^{-\delta t}(A_1\sin\omega t + A_2\cos\omega t) + C\omega e^{-\delta t}(A_1\cos\omega t - A_2\sin\omega t) + I_d \tag{2-74}$$

将 $u_C(0)=0$，$i_L(0)=I_{L0}$ 分别代入式(2－73)、式(2－74)得

$$A_1 = \frac{1}{\omega C}(I_{L0} - I_d) + \frac{\delta}{\omega}(I_d R - U_d)$$

$$A_2 = I_d R - U_d$$

将 A_1，A_2 代入式(2－73)、式(2－74)得

$$u_C = (U_d - I_d R) + e^{-\delta t}(I_d R - U_d)\cos\omega t + e^{-\delta t}\left[\frac{1}{\omega C}(I_{L0} - I_d) + \frac{\delta}{\omega}(I_d R - U_d)\right]\sin\omega t \tag{2-75}$$

$$i_L = I_d + e^{-\delta t}(I_{L0} - I_d)\cos\omega t - e^{-\delta t}\left[\frac{\delta}{\omega}(I_{L0} - I_d) + \frac{1}{\omega L}(I_d R - U_d)\right]\sin\omega t \tag{2-76}$$

当 $R\to 0$，上面两式可简化为

$$u_C = U_d(1 - \cos\omega_0 t) + \omega_0 L(I_{L0} - I_d)\sin\omega_0 t \tag{2-77}$$

$$i_L = I_d + \frac{U_d}{\omega_0 L}\sin\omega_0 t + (I_{L0} - I_d)\cos\omega_0 t \tag{2-78}$$

在特定情况如 $I_{L0}=I_d$ 时，上两式变为

$$u_C = U_d(1-\cos\omega_0 t) \tag{2-79}$$

$$i_L = I_{L0} + \frac{U_d}{\omega_0 L}\sin\omega_0 t \tag{2-80}$$

上式表明，当 LC 谐振槽路无任何损耗时，只要保证电感预充电电流阈值 i_L 等于该时刻的负载电流 I_d，则电容电压 u_C 将与无负载电流时完全相同，在 $0\sim2\pi$ 间周期振荡，而电感电流 i_L 将为一均值，等于 I_{L0} 的正弦脉动电流。当然，由于 LC 谐振槽路实际上存在着损耗，为弥补这部分的损耗，必须保证 $I_m = I_{L0}-I_d > 0$。具体 I_m 值可参阅相关文献。

第二阶段从 $I_L=I_{L0}$ 开始，之后 u_C 从 0 开始增长，当 u_C 再次谐振回零后。第二阶段结束，这时开关 S_r 再次导通，开始下一周期第一阶段，如图 2－44 所示。

这种电路存在如下缺点：

（1）逆变器开关元件承受的电压约为直流电压的 2～3 倍，必须使用耐高压的功率开关器件；

（2）实现零损耗，开关器件必须在零电压通断，但这个零电压到来的时刻与 PWM 控制策略所确定的开关时刻难以一致，这样会造成时间上的误差，导致输出谐波增加。

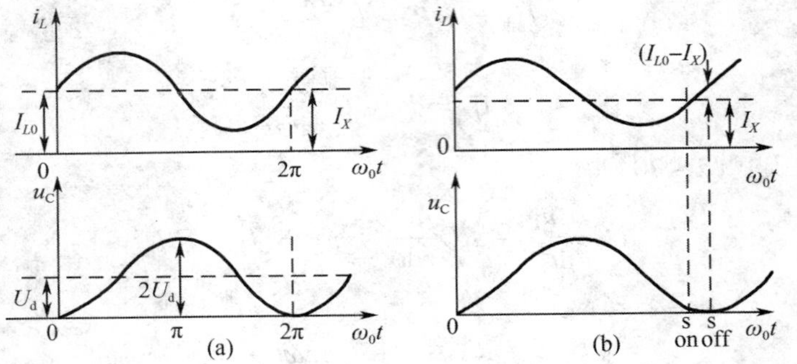

图 2－44　谐振直流环节的电流、电压波形

2.5.2　谐振直流环节逆变电路举例

1. 并联谐振直流环节逆变器

如果考虑到逆变器具有较大的输出电感，则在每一个谐振周期，PWM 逆变器及其交流侧负载可用一个电流源 I_X 替代。I_X 的数值和方向取决于逆变桥各开关器件的状态及各相电流值，如图 2－45 所示，电路（a）简化为电路（b）。

设电路的初始状态为 S_1，S_3 导通，S_2，S_4 关断。直流电源 U_d 通过 S_1 为 PWM 逆变器提供能量。此时整个系统与常规的电压型逆变器工作过程完全一样。

阶段 A　开关 S_2 导通，u_{C_1}，u_{C_2} 均为 U_d，电感电流 i_L 在 U_d 作用下将从 0 线性增长。当 $i_L=i_p$ 时，关断开关 S_1。I_p 为电感电流初始化阈值，它是负载电流 I_X 及其他电路参数的函数，这个值应足够大，保证 DC 环节谐振电压能重新返回 U_{d0}。S_1 是在零电压下关断的（因其开关前后电压均为 U_d）。

阶段 B　S_1 关断后，电感 L 将与电容 C_1 和 C_2 产生谐振（如图 2－46 中 $t_1\sim t_2$ 段）。C_1，C_2 经 L 放电，在 u_{C1} 和 u_{C2} 下降的同时，i_L 增加，如图 2－47（b）。

阶段C　当C_2放电至$u_{C2}=0$时，导通S_4，关断S_3，之后DC环节电压u_{C2}被钳位在零值，为逆变器开关器件创造零电压时间间隔，而电容C_1将与电感L继续谐振，如图2-46(c)的$t_2\sim t_3$时间段。这里关断S_3被用于在DC环节零电压期间把谐振电路与逆变电路分开，避免负电压出现在逆变器输入端，此时i_L达到最大值$i_{L\max}$。然后i_L下降至零时，$u_{C1}=-u_{C1\max}$，i_L再继续下降，能量又向L转移。

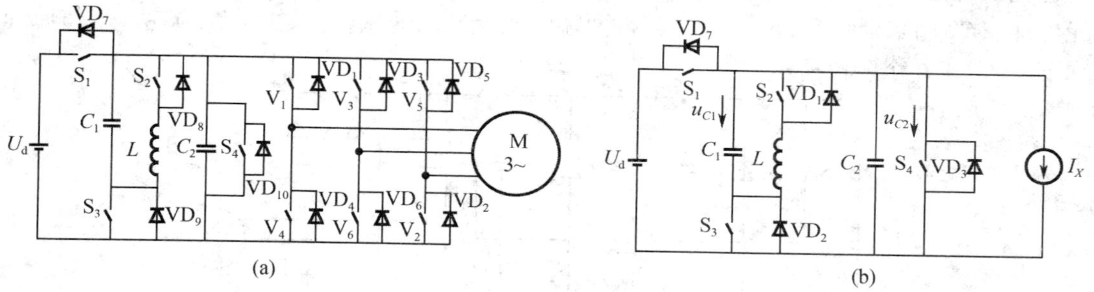

图2-45　并联谐振DC环节逆变器

(a)电路原理图；(b)等效电路图

阶段D　当电容电压u_{C1}重新谐振到零值时，关断开关S_4，导通开关S_3，电感L重新与C_1和C_2共同谐振。如图2-46的$t_3\sim t_4$时间段。此后i_L从负值上升，能量又向C_1，C_2转移，u_{C1}，u_{C2}开始上升。

阶段E　当u_{C1}，u_{C2}电压上升到U_d时，导通开关S_1。直流电源恢复向逆变桥供电，i_L继续上升，如图2-46的$t_4\sim t_5$阶段。S_1在零电压下导通，因S_1前后电压均为U_d。

阶段F　i_L上升到0时，在零电流下关断S_2，如图2-46的$t_4\sim t_5$，一个谐振周期结束，这时电路处于开始时稳定状态。

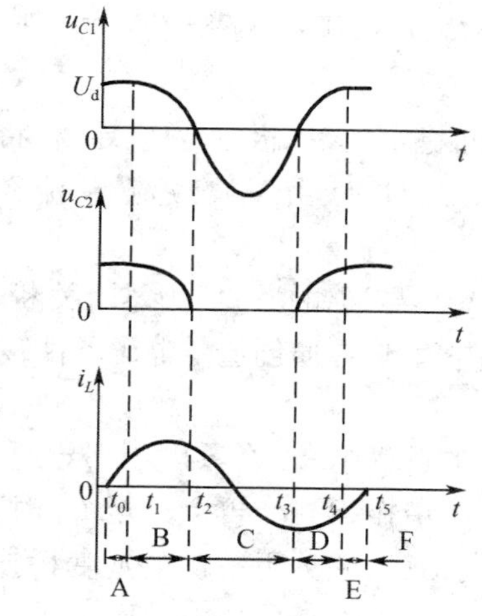

图2-46　电容电压与电感电流的波形图

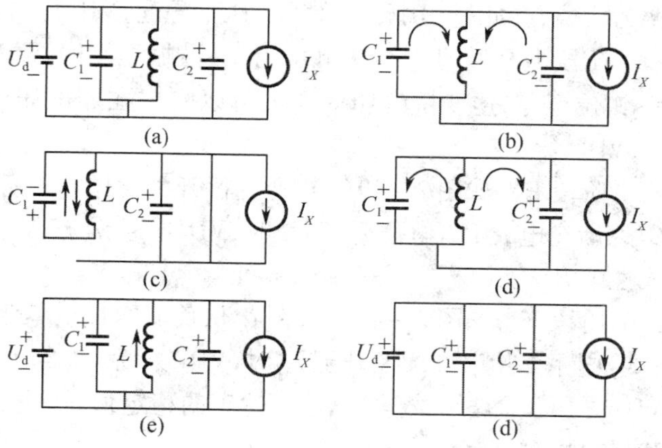

图2-47　并联谐振DC环节逆变器工作原理图

通过上述分析可知，逆变桥功率开关的通断时间可以完全按照PWM控制策略确定，只要其动作之前，借助开关S_1，S_2，S_3的先后动作，使DC环节首先谐振到零即可。该电路限制了过高的谐振电压峰值，逆变器开关元件所承受的最大电压值仅为直流电源电压U_d。这样基本原理电路的两个缺点都被克服了，当然电路结构和控制策略也复杂了。

2. 结实型谐振直流环节逆变器

结实型谐振直流环节逆变器如图 2－48 所示。

图 2－45 所示的谐振型逆变器电路在整个工作周期中，都存在一个将直流母线短路的操作过程，此时万一控制电路出现故障，就可能损坏逆变桥的所有功率开关。图 2－48 中电路避免了直流母线短路的过程。图中 L 为谐振电感；C_1，C_2 为谐振电容；S_1，S_2 为功率开关元件；C'_1，C'_2 用来延缓 S_1，S_2 关断后器件两端电压上升的速率，以减少关断损耗。工作原理如下面 A ~ F 6 个阶段所示。

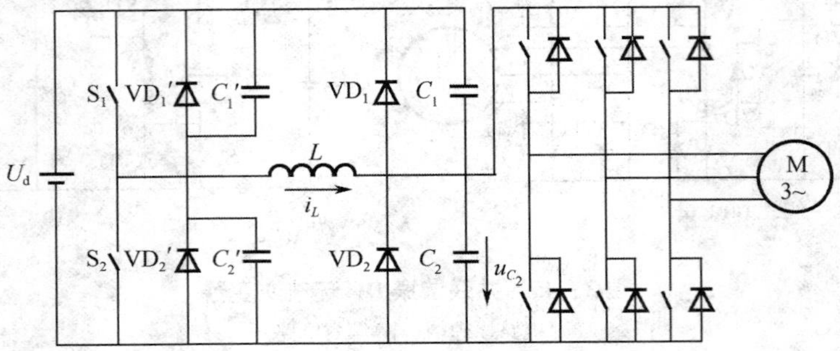

图 2－48　结实型谐振直流环节逆变器

阶段 A　如图 2－49(a)，S_1 通，S_2 断，VD_1 导通，直流电源 U_d 经 S_1 向逆变桥 INA 供电。L 的压降为零，i_L 达到正向稳定值 $I_{L0} > I_X$。其中的 $(i_L - I_X)$ 部分流经 VD_1，S_1，$u_{C_2} = U_d$。

阶段 B　如图 2－49(b)，逆变器开关动作之前的某一时刻，在 VD_1 导通，钳位电压为 0 的情况下关断 S_1，i_L 向 C_1' 转移。C_1' 充电延缓 S_1 两端电压上升时间，当 C_1' 电压上升到 U_d 时，二极管 VD_2' 导通，i_L 经 VD_2' 和 VD_1 续流向电源返回能量，并为 S_2 导通创造零电压条件，i_L 线性下降至 I_X 时，VD_1 自然关断。

阶段 C　如图 2－49(c)，L 与 C_1，C_2 谐振，这使 i_L 继续下降，u_{C_2} 下降，i_L 下降至零并反向变为负值，在此过程中，S_2 在零电压下导通，VD_2' 自然关断。

阶段 D　如图 2－49(d)，当 u_{C_2} 谐振至零时，I_L 达到反向稳定值，二极管 VD_2 导通，将 u_{C_2} 钳位至零，逆变桥的功率开关可以实现在零电压下切换。此时，I_X 由 VD_2 续流，i_L 流经 S_2，VD_2。

阶段 E　如图 2－49(e)，逆变桥开关动作完成后，S_2 在 VD_2 导通钳位电压为零时关断。C_2' 逐渐充电，当 C_2' 电压升至 U_d 时，VD_1' 导通，i_L 经 VD_1' 续流，并为 S_1 导通创造零电压条件，i_L 线性上升。

阶段 F　如图 2－49(f)，在 i_L 从负值增长至零变为正向的过程中，S_1 在零电压下导通，VD_1' 关断。当 i_L 继续上升至 I_X 时，VD_2 关断。L 与 C_1，C_2 再次谐振，当 u_{C_2} 再上升至 U_d 时，VD_1 导通，u_{C_2} 被钳位至 U_d，i_L 又达正向稳定值，一个工作周期结束，并为下一次的逆变桥换相做好准备。

由上述分析可知，该电路既可限制谐振电压峰值为 U_d，又可按 PWM 控制策略选择通断时间。

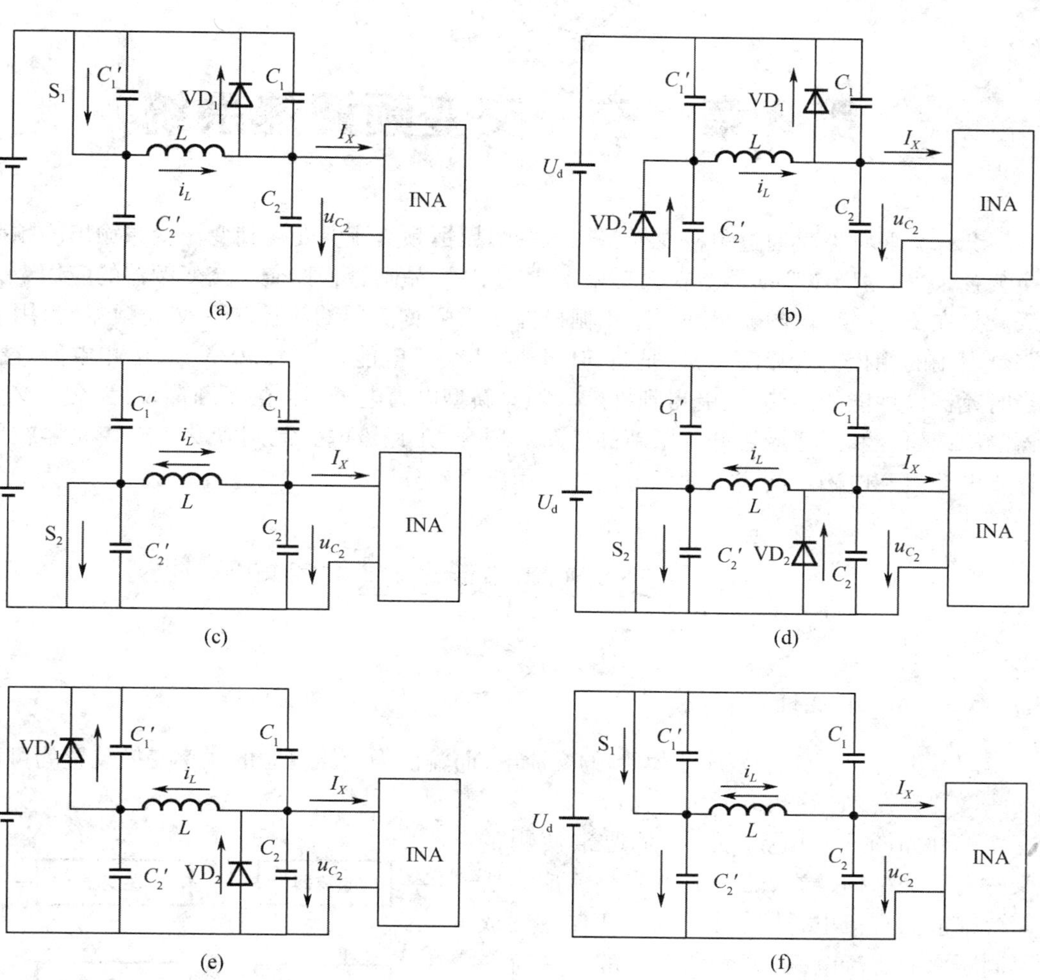

图2-49 结实型谐振直流环节逆变器的工作原理图

第 3 章　交-交变频调速系统

交-交变频器是通过单极变换将输入的恒压恒频交流电变换到变压变频输出的频率变换装置，又称为周波变换器。在大功率工业应用中，晶闸管相控交-交变频器的应用十分广泛。早在 1930 年，德国就出现了采用栅极控制汞弧整流器的相控交-交变频器，为用于铁路牵引用的相控交直流两用机，是将 50 Hz 三相交流电能转变为 50/3 Hz 单相电能。由于当时元器件性能的限制，没能得到推广。随着新型电力电子器件的不断涌现，为交-交变频器的深入研究和广泛应用开辟了新的道路。现今，兆瓦级电力晶闸管交-交变频器在传动异步电动机和电磁式同步电动机方面的应用已经十分广泛。

3.1　交-交变频器的基本原理

3.1.1　工作原理

广义上说，只要输入为恒压恒频的交流电，而输出为变压变频的频率变换装置均可称为交-交变频器，如图 3-1 所示。

一种如图 3-1(a)所示，是通常使用的交-直-交结构，输入的交流电先整流成为所需要幅值的直流电，然后再通过逆变器逆变成不同频率的交流电，如第 2 章介绍的交-直-交变频调速系统。

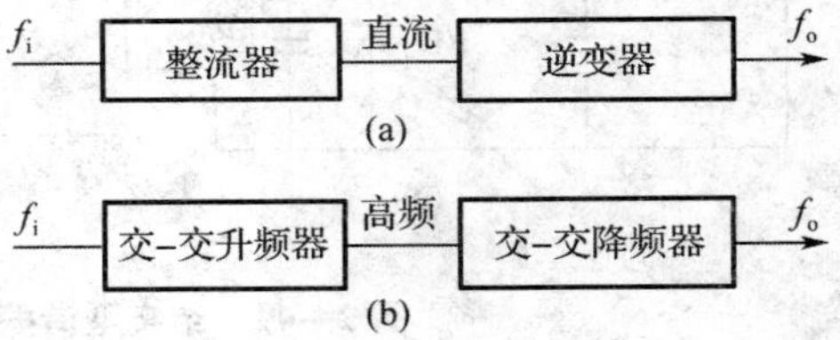

图 3-1　两种变频结构

另一种如图 3-1(b)所示，也是经常使用的交-交变频器，其输入的交流电通过一个升频交-交变频器转换成高频交流电，然后通过降频的交-交变频器转换成所需要的电压和频率。

第三种如图 3-2 所示，其输入的交流电经过单极交-交变换器直接变换为不同频率、不同电压的交流电。由于没有中间变换环节，又称为直接变频器。其输出频率可以从零(整流运行)变化到一个低于输入频率(对于降频交-交变频器)的上限，同时功率可以双向流动来实现电动机的四象限运行调速。在交-交升频电路出现以前，我们提到的交-交变频器指的是第三种交-交直接变换器，而且绝大多数指的是交-交降频变频器。随着电力电子器件工作频率的不断提高，直接变频器除了可以降频外，用来升频也是可行的。

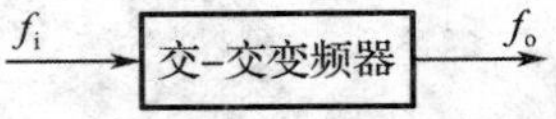

图 3-2　交-交变频器结构框图

以图 3-3 所示的单相交-交变频器电路为例，每个变流器均有两个极性相反的变流器反向并联，从而可以在任意时刻控制负载中的电压和电流方向。如假定负载为纯电阻性负载，降频工作时得到如图 3－4 所示的波形，图 3－4(a)为输出基波频率为 $f_o=\frac{1}{3}f_i$ 的波形，由图可知，在输出的每半个周期对应 3 个输入半周波，可以控制晶闸管的控制角来调整输出电压的基波分量幅值，如图 3－4(b)所示。升频变频器也可以采用图 3－5 所示变频器，由一只高频交流开关代替图 3－3 中的反向并联的晶闸管，高频交流开关主要有两种形式，如图 3－6 所示。图 3－6(a)由两个反向串联的 IGBT 构成，每个 IGBT 反向并联一只二极管，通过控制上下桥臂的 IGBT 可获得不同方向的电压和电流；图 3－6(b)由单 IGBT 加一个二极管桥的结构组成，也能完成上述工作。其工作波形如图 3－7 所示，图中标出了不同周期导通的 IGBT 的代号。

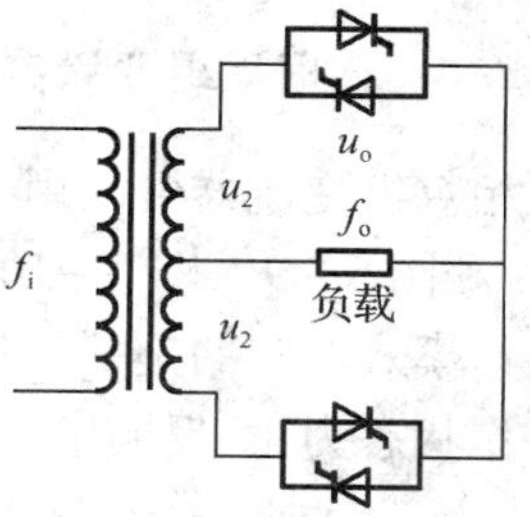

图 3－3　单相－单相交－交变频器

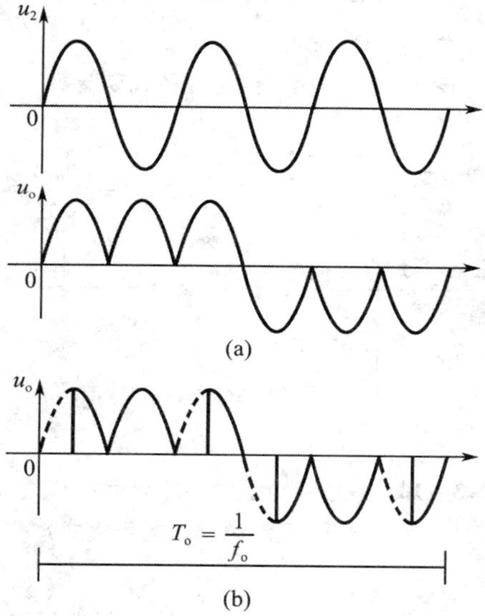

图 3－4　单相－单相交－交变频器波形图

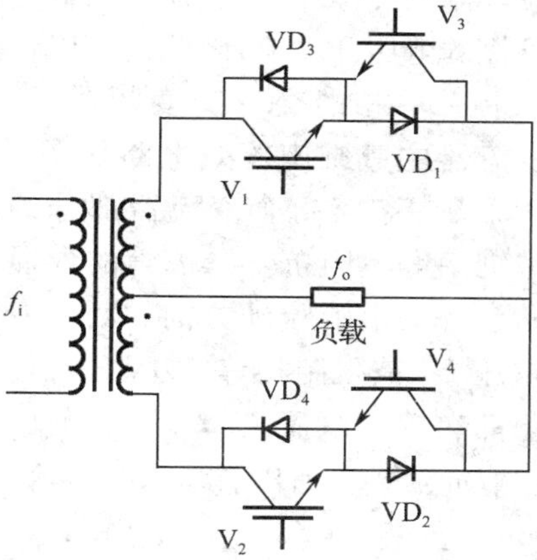

图 3－5　单相－单相交－交升频器原理图

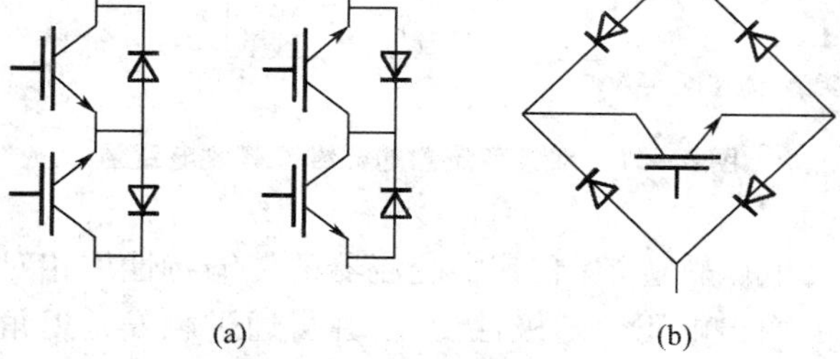

图 3－6　高频交流开关的器件

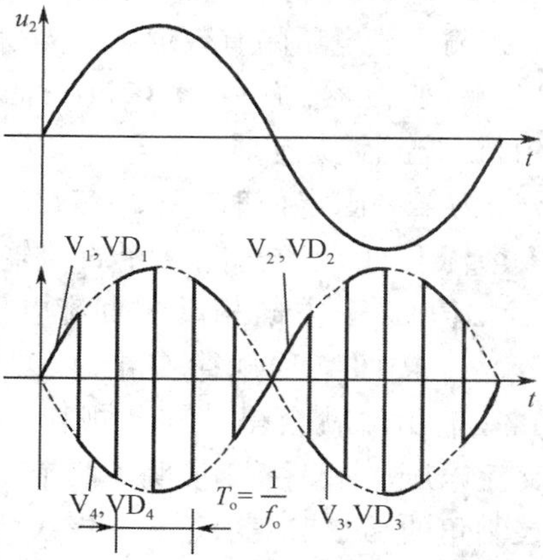

图 3－7　交－交升频电路输出波形图

3.1.2 三相双组变流器用作交-交变频器

三相双组变流器可以用于三相-单相的交-交变频。三相半波电路和全桥电路分别见图3-8和图3-9。图3-10总结了双组变流器的四象限运行模式,由图可以看出,正组变流器工作模式对应的是一、二象限,负组变流器工作模式对应的是三、四象限;一、三象限对应的工作状态为正、反向电动运行状态,二、四象限对应的是正、反向发电运行状态。

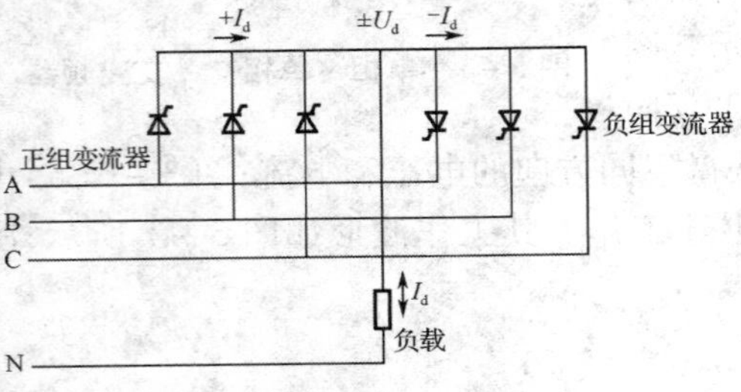

图3-8 三相半波双组变流器

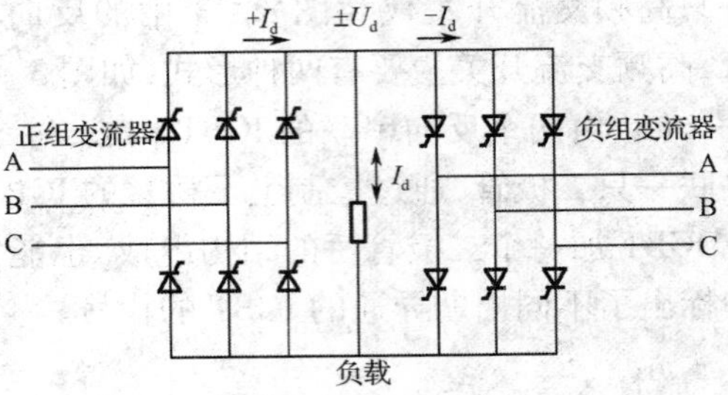

图3-9 三相双组全控桥式变流器

设电流连续,双组变流器可以输出双极性可控的电压和电流,因此它可以作为一个三相-单相的交-交变频器运行。双组变流器的戴维南等效电路如图3-11所示,图中忽略每个变流器部分的谐波和戴维南等效阻抗。二极管的导通方向表示允许的电流流动方向。两个变流器的电压 U_d 被限制相等,以保证在任何情况下都有输出电压 $U_o=U_d$,负载电流 I_d 可以双向流动。所以有

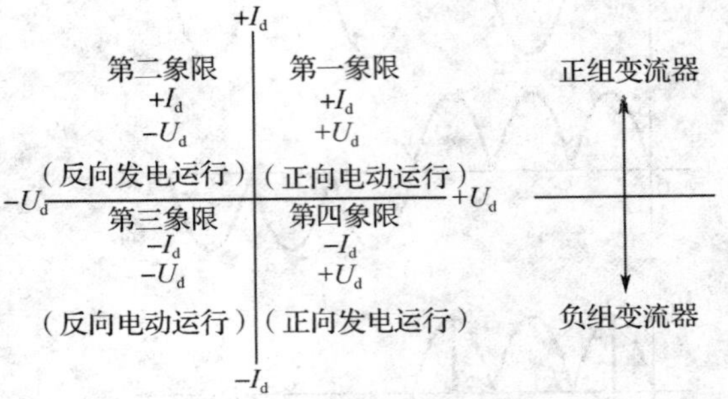

图3-10 双组变流器的四象限运行模式(直流电动机运行模式)

$$U_o = U_d = U_{d0}\cos\alpha_p = -U_{d0}\cos\alpha_N \tag{3-1}$$

式中 U_{d0}——每个变流器直流输出电压幅值的最大值;

α_p,α_N——对应的控制角。

设输入线电压的有效值为 U_L,则对于三相半波变流器,$U_{d0}=0.675U_L$;而对于三相桥式全控变流器 $U_{d0}=1.35U_L$。当 α_p,α_N 为某一固定值时,图3-11表示的是一个标准的逆变电路,两个直流输入端 U_d 为幅值相等、方向相反的直流电压源。当 α_p,α_N 按照某种规律变化时(如正弦波),在输出端就会得到与此规律相对应的交流电压。图3-12说明了两个变流器的电压轨迹控制,其中变流器的传输特性用相对应控制角的函数来表示。水平虚线所代表的输出电压会随极性变化,并可通过触发延迟角的正弦调制得到一个正弦输出电压 u_0。

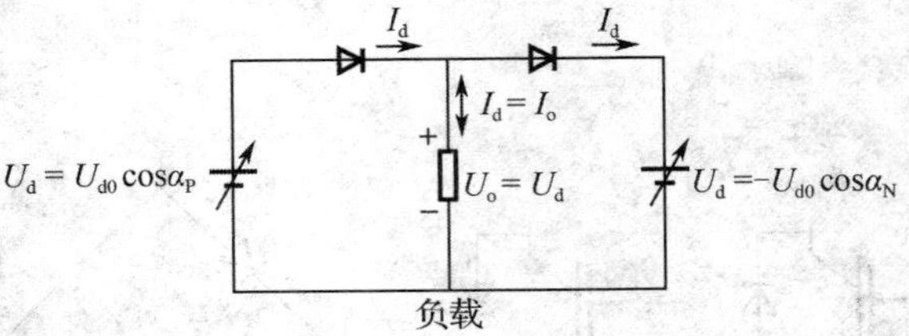

图3-11 双组变流器的戴维南等效电路图

由式(3-1)可以求得

$$\alpha_p + \alpha_N = \pi \tag{3-2}$$

对于图 3-12 所示的特定输出情况，$U_d/U_{d0}=0.5, \alpha_p=\pi/3, \alpha_N=2\pi/3$ 。图3-13给出了交-交变频器的等效电路，其中可变直流电源被正弦电源所代替。

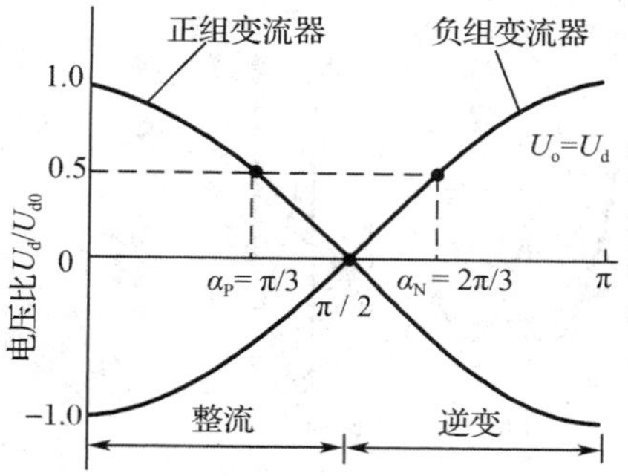

图 3-12 电压追踪控制下双组变流器的电压比和触发延迟角的关系

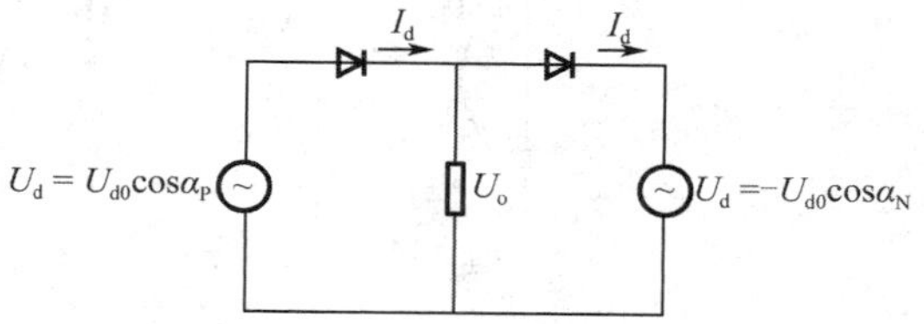

图 3-13 交-交变频器的等效电路图

3.1.3 交-交变频器电路结构

1. 3 脉波对称连接交-交变频器

图 3-14 所示的交-交变频器采用3相半波结构，也被称作 18 晶闸管 3 脉波交-交变频器，在实际应用中经常用到。电路由 3 个同样的反并联半波相组构成，负载接成如图所示的 Y 连接。如图所示负载中点一般不接地，如果中点接地，由于每个相组相互独立运行，电动机负载中会产生很大的中线电流。每个相组作为一个双组变流器运行，并对每个相组的触发延迟角进行互差 2π/3 相位的正弦调制，从而在电动机输入端得到三相平衡电压。每个相组接入一个组间电抗器(IGR)以限制环流。图 3-15 是一组 3 脉波对称连接交-交变频器的输出电压波形，表明了输出相电压波形是如何通过触发延迟角 α 的正弦调制合成的。其输出频率和调制深度都可以改变，从而得到一个变频变压电源来给电动机供电。由图中也能看出，这种输出电压波形含有复杂的谐波成分，通过电动机定子绕组感抗后能够有效消除，但对电动机的转矩脉动会有一些影响。

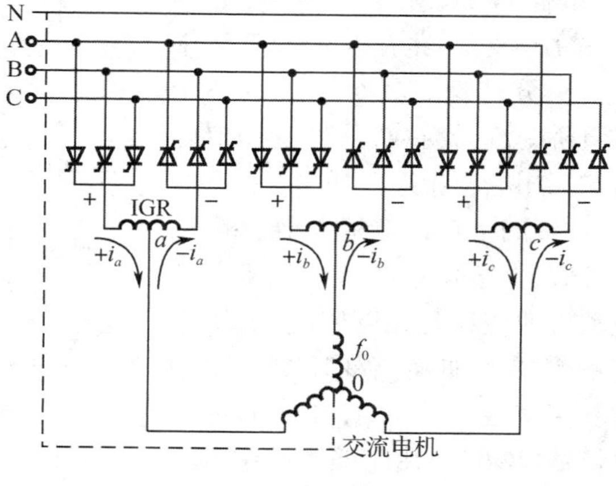

图 3-14 18 晶闸管 3 脉波对称连接交-交变频器

图 3-16(a)给出了在主动或电动机状态下的相电压和电流波形，其中电流波形滞后电压波形一个 φ 角。正半波时电流通过正组变流器，而负半波时电流通过负组变流器。图 3-16(b)表示了电动机在发电状态下的电压和电流波形，此时电流的极性同图 3-16(a)所示刚好相反。当电压和电流极性相同时变流器工作于整流状态，极性相反时变流器工作于逆变状态。每个相组中的两个变流器被同时控制以产生平均的输出电压，根据输出电压方向的不同，使得相电流可以在每一个变流器里双向流动。尽管同一相内的两个变流器输出

电压的平均值相等,但其瞬时值并不相等,在两个变流器的输出之间必然存在一个瞬时电势差,因而在这两个变流器之间形成电流。

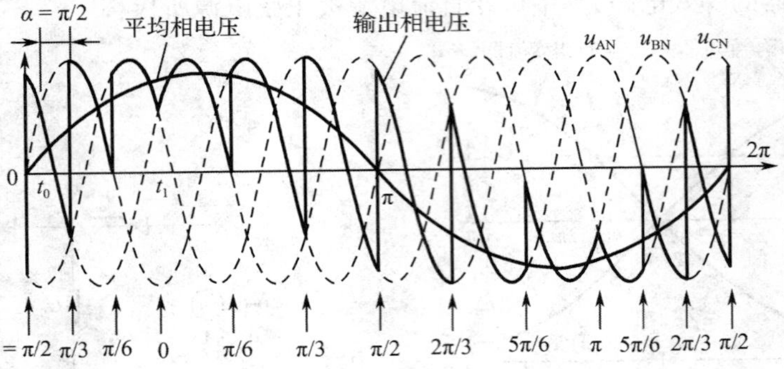

图 3 – 15　三脉波对称连接交 – 交变频器中输出电压波形的产生

2. 6 脉波桥式连接交 – 交变频器

在交 – 交变频器众多可能的电路拓扑结构中,三相桥式(6 脉冲)电路或 36 晶闸管电路,如图 3 – 17所示。在兆瓦级传动系统中应用十分广泛。其每一相由一个双组桥变流器组成,并经变压器隔离与三相电源相连。如图 3 – 17 所示,桥臂的下输出端接 Y 连接电动机负载,上输出端短接。如果负载电动机的绕组是相互隔离的,则系统不需要另加隔离变压器。图中的交 – 交变频器没有加任何组间电抗器(IGR)。由于输出端中点不和负载中点连接,在构成三相变频电路的六组桥式电路中,至少要有不同输出相的两组桥中的四个晶闸管同时导通才能构成回路,形成电流;同一组桥内的两个晶闸管靠双触发脉冲保证同时导通;两组桥之间则是靠各自的触发脉冲有足够的宽度,以保证同时导通。图 3 – 18 为三相负载可分离式 6 脉波桥式连接交 – 交变频器,由于负载电动机的三相绕组都是独立的,三组反并联电路可以共用一个交流电源。如果电压等级适合,则可以省去输入变压器。而直接接到电网上,这样比较经济。桥式交 – 交变频器的波形组成与 18 晶闸管电路类似,这里不作详细说明。

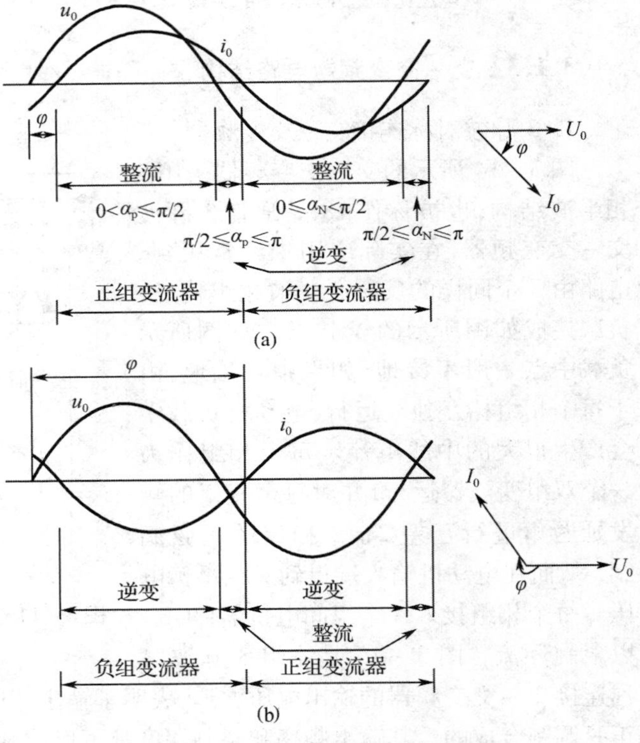

图 3 – 16　电动机状态和发电机状态下的电压电流波形图

(a) 电动机状态;(b) 发电机状态

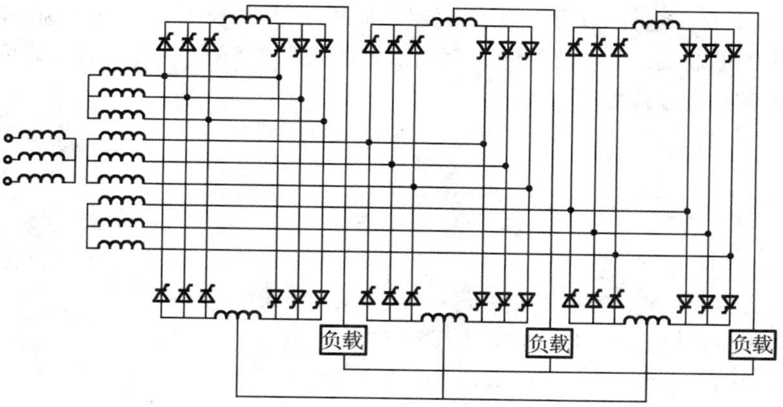

图 3-17　6 脉波桥式非分离负载连接交-交变频器

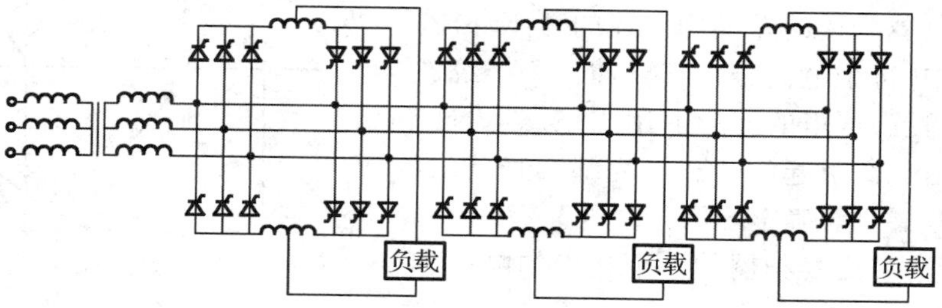

图 3-18　6 脉波桥式分离负载连接交-交变频器

3.1.4　有环流模式和无环流模式的比较

1. 有环流模式

交-交变频器的一个相组可以在有环流模式或无环流模式下运行。在有环流模式下，正组变流器和负组变流器之间始终有电流流动。虽然两个变流器的基波输出电压始终相等，但其谐波仍会导致瞬时电势差，除非接入组间电抗器 IGR（见图 3-19），否则就会引起短路。

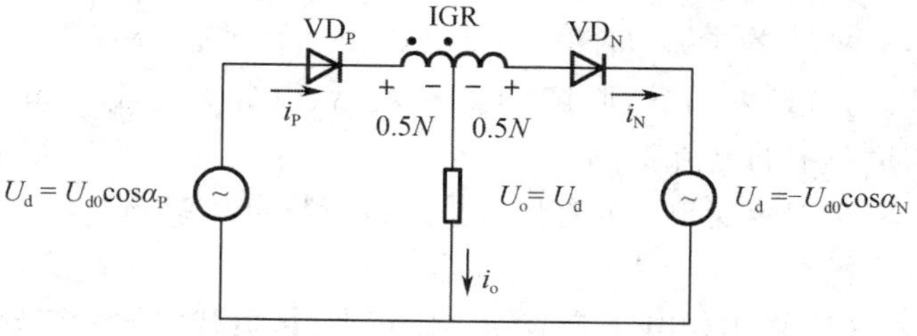

图 3-19　带有 IGR 的有环流模式等效电路

图 3-19 给出了带有 IGR 的一个相组的等效电路，可以看到，通过 IGR，正组变流器和负组变流器之间形成了一个自感电流。这可以通过图 3-20 中的波形图来解释。假设负载电路中感抗很大，并且在外加正弦电压 u_o 时，负载电流 i_o 保持正弦。进一步假设在 $t=0$ 时刻，正负载电流流通，如图所示。正负载电流只流过正组变流器（$i_p = i_o$）。在相角 0 ~ π/2 之间，不断增大的正负载电流会在 IGR 的一次绕组中产生一个正向压降 $U_L \propto \mathrm{d}i_o/\mathrm{d}t$（左正右负）。在图示的 IGR 极性下，二次绕组中的感应电压将是负极性的（左正右负），并使二极管 VD$_N$ 反向截止。这就阻止了电流在负组变流器中流动。然而，在 π/2 时，i_o 达到峰值 I_m，$u_L=0$。在这一点之后，u_L 将变为负极性，从而在负组变流器中感应出电流，并将 IGR 两端电压钳位为 0。从这时起，IGR 电压会保持为 0，磁动势将保持 $0.5NI_m$（N 为

IGR线圈匝数)不变。这样,在正负组变流器之间就会产生一个自感的环流,如图3-20所示。由于IGR中的总磁动势(或磁链)在任何时刻保持$0.5NI_m$恒定(磁动势或磁链守恒),可以写出磁动势平衡方程如下

$$0.5Ni_P+0.5Ni_N=0.5NI_m$$

或

$$i_P+i_N=I_m \tag{3-3}$$

又有

$$i_P-i_N=i_o=I_m\sin\omega_o t \tag{3-4}$$

从式(3-3)和式(3-4),我们可以解出i_P和i_N,得

$$i_P=0.5I_m+0.5I_m\sin\omega_o t \tag{3-5}$$

$$i_N=0.5I_m-0.5I_m\sin\omega_o t \tag{3-6}$$

i_P和i_N的波形如图3-20所示,可以看出变流器电流和电流负载分量的差即为前述的自感环流。在实际电路中,每个电流分量都要加上一个纹波分量。需要注意,这里的波形适用于稳态运行的情况。任何由负载引起的暂态过程都会衰减,直至有新的IGR磁动势确定的稳态。图3-21给出了36晶闸管交-交变频器的一个相组的电压和电流波形。图3-21(a)为电源线电压经过触发延迟角调制得到的正组变流器的原始输出相电压波形。负组变流器的对应波形如图3-21(b)所示。由IGR输出加到负载端的平均电压波形如图3-21(c)所示。这个电压波形要比前两个平滑一些。正负组变流器之间的瞬时电势差,也就是IGR两端的电压如图3-21(d)所示。图3-21(e),(f),(g)分别对应正组变流器、负组变流器和负载中的电流。

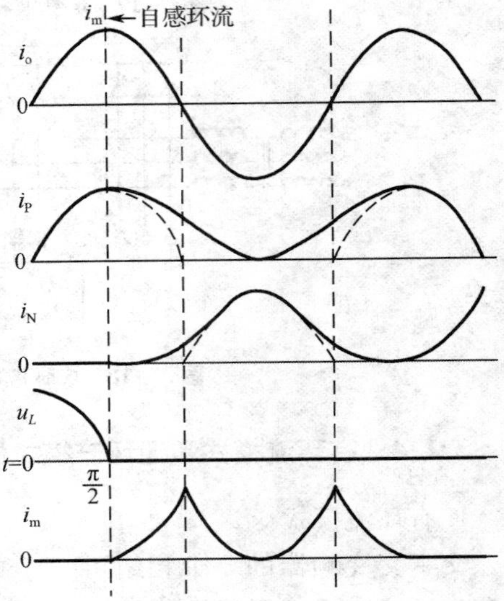

图3-20　有IGR时自感环流的波形图

交-交变频器的有环流模式运行特点总结如下。

优点:

(1)输出相电压波形(u_o)比较平滑,负载中的谐波分量较少;

(2)输出频率的范围更大;

(3)负载的位移功率因数不会影响输出电压中的谐波成分;

(4)负载的次谐波问题不严重;

(5)向输入侧注入的谐波较少;

(6)对环流的人为控制提供了一种改善母线位移功率因数的方法;

(7)控制简单。

缺点:

(1)大容量IGR增加成本,也增加损耗;

(2)环流给晶闸管带来额外的负荷,导致损耗增加;

(3)额外的设计使成本增加。

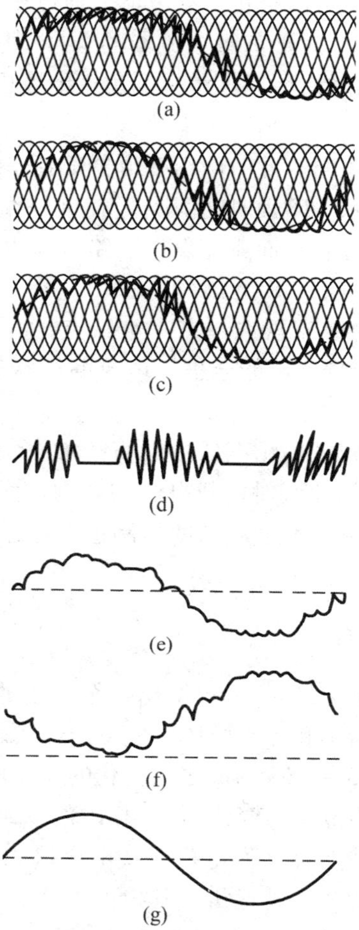

图 3 – 21　三相桥式交 – 交变频器在有环流模式下的波形图(m_f =1)

(a)从输入线电压到正组变流器输出相电压(u_o)的构造过程;(b)负组变流器输出相电压(u_o)的构造过程;(c)在负载端得到的平均输出电压;(d)IGR 两端电压;(e)正组变流器电流(i_P);(f)负组变流器电流(i_N);(g)输出负载电流(i_o)

2. 无环流模式

虽然交 – 交变频器的有环流模式运行有如上所述的很多优点,但其在成本和效率上的不足使得其应用仅局限于某些特殊的情况。无环流或闭锁模式不使用 IGR,而且同一时刻只有一组变流器(正或负)允许导通。然而,通过控制触发延迟角,输出电压的波形始终在控制之中,并且一直有 $\alpha_p + \alpha_N = \pi$。图 3 – 22 解释了通过负载电流过零检测来进行正负组

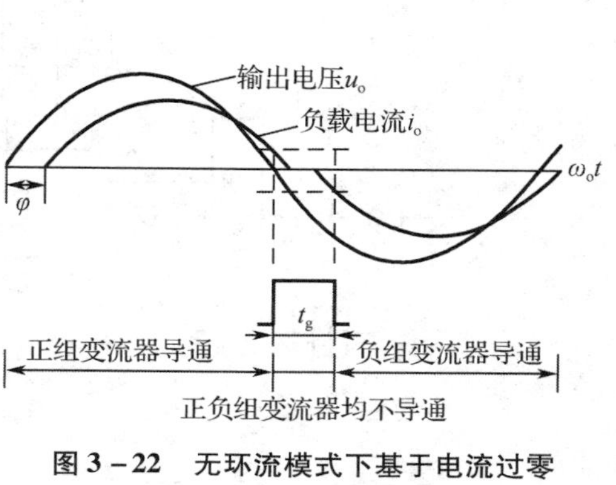

图 3 – 22　无环流模式下基于电流过零检测的正负组变流器选择

变流器选择的方法。基本原理如下：由于正负载电流只通过正组变流器，所以正组变流器只在负载电流为正的时候允许导通。对于负组变流器的选择，其原理类似。在正弦输出电压的情况下，负载电流往往也是正弦的，所以不难根据负载电流极性来选择正负组变流器。假设起始时负载电流为正，则正组变流器由一个电流极性检测触发器使能。当电流 i_o 减小到一个阈值的时候，正组变流器被关断。此时两组变流器都处于断态并持续一段时间 t_g，然后负组变流器使能，如图 3－22 所示。闭锁时间间隔 t_g 使前一组变流器中的晶闸管在另一组变流器开通之前有足够的时间关断，从而避免发生短路。很明显，这样一种控制会导致负载电流的交越失真。

这种简单基于电流过零点的变流器选择有一个缺点，如图 3－22 所示，在电流零点附近，由于电动机的反向电动势，变流器可能会进入电流断续状态。在电流断续时，变流器可能会过早关断，使负载电流的失真更为严重。

在无环流模式下，各个变流器的输出电压波形直接加在负载两端。这会引起更严重的负载和电源的谐波问题，还不包括死区对负载电流的影响。无环流模式下输出频率范围较小。由于存在变流器选择问题，交－交变频器的控制也会更加复杂。不过，相比有环流模式运行，它有低成本、高效率的优点。

3.1.5　交－交变频器的控制

交－交变频器的控制十分复杂，这一节仅给出一个初步的讨论。图 3－23 给出一个典型的变速恒频（VSCF）系统，其功率和控制模块以框图的形式表示。交－交变频器相组由一个电压保持恒定，但频率在 1 333 ~2 666 Hz 之间变化的发电机母线供电，如图 3－23 所示。在这里假设发电机转速在 2∶1 的范围内变化，每个相组的双组变流器由一个输出低通滤波器来产生正弦输出电压。α 角调制器从发电机母线电压得到经过偏置余弦信号波形，再与正弦控制信号共同产生变流器的触发延迟角。三相正弦控制信号可以由一次电压控制回路通过矢量旋转（VR）产生，其相角信号 θ_e 由频率信号给出，如图 3－23 所示。反馈电压 U_S 可以由输出相电压产生。α 角调制器的细节在图 3－24 中给出了说明。$\alpha_P+\alpha_N=\pi$ 条件下的余弦波交叉方法保证了控制信号和输出电压之间的线性传输特性，也就是说交－交变频器基本上是一个线性放大器。如果需要以电流控制来替代电压控制，其原理如图3－25所示。设定电流与反馈电流（由相电流合成）比较，并由 PI 控制器产生同步旋转电压信号，如

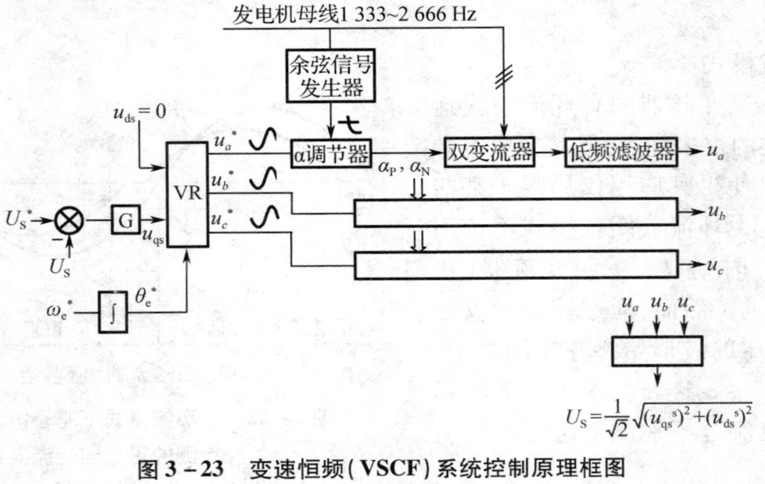

图 3－23　变速恒频（VSCF）系统控制原理框图

图 3-25 所示。

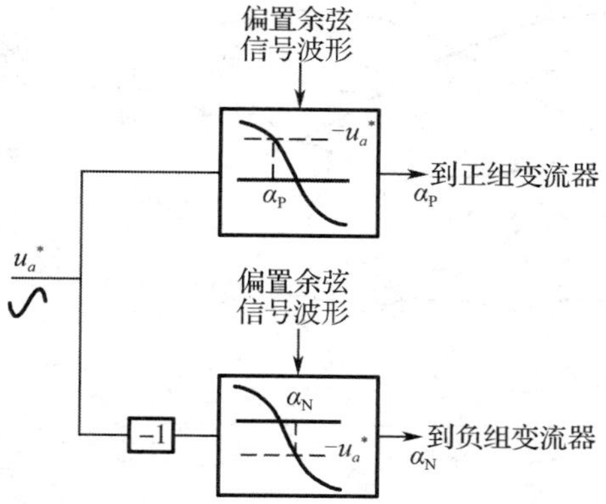

图 3-24 正负组变流器的触发延迟角产生原理图

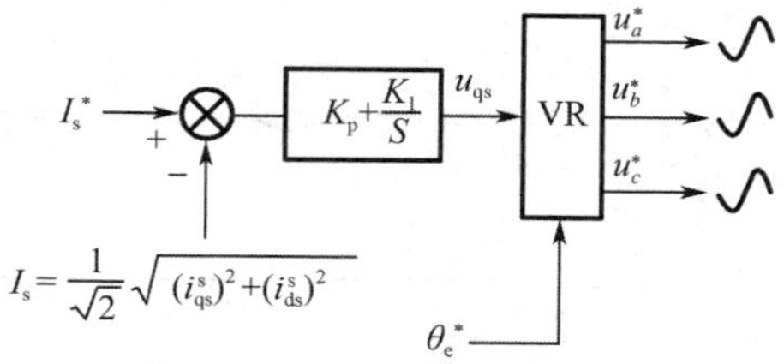

图 3-25 电流控制原理图

3.2 矩阵式变频器

到目前为止,我们已经讨论过基于相控电网换相原理的晶闸管交-交变频器。图 3-26 是三相-三相矩阵式变流器的一个实例。1980 年矩阵式变频器被提出,之后发表了很多相关论文,近 10 年间逐步成型并实现商业化,这得益于两方面技术。

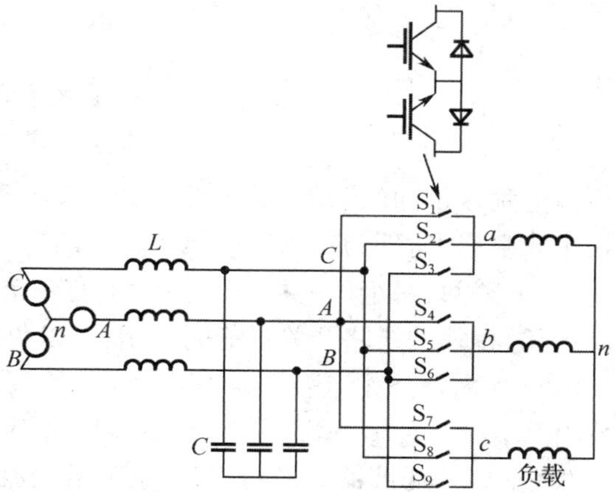

图 3-26 三相-三相矩阵式变流器

1. 电力电子器件的不断进步,为矩阵式变换器的性能完善提供了物质保证。IGBT 绝缘双极型晶体管集成门极换流晶闸管(IGCT)均可用于构成矩阵式变换器。近年来出现的逆阻式 IGBT(Reverse Blocking IGBT,RB-IGBT),它不仅具有输入阻抗高,开关速度快,通态电压低,阻断电压高,承受电流大等优点,而且具有反向阻断能力,可承受接近于正向阻断电压的反向阻断电压,非常适用于构成矩阵式变换器的双向开关。

2. 高性能微电子控制技术的发展,使得矩阵式各种先进的调制策略换流方式以及保护措施得以实现。

3.2.1 矩阵式变频器原理及结构

矩阵式变流器是一个由 9 个交流开关组成的矩阵。它允许任意输入相到任意输出相的连接。这些开关经 PWM 控制产生输出基波电压,并可以通过改变基波电压的幅值和频率来控制一台交流电动机。

图 3-27(a)给出了输入线电压波形,图(b)为虚拟二极管整流桥的输出波形。a 相、b

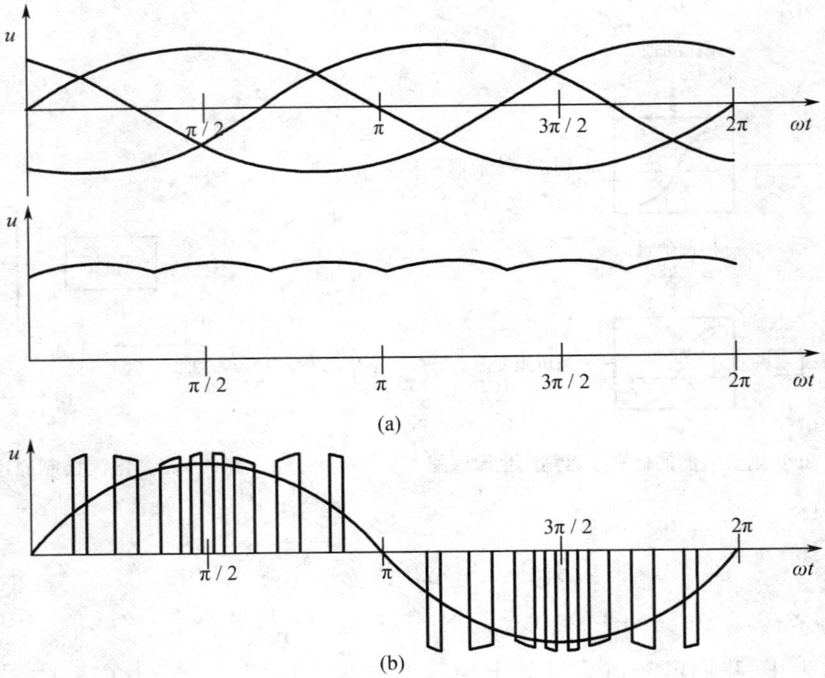

图 3－27

(a)输入线电压波形;(b)虚拟二极管整流桥的输出波形

相可以分别接不同的输入相,或直接短接来构造 U_{ab} 的波形。例如,如果开关 S_3 和 S_5 闭合,则输出线电压 U_{ab} 即为输入线电压 U_{BC};如果开关 S_3 和 S_6 闭合,U_{ab} 将被短接。U_{bc} 和 U_{ca} 同理,在任一瞬间,每组(一共三个开关)上有一个开关闭合,所以共有 $3^3=27$ 种可能的开关状态。注意,相邻的线路开关不能同时闭合,以免线路短路。

S_1S_4,S_1S_5,S_1S_6,S_1S_7,S_1S_8,S_1S_9,S_2S_4,S_2S_5,S_2S_6,S_2S_7,S_2S_8,S_2S_9,S_3S_4,S_3S_5,S_3S_6,S_3S_7,S_3S_8,S_3S_9,S_4S_7,S_4S_8,S_4S_9,S_5S_7,S_5S_8,S_5S_9,S_6S_7,S_6S_8,S_6S_9。

线路中 LC 滤波器是必需的,一是为了交流开关的换向,使负载感性电流可以在各相之间切换;二是为了滤波线路电流的谐波。这种变流器是可以双向运行的,并且不像晶闸管交－交变频器,其线路电压可以控制为正弦且功率因数为 1。除了输入电容滤波器,电路还需要 18 个 IGBT 和 18 个二极管,对比传统的双边 PWM 的 12 个 IGBT 和 12 个二极管,直流连接电压源型变频结构所需器件还要多得多。

3.2.2 矩阵式变换器的换流方法

1. 换流原理

传统的交－直－交型 PWM 变频器中,通常由一个全控开关器件与一个快恢复二极管反并联构成一个开关单元,由两个这样的开关单元串联构成一个桥臂。当某个开关单元中的全控开关器件关断时,其原先流过的感性负载电流将通过该桥臂中另外一个开关单元中的快恢复二极管构成续流通路,避免了感性负载电流断路故障的发生。

在矩阵式变换器的电路中,由于没有电流的自然续流通路,使得开关器件之间的换流比传统的交－直－交型 PWM 变频器困难得多。矩阵式变换器的换流控制必须严格遵守两个基本原则:(1)保证在运行过程中,输入侧电路没有短路;(2)输出侧电路没有断路。

当矩阵式变换器的一相输出电流需要从一个双向开关 S_x 换流至另一个双向开关 S_y 时,如图 3-28(a),理想的开关情况是,当 S_x 关断的同时,S_y 开通,如图 3-28(b)所示。但在实际控制过程中,每个双向开关中均包含两个可控器件,很难保证两个双向开关动作的完全同步,很有可能出现死区时间或重叠时间而造成断路故障和短路故障。如果用死区时间的方法,即先关断正在流过电流的双向开关中的两个可控开关器件,再导通即将流过电流的双向开关中的两个可控开关器件,一般应在三相-三相开关矩阵的 3 个输入端间接入电容,以避免感性负载的瞬时断路;如果采用重叠时间的方法,即先导通即将流过电流的双向开关中的两个可控开关器件,再关断正在流过电流的双向开关中的两个可控开关。则应在矩阵式变换器的三相输入侧附加额外电感,以抑制由于电压源瞬时短路造成的电流尖峰。

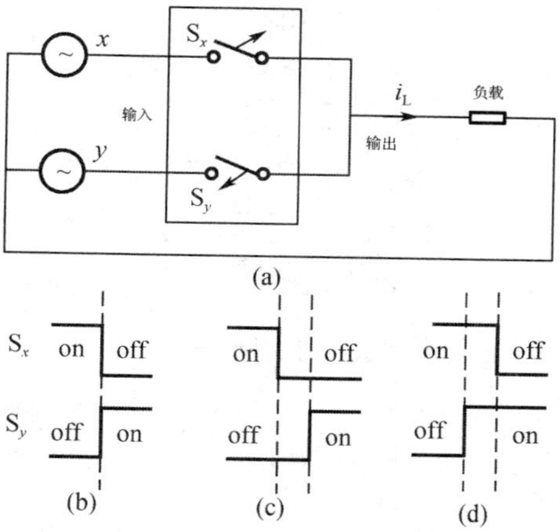

图 3-28　矩阵式变换器双向开关换流

(a)双向开关换流动作 $S_x \to S_y$;(b)理想状态;(c)死区情况;(d)重叠情况

如果不考虑采用电感抑制重叠时间导致的电流尖峰,或采用电容抑制死区时间导致的电压尖峰,原理上无法在一步内实现可靠的换流。因此,为了确保矩阵式变换器的安全工作,双向开关之间的换流需要采用多步换流策略。根据换流步骤依据信息的不同,多步换流策略通常分为基于输出电流方向检测和基于换流电压检测两类。

2. 基于输出电流方向检测的多步换流策略

具体换流步骤以 RB-IGBT 构成的双向开关为例进行分析,并据此信息实现四步换流步骤。如图 3-29 中,如果电流从变换器流向负载,则电流方向(图 3-29 中用前缀 sgn 表示电流方向)信号为 1,反之则为 0。以 $sgn\_i_L = 1$ 为例,此时电流从变换器流向负载,并将从双向开关 S_{Aa} 换流到 S_{Ab}。第一步,在开通 S_{Ab_2} 前必须先关断 S_{Aa_1},否则 U_a 和 U_b 将通过 S_{Ab_2} 和 S_{Aa_1} 形成短路回路;第二步,开通 S_{Ab_2},如果 $U_b > U_a$,此时负载电流立刻从 S_{Aa_2} 转移到 S_{Ab_2},否则负载电流仍将流过 S_{Aa_2};第三步,在开通 S_{Ab_1} 前先关断 S_{Aa_2},此时负载电流已转移到 S_{Ab_2};第四步,开通 S_{Ab_1}。当输出电流方向信号为 0 时,可采用相同的方法分析出每一步应采取的换流动作。

实现四步换流策略的过程中,检测矩阵式变换器输出电流方向的方法主要有以下三种:

(1)采用霍尔传感器或电流互感器等电流测量元件　优点是简单方便,容易实现,缺点是在电流值较小时容易出现测量误差;

(2)在主电路输出线上串联一对反并联的二极管　优点是检测结果比较准确,但会使变换器的功率损耗增大,可靠性降低;

(3)检测 RB-IGBT 上管压降 U_{CE}　优点是检测结果非常准确,但需要对 18 个 RB-IGBT 均安装管压降检测电路,并增添逻辑电路,以判断实际电流方向,因此电路复杂,成本较高。

3. 矩阵式变换器的调制策略

由于矩阵式变换器包含开关较多,数学模型复杂,控制频繁,因此在矩阵式变换器的实

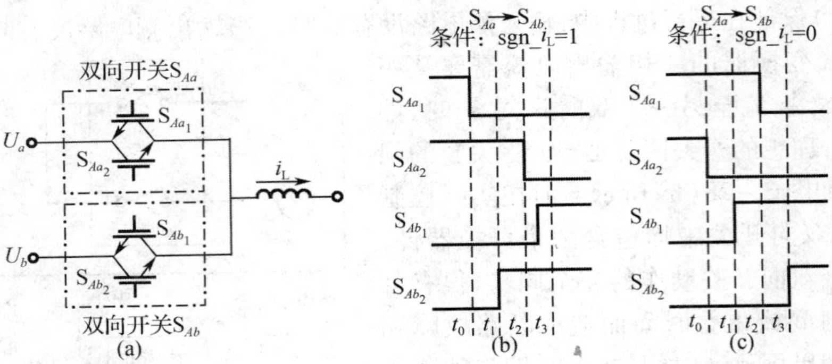

图 3－29　基于输出电流方向检测的多步换流策略

(a)连接至同一相输出的两个双向开关；(b) sgn_i_L = 1 时的换流步骤；

(c) sgn_i_L = 0 时的换流步骤

际应用中，采用适当的调制策略，并将其加以实现，保证系统稳定可靠运行是至关重要的一个环节。到目前为止，已经提出并实现了直接传递函数法、空间矢量调制法、双电压控制法等多种调制方法，取得了较为理想的控制结果。下面以直接传递函数法为例加以说明。

1980 年 M. Venturini 和 A. Alesina 首次系统地给出了矩阵式变换器的低频特性的数学分析，并且提出了一种矩阵变换器的调制算法，被称为“直接传递函数”方法。在这种方法中，将矩阵式变换器视为一个 3×3 开关函数矩阵。变换器的输出电压由输入电压和开关函数矩阵相乘而得到。通过直接计算矩阵中每个元素 S_{ij} 和开关状态时间 $m_{ij}(i=1,2,3;\ j=1,2,3)$ 实现对输出电压幅值频率和输入电流的调制。这种方法也被称为 Alesina－Venturini (AV)方法。输出电压 $u_o(t)$ 与输入电压 $u_i(t)$ 之间的传递函数关系可表示为

$$u_o(t) = \boldsymbol{M}(t)u_i(t),\text{即}\begin{bmatrix} u_A(t) \\ u_B(t) \\ u_C(t) \end{bmatrix} = \begin{bmatrix} m_{11}(k) & m_{12}(k) & m_{13}(k) \\ m_{21}(k) & m_{22}(k) & m_{23}(k) \\ m_{31}(k) & m_{32}(k) & m_{33}(k) \end{bmatrix}\begin{bmatrix} u_a(t) \\ u_b(t) \\ u_c(t) \end{bmatrix}$$

输入电流 $i_i(t)$ 与输出电流 $i_o(t)$ 之间的传递函数关系可表示为

$$i_i(t) = \boldsymbol{M}^T(t)i_o(t),\text{即}\begin{bmatrix} i_a(t) \\ i_b(t) \\ i_c(t) \end{bmatrix} = \begin{bmatrix} m_{11}(k) & m_{12}(k) & m_{13}(k) \\ m_{21}(k) & m_{22}(k) & m_{23}(k) \\ m_{31}(k) & m_{32}(k) & m_{33}(k) \end{bmatrix}^T\begin{bmatrix} i_A(t) \\ i_B(t) \\ i_C(t) \end{bmatrix}$$

式中　$\boldsymbol{M}(t)$——矩阵式变换器输入侧至输出侧变量的开关传递函数矩阵。

通常情况下，矩阵式变换器的输出侧为三相感性负载，可等效为三相电流源，因此根据电压源和电流源的特性，矩阵式变换器在工作过程中，必须遵循输入端任意两相之间不短路，输出端任意两相之间不断路的原则，即在运行过程中的任意时刻，连接到同一相输出的三个双向开关中，有且只有一个开关可以导通，而另外两个开关必须关断。用开关函数表示如下

$$\boldsymbol{M}(t)\cdot\boldsymbol{1} = \boldsymbol{1},\text{即}\begin{bmatrix} m_{11}(k) & m_{12}(k) & m_{13}(k) \\ m_{21}(k) & m_{22}(k) & m_{23}(k) \\ m_{31}(k) & m_{32}(k) & m_{33}(k) \end{bmatrix}\begin{bmatrix} 1 \\ 1 \\ 1 \end{bmatrix} = \begin{bmatrix} 1 \\ 1 \\ 1 \end{bmatrix}$$

式中　**1**——三维矢量，各双向开关的占空比满足 $0 \leqslant m_{ij} \leqslant 1$。

若假定三相输入相电压为

$$\begin{cases} U_a = U_{im}\cos(\omega_i t) \\ U_b = U_{im}\cos(\omega_i t + 2\pi/3) \\ U_c = U_{im}\cos(\omega_i t + 4\pi/3) \end{cases}$$

三相输出相电流为

$$\begin{cases} I_A = I_{om}\cos(\omega_o t + \varphi_o) \\ I_B = I_{om}\cos(\omega_o t + \varphi_o + 2\pi/3) \\ I_C = I_{om}\cos(\omega_o t + \varphi_o + 4\pi/3) \end{cases}$$

式中 U_{im}——输入相电压的幅值；

ω_i——输入电压频率；

I_{om}——输出相电流的幅值；

ω_o——输出电压频率；

ψ_o——输出电流相对输出电压的相位差。

而希望得到的三相输出相电压和输入相电流为

$$\begin{cases} U_A = U_{om}\cos(\omega_o t) \\ U_B = U_{om}\cos(\omega_o t + 2\pi/3) \\ U_C = U_{om}\cos(\omega_o t + 4\pi/3) \end{cases}$$

$$\begin{cases} I_a = I_{im}\cos(\omega_i t + \varphi_i) \\ I_b = I_{im}\cos(\omega_i t + \varphi_i + 2\pi/3) \\ I_c = I_{im}\cos(\omega_i t + \varphi_i + 4\pi/3) \end{cases}$$

式中 U_{om}, I_{im}——输出相电压和输入相电流的幅值；

φ_i——输入电流相对输入电压的相位差。

由此可以求解得到一组解，即低频调制矩阵 $\boldsymbol{M}(t)$ 为

$$\boldsymbol{M}(t) = \frac{1}{3}\alpha_1 \begin{Bmatrix} 1+2qCS(0) & 1+2qCS(-\frac{2}{3}\pi) & 1+2qCS(-\frac{4}{3}\pi) \\ 1+2qCS(-\frac{4}{3}\pi) & 1+2qCS(0) & 1+2qCS(-\frac{2}{3}\pi) \\ 1+2qCS(-\frac{2}{3}\pi) & 1+2qCS(-\frac{4}{3}\pi) & 1+2qCS(0) \end{Bmatrix} +$$

$$\frac{1}{3}\alpha_2 \begin{Bmatrix} 1+2qCA(0) & 1+2qCA(-\frac{2}{3}\pi) & 1+2qCA(-\frac{4}{3}\pi) \\ 1+2qCA(-\frac{2}{3}\pi) & 1+2qCA(-\frac{4}{3}\pi) & 1+2qCA(0) \\ 1+2qCA(-\frac{4}{3}\pi) & 1+2qCA(0) & 1+2qCA(-\frac{2}{3}\pi) \end{Bmatrix}$$

式中 $CS(x) = \cos(\omega_m t + x)$

$CA(x) = \cos[-(\omega_m + 2\omega_i)t + x]$

$\omega_m = \omega_o - \omega_i$

$\alpha_1 = \frac{1}{2}[1 + \tan\varphi_i \cot\varphi_o]$

$\alpha_2 = 1 - \alpha_1 = \frac{1}{2}[1 - \tan\varphi_i \cot\varphi_o]$

$$q=\frac{U_{om}}{U_{im}}$$

各变量满足：$\alpha_1 \geqslant 0$；$\alpha_2 \geqslant 0$；$0 \leqslant q \leqslant \frac{1}{2}$。

该方法直接利用矩阵式变换器的数学模型，通过复杂的数学方法计算求解，以实现理想的输入和输出波形。因此，目标明确，概念清晰，极易推广到除三相－三相外的其他矩阵式变换器的拓扑中，即使输入电压出现一定程度的不平衡或畸变，仍然能够通过实时地计算调整维持较理想的三相输出电压和电流，但其计算量较大，且对处理器的计算性能要求较高。另外，由于矩阵式变换器的输入和输出频率任意可调，因此由三相输出电压最大值和最小值构成的输出包络必须处于由三相输入电压的最大值和最小值构成的输入电压包络之内，如果设定的输出相电压参考值中不含有共模成分，仅为理想的三相平衡正弦量，则使用该方法能够达到的最大电压利用率为50%。

3.3 高频交－交变频器

高频交－交变频器通过交流开关的"软开关"原理将单相高频（一般为20 kHz）的交流电转换成三相变频变压的交流电来拖动电动机。图3－30给出高频交－交变频器的一个典型配置，其中高频交流电由一个逆变器产生。高频耦合电路的优点是输出可以实现电流隔离，而且输入的电压水平可以通过一个质量较轻的高频变压器进行改变；缺点是需要大量的器件。高频交流电可以是正弦的，由一个谐振逆变器产生；也可以是方波或准方波（有零电压间隔），由非谐振逆变器产生，如图3－30所示。通过一个谐振连接，两个交－交变频器可以与一个三相50 Hz电源背对背连接。

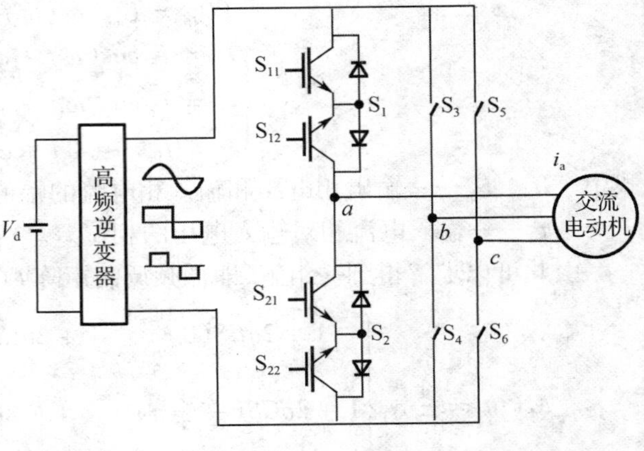

图3－30 单相－三相高频交－交变频器

3.3.1 高频相控交－交变频器

通过正弦波或方波高频耦合，可以用之前讨论过的相控原理来合成输出电压波形。图3－31通过一个单相半桥电路说明了方波对应的运行原理，其中负载接在 a 点和0点之间。注意在正半周，正负载电流流过交流开关 S_1 的 S_{11} 管；而在负半周，负载电流流过交流开关 S_2 的 S_{22} 管。图3－31中间为锯齿载波和正弦调制波的波形，通过两者的比较可以得到触发延迟角 α。正向电流 i_a 在将要关断的器件和将要开通的器件之间的切换如图3－31所示。注意，关断 S_{22} 时有一个延迟，以保证在自控开关中的电流为0。相位控制使得器件在零电流时开关，以减小开关损耗。如果线路频率比较低，交流开关可以被反并联的晶闸管代替。

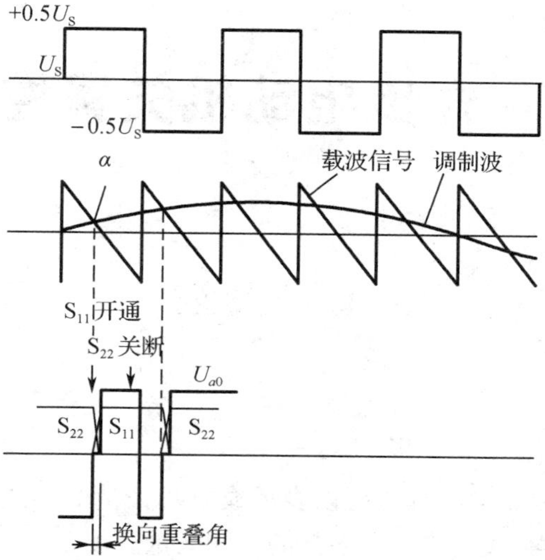

图 3-31 方波运行原理的半桥相控交-交变频器输出电压波形图

3.3.2 高频、整数脉冲交-交变频器

1. 正弦供电

如果使用正弦或准方波供电，我们可以通过整半周脉宽调制（IPM）原理来合成输出电压波形。图 3-32 以一个正弦电源供电的半桥电路为例说明运行原理。IPM 的优点在于器件可以在零电压时开关，这样就减少了开关损耗，换句话说，也就提高了变流器的效率。当然，零电压时间在正弦供电的条件下是非常短的。这种结构附加的缺点是谐振电路的谐波负载引起了线路电压畸变和线路频率漂移。

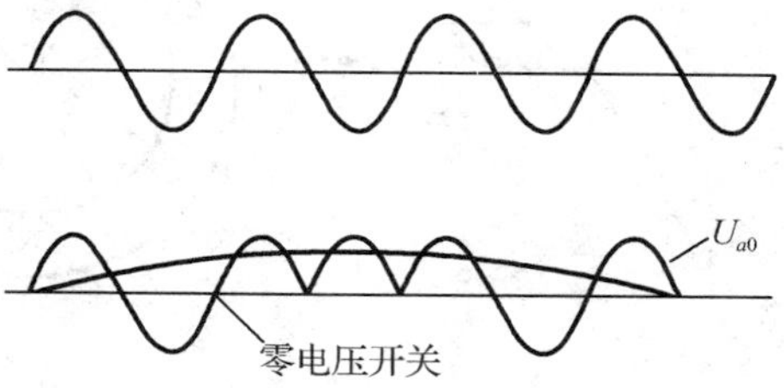

图 3-32 正弦波运行原理的半桥整数脉冲交-交变频器输出电压波形图

2. 准方波供电

通过对变流器桥臂的移相控制，一个高频非谐振回路可以很容易地产生准方波。因此得到的零电压间隔使得交-交变频器器件的软开关很容易实现。图 3-33 解释了输出电压波形的构成原理，与图 3-32 在本质上类似。这种情况下的优点在于更大的零电压间隔使软开关更容易实现。但是我们需要特别注意去减小线路的漏阻抗，否则将在换相瞬间产生很大的电压尖刺。

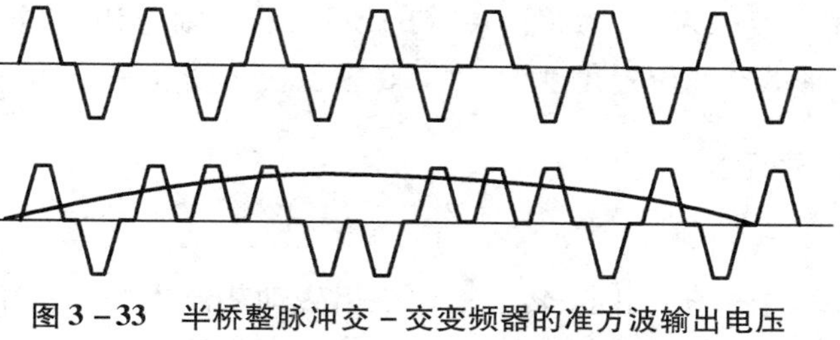

图 3-33 半桥整脉冲交-交变频器的准方波输出电压

第 4 章 异步电动机矢量控制技术

4.1 矢量空间

4.1.1 空间复平面

某些在空间按正弦分布的物理量可以表示成空间矢量的形式。图 4－1 为异步电动机与转轴垂直的空间复平面,表示电动机内部的空间矢量。

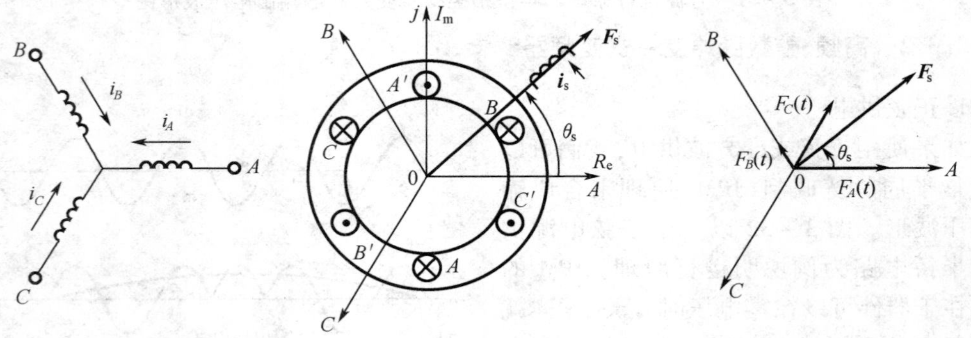

图 4－1 三相感应电动机的空间复平面

(a)定子三相绕组轴线;(b)电动机轴向断面与空间复平面;(c)三相绕组基波合成磁动势

在电动机复平面内的任一空间静止复坐标,若以实轴 Re 为空间坐标参数轴,则任一矢量 R 可表示为 $\boldsymbol{R}=|\boldsymbol{R}|e^{j\theta_s}$,其中$|\boldsymbol{R}|$为矢量的模(幅值),$\theta_s$ 为该矢量轴线与参考轴 Re 间的空间电角度,称为空间相位。

我们知道,理想情况下通以三相工频交流电三相绕组 A,B,C 电压或电流的幅值相等,相位相差$\frac{2}{3}\pi$,由三相绕组轴线 ABC 构成了空间三相轴系。A,B,C 轴系在空间复平面的位置,可由各相绕组电角度来表示。如图 4－1(b)所示,取 A 轴与 Re 轴重合,则 A 轴的空间位置角度为 $e^{j0}=1$,B 轴的空间位置角度为 $e^{j120°}$,C 轴位置角度为 $e^{j240°}$。

4.1.2 空间矢量概念

1. 定、转子磁动势矢量

三相异步电动机内磁场是由定、转子三相绕组磁动势产生的。三相异步电动机的定子有三相绕组 A,B,C,当分别通以如图 4－1(a)所示的正向电流 i_A,i_B,i_C 时,就会在空间产生三个磁动势波,它们都是空间矢量,设其基波为 F_A,F_B,F_C。定义正向电流产生的空间磁动势基波的轴线为该相绕组的轴线，亦即 F_A,F_B,F_C 是以 A,B,C 为轴线沿圆周正弦分布的空间矢量。三相绕组基波磁动势之和为合成磁动势，用 $\boldsymbol{F}_s$ 表示，即

$$\boldsymbol{F}_s = F_A + F_B e^{j120°} + F_C e^{j240°} = |\boldsymbol{F}_s| e^{j\theta_s} \tag{4-1}$$

其中 $\boldsymbol{F}_s$ 为空间矢量，幅值为 $|F_s|$，在空间复平面 S 位置如图 4－1(c) 所示。

$$F_A = \frac{4}{\pi}\frac{N_s K_{\omega s}}{2p_n} i_A \tag{4-2}$$

$$F_B = \frac{4}{\pi}\frac{N_s K_{\omega s}}{2p_n} i_B \tag{4-3}$$

$$F_C = \frac{4}{\pi}\frac{N_s K_{\omega s}}{2p_n} i_C \tag{4-4}$$

式中 p_n—— 极对数；

N_s——每相绕组匝数；

$K_{\omega s}$—— 绕组因数。

当相电流瞬时值为正值时，磁动势矢量方向与该绕组轴线一致，反之相反。

在电动机复平面内，F_s 为定子合成磁动势，定义如下

$$\boldsymbol{F}_s = F_A(t) + e^{j120°} F_B(t) + e^{j240°} F_C(t) = |\boldsymbol{F}_s| e^{j\theta_s} \tag{4-5}$$

式中 $\boldsymbol{F}_s$——空间矢量；

$|\boldsymbol{F}_s|$——$\boldsymbol{F}_s$ 的幅值。

$\boldsymbol{F}_s$ 在空间复平面的位置如图 4－1(c) 所示。

定子磁动势 $\boldsymbol{F}_s$ 是三相电流通过三相绕组共同作用的结果。当三相电流变化时，F_s 的幅值和相位也随之变化。

设三相绕组通以对称正弦稳定电流

$$i_A = \sqrt{2} I_1 \sin(\omega_s t + \varphi_1) \tag{4-6}$$

$$i_B = \sqrt{2} I_1 \sin(\omega_s t + \varphi_1 - 120°) \tag{4-7}$$

$$i_C = \sqrt{2} I_1 \sin(\omega_s t + \varphi_1 + 120°) \tag{4-8}$$

式中 I_1——电流有效值；

φ_1——初始相位；

ω_s——定子电流角频率。

将式(4－6)～式(4－8)和式(4－2)～式(4－4)代入式(4－1)，可得

$$\begin{aligned} \boldsymbol{F}_s &= \frac{3}{2}\frac{4}{\pi}\frac{N_s K_{\omega s}}{2p_n}\sqrt{2} I_1 e^{j(\omega_s t + \varphi_1 + \frac{\pi}{2})} \\ &= \frac{3\sqrt{2}}{\pi}\frac{N_s K_{\omega s}}{p_n} I_1 e^{j(\omega_s t + \varphi_1 + \frac{\pi}{2})} \end{aligned} \tag{4-9}$$

由式(4－9)可知，此时三相基波合成磁动势这一空间矢量的旋转轨迹为圆形，圆的半径为 $\frac{3\sqrt{2}}{\pi}\frac{N_s K_{\omega s}}{p_n} I_1$，矢量旋转的电角速度 ω_s 就是电流角频率，其旋转方向为 A 轴→B 轴→C 轴。当时间参考轴与复平面的实轴重合时，$\boldsymbol{F}_s$ 的空间相位超前 A 相电流的时间相位 90°，B 相、C 相也是如此。

下面介绍转子的磁动势是如何变化的。转子三相绕组视为 abc，它在空间旋转的电角度就是转子速度 ω_r。设 $t=0$ 时，a 轴和实轴 Re 一致，如图 4－2 所示。

则转子基波合成磁动势空间矢量 $\boldsymbol{F}_r$ 可表示为

$$\boldsymbol{F}_r=[F_a(t)+F_b(t)e^{j120^\circ}+F_c(t)e^{j240^\circ}]e^{j\theta_r} \tag{4-10}$$

式中　$F_a(t), F_b(t), F_c(t)$——转子 a, b, c 三相绕组磁动势波的幅值；

θ_r——a 轴与 Re 轴的相位角。

则 a 轴位置可表示为

$$\theta_r=\int\omega_r \mathrm{d}t \tag{4-11}$$

当异步电动机为鼠笼型时，转子可通过绕组归算等效为与定子绕组有效匝数相同的三相绕组，即有

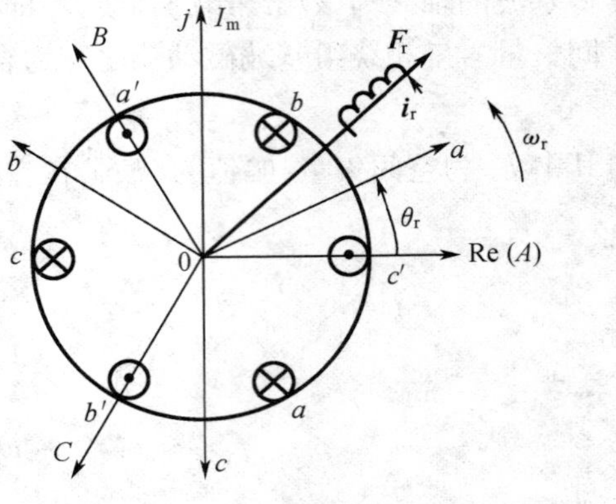

图 4-2　转子三相绕组轴线与空间复平面

$$F_a(t)=\frac{4}{\pi}\frac{N_s K_{\omega s}}{2p_n}i_a \tag{4-12}$$

$$F_b(t)=\frac{4}{\pi}\frac{N_s K_{\omega s}}{2p_n}i_b \tag{4-13}$$

$$F_c(t)=\frac{4}{\pi}\frac{N_s K_{\omega s}}{2p_n}i_c \tag{4-14}$$

在正弦稳态下，转子三相电流如下所示：

$$i_a=\sqrt{2}I_2\cos\omega_f t \tag{4-15}$$

$$i_b=\sqrt{2}I_2\cos(\omega_f t-120^\circ) \tag{4-16}$$

$$i_c=\sqrt{2}I_2\cos(\omega_f t+120^\circ) \tag{4-17}$$

式中　ω_f——转差角频率。

将式(4-12)~式(4-17)代入式(4-10)可得

$$\begin{aligned}\boldsymbol{F}_r&=\frac{3}{2}\times\frac{4}{\pi}\frac{N_s K_{\omega s}}{2p_n}\sqrt{2}I_2 e^{j(\omega_r t+\omega_f t+\frac{\pi}{2})}\\&=\frac{3\sqrt{2}}{\pi}\frac{N_s K_{\omega s}}{p_n}I_2 e^{j(\omega_s t+\frac{\pi}{2})}\end{aligned} \tag{4-18}$$

由式(4-18)得，F_r 轨迹为圆形，半径为$\frac{3\sqrt{2}}{\pi}\frac{N_s K_{\omega s}}{p_n}I_2$，它相对定子的旋转角速度为 ω_s。

式(4-18)是基于静止的定子坐标去观察转子磁动势在矢量空间内运动得出的。如果基于旋转的转子坐标去观察转子磁动势的运动又会怎样呢，由于转子坐标以 ω_r 旋转的，类似上面的证明方法不难得出

$$\boldsymbol{F}_r^{abc}=\frac{3\sqrt{2}}{\pi}\frac{N_s K_{\omega s}}{p_n}I_2 e^{j\omega_f t} \tag{4-19}$$

由式(4-18)和式(4-19)可以看出，在同一空间矢量的定子静止坐标系与转子旋转坐标，磁动势表达式之间相差 $e^{j\theta_r}$ 比例系数，而 $\theta_r=\omega_r t$，ω_r 是转子坐标相对定子静止坐标的旋转速度，$e^{j\theta_r}$ 就是这两种坐标系之间的变换因子。

2. 定、转子磁链空间矢量

定子电流流入绕组后，产生了空间磁场。可以用磁通 $\boldsymbol{\Phi}$ 来描述这个磁场。由磁路欧姆

定律可知，定子合成磁通矢量 $\boldsymbol{\Phi}_s$ 可表示为 $\boldsymbol{\Phi}_s=\dfrac{\boldsymbol{F}_s}{R_m}$，称为定子磁通，其中 R_m 为磁阻。定子磁势 $\boldsymbol{F}_s$ 和定子磁通 $\boldsymbol{\Phi}_s$ 是实际存在的空间矢量，且二者轴线共方向。同理，转子磁势 $\boldsymbol{F}_r$ 和转子磁通 $\boldsymbol{\Phi}_r$ 是三相异步电动机转子实际存在的空间矢量。实际存在的空间矢量还有合成磁势 $\boldsymbol{F}_{\Sigma}=\boldsymbol{F}_s+\boldsymbol{F}_r$ 及合成磁通。

为了分析问题方便，这里用磁链来描述这个磁场。

磁链与电流的关系如下

$$\boldsymbol{\psi}=L\boldsymbol{i} \tag{4-20}$$

式中 L——电感。

设电流是空间矢量，则磁链一定也是空间矢量。若磁链是由自身绕组电流产生的，称为自感磁链，式(4-20)中 L 应是自感；若这个磁链不是由自身绕组电流产生的，而是另一绕组电流产生的磁场与之相交链的磁链，称为互感磁链，式(4-20)中 L 应是两绕组的互感。

定义定子磁链空间矢量为

$$\boldsymbol{\psi}_s=\psi_A+\psi_B e^{j120^\circ}+\psi_C e^{j240^\circ} \tag{4-21}$$

式中 $\psi_A(\psi_B,\psi_C)$——流过定子 $A(B,C)$ 相绕组磁链的总和，包括自感磁链和互感磁链。

同理，在以转子自身旋转的 abc 轴系中，定义转子磁链空间矢量为

$$\boldsymbol{\psi}_r^{abc}=\psi_a+\psi_b e^{j120^\circ}+\psi_c e^{j240^\circ} \tag{4-22}$$

若以定子静止轴系 ABC 轴表示转子磁链空间矢量为

$$\boldsymbol{\psi}_r=\boldsymbol{\psi}_r^{abc}e^{j\theta_r} \tag{4-23}$$

3. 定、转子电压空间矢量

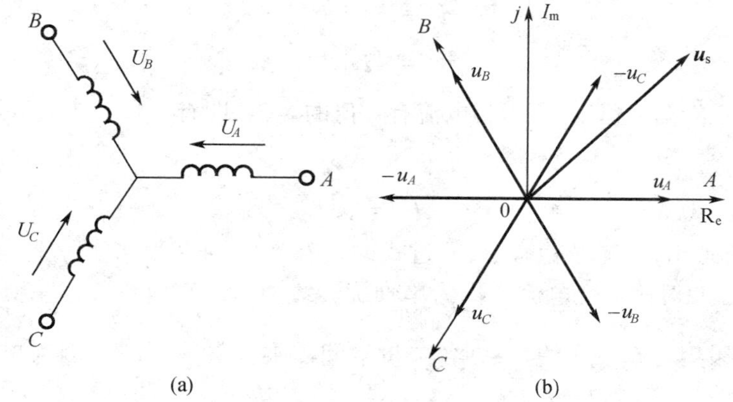

图4-3 定子三相绕组与电压空间矢量

(a)三相绕组轴线位置；(b)相电压空间矢量分布

如图4-3所示，三相绕组上加上如图所示的三个相电压，三相绕组中的电流也随之改变，也就改变了该相轴线上的磁动势和磁场的强弱。如图4-3所示，电压方向一致时，即由外部流入绕组线圈时，电压矢量与轴线方向一致，否则相反。由此得到六个空间对称分布的相电压矢量。

定义定子电压空间矢量为

$$\boldsymbol{u}_s=u_A+u_B e^{j120^\circ}+u_C e^{j240^\circ} \tag{4-24}$$

同理，在以转子自身旋转的 abc 轴系中，定义转子电压空间矢量为

$$\boldsymbol{u}_{\mathrm{r}}^{abc} = u_a + u_b \mathrm{e}^{\mathrm{j}120^\circ} + u_c \mathrm{e}^{\mathrm{j}240^\circ} \tag{4-25}$$

而以 ABC 轴系表示的转子电压空间矢量为

$$\boldsymbol{u}_{\mathrm{r}} = \boldsymbol{u}_{\mathrm{r}}^{abc} \mathrm{e}^{\mathrm{j}\theta_{\mathrm{r}}} \tag{4-26}$$

对于某相绕组来说，当与此绕组交链的磁链发生变化时，它在绕组中产生的感应电动势（反电动势）为

$$e = -\frac{\mathrm{d}\boldsymbol{\psi}}{\mathrm{d}t} = -L\frac{\mathrm{d}\boldsymbol{i}}{\mathrm{d}t} \tag{4-27}$$

即感应电动势与磁链或电流具有微分关系，从这个角度说，也可以将感应电动势看成空间矢量，由外加定子电压矢量与感应电动势的差值，决定该相绕组中的电流矢量。

4. 定、转子电流矢量

由式(4-2)~式(4-6)得到，定子每相绕组磁动势矢量的幅值和方向取决于相电流的瞬时值，相当于磁动势幅值和相电流存在比例关系。即相电流任意时刻的瞬时值在其绕组方向产生的磁动势波在空间是正弦分布的，而每相绕组的轴线在空间上又有确定的位置。图4-1(b)和4-2所示，$\boldsymbol{i}_{\mathrm{s}}$，$\boldsymbol{i}_{\mathrm{r}}$ 分别是定、转子三相系电流合成的电流矢量，且 $\boldsymbol{i}_{\mathrm{s}}$ 与 $\boldsymbol{F}_{\mathrm{s}}$ 以及 $\boldsymbol{i}_{\mathrm{r}}$ 与 $\boldsymbol{F}_{\mathrm{r}}$ 的方向始终是一致的。

将定子电流空间矢量定义为

$$\boldsymbol{i}_{\mathrm{s}} = i_A + i_B \mathrm{e}^{\mathrm{j}120^\circ} + i_C \mathrm{e}^{\mathrm{j}240^\circ} \tag{4-28}$$

同理，有

$$\boldsymbol{i}_{\mathrm{r}} = i_a + i_b \mathrm{e}^{\mathrm{j}120^\circ} + i_c \mathrm{e}^{\mathrm{j}240^\circ} \tag{4-29}$$

在三相电流为正弦波时，可得

$$\boldsymbol{i}_{\mathrm{s}} = |\boldsymbol{i}_{\mathrm{s}}| \mathrm{e}^{\mathrm{j}\omega_{\mathrm{s}}t} \tag{4-30}$$

$$\boldsymbol{i}_{\mathrm{r}} = |\boldsymbol{i}_{\mathrm{r}}| \mathrm{e}^{\mathrm{j}\omega_{\mathrm{s}}t} \tag{4-31}$$

此时，$\boldsymbol{i}_{\mathrm{s}}$ 和 $\boldsymbol{i}_{\mathrm{r}}$ 的幅值恒定，等于相电流有效值的$\sqrt{3}$倍，即有

$$|\boldsymbol{i}_{\mathrm{s}}| = \sqrt{3} I_1 \tag{4-32}$$

$$|\boldsymbol{i}_{\mathrm{r}}| = \sqrt{3} I_2 \tag{4-33}$$

由以上分析得出，在正弦稳态下，通过式(4-28)、式(4-29)，实际上是将静止的三相轴系 ABC 中的三相对称交变电流变换为单轴旋转线圈中的直流量。这一变换应遵循磁动势等效原则，如采用功率不变约束，则各矢量空间需乘以系数$\sqrt{\frac{2}{3}}$。因为单轴线圈的电压和电流均为三相绕组中电压和电流有效值的$\sqrt{3}$倍，但线圈数由原来的三个变为一个，所以功率保持不变。

电动机的主要特性是其转矩/转速特性，在加（减）速和速度调节过程中服从基本运动学方程式

$$T_{\mathrm{e}} - T_{\mathrm{L}} = J\frac{\mathrm{d}\omega}{\mathrm{d}t} \tag{4-34}$$

式中 T_{e}——电动机电磁转矩；

T_{L}——电动机负载转矩；

$J = \frac{GD^2}{375}$——转动惯量；

ω——电动机转子的电角速度。

由式(4－34)可知,如果保持速度的恒定,即保证 $T_e - T_L = 0$,在恒定转矩负载下启动、制动及调速时,如能控制电动机的电磁转矩恒定,可获得恒定的加、减速运动。

对于直流电动机,其电磁转矩表达式为

$$T_e = C_{MD}\Phi_f I_a \tag{4-35}$$

式中 $C_{MD} = \dfrac{P_n N_a}{2\pi a}$——直流电动机转矩参数;

N_a——有效匝数;

a——支路对数;

I_a——电枢电流;

Φ_f——励磁磁通。

式(4－35)表明,直流电动机电磁转矩 T_e 的大小与每极磁通(合成磁通)和电枢电流 I_a 的乘积成正比,如不计饱和影响,它与励磁电流和电枢电流的乘积成正比。

4.2 矢量控制原理

4.2.1 与直流传动的比较

直流电动机的构造决定了由励磁电流 I_f 产生的磁链 $\boldsymbol{\psi}_f$ 与电枢电流 I_a 产生的电枢磁链 $\boldsymbol{\psi}_a$ 是垂直的。这些垂直的空间矢量是被解耦的。这意味着当通过控制电流 I_a 以控制转矩时,磁链 $\boldsymbol{\psi}_f$ 不受其影响,且在 $\boldsymbol{\psi}_f$ 为额定值时,可以获得快速的瞬态响应和较高的转矩/安培比。同样,控制励磁电流 I_f 时,只会影响磁链 $\boldsymbol{\psi}_f$,不会影响磁链 $\boldsymbol{\psi}_a$。所以直流电动机的主磁通基本上唯一的由励磁绕组的励磁电流决定。这是直流电动机的数学模型及其控制系统比较简单的根本原因。

需要进一步指出的是,由于电枢电流 I_a 和励磁电流 I_f 都是只有大、小和正、负变化的直流标量。因此把 I_a 和 I_f 作为控制变量的直流调速系统是标量控制系统,与矢量控制系统比较,标量控制系统更简单、容易实现。

在异步电动机中,同样也是两个磁场相互作用产生电磁转矩。与直流电动机的两个磁场所不同的是,异步电动机定子磁动势 $\boldsymbol{F}_s$、转子磁动势 $\boldsymbol{F}_r$ 及二者合成产生的气隙磁动势 $\boldsymbol{F}_\Sigma$ 均是以同步角速度 $\boldsymbol{\omega}_s$ 在空间旋转的矢量,如图 4－4 所示,定子磁动势,气隙磁动势及转子磁动势之间的夹角不等于90°。由此可知,这三个磁动势之间并非解耦,相互有影响。

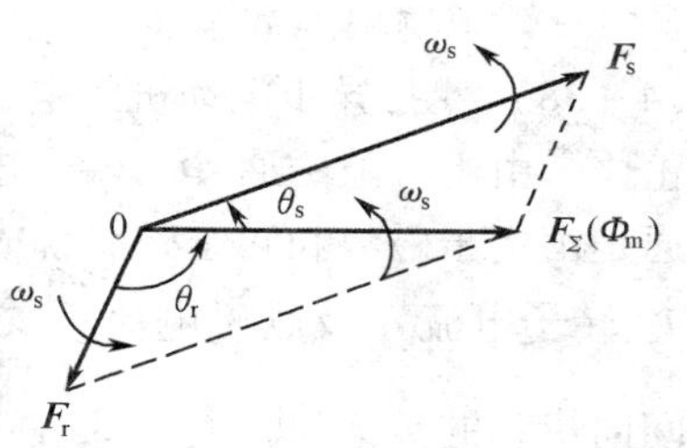

图4－4 异步电动机的磁势、磁通空间矢量图

由交流电动机转矩公式

$$T_e = \frac{\pi}{2}p_n{}^2\boldsymbol{\Phi}_m\boldsymbol{F}_s\sin\theta_s = \frac{\pi}{2}p_n{}^2\boldsymbol{\Phi}_m\boldsymbol{F}_r\sin\theta_r \tag{4-36}$$

可知，如果 $\boldsymbol{\Phi}_m$，$\boldsymbol{F}_r$ 的模值已知，则只要知道它们空间矢量的夹角 θ_r，就可以按式(4－36)求出异步电动机的电磁转矩。

设 $\boldsymbol{\psi}_{ra}$ 是合成磁通 $\boldsymbol{\Phi}_m$ 对转子 a 相的磁链，当 $\boldsymbol{\Phi}_m$ 对转子绕组进行相对运动时，则 $\boldsymbol{\psi}_{ra}$ 是随时间变化的，即 $\boldsymbol{\psi}_{ra}$ 是一个时间向量，记为 $\dot{\boldsymbol{\psi}}_{ra}$。由式(4－27)可知，感应电势 $\dot{\boldsymbol{E}}_{ra}$ 落后于 $\dot{\boldsymbol{\psi}}_{ra}$ 90°电角度，由于转子存在漏感，则转子 a 相电流 $\dot{\boldsymbol{I}}_{ra}$ 又落后于 $\dot{\boldsymbol{E}}_{ra}$ 一个相角 φ_r，即

$$\varphi_r = \arctan\frac{sx_r}{R_r} \tag{4-37}$$

式中　s—— 转差率；

x_r——折算到定子侧的转子漏电抗；

R_r——折算到定子侧的转子电路电阻。

则在时间上 $\dot{\boldsymbol{I}}_{ra}$ 落后于 $\dot{\boldsymbol{\psi}}_{ra}$ $90°+\varphi_r$ 电角度。

根据旋转磁场原理得，当转子 a 相电流的瞬时值 i_{ra} 为最大时，其转子旋转磁势 $\boldsymbol{F}_r$ 与 a 相绕组轴线恰好重合，即当磁通 $\boldsymbol{\Phi}_m$ 恰好转到落在 a 相绕组的位置上时，其磁链 $\dot{\boldsymbol{\psi}}_{ra}$ 幅值应最大。由于 $\dot{\boldsymbol{I}}_{ra}$ 在时间上落后 $\dot{\boldsymbol{\psi}}_{ra}$ 为 $90°+\varphi_r$，因而 $\boldsymbol{F}_{ra}$ 在空间上落后于 $\dot{\boldsymbol{\psi}}_{ra}$ 的电角度为 $90°+\varphi_r$，又因为 $\boldsymbol{F}_r$ 的模值为

$$\boldsymbol{F}_r = \frac{3\sqrt{2}}{\pi p_n}N_r\boldsymbol{I}_r \tag{4-38}$$

则式(4－36)转矩为

$$\begin{aligned} T_e &= \frac{\pi}{2}p_n^2\boldsymbol{\Phi}_m\left(\frac{3\sqrt{2}}{\pi}N_r\boldsymbol{I}_r\right)\sin(90°+\varphi_r) \\ &= \frac{3\sqrt{2}}{2}p_nN_r\boldsymbol{\Phi}_m\boldsymbol{I}_r\cos\varphi_r \\ &= C_M\boldsymbol{\Phi}_m\boldsymbol{I}_r\cos\varphi_r \end{aligned} \tag{4-39}$$

式中　$C_M = \dfrac{3\sqrt{2}}{2}p_nN_r$；

N_r——转子绕组有效匝数；

φ_r——转子功率因数角。

式(4－38)表明：异步电动机的电磁转矩与气隙磁场、转子磁势及电路功率因数角 φ_r 的余弦成正比。由于气隙磁通 $\boldsymbol{\Phi}_m$，转子电流 $\boldsymbol{I}_r$，转子功率因数角 φ_r 都是转差率 s 的函数，而气隙磁通是由定子磁势和转子磁势合成产生的，不能简单的认为恒定，同时异步电动机的定子电流 $\boldsymbol{i}_s$、转子电流 $\boldsymbol{i}_r$ 及励磁电流 i_m 之间又存在的时间向量和的关系，即 $\dot{\boldsymbol{I}}_s = \dot{\boldsymbol{I}}_r + \dot{\boldsymbol{I}}_m$，如图4－5所示。而 $\dot{\boldsymbol{I}}_m$ 和 $\dot{\boldsymbol{I}}_r$ 都是由定子绕组提供的，相当于这两个量处于同一回路之中，存在强耦合关系，在控制过程中容易造成系统振荡及加长动态过程。因此交流电动机的电磁转矩是难以控制的。

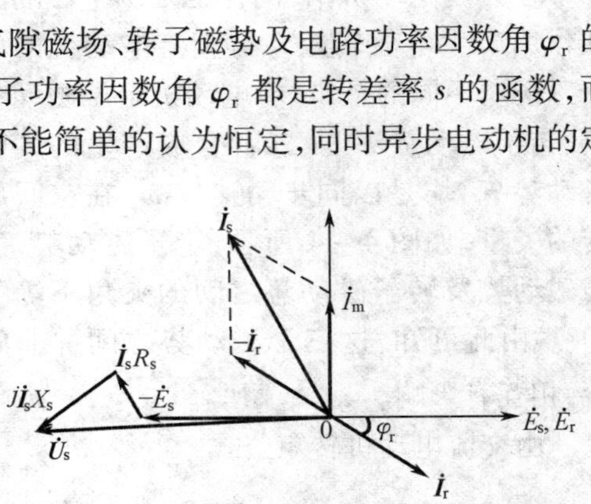

图4－5　异步电动机工况下的时间向量

综上所述,直流电动机的电磁转矩关系简单,容易控制;交流电动机的电磁转矩关系复杂,难以控制。如果能有一种方法可以将交流电动机三相绕组等效成类似于直流电动机的互相正交的两相绕组,变换前后磁动势作用效果相同,则在已变换的两相绕组的矢量空间里用类似于直流电动机的控制方式来控制交流电动机,这也就是矢量控制的思路。

4.2.2 矢量控制的原理

由 4.2.1 的分析可知,直流电动机的励磁绕组和电枢绕组是在空间上固定的直流绕组,通以直流电流后在空间产生合成磁动势,且在空间固定不动。对于异步电动机而言,由于可瞬时控制的只有定子的相电流(电压)。如果将异步电动机定子三相绕组等效变换成图 4-6 所示的两相直流电动机的 d,q 绕组且保持其变换前后磁动势的幅值和空间位置一致,就可实现对 I_d,I_q 的近似直流电动机的控制方式。

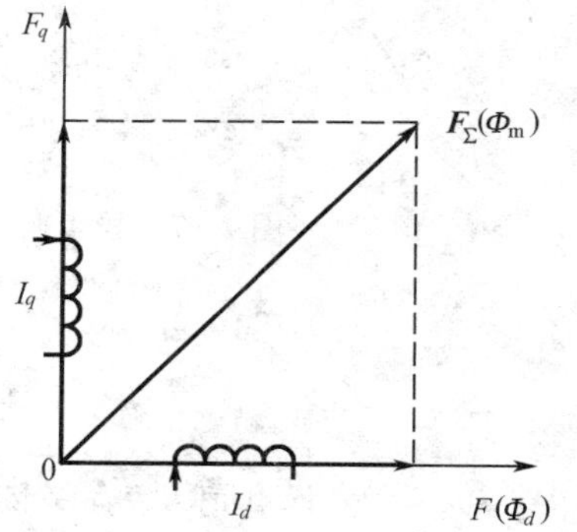

图 4-6 直流电动机空间矢量关系

将异步电动机三相对称定子绕组中,通入对称的三相正弦交流电流 i_A,i_B,i_C,其相位依次相差 120°,则形成三相基波合成旋转磁动势,其旋转角速度等于定子电流角频率 ω_s,如图 4-7(a)所示。

图 4-7(b)异步电动机,具有位置相差 90°的静止的两相定子绕组 α,β,当通入两相对称正弦电流 i_α,i_β 时,产生旋转磁动势 $F_{\alpha\beta}$,如果保证 $F_{\alpha\beta}$的大小、转速及转向与三相交流绕组所产生的磁动势 F_{ABC}完全相同,则可以认为图 4-7 中(a),(b)所示的两套交流绕组等效。相当于将三相定子绕组所在的三相静止坐标系 ABC 等效变换为两相定子绕组所在的两相静止直角坐标系,等效变换原则为变换前后两坐标绕组产生的磁动势相同,而且三相交流绕组中的三相对称正弦交流电流 i_A,i_B,i_C 与两相对称正弦交流电流 i_α,i_β 之间存在着确定的变换关系,即

$$\begin{cases} i_{\alpha\beta} = \boldsymbol{C}_{3s/2s} i_{ABC} \\ i_{ABC} = \boldsymbol{C}_{3s/2s}^{-1} i_{\alpha\beta} \end{cases} \tag{4-40}$$

式(4-40)表示矩阵方程,式中,$\boldsymbol{C}_{3s/2s}$为三相静止 ABC 坐标系到两相静止 $\alpha\beta$ 坐标系的变换矩阵。

直流电动机的励磁绕组和电枢绕组在空间互差 90°,将励磁绕组安放在如图 4-7(c)所示的 M 轴,电枢绕组安放在 T 轴。当给这两个绕组通以直流电后,在空间形成一个固定的合成磁动势 F_{MT}。将 F_{MT}与 $F_{\alpha\beta}$比较,当$|F_{MT}| = |F_{\alpha\beta}|$时,其差异在 F_{MT}是静止的而 $F_{\alpha\beta}$是以 ω_s 在空间旋转的,如果让整个 MT 坐标轴以 ω_s 旋转起来,则此时 F_{MT}与 $F_{\alpha\beta}$完全等效,即 MT 的直流绕组与 $\alpha\beta$ 交流绕组及 $A-B-C$ 交流绕组等效。而此时观察者站在静止的定子上观察到的是一个以 ω_s 旋转的直流坐标系 MT,当观察者跳到 MT 坐标系中,与 MT 坐标轴一起旋转时,其观察到的是一个"静止"的 MT 直流坐标系,与直流电动机等效。这样复杂的交流电动机的控制经过等效变换就变成了近似直流电动机的控制,使交流电动机的控制得到解耦。这种静止 $\alpha\beta$ 坐标系到旋转 MT 坐标变换,在变换前后磁动势等效的原则下,α,β 交流绕组中的交流电流 i_α,i_β 与 $M-T$ 直流绕组中的直流电流 i_M,i_T 之间必然存在确定的变换关系。

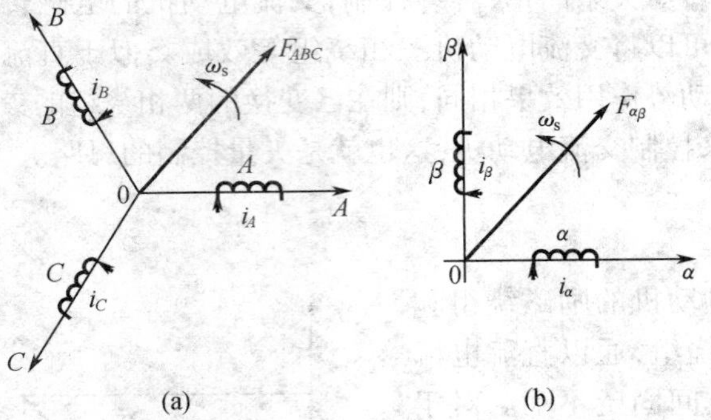

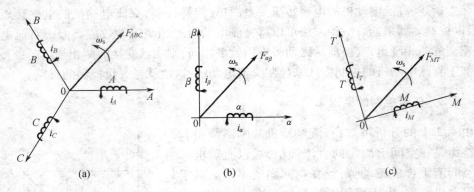

图 4-7　异步电动机交流绕组等效成旋转的直流绕组物理模型

(a)三相交流绕组;(b)两相交流绕组;(c)旋转的直流绕组

$$\begin{cases} i_{MT} = C_{2s/2r} i_{\alpha\beta} \\ i_{\alpha\beta} = C_{2s/2r}^{-1} i_{MT} \end{cases} \tag{4-41}$$

式中　$C_{2s/2r}$——两相静止 $\alpha\beta$ 坐标系到旋转 MT 坐标系的变换矩阵。

由式(4-41)变换得旋转的 MT 直流绕组与静止的 $\alpha\beta$ 交流绕组完全等效,由式(4-40)变换得静止的三相交流绕组 ABC 与静止的两相交流绕组 $\alpha\beta$ 完全等效,所以旋转的两相 MT 直流绕组与静止的三相 ABC 交流绕组完全等效,即有

$$i_{MT} = C_{2s/2r} i_{\alpha\beta} = C_{2s/2r} C_{3s/2s} i_{ABC} \tag{4-42}$$

由式(4-42)可知,$M-T$ 直流绕组中的电流 i_M,i_T 与三相电流 i_A,i_B,i_C 之间必然存在确定的关系,因此通过控制 i_M,i_T 就可以实现对 i_A,i_B,i_C 的瞬时控制。

如图 4-8 所示,把 i_M(励磁电流分量)、i_T(转矩电流分量)作为控制量(输入量),记为 i_{Mg},i_{Tg},与反馈量 i_{Mf},i_{Tf} 比较后,得到系统输入量 i_M,i_T,经旋转坐标系到静止坐标系的变换矩阵得两相静止坐标系中 i_α,i_β 分量,然后通过两相-三相静止坐标系的变换矩阵得三相电流的控制量 i_A^*,i_B^*,i_C^*,作为三相电源逆变器的控制量,逆变器的输出驱动三相异步电动机的运行。

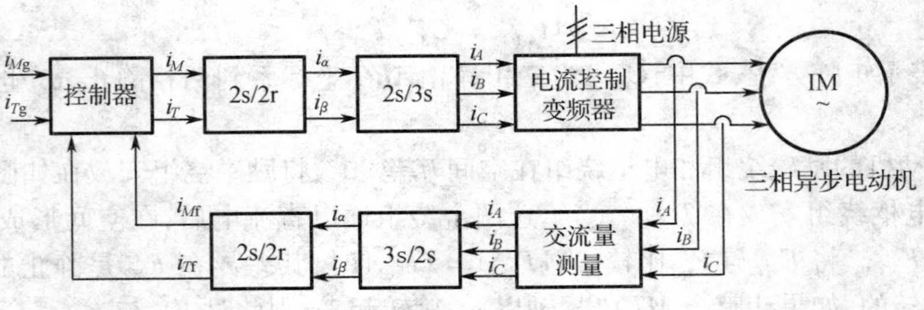

图 4-8　矢量变换控制过程框图

综上所述,在矢量空间内,将直流标量作为电动机外部的控制量,通过坐标变换,转换成交流量去控制交流电动机的运行,这种控制系统称为矢量变换控制系统,通常简称为矢量控制系统(Vector Control System)。

4.3 矢量坐标变换

在4.2节中讨论可知，矢量控制是将交流电动机三相坐标系下的定子交流电流通过三相静止 i_A, i_B, i_C - 两相静止坐标变换成两相静止坐标系，再经过两相静止 - 两相旋转坐标变换成以 ω_s 旋转的两相旋转坐标系，在此旋转坐标系上便得到直流电动机的控制方式。可见，实现矢量控制的关键是矢量坐标变换。本节重点讨论矢量控制坐标变换原理及实现方法。

4.3.1 异步电动机各坐标系

在4.1节介绍了矢量空间，为更好地说明坐标变换的原理有必要对异步电动机变换过程的各坐标系加以说明。

1. 静止坐标系

矢量控制的坐标变换中的静止坐标系有两个，一个是三相交流电动机中三相绕组构成的 ABC 坐标系。如图4-9所示，某矢量 $\boldsymbol{x}$ 在三个坐标轴上投影分别为 x_A, x_B, x_C 代表了该矢量在三个绕组中的分量。若 $\boldsymbol{x}$ 是定子电流矢量，则 x_A, x_B, x_C 分别为三个绕组中的电流分量。A, B, C 坐标系由在空间相差120°，一般取 A 相为水平轴，B, C 轴在空间上与 A 轴逆时针各差120°。

另一静止坐标系为 α, β 坐标系，其由两个正交的坐标轴组成，一般取 α 轴与 A 轴重合即为水平轴，β 轴沿逆时针方向与 α 轴垂直，矢量 $\boldsymbol{x}$ 在 $\alpha-\beta$ 坐标轴上的投影（分量）为 x_α, x_β。

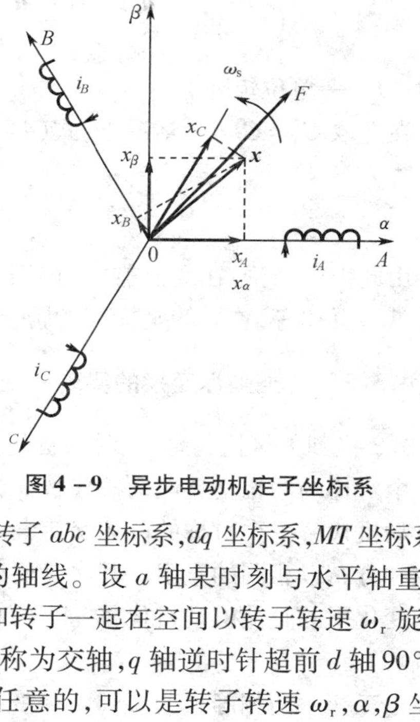

图4-9 异步电动机定子坐标系

2. 旋转坐标系

矢量控制的坐标变换中用到的旋转坐标系有3个，转子 abc 坐标系，dq 坐标系，MT 坐标系。

转子 abc 坐标系的三个轴分别为转子三相绕组的轴线。设 a 轴某时刻与水平轴重合，则 b, c 轴为逆时针方向依次相差120°。转子坐标系和转子一起在空间以转子转速 ω_r 旋转。

dq 坐标系也是旋转坐标系，d 轴也称为直轴，q 轴称为交轴，q 轴逆时针超前 d 轴90°，一般情况下，dq 坐标系表示的是旋转坐标系，其转速是任意的，可以是转子转速 ω_r，α, β 坐标可认为转速为零的 dq 坐标，是 dq 坐标系中的一种特殊情况。

MT 坐标，以同步角速度 ω_s 在空间旋转，其中 T 轴逆时针超前 M 轴90°，M 轴一般固定在磁链矢量上。

4.3.2 坐标变换原则

异步电动机矢量坐标变换的数学表达式常用矩阵方程表示，如

$$\begin{cases} \boldsymbol{u} = \boldsymbol{C}_u u' \\ \boldsymbol{i} = \boldsymbol{C}_i i' \end{cases} \tag{4-43}$$

式中,$\boldsymbol{C}_u$,$\boldsymbol{C}_i$ 称为变换矩阵,上式说明了将一组变量 $\boldsymbol{u}'(i')$ 变换为另一组变量 $\boldsymbol{u}(i)$。

在进行异步电动机坐标变换时,应遵守变换前后电动机功率不变原则,由此使得变换矩阵 $\boldsymbol{C}$ 更加明确。设在某坐标系下的电路或系统的电压、电流向量分别为 u 和 i,在变换后的新坐标系下,电压电流向量变成 u' 和 i',设

$$\boldsymbol{u} = [u_1 u_2 \cdots u_n]^{\mathrm{T}} \quad \boldsymbol{i} = [i_1 i_2 \cdots i_n]^{\mathrm{T}} \tag{4-44}$$

$$\boldsymbol{u}' = [u_1' u_2' \cdots u_n']^{\mathrm{T}} \quad \boldsymbol{i}' = [i_1' i_2' \cdots i_n']^{\mathrm{T}} \tag{4-45}$$

则经坐标变换后,$\boldsymbol{u}$,$\boldsymbol{u}'$ 关系如下

$$\boldsymbol{u} = \boldsymbol{C}_u \boldsymbol{u}' \tag{4-46}$$

$$\boldsymbol{i} = \boldsymbol{C}_i \boldsymbol{i}' \tag{4-47}$$

式中 $\boldsymbol{C}_u$,$\boldsymbol{C}_i$——电压和电流变换阵。

由变换前后功率不变,则

$$P = u_1 i_1 + u_2 i_2 + \cdots + u_n i_n = u^{\mathrm{T}} \boldsymbol{i} = u_1' i_1' + u_2' i_2' + \cdots + u_n' i_n' = \boldsymbol{u}'^{\mathrm{T}} \boldsymbol{i}' \tag{4-48}$$

将式(4-46)、式(4-47)代入式(4-48)

$$\boldsymbol{u}^{\mathrm{T}} \boldsymbol{i} = (\boldsymbol{C}_u \boldsymbol{u}')^{\mathrm{T}} \boldsymbol{C}_i \boldsymbol{i}' = \boldsymbol{u}'^{\mathrm{T}} \boldsymbol{C}_u^{\mathrm{T}} \boldsymbol{C}_i \boldsymbol{i}' = \boldsymbol{u}'^{\mathrm{T}} \boldsymbol{i}' \tag{4-49}$$

$$\boldsymbol{C}_u^{\mathrm{T}} \boldsymbol{C}_i = \boldsymbol{I} \tag{4-50}$$

式中 $\boldsymbol{I}$——单位矩阵。

在选取 $\boldsymbol{C}_u = \boldsymbol{C}_i = \boldsymbol{C}$ 情况下,式(4-50)变为

$$\boldsymbol{C}^{\mathrm{T}} \boldsymbol{C} = \boldsymbol{I} \tag{4-51}$$

$$\boldsymbol{C}^{\mathrm{T}} = \boldsymbol{C}^{-1} \tag{4-52}$$

由此得出结论:在变换前后功率不变,且电压和电流选取相同变换阵条件下,变换阵的逆与其转置相等,这样的坐标变换属于正交变换。

4.3.3 各类坐标变换的实现

4.2 提到矢量控制坐标变换,首先要进行的是三相静止坐标到两相静止坐标的变换,即用一个对称的两相交流电动机代替一个对称的三相交流电动机,或者用一个对称的三相交流电动机代替一个对称的两相交流电动机。其中对称是指定、转子各绕组分别具有相同的匝数和分布以相同的电阻。其次是要进行两相静止坐标系到两相旋转坐标系的变换,即用一个变化了的直流电动机代替一个两相交流电动机。

1. 三相-两相静止变换(3s/2s 变换)

现在先考虑上述的第一种坐标变换在三相静止绕组 A,B,C 和两相静止绕组 α,β 之间的变换,或称三相-两相变换,简称 3s/2s 变换,其中 S 表示静止。

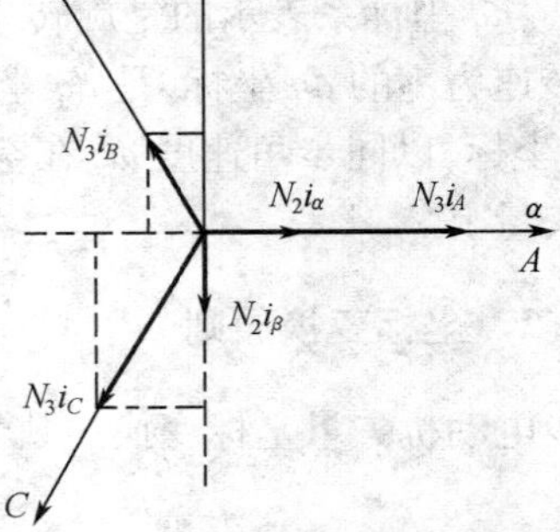

图 4-10 三相-两相坐标变换

图 4-10 中绘出了 A,B,C 和 α,β 两个坐标系,为了方便起见,取 A 轴和 α 轴重合。各相磁动势与有效匝数与电流的乘积成正比,其空间矢量均位于有关相的坐标轴上。

设磁动势波形是按正弦分布的，当三相总磁动势与两相总磁动势相等时，三相绕组磁动势在 α,β 轴上的投影应与两相绕组磁动势瞬时在 α,β 轴上的投影都应相等。

$$\begin{cases} N_2 i_\alpha = N_3 i_A - N_3 i_B \cos 60° - N_3 i_C \cos 60° = N_3 \left(i_A - \frac{1}{2} i_B - \frac{1}{2} i_C\right) \\ N_2 i_\beta = N_3 i_B \sin 60° - N_3 i_C \sin 60° = \frac{\sqrt{3}}{2} N_3 (i_B - i_C) \end{cases} \tag{4-53}$$

写成矩阵形式，得

$$\begin{bmatrix} i_\alpha \\ i_\beta \end{bmatrix} = \frac{N_3}{N_2} \begin{bmatrix} 1 & -\frac{1}{2} & -\frac{1}{2} \\ 0 & \frac{\sqrt{3}}{2} & -\frac{\sqrt{3}}{2} \end{bmatrix} \begin{bmatrix} i_A \\ i_B \\ i_C \end{bmatrix} \tag{4-54}$$

考虑在变换前后总功率不变的前提下，匝数比是可求的，为了便于求反变换，最好将变换阵增广成可逆的方阵，即在两相系统上人为地增加一项零轴磁动势，表示为 $N_2 i_0$，则式(4-54)可改写如下

$$\begin{bmatrix} i_\alpha \\ i_\beta \\ i_0 \end{bmatrix} = \frac{N_3}{N_2} \begin{bmatrix} 1 & -\frac{1}{2} & -\frac{1}{2} \\ 0 & \frac{\sqrt{3}}{2} & -\frac{\sqrt{3}}{2} \\ k & k & k \end{bmatrix} \begin{bmatrix} i_A \\ i_B \\ i_C \end{bmatrix} = \boldsymbol{C}_{3s/2s} \begin{bmatrix} i_A \\ i_B \\ i_C \end{bmatrix} \tag{4-55}$$

式中 k——待定系数；

$\boldsymbol{C}_{3s/2s}$——增广后三相坐标系变换到两相坐标系的变换方阵，为

$$\boldsymbol{C}_{3s/2s} = \frac{N_3}{N_2} \begin{bmatrix} 1 & -\frac{1}{2} & -\frac{1}{2} \\ 0 & \frac{\sqrt{3}}{2} & -\frac{\sqrt{3}}{2} \\ k & k & k \end{bmatrix} \tag{4-56}$$

满足功率不变条件，应有

$$\boldsymbol{C}_{3s/2s}^{-1} = \boldsymbol{C}_{3s/2s}^{\mathrm{T}} = \frac{N_3}{N_2} \begin{bmatrix} 1 & 0 & k \\ -\frac{1}{2} & \frac{\sqrt{3}}{2} & k \\ -\frac{1}{2} & -\frac{\sqrt{3}}{2} & k \end{bmatrix} \tag{4-57}$$

矩阵与其逆矩阵相乘，结果为单位阵。

$$\boldsymbol{C}_{3s/2s} \boldsymbol{C}_{3s/2s}^{-1} = \left(\frac{N_3}{N_2}\right)^2 \begin{bmatrix} 1 & -\frac{1}{2} & -\frac{1}{2} \\ 0 & \frac{\sqrt{3}}{2} & -\frac{\sqrt{3}}{2} \\ k & k & k \end{bmatrix} \begin{bmatrix} 1 & 0 & k \\ -\frac{1}{2} & \frac{\sqrt{3}}{2} & k \\ -\frac{1}{2} & -\frac{\sqrt{3}}{2} & k \end{bmatrix}$$

$$=\left(\frac{N_3}{N_2}\right)^2\begin{bmatrix}\frac{3}{2} & 0 & 0\\ 0 & \frac{3}{2} & 0\\ 0 & 0 & 3k^2\end{bmatrix}=\frac{3}{2}\left(\frac{N_3}{N_2}\right)^2\begin{bmatrix}1 & 0 & 0\\ 0 & 1 & 0\\ 0 & 0 & 2k^2\end{bmatrix}=\boldsymbol{E} \tag{4-58}$$

得

$$\frac{3}{2}\left(\frac{N_3}{N_2}\right)^2=1\Rightarrow\frac{N_3}{N_2}=\sqrt{\frac{2}{3}} \tag{4-59}$$

$$2k^2=1\Rightarrow k=\frac{1}{\sqrt{2}} \tag{4-60}$$

式(4－59)表明，在变换前后总功率不变和合成磁动势相同的前提下，变换后的两相绕组每相匝数应为三相绕组每相匝数的$\sqrt{\frac{3}{2}}$倍。

将式(4－59)和式(4－60)代入式(4－57)，即得三相/两相变换阵

$$\boldsymbol{C}_{3s/2s}=\sqrt{\frac{2}{3}}\begin{bmatrix}1 & -\frac{1}{2} & -\frac{1}{2}\\ 0 & \frac{\sqrt{3}}{2} & -\frac{\sqrt{3}}{2}\\ \frac{1}{\sqrt{2}} & \frac{1}{\sqrt{2}} & \frac{1}{\sqrt{2}}\end{bmatrix} \tag{4-61}$$

由式(4－57)得两相坐标系到三相坐标系变换(简称2/3变换)的变换阵为

$$\boldsymbol{C}_{2s/3s}=\boldsymbol{C}_{3s/2s}^{-1}=\boldsymbol{C}_{3s/2s}^{\mathrm{T}}=\sqrt{\frac{2}{3}}\begin{bmatrix}1 & 0 & \frac{1}{\sqrt{2}}\\ -\frac{1}{2} & \frac{\sqrt{3}}{2} & \frac{1}{\sqrt{2}}\\ -\frac{1}{2} & -\frac{\sqrt{3}}{2} & \frac{1}{\sqrt{2}}\end{bmatrix} \tag{4-62}$$

$\boldsymbol{C}_{2s/3s}$为增广后两相坐标系变换到三相坐标系的变换阵。

于是三相－两相电流变换矩阵方程式和两相－三相电流变换矩阵方程式为

$$\begin{bmatrix}i_\alpha\\ i_\beta\end{bmatrix}=\sqrt{\frac{2}{3}}\begin{bmatrix}1 & -\frac{1}{2} & -\frac{1}{2}\\ 0 & \frac{\sqrt{3}}{2} & -\frac{\sqrt{3}}{2}\end{bmatrix}\begin{bmatrix}i_A\\ i_B\\ i_C\end{bmatrix} \tag{4-63}$$

或

$$\begin{bmatrix}i_\alpha\\ i_\beta\\ i_0\end{bmatrix}=\sqrt{\frac{2}{3}}\begin{bmatrix}1 & -\frac{1}{2} & -\frac{1}{2}\\ 0 & \frac{\sqrt{3}}{2} & -\frac{\sqrt{3}}{2}\\ \frac{1}{\sqrt{2}} & \frac{1}{\sqrt{2}} & \frac{1}{\sqrt{2}}\end{bmatrix}\begin{bmatrix}i_A\\ i_B\\ i_C\end{bmatrix} \tag{4-64}$$

$$\begin{bmatrix} i_A \\ i_B \\ i_C \end{bmatrix} = \sqrt{\frac{2}{3}} \begin{bmatrix} 1 & 0 & \frac{1}{\sqrt{2}} \\ -\frac{1}{2} & \frac{\sqrt{3}}{2} & \frac{1}{\sqrt{2}} \\ -\frac{1}{2} & -\frac{\sqrt{3}}{2} & \frac{1}{\sqrt{2}} \end{bmatrix} \begin{bmatrix} i_\alpha \\ i_\beta \\ i_0 \end{bmatrix} \tag{4-65}$$

如果三相绕组是 Y 形连接不带零线，则有 $i_A + i_B + i_C = 0$ 或 $i_C = -i_A - i_B$，将其代入式(4-63)和(4-65)并整理后得

$$\begin{bmatrix} i_\alpha \\ i_\beta \end{bmatrix} = \begin{bmatrix} \sqrt{\frac{3}{2}} & 0 \\ \frac{1}{\sqrt{2}} & \sqrt{2} \end{bmatrix} \begin{bmatrix} i_A \\ i_B \end{bmatrix} \tag{4-66}$$

$$\begin{bmatrix} i_A \\ i_B \end{bmatrix} = \begin{bmatrix} \sqrt{\frac{2}{3}} & 0 \\ -\frac{1}{\sqrt{6}} & \frac{1}{\sqrt{2}} \end{bmatrix} \begin{bmatrix} i_\alpha \\ i_\beta \end{bmatrix} \tag{4-67}$$

按照所采用的功率不变的约束条件，电流变换阵也就是电压变换阵，同时还可证明，它们也是磁链的变换阵。

2. 两相静止－两相旋转变换(2s/2r 变换)

在图 4-7 等效的交流电动机绕组和直流电动机绕组物理模型的图(b)和图(c)中从两相静止坐标系 α,β 到两相旋转坐标系 M,T 变换称作两相静止－两相旋转变换，简称 2s/2r 变换，其中 s 表示静止，r 表示旋转。把两个坐标系画在一起，即得下图。

图中，两相交流电流 i_α,i_β 和两个直流电流 i_M,i_T 产生同样的以同步转速 $\boldsymbol{\omega}_s$ 旋转的合成磁动势 $\boldsymbol{F}_s$。设各绕组匝数都相等，可以消去磁动势中的匝数，直接用电流表示，例如 $\boldsymbol{F}_s$ 可以直接标成 $\boldsymbol{i}_s$。但必须注意，这里的电流都被定义为空间矢量，而不是时间相量。

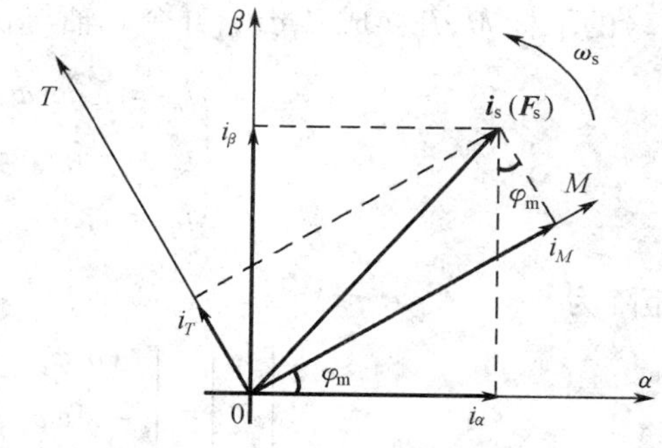

图 4-11 两相静止－两相旋转坐标变换

由 4.2.2 的叙述知道，M,T 轴是直流坐标轴，其上的分量也是直流分量，其合成矢量 $\boldsymbol{i}_s(\boldsymbol{F}_s)$ 在空间是固定不动的，要得到与两相交流 α,β 轴产生的在空间以 $\boldsymbol{\omega}_s$ 旋转的磁动势，可以让 M,T 坐标轴在空间以 ω_s 和相同的旋转方向旋转，这样就得到了与两相交流 α,β 轴产生的相同的矢量 $\boldsymbol{i}_s(\boldsymbol{F}_s)$，分量 i_M,i_T 的长短不变，相当于 M,T 绕组的直流磁动势。

由于 M,T 坐标轴是旋转的，α,β 轴是静止的，α 轴与 M 轴的夹角 φ_m 随时间而变化，因此 $\boldsymbol{i}_s$ 在 α,β 轴上的分量的长短也随时间变化，相当于绕组交流磁动势的瞬时值。由图 4-11 可见，i_α,i_β 和 i_M,i_T 之间存在下列关系

$$i_\alpha = i_M\cos\varphi_m - i_T\sin\varphi_m \tag{4-68}$$

$$i_\beta = i_M \sin\varphi_m + i_T \cos\varphi_m \tag{4-69}$$

写成矩阵形式,得

$$\begin{bmatrix} i_\alpha \\ i_\beta \end{bmatrix} = \begin{bmatrix} \cos\varphi_m & -\sin\varphi_m \\ \sin\varphi_m & \cos\varphi_m \end{bmatrix} \begin{bmatrix} i_M \\ i_T \end{bmatrix} = \boldsymbol{C}_{2r/2s} \begin{bmatrix} i_M \\ i_T \end{bmatrix} \tag{4-70}$$

式中

$$\boldsymbol{C}_{2r/2s} = \begin{bmatrix} \cos\varphi_m & -\sin\varphi_m \\ \sin\varphi_m & \cos\varphi_m \end{bmatrix} \tag{4-71}$$

是两相旋转坐标系变换到两相静止坐标系的变换阵。

对式(4-70)两边都左乘以变换阵的逆矩阵,即得

$$\begin{bmatrix} i_M \\ i_T \end{bmatrix} = \begin{bmatrix} \cos\varphi_m & \sin\varphi_m \\ \sin\varphi_m & \cos\varphi_m \end{bmatrix}^{-1} \begin{bmatrix} i_\alpha \\ i_\beta \end{bmatrix} = \begin{bmatrix} \cos\varphi_m & \sin\varphi_m \\ -\sin\varphi_m & \cos\varphi_m \end{bmatrix} \begin{bmatrix} i_\alpha \\ i_\beta \end{bmatrix} \tag{4-72}$$

则两相静止坐标系变换到两相旋转坐标系的变换阵是

$$\boldsymbol{C}_{2s/2r} = \begin{bmatrix} \cos\varphi_m & \sin\varphi_m \\ -\sin\varphi_m & \cos\varphi_m \end{bmatrix} \tag{4-73}$$

同理根据变化前后功率不变原则,电压和磁链的旋转变换阵可采用与式(4-73)相同的旋转变换阵。

3. 由三相静止坐标系到任意两相旋转坐标系上的变换(3s/2r 变换)

如果要从三相静止坐标系 ABC 转换到任意旋转坐标系 $dq0$(其中 0 是为了凑成方阵而假想的零轴),可以先将 ABC 坐标系转换到静止坐标系(取 α 轴与 A 轴重合),然后再从静止坐标系转换到 $dq0$ 任意旋转坐标系。后者可采用两相/两相旋转变换式 $\boldsymbol{C}_{2s/2r}$,将式(4-72)的下标 M,T 换成 $d,q,0$,并令 d 轴与 α 轴夹角为 φ_d,得

$$\begin{cases} i_d = i_\alpha \cos\varphi_d + i_\beta \sin\varphi_d \\ i_q = -i_\alpha \sin\varphi_d + i_\beta \cos\varphi_d \\ i_0 = i_0 \end{cases} \tag{4-74}$$

写成矩阵为

$$\begin{bmatrix} i_d \\ i_q \\ i_0 \end{bmatrix} = \begin{bmatrix} \cos\varphi_d & \sin\varphi_d & 0 \\ -\sin\varphi_d & \cos\varphi_d & 0 \\ 0 & 0 & 1 \end{bmatrix} \begin{bmatrix} i_\alpha \\ i_\beta \\ i_0 \end{bmatrix} \tag{4-75}$$

将式(4-64)代入式(4-75),可得 $\boldsymbol{C}_{3s/2r}$ 为

$$\boldsymbol{C}_{3s/2r} = \sqrt{\frac{2}{3}} \begin{bmatrix} \cos\varphi_d & \sin\varphi_d & 0 \\ -\sin\varphi_d & \cos\varphi_d & 0 \\ 0 & 0 & 1 \end{bmatrix} \begin{bmatrix} 1 & -\frac{1}{2} & -\frac{1}{2} \\ 0 & \frac{\sqrt{3}}{2} & -\frac{\sqrt{3}}{2} \\ \frac{1}{\sqrt{2}} & \frac{1}{\sqrt{2}} & \frac{1}{\sqrt{2}} \end{bmatrix}$$

$$=\sqrt{\frac{2}{3}}\begin{bmatrix}\cos\varphi_d & \frac{\sqrt{3}}{2}\sin\varphi_d-\frac{1}{2}\cos\varphi_d & -\frac{\sqrt{3}}{2}\sin\varphi_d-\frac{1}{2}\cos\varphi_d\\ -\sin\varphi_d & \frac{1}{2}\sin\varphi_d+\frac{\sqrt{3}}{2}\cos\varphi_d & \frac{1}{2}\sin\varphi_d-\frac{\sqrt{3}}{2}\cos\varphi_d\\ \frac{1}{\sqrt{2}} & \frac{1}{\sqrt{2}} & \frac{1}{\sqrt{2}}\end{bmatrix} \quad (4-76)$$

$$=\sqrt{\frac{2}{3}}\begin{bmatrix}\cos\varphi_d & \cos(\varphi_d-120°) & \cos(\varphi_d+120°)\\ -\sin\varphi_d & -\sin(\varphi_d-120°) & -\sin(\varphi_d+120°)\\ \frac{1}{\sqrt{2}} & \frac{1}{\sqrt{2}} & \frac{1}{\sqrt{2}}\end{bmatrix}$$

其反变换为

$$\boldsymbol{C}_{2r/3s}=\boldsymbol{C}_{3s/2r}^{-1}=\boldsymbol{C}_{3s/2r}^{T}=\sqrt{\frac{2}{3}}\begin{bmatrix}\cos\varphi_d & -\sin\varphi_d & \frac{1}{\sqrt{2}}\\ \cos(\varphi_d-120°) & -\sin(\varphi_d-120°) & \frac{1}{\sqrt{2}}\\ \cos(\varphi_d+120°) & -\sin(\varphi_d+120°) & \frac{1}{\sqrt{2}}\end{bmatrix} \quad (4-77)$$

$\boldsymbol{C}_{2s/2r}$，$\boldsymbol{C}_{3s/2r}$同样适用于电压和磁链的变化。

4. 直角坐标/极坐标变换（K/P 变换）

在矢量变换控制系统中常用直角坐标/极坐标变换。

令矢量 $\boldsymbol{i}_s$ 和 M 轴的夹角为 θ_{sM}，已知 i_M，i_T，求 $\boldsymbol{i}_s$ 和 θ_{sM}，就是直角坐标/极坐标变换，简称 K/P 变换。

显然，其变换式应为

$$\boldsymbol{i}_s=\sqrt{i_M^2+i_T^2} \quad (4-78)$$

$$\theta_{sM}=\arctan\frac{i_T}{i_M} \quad (4-79)$$

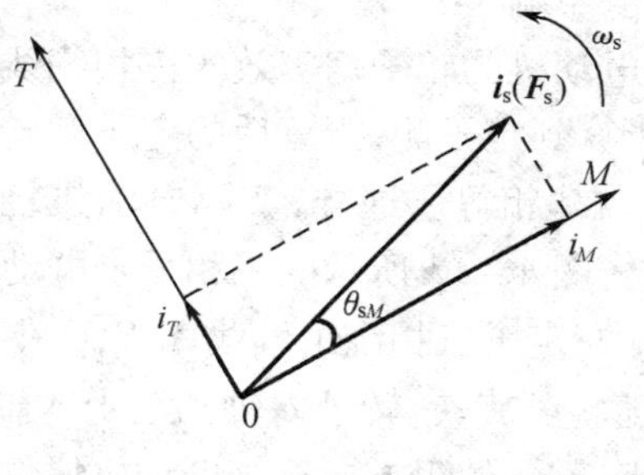

图 4-12 直角坐标/极坐标变换

当 θ_{sM}在 0°～90°之间变化时，$\tan\theta_{sM}$的变化范围是 0 ～∞，这个变化幅度太大，很难在实际变换器中实现，因此常改用下列方式来表示 θ_{sM}值

$$\tan\frac{\theta_{sM}}{2}=\frac{\sin\frac{\theta_{sM}}{2}}{\cos\frac{\theta_{sM}}{2}}=\frac{\sin\frac{\theta_{sM}}{2}\left(2\cos\frac{\theta_{sM}}{2}\right)}{\cos\frac{\theta_{sM}}{2}\left(2\cos\frac{\theta_{sM}}{2}\right)}$$

$$=\frac{\sin\theta_{sM}}{1+\cos\theta_{sM}}=\frac{i_T}{\boldsymbol{i}_s+i_M} \quad (4-80)$$

这样

$$\theta_{sM}=2\arctan\frac{i_T}{\boldsymbol{i}_s+i_M} \quad (4-81)$$

式（4-81）可用来代替式（4-79），作为 θ_{sM}的变换式。

4.4 三相异步电动机的数学模型

本节首先建立三相异步电动机在三相静止坐标系 ABC 上的数学模型，然后通过三相到两相矢量坐标变换，将三相静止的坐标系 ABC 上的数学模型转换为两相静止坐标系 $\alpha\beta$ 上的数学模型，再通过矢量旋转坐标变换，最终将两相静止坐标系 $\alpha\beta$ 上的数学模型转换为两相同步旋转坐标系 MT 上的数学模型。以实现将非线性、强耦合的异步电动机数学模型简化成解耦的近似线性的数学模型，就可以研究异步电动机变频调速系统的矢量控制策略了。

4.4.1 三相异步电动机在三相静止坐标系 A，B，C 上的数学模型

在研究异步电动机的多变量非线性数学模型时，为简化计算常作如下假设：

(1) 忽略空间谐波，设三相绕组对称，在空间互差 120°电角度，所产生的磁动势沿气隙周围按正弦规律分布；

(2) 忽略磁路饱和，各绕组的自感和互感都是恒定的；

(3) 忽略铁芯损耗；

(4) 不考虑频率变化和温度变化对绕组电阻的影响。

将电动机的转子均等效成三相绕线转子，并折算到定子侧，折算后的定子和转子绕组匝数都相等。这样，实际电动机绕组就等效成图 4－13 所示的三相异步电动机的物理模型。

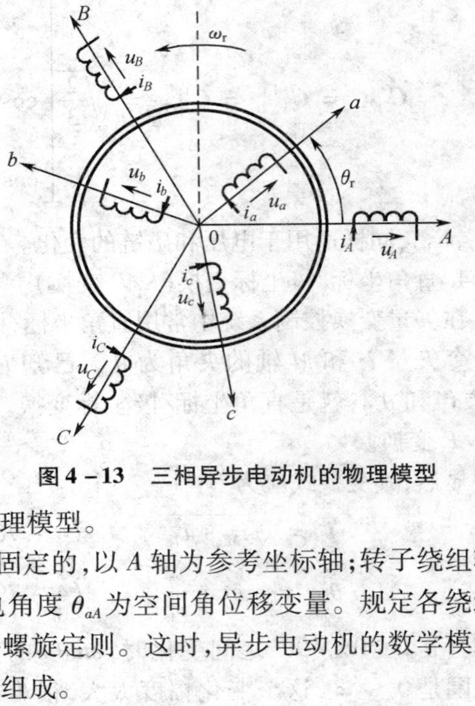

图 4－13 三相异步电动机的物理模型

图中，定子三相绕组轴线 A,B,C 在空间是固定的，以 A 轴为参考坐标轴；转子绕组轴线 a,b,c 随转子旋转，转子 a 轴和定子 A 轴间的电角度 θ_{aA} 为空间角位移变量。规定各绕组电压、电流、磁链的正方向符合电动机惯例和右手螺旋定则。这时，异步电动机的数学模型由下述电压方程、磁链方程、转矩方程和运动方程组成。

1. 电压方程

对于图 4－13 所示的物理模型，可将定子三相绕组的电压方程表示为

$$u_A = R_s i_A + \frac{d\psi_A}{dt} \tag{4-82}$$

$$u_B = R_s i_B + \frac{d\psi_B}{dt} \tag{4-83}$$

$$u_C = R_s i_C + \frac{d\psi_C}{dt} \tag{4-84}$$

式中 R_s——定子每相绕组电阻；

ψ_A,ψ_B 和 ψ_C——三相绕组的全磁链。

式(4－82)～式(4－84)为定子电压标量(时间变量)方程，将其转换为定子电压矢量方

程为

$$\boldsymbol{u}_{\mathrm{s}} = R_{\mathrm{s}}\boldsymbol{i}_{\mathrm{s}} + \frac{\mathrm{d}\boldsymbol{\psi}_{\mathrm{s}}}{\mathrm{d}t} \tag{4-85}$$

转换的方法为将式(4-82)~式(4-84)两边同乘以 $e^{j0°}$,$e^{j120°}$和 $e^{j240°}$,然后将式(4-82)~式(4-84)两边相加,再同乘以$\sqrt{2}/\sqrt{3}$。

三相转子绕组的电压方程为

$$u_a = R_{\mathrm{r}}i_a + \frac{\mathrm{d}\psi_a}{\mathrm{d}t} \tag{4-86}$$

$$u_b = R_{\mathrm{r}}i_b + \frac{\mathrm{d}\psi_b}{\mathrm{d}t} \tag{4-87}$$

$$u_c = R_{\mathrm{r}}i_c + \frac{\mathrm{d}\psi_c}{\mathrm{d}t} \tag{4-88}$$

式中 R_{r}—— 转子每相绕组电阻；

ψ_a,ψ_b,ψ_c——三相绕组的全磁链。

同理,由式(4-86)~式(4-88)可得转子电压矢量方程为

$$\boldsymbol{u}_{\mathrm{r}}^{abc} = R_{\mathrm{r}}\boldsymbol{i}_{\mathrm{r}}^{abc} + \frac{\mathrm{d}\boldsymbol{\psi}_{\mathrm{r}}^{abc}}{\mathrm{d}t} \tag{4-89}$$

式中 上角标 $\boldsymbol{abc}$——转子 abc 轴系中的矢量。

abc 轴系与 ABC 轴系的关系为

$$\boldsymbol{u}_{\mathrm{r}}^{abc} = \boldsymbol{u}_{\mathrm{r}}e^{-j\theta_{aA}} \tag{4-90}$$

$$\boldsymbol{i}_{\mathrm{r}}^{abc} = \boldsymbol{i}_{\mathrm{r}}e^{-j\theta_{aA}} \tag{4-91}$$

$$\boldsymbol{\psi}_{\mathrm{r}}^{abc} = \boldsymbol{\psi}_{\mathrm{r}}e^{-j\theta_{aA}} \tag{4-92}$$

将式(4-90)~式(4-92)代入式(4-89),可得由 ABC 轴系表示的转子电压矢量方程。即有

$$\boldsymbol{u}_{\mathrm{r}} = R_{\mathrm{r}}\boldsymbol{i}_{\mathrm{r}} + \frac{\mathrm{d}\boldsymbol{\psi}_{\mathrm{r}}}{\mathrm{d}t} - j\omega_{\mathrm{r}}\boldsymbol{\psi}_{\mathrm{r}} \tag{4-93}$$

式中 ω_{r}——转子的电角速度。

将电压方程写成矩阵形式,并以微分算子 p 代替微分符号 d/dt

$$\begin{bmatrix} u_A \\ u_B \\ u_C \\ u_a \\ u_b \\ u_c \end{bmatrix} = \begin{bmatrix} R_{\mathrm{s}} & 0 & 0 & 0 & 0 & 0 \\ 0 & R_{\mathrm{s}} & 0 & 0 & 0 & 0 \\ 0 & 0 & R_{\mathrm{s}} & 0 & 0 & 0 \\ 0 & 0 & 0 & R_{\mathrm{r}} & 0 & 0 \\ 0 & 0 & 0 & 0 & R_{\mathrm{r}} & 0 \\ 0 & 0 & 0 & 0 & 0 & R_{\mathrm{r}} \end{bmatrix} \begin{bmatrix} i_A \\ i_B \\ i_C \\ i_a \\ i_b \\ i_c \end{bmatrix} + p \begin{bmatrix} \psi_A \\ \psi_B \\ \psi_C \\ \psi_a \\ \psi_b \\ \psi_c \end{bmatrix} \tag{4-94}$$

或写成

$$\boldsymbol{u} = R\boldsymbol{i} + p\boldsymbol{\psi} \tag{4-95}$$

2. 磁链方程

每个绕组的磁链是它本身的自感磁链和其他绕组对它的互感磁链之和,因此,六个绕组的磁链可表示为

$$\begin{bmatrix}\psi_A\\ \psi_B\\ \psi_C\\ \psi_a\\ \psi_b\\ \psi_c\end{bmatrix}=\begin{bmatrix}L_{AA} & L_{AB} & L_{AC} & L_{Aa} & L_{Ab} & L_{Ac}\\ L_{BA} & L_{BB} & L_{BC} & L_{Ba} & L_{Bb} & L_{Bc}\\ L_{CA} & L_{CB} & L_{CC} & L_{Ca} & L_{Cb} & L_{Cc}\\ L_{aA} & L_{aB} & L_{aC} & L_{aa} & L_{ab} & L_{ac}\\ L_{bA} & L_{bB} & L_{bC} & L_{ba} & L_{bb} & L_{bc}\\ L_{cA} & L_{cB} & L_{cC} & L_{ca} & L_{cb} & L_{cC}\end{bmatrix}\begin{bmatrix}i_A\\ i_B\\ i_C\\ i_a\\ i_b\\ i_c\end{bmatrix} \tag{4-96}$$

或写成

$$\boldsymbol{\psi} = \boldsymbol{L}\boldsymbol{i} \tag{4-97}$$

式中，$\boldsymbol{L}$ 是 6×6 电感矩阵，其中对角线元素 $L_{AA}, L_{BB}, L_{CC}, L_{aa}, L_{bb}, L_{cc}$ 是各有关绕组的自感，其余各项则是绕组间的互感。

(1) 自感

设三相电动机的气隙是均匀的，因此各相绕组自感为常数。令

$$L_{AA} = L_{BB} = L_{CC} = L_{s1} \tag{4-98}$$

$$L_{aa} = L_{bb} = L_{cc} = L_{r1} \tag{4-99}$$

式中，下标 1 表示是一相绕组的自感。由电动机学可知，自感分为励磁电感（每相最大互感）和漏感两部分。由于折算后定、转子绕组匝数相等，且各绕组间互感磁通都通过气隙、磁阻相同，故各相绕组励磁电感相等，都记为 L_{m1}。而定、转子绕组的漏感与漏磁通相对应，定、转子漏磁路径不同，因此漏感并不相等，分别记为 $L_{s\sigma}$ 和 $L_{r\sigma}$。于是有

$$L_{s1} = L_{s\sigma} + L_{m1} \tag{4-100}$$

$$L_{r1} = L_{r\sigma} + L_{m1} \tag{4-101}$$

(2) 互感

两相绕组之间只有互感，互感又分为两类：

①定子三相彼此之间和转子三相彼此之间位置都是固定的，故互感为常值；

②定子任一相与转子任一相之间的位置是变化的，互感是角位移 θ_{aA} 的函数。

第一类是三相绕组轴线彼此在空间间隔 120°电角度，在假定气隙磁通为正弦分布的条件下，互感值应为

$$L_{AB} = L_{BC} = L_{CA} = L_{BA} = L_{CB} = L_{AC} = L_{m1}\cos 120^\circ = -\frac{1}{2}L_{m1} \tag{4-102}$$

$$L_{ab} = L_{bc} = L_{ca} = L_{ba} = L_{cb} = L_{ac} = L_{m1}\cos 120^\circ = -\frac{1}{2}L_{m1} \tag{4-103}$$

第二类是定、转子绕组间的互感，由于相互间位置的变化（见图 4－13），可分别表示为

$$L_{Aa} = L_{aA} = L_{Bb} = L_{bB} = L_{Cc} = L_{cC} = L_{m1}\cos\theta_{aA} \tag{4-104}$$

$$L_{Ac} = L_{cA} = L_{Ba} = L_{aB} = L_{Cb} = L_{bC} = L_{m1}\cos(\theta_{aA} - 120^\circ) \tag{4-105}$$

$$L_{Ab} = L_{bA} = L_{Bc} = L_{cB} = L_{Ca} = L_{aC} = L_{m1}\cos(\theta_{aA} + 120^\circ) \tag{4-106}$$

当定、转子两相绕组轴线一致时，两者之间的互感值最大，就是每相最大互感即励磁电感 L_{m1}。

将式（4－102）～式（4－106）都代入式（4－96），即得完整的磁链方程，显然这个矩阵方程是比较复杂的，为了方便起见，可以将它写成分块矩阵的形式

$$\begin{bmatrix}\boldsymbol{\psi}_{s}\\ \boldsymbol{\psi}_{r}\end{bmatrix}=\begin{bmatrix}\boldsymbol{L}_{ss} & \boldsymbol{L}_{sr}\\ \boldsymbol{L}_{rs} & \boldsymbol{L}_{rr}\end{bmatrix}\begin{bmatrix}\boldsymbol{i}_{s}\\ \boldsymbol{i}_{r}\end{bmatrix} \tag{4-107}$$

式中 $\boldsymbol{\psi}_{s}=[\psi_{A}\quad \psi_{B}\quad \psi_{C}]^{T}$

$\boldsymbol{\psi}_{r}=[\psi_{a}\quad \psi_{b}\quad \psi_{c}]^{T}$

$\boldsymbol{i}_{s}=[i_{A}\quad i_{B}\quad i_{C}]^{T}$

$\boldsymbol{i}_{r}=[i_{a}\quad i_{b}\quad i_{c}]^{T}$

$$\boldsymbol{L}_{ss}=\begin{bmatrix}L_{m1}+L_{s\sigma} & -\frac{1}{2}L_{m1} & -\frac{1}{2}L_{m1}\\ -\frac{1}{2}L_{m1} & L_{m1}+L_{s\sigma} & -\frac{1}{2}L_{m1}\\ -\frac{1}{2}L_{m1} & -\frac{1}{2}L_{m1} & L_{m1}+L_{s\sigma}\end{bmatrix} \tag{4-108}$$

$$\boldsymbol{L}_{rr}=\begin{bmatrix}L_{m1}+L_{r\sigma} & -\frac{1}{2}L_{m1} & -\frac{1}{2}L_{m1}\\ -\frac{1}{2}L_{m1} & L_{m1}+L_{r\sigma} & -\frac{1}{2}L_{m1}\\ -\frac{1}{2}L_{m1} & -\frac{1}{2}L_{m1} & L_{m1}+L_{r\sigma}\end{bmatrix} \tag{4-109}$$

$$\boldsymbol{L}_{rs}=L_{m1}\begin{bmatrix}\cos\theta_{aA} & \cos(\theta_{aA}-120°) & \cos(\theta_{aA}+120°)\\ \cos(\theta_{aA}+120°) & \cos\theta_{aA} & \cos(\theta_{aA}-120°)\\ \cos(\theta_{aA}-120°) & \cos(\theta_{aA}+120°) & \cos\theta_{aA}\end{bmatrix} \tag{4-110}$$

$$\boldsymbol{L}_{sr}=L_{m1}\begin{bmatrix}\cos\theta_{aA} & \cos(\theta_{aA}+120°) & \cos(\theta_{aA}-120°)\\ \cos(\theta_{aA}-120°) & \cos\theta_{aA} & \cos(\theta_{aA}+120°)\\ \cos(\theta_{aA}+120°) & \cos(\theta_{aA}-120°) & \cos\theta_{aA}\end{bmatrix} \tag{4-111}$$

值得注意的是，$\boldsymbol{L}_{sr}$和$\boldsymbol{L}_{rs}$两个分块矩阵互为转置，且均与转子位置θ_{aA}有关，它们的元素都是变参数，这是系统非线性的一个根源。为了把变参数转换成常参数，须利用坐标变换。

如果把磁链方程(4－97)代入电压方程(4－95)中，即得展开后的电压方程

$$\begin{aligned}\boldsymbol{u}&=\boldsymbol{Ri}+p(\boldsymbol{Li})=\boldsymbol{Ri}+\boldsymbol{L}\frac{d\boldsymbol{i}}{dt}+\frac{d\boldsymbol{L}}{dt}\boldsymbol{i}\\&=\boldsymbol{Ri}+\boldsymbol{L}\frac{d\boldsymbol{i}}{dt}+\frac{d\boldsymbol{L}}{d\theta_{aA}}\omega\boldsymbol{i}\end{aligned} \tag{4-112}$$

式中 $\boldsymbol{L}d\boldsymbol{i}/dt$——电磁感应电动势中的脉变电动势（或称变压器电动势）；

$(d\boldsymbol{L}/d\theta_{aA})\omega\boldsymbol{i}$——电磁感应电动势中与转速成正比的旋转电动势。

3. 运动方程和转矩方程

在一般情况下，电力拖动系统的基本运动方程式是

$$T_{e}=T_{L}+\frac{J}{p_{n}}\frac{d\omega}{dt}+\frac{D}{p_{n}}\omega+\frac{K}{p_{n}}\theta \tag{4-113}$$

式中 D——与转速成正比的阻转矩阻尼系数；

K——扭转弹性转矩系数。

对于恒转矩负载，$D=0$，$K=0$，则

$$T_e = T_L + \frac{J}{p_n}\frac{d\omega}{dt} \tag{4-114}$$

根据机电能量转换原理，在多绕组电动机中，在线性电感的条件下，磁场的储能和磁共能为

$$W_m = W'_m = \frac{1}{2}\boldsymbol{i}^T\boldsymbol{\psi} = \frac{1}{2}\boldsymbol{i}^T L\boldsymbol{i} \tag{4-115}$$

而电磁转矩等于机械角位移变化时磁共能的变化率$\frac{\partial W'_m}{\partial \theta_m}$（电流约束为常值），且机械角位移 $\theta_m = \theta / p_n$，于是

$$T_e = \left.\frac{\partial W'_m}{\partial \theta_m}\right|_{i=\text{const}} = p_n \left.\frac{\partial W'_m}{\partial \theta}\right|_{i=\text{const}} \tag{4-116}$$

将式(4－115)代入式(4－116)，并考虑到电感的分块矩阵关系式(4－108)～(4－111)，得

$$T_e = \frac{1}{2}p_n\boldsymbol{i}^T\frac{\partial \boldsymbol{L}}{\partial \theta}\boldsymbol{i} = \frac{1}{2}p_n\boldsymbol{i}^T\begin{bmatrix} 0 & \frac{\partial \boldsymbol{L}_{sr}}{\partial \theta_{aA}} \\ \frac{\partial \boldsymbol{L}_{rs}}{\partial \theta_{aA}} & 0 \end{bmatrix}\boldsymbol{i} \tag{4-117}$$

又由于

$$\boldsymbol{i}^T = [\boldsymbol{i}_s^T \quad \boldsymbol{i}_r^T] = [i_A \quad i_B \quad i_C \quad i_a \quad i_b \quad i_c] \tag{4-118}$$

代入式(4－117)得

$$T_e = \frac{1}{2}p_n\left[\boldsymbol{i}_r^T \cdot \frac{\partial \boldsymbol{L}_{rs}}{\partial \theta_{aA}}\boldsymbol{i}_s + \boldsymbol{i}_s^T \cdot \frac{\partial \boldsymbol{L}_{sr}}{\partial \theta_{aA}}\boldsymbol{i}_r\right] \tag{4-119}$$

将式(4－110)、式(4－111)代入式(4－119)并展开后，舍去负号，意即电磁转矩的正方向为使 θ_{aA} 减小的方向，则

$$\begin{aligned} T_e = p_n L_{m1}[&(i_A i_a + i_B i_b + i_C i_c)\sin\theta_{aA} + (i_A i_b + i_B i_c + i_C i_a)\sin(\theta_{aA} + 120°) + \\ &(i_A i_c + i_B i_a + i_C i_b)\sin(\theta_{aA} - 120°)] \end{aligned} \tag{4-120}$$

应该指出，上述公式是在线性磁路、磁动势在空间按正弦分布的假定条件下得出来的，但对定、转子电流对时间的波形未作任何假定，式中的 i 都是瞬时值。

因此，上述电磁转矩公式完全适用于变压变频器供电的含有电流谐波的三相异步电动机调速系统。

4. 三相异步电动机的数学模型

将式(4－94)、式(4－95)、式(4－120)和式(4－114)综合起来，再加上

$$\omega = \frac{d\theta_{aA}}{dt} \tag{4-121}$$

便构成在恒转矩负载下三相异步电动机的多变量非线性数学模型，用结构图表示出来如下图 4－14 所示。

$$
\begin{cases}
\begin{bmatrix} \boldsymbol{\psi}_{s} \\ \boldsymbol{\psi}_{r} \end{bmatrix} = \begin{bmatrix} \boldsymbol{L}_{ss} & \boldsymbol{L}_{sr} \\ \boldsymbol{L}_{rs} & \boldsymbol{L}_{rr} \end{bmatrix} \begin{bmatrix} \boldsymbol{i}_{s} \\ \boldsymbol{i}_{r} \end{bmatrix} \\
\boldsymbol{u} = \boldsymbol{R}\boldsymbol{i} + \boldsymbol{L}\dfrac{\mathrm{d}\boldsymbol{i}}{\mathrm{d}t} + \dfrac{\mathrm{d}\boldsymbol{L}}{\mathrm{d}\theta_{aA}}\omega \boldsymbol{i} \\
T_{e} = T_{L} + \dfrac{J}{p_{n}}\dfrac{\mathrm{d}\omega}{\mathrm{d}t} \\
\omega = \dfrac{\mathrm{d}\theta_{aA}}{\mathrm{d}t}
\end{cases}
\tag{4-122}
$$

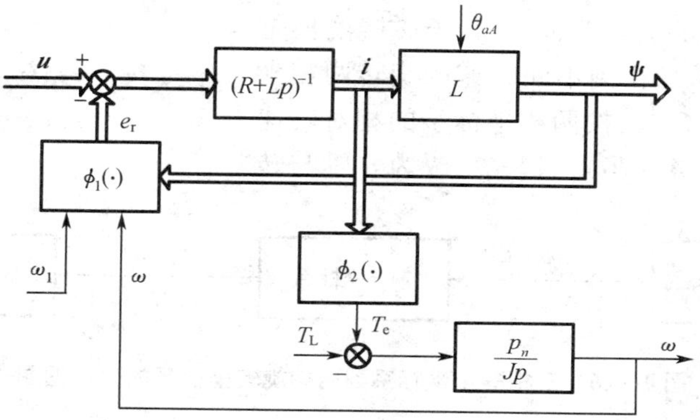

图 4－14　异步电动机的多变量非线性动态结构框图

由图 4－14 可知异步电动机数学模型的特性如下：

(1)异步电动机可以看作一个双输入、双输出的系统，输入量是电压向量和定子输入角频率，输出量是磁链向量和转子角速度，电流向量可以看作是状态变量，它和磁链矢量之间是由式(4－107)确定的关系；

(2)非线性因素存在于 $\Phi_1(\cdot)$ 和 $\Phi_2(\cdot)$ 中，既存在于产生旋转电动势 e_r 和电磁转矩 T_e 两个环节上，还包含在电感矩阵 $\boldsymbol{L}$ 中，旋转电动势和电磁转矩的非线性关系和直流电动机弱磁控制的情况相似，只是关系更复杂一些；

(3)多变量之间的耦合关系也主要体现在 $\Phi_1(\cdot)$ 和 $\Phi_2(\cdot)$ 两个环节上，特别是产生旋转电动势的 Φ_1 对系统内部的影响最大。

4.4.2　三相异步电动机在任意两相旋转坐标系 *dq*0 上的数学模型

前已指出，异步电动机的数学模型比较复杂，坐标变换的目的就是要简化数学模型。4.4.1的异步电动机数学模型是建立在三相静止坐标系 *ABC* 上的，如果把它变换到两相坐标系上，由于两相坐标轴互相垂直，两相绕组之间没有磁的耦合，仅此一点，就会使数学模型简单许多。

两相坐标系可以是静止的，也可以是旋转的，其中以任意转速旋转的 *dq*0 坐标系为最一般的情况，求得了这种情况下的数学模型，再求某一具体情况下(如静止或以某一转速旋转)两相坐标系上的模型为 *dq*0 坐标系下的一个特例，就比较容易了。

设两相坐标中 *d* 轴与三相坐标中 *A* 轴的夹角为 φ_{ds}，而 $p\varphi_{ds}=\omega_{ds}$ 为 *dq*0 坐标系相对于定子的角转速，ω_{dr} 为 *dq*0 坐标系相对于转子的角转速，如图 4－15 所示。

要把三相静止坐标系上的电压方程(4－94)、磁链方程(4－96)和转矩方程(4－120)都变换到两相旋转坐标系上来，可以先利用3/2变换将方程式中定子和转子的电压、电流、磁链和转矩都变换到两相静止坐标系 $\alpha\beta$ 上，然后再用旋转变换阵 $C_{2s/2r}$ 将这些变量变换到两相旋转坐标系 $dq0$ 上。

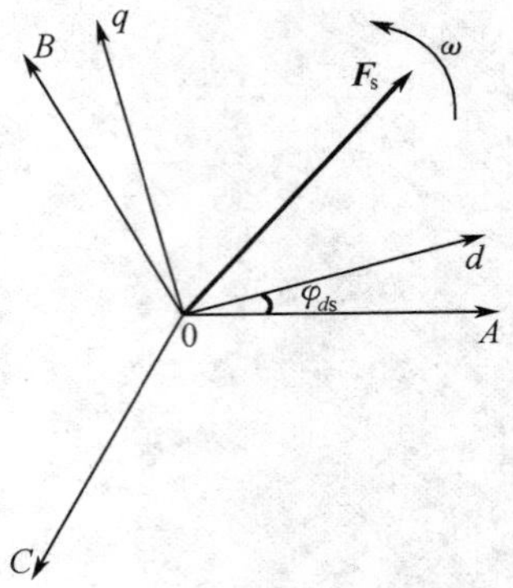

图 4－15　三相静止和两相旋转坐标系与磁动势空间矢量图

(1)磁链方程

利用式(4－76)的变换阵将定子三相磁链 ψ_A，ψ_B，ψ_C 变换到 $dq0$ 坐标系上去。其中 $C_{3s/2r}$ 为定子变换阵，设 d 轴与 A 轴的夹角为 θ_{dA}。转子磁链变换是从旋转的三相坐标系变换到不同转速的旋转两相坐标系，变换阵可写作 $C_{3r/2r}$，按两相坐标系的相对转速考虑，可直接采用式(4－76)，只是 θ_{dA} 改为 d 轴与转

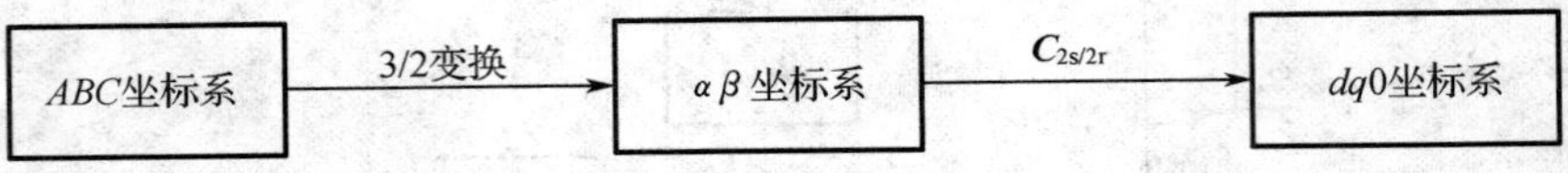

图 4－16　三相静止坐标系到两相旋转坐标系的变换框图

子 a 轴的夹角 θ_{da}。于是

$$C_{3s/2r}=\sqrt{\frac{2}{3}}\begin{bmatrix}\cos\theta_{dA} & \cos(\theta_{dA}-120^\circ) & \cos(\theta_{dA}+120^\circ)\\ -\sin\theta_{dA} & -\sin(\theta_{dA}-120^\circ) & -\sin(\theta_{dA}+120^\circ)\\ \frac{1}{\sqrt{2}} & \frac{1}{\sqrt{2}} & \frac{1}{\sqrt{2}}\end{bmatrix}\qquad(4-123)$$

$$C_{3r/2r}=\sqrt{\frac{2}{3}}\begin{bmatrix}\cos\theta_{da} & \cos(\theta_{da}-120^\circ) & \cos(\theta_{da}+120^\circ)\\ -\sin\theta_{da} & -\sin(\theta_{da}-120^\circ) & -\sin(\theta_{da}+120^\circ)\\ \frac{1}{\sqrt{2}} & \frac{1}{\sqrt{2}} & \frac{1}{\sqrt{2}}\end{bmatrix}\qquad(4-124)$$

则磁链变换式为

$$\begin{bmatrix}\psi_{sd}\\ \psi_{sq}\\ \psi_{s0}\\ \psi_{rd}\\ \psi_{rq}\\ \psi_{r0}\end{bmatrix}=\begin{bmatrix}C_{3s/2r} & 0\\ 0 & C_{3r/2r}\end{bmatrix}\begin{bmatrix}\psi_A\\ \psi_B\\ \psi_C\\ \psi_a\\ \psi_b\\ \psi_c\end{bmatrix}\qquad(4-125)$$

由式(4－107)将磁链方程写成电感与电流向量的乘积，再将电流向量变换到 $dq0$ 坐标上，则式(4－125)可以写为

$$\begin{bmatrix}\psi_{sd}\\ \psi_{sq}\\ \psi_{s0}\\ \psi_{rd}\\ \psi_{rq}\\ \psi_{r0}\end{bmatrix}=\begin{bmatrix}\boldsymbol{C}_{3s/2r} & 0\\ 0 & \boldsymbol{C}_{3r/2r}\end{bmatrix}\begin{bmatrix}\boldsymbol{L}_{ss} & \boldsymbol{L}_{sr}\\ \boldsymbol{L}_{rs} & \boldsymbol{L}_{rr}\end{bmatrix}\begin{bmatrix}\boldsymbol{C}_{2r/3s} & 0\\ 0 & \boldsymbol{C}_{2r/3r}\end{bmatrix}\begin{bmatrix}i_{sd}\\ i_{sq}\\ i_{s0}\\ i_{rd}\\ i_{rq}\\ i_{r0}\end{bmatrix} \tag{4-126}$$

式(4－126)运算中考虑到 $\cos\theta_{dA}+\cos(\theta_{dA}+120°)+\cos(\theta_{dA}-120°)=0$，$\sin\theta_{dA}+\sin(\theta_{dA}+120°)+\sin(\theta_{dA}-120°)=0$，则

$$\boldsymbol{C}_{3s/2r}\boldsymbol{L}_{ss}\boldsymbol{C}_{2r/3s}=\frac{2}{3}\begin{bmatrix}\cos\theta_{dA} & \cos(\theta_{dA}-120°) & \cos(\theta_{dA}+120°)\\ -\sin\theta_{dA} & -\sin(\theta_{dA}-120°) & -\sin(\theta_{dA}+120°)\\ \frac{1}{\sqrt{2}} & \frac{1}{\sqrt{2}} & \frac{1}{\sqrt{2}}\end{bmatrix}$$

$$\begin{bmatrix}L_{m1}+L_{s\sigma} & -\frac{1}{2}L_{m1} & -\frac{1}{2}L_{m1}\\ -\frac{1}{2}L_{m1} & L_{m1}+L_{s\sigma} & -\frac{1}{2}L_{m1}\\ -\frac{1}{2}L_{m1} & -\frac{1}{2}L_{m1} & L_{m1}+L_{s\sigma}\end{bmatrix}\begin{bmatrix}\cos\theta_{dA} & -\sin\theta_{dA} & \frac{1}{\sqrt{2}}\\ \cos(\theta_{dA}-120°) & -\sin(\theta_{dA}-120°) & \frac{1}{\sqrt{2}}\\ \cos(\theta_{dA}+120°) & -\sin(\theta_{dA}+120°) & \frac{1}{\sqrt{2}}\end{bmatrix}$$

$$=\begin{bmatrix}\frac{3}{2}L_{m1}+L_{s\sigma} & 0 & 0\\ 0 & \frac{3}{2}L_{m1}+L_{s\sigma} & 0\\ 0 & 0 & L_{s\sigma}\end{bmatrix} \tag{4-127}$$

$$\boldsymbol{C}_{3r/2r}\boldsymbol{L}_{rr}\boldsymbol{C}_{2r/3r}=\begin{bmatrix}\frac{3}{2}L_{m1}+L_{r\sigma} & 0 & 0\\ 0 & \frac{3}{2}L_{m1}+L_{r\sigma} & 0\\ 0 & 0 & L_{r\sigma}\end{bmatrix} \tag{4-128}$$

$$\boldsymbol{C}_{3s/2r}\boldsymbol{L}_{sr}\boldsymbol{C}_{2r/3r}=\begin{bmatrix}\frac{3}{2}L_{m1} & 0 & 0\\ 0 & \frac{3}{2}L_{m1} & 0\\ 0 & 0 & 0\end{bmatrix} \tag{4-129}$$

$$\boldsymbol{C}_{3r/2r}\boldsymbol{L}_{rs}\boldsymbol{C}_{2r/3s}=\begin{bmatrix}\frac{3}{2}L_{m1} & 0 & 0\\ 0 & \frac{3}{2}L_{m1} & 0\\ 0 & 0 & 0\end{bmatrix} \tag{4-130}$$

在 $dq0$ 坐标系上的磁链方程为

$$\begin{bmatrix}\psi_{sd}\\ \psi_{sq}\\ \psi_{s0}\\ \psi_{rd}\\ \psi_{rq}\\ \psi_{r0}\end{bmatrix}=\begin{bmatrix}L_s & 0 & 0 & L_m & 0 & 0\\ 0 & L_s & 0 & 0 & L_m & 0\\ 0 & 0 & L_{s\sigma} & 0 & 0 & 0\\ L_m & 0 & 0 & L_r & 0 & 0\\ 0 & L_m & 0 & 0 & L_r & 0\\ 0 & 0 & 0 & 0 & 0 & L_{r\sigma}\end{bmatrix}\begin{bmatrix}i_{sd}\\ i_{sq}\\ i_{s0}\\ i_{rd}\\ i_{rq}\\ i_{r0}\end{bmatrix} \tag{4-131}$$

式中 $L_r=\frac{3}{2}L_{m1}+L_{r\sigma}=L_m+L_{r\sigma}$——$dq0$ 坐标系转子两相绕组的自感；

$L_m=\frac{3}{2}L_{m1}$——$dq0$ 坐标系定子与转子同轴等效绕组间的互感；

$L_s=\frac{3}{2}L_{m1}+L_{s\sigma}=L_m+L_{s\sigma}$——$dq0$ 坐标系定子等效两相绕组的自感。

应当注意的是，两相绕组互感 L_m 是原三相绕组中任意两相间最大互感（当轴线重合时）的3/2倍，这是因为用两相绕组等效地取代了三相绕组的缘故。式(4-129)中0轴分量是 $\psi_{s0}=L_{s\sigma}i_{s0}$，$\psi_{r0}=L_{r\sigma}i_{r0}$，实际中是不存在的，对 dq 轴没有影响，可省略。则式(4-131)可简化为

$$\begin{bmatrix}\psi_{sd}\\ \psi_{sq}\\ \psi_{rd}\\ \psi_{rq}\end{bmatrix}=\begin{bmatrix}L_s & 0 & L_m & 0\\ 0 & L_s & 0 & L_m\\ L_m & 0 & L_r & 0\\ 0 & L_m & 0 & L_r\end{bmatrix}\begin{bmatrix}i_{sd}\\ i_{sq}\\ i_{rd}\\ i_{rq}\end{bmatrix} \tag{4-132}$$

或写成

$$\begin{cases}\psi_{sd}=L_si_{sd}+L_mi_{rd}\\ \psi_{sq}=L_si_{sq}+L_mi_{rq}\\ \psi_{rd}=L_mi_{sd}+L_ri_{rd}\\ \psi_{rq}=L_mi_{sq}+L_ri_{rq}\end{cases} \tag{4-133}$$

异步电动机变换到 $dq0$ 坐标系上的物理模型见图4-17，这时，定子和转子的等效绕组都落在 dq 轴上，而且 dq 两轴互相垂直，它们之间没有耦合关系，互感磁链只在同轴绕组间存在，所以式中每个磁链分量只剩下两项，电感矩阵为4×4矩阵比 ABC 坐标系的6×6矩阵简单多了。

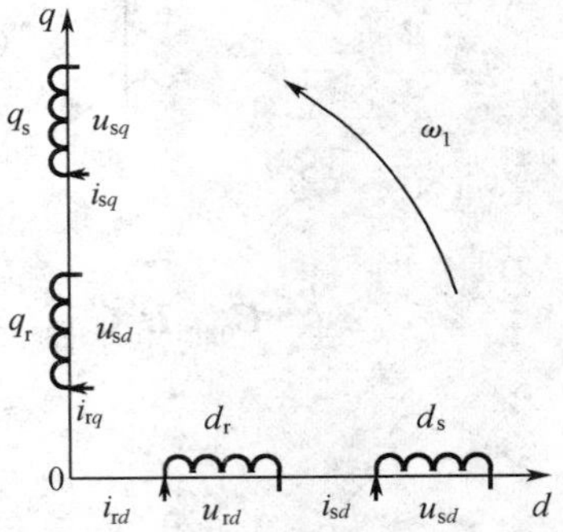

图4-17 异步电动机在两相旋转坐标系 $dq0$ 上的物理模型

2. 电压方程

利用式(4-76)变换阵求得定子电压的变换关系为

$$\begin{bmatrix}u_A\\ u_B\\ u_C\end{bmatrix}=\sqrt{\frac{2}{3}}\begin{bmatrix}\cos\theta & -\sin\theta & \frac{1}{\sqrt{2}}\\ \cos(\theta-120°) & -\sin(\theta-120°) & \frac{1}{\sqrt{2}}\\ \cos(\theta+120°) & -\sin(\theta+120°) & \frac{1}{\sqrt{2}}\end{bmatrix}\begin{bmatrix}u_{sd}\\ u_{sq}\\ u_{s0}\end{bmatrix} \tag{4-134}$$

同理，可求得定子电流和磁链的变换关系为

$$\begin{bmatrix} i_A \\ i_B \\ i_C \end{bmatrix} = \sqrt{\frac{2}{3}} \begin{bmatrix} \cos\theta & -\sin\theta & \frac{1}{\sqrt{2}} \\ \cos(\theta - 120°) & -\sin(\theta - 120°) & \frac{1}{\sqrt{2}} \\ \cos(\theta + 120°) & -\sin(\theta + 120°) & \frac{1}{\sqrt{2}} \end{bmatrix} \begin{bmatrix} i_{sd} \\ i_{sq} \\ i_{s0} \end{bmatrix} \quad (4-135)$$

$$\begin{bmatrix} \psi_A \\ \psi_B \\ \psi_C \end{bmatrix} = \sqrt{\frac{2}{3}} \begin{bmatrix} \cos\theta & -\sin\theta & \frac{1}{\sqrt{2}} \\ \cos(\theta - 120°) & -\sin(\theta - 120°) & \frac{1}{\sqrt{2}} \\ \cos(\theta + 120°) & -\sin(\theta + 120°) & \frac{1}{\sqrt{2}} \end{bmatrix} \begin{bmatrix} \psi_{sd} \\ \psi_{sq} \\ \psi_{s0} \end{bmatrix} \quad (4-136)$$

以 A 相为例

$$\begin{cases} u_A = \sqrt{\frac{2}{3}}\left(u_{sd}\cos\theta - u_{sq}\sin\theta + \frac{1}{\sqrt{2}}u_{s0}\right) \\ i_A = \sqrt{\frac{2}{3}}\left(i_{sd}\cos\theta - i_{sq}\sin\theta + \frac{1}{\sqrt{2}}i_{s0}\right) \\ \psi_A = \sqrt{\frac{2}{3}}\left(\psi_{sd}\cos\theta - \psi_{sq}\sin\theta + \frac{1}{\sqrt{2}}\psi_{s0}\right) \end{cases} \quad (4-137)$$

在 ABC 坐标系，A 相电压方程为

$$u_A = i_A R_s + p\psi_A \quad (4-138)$$

将式(4－137)代入式(4－138)得

$$(u_{sd} - R_s i_{sd} - p\psi_{sd} + \psi_{sq} p\theta)\cos\theta - (u_{sq} - R_s i_{sq} - p\psi_{sq} - \psi_{sd} p\theta)\sin\theta + \frac{1}{\sqrt{2}}(u_{s0} - R_s i_{s0} - p\psi_{s0}) = 0 \quad (4-139)$$

由于 θ 为任意值，因此，下列三式必须分别成立

$$\begin{cases} u_{sd} = R_s i_{sd} + p\psi_{sd} - \psi_{sq}\omega_{dqs} \\ u_{sq} = R_s i_{sq} + p\psi_{sq} - \psi_{sd}\omega_{dqs} \\ u_{s0} = R_s i_{s0} + p\psi_{s0} \end{cases} \quad (4-140)$$

式中，$p\theta = \omega_{ds}$，为 $dq0$ 旋转坐标系相对定子的角速度。

同理，变换后的转子电压方程为

$$\begin{cases} u_{rd} = R_r i_{rd} + p\psi_{rd} - \psi_{rq}\omega_{dr} \\ u_{rq} = R_r i_{sq} + p\psi_{rq} - \psi_{rd}\omega_{dr} \\ u_{r0} = R_r i_{s0} + p\psi_{r0} \end{cases} \quad (4-141)$$

式中　ω_{dr}——$dq0$ 旋转坐标系相对转子的角速度。

略去零轴分量后，可写成

$$\begin{cases} u_{sd} = R_s i_{sd} + p\psi_{sd} - \omega_{ds}\psi_{sq} \\ u_{sq} = R_s i_{sq} + p\psi_{sq} + \omega_{ds}\psi_{sd} \\ u_{rd} = R_r i_{rd} + p\psi_{rd} - \omega_{dr}\psi_{rq} \\ u_{rq} = R_r i_{rq} + p\psi_{rq} + \omega_{dr}\psi_{rd} \end{cases} \tag{4-142}$$

将磁链方程式(4－133)代入式(4－142)中,得到 dq 坐标系上的电压－电流方程式如下

$$\begin{bmatrix} u_{sd} \\ u_{sq} \\ u_{rd} \\ u_{rq} \end{bmatrix} = \begin{bmatrix} R_s + L_s p & -\omega_{ds}L_s & L_m p & -\omega_{ds}L_m \\ \omega_{ds}L_s & R_s + L_s p & \omega_{ds}L_m & L_m p \\ L_m p & -\omega_{dr}L_m & R_r + L_r p & -\omega_{dr}L_r \\ \omega_{dr}L_m & L_m p & \omega_{dr}L_r & R_r + L_r p \end{bmatrix} \begin{bmatrix} i_{sd} \\ i_{sq} \\ i_{rd} \\ i_{rq} \end{bmatrix} \tag{4-143}$$

由式(4－143)可知,两相坐标系上的电压方程是 4 维的,它比三相坐标系上的 6 维电压方程降低了 2 维。

在电压方程式(4－143)等号右侧的系数矩阵中,含 R 项表示电阻压降,含 Lp 项表示电感压降,即脉变电动势,含 ω 项表示旋转电动势。为了使物理概念更清楚,可以把它们分开写

即得

$$\begin{bmatrix} u_{sd} \\ u_{sq} \\ u_{rd} \\ u_{rq} \end{bmatrix} = \begin{bmatrix} R_s & 0 & 0 & 0 \\ 0 & R_s & 0 & 0 \\ 0 & 0 & R_r & 0 \\ 0 & 0 & 0 & R_r \end{bmatrix} \begin{bmatrix} i_{sd} \\ i_{sq} \\ i_{rd} \\ i_{rq} \end{bmatrix} + \begin{bmatrix} L_s p & 0 & L_m p & 0 \\ 0 & L_s p & 0 & L_m p \\ L_m p & 0 & L_r p & 0 \\ 0 & L_m p & 0 & L_r p \end{bmatrix} \begin{bmatrix} i_{sd} \\ i_{sq} \\ i_{rd} \\ i_{rq} \end{bmatrix} +$$

$$\begin{bmatrix} 0 & -\omega_{ds} & 0 & 0 \\ \omega_{ds} & 0 & 0 & 0 \\ 0 & 0 & 0 & -\omega_{dr} \\ 0 & 0 & \omega_{dr} & 0 \end{bmatrix} \begin{bmatrix} \psi_{sd} \\ \psi_{sq} \\ \psi_{rd} \\ \psi_{rq} \end{bmatrix} \tag{4-144}$$

令

$$\boldsymbol{u} = [u_{sd} \quad u_{sq} \quad u_{rd} \quad u_{rq}]^T$$

$$\boldsymbol{i} = [i_{sd} \quad i_{sq} \quad i_{rd} \quad i_{rq}]^T$$

$$\boldsymbol{\psi} = [\psi_{sd} \quad \psi_{sq} \quad \psi_{rd} \quad \psi_{rq}]^T$$

$$\boldsymbol{L} = \begin{bmatrix} L_s & 0 & L_m & 0 \\ 0 & L_s & 0 & L_m \\ L_m & 0 & L_r & 0 \\ 0 & L_m & 0 & L_r \end{bmatrix} \quad \boldsymbol{R} = \begin{bmatrix} R_s & 0 & 0 & 0 \\ 0 & R_s & 0 & 0 \\ 0 & 0 & R_s & 0 \\ 0 & 0 & 0 & R_s \end{bmatrix}$$

旋转电动势向量

$$\boldsymbol{e}_r = \begin{bmatrix} 0 & -\omega_{ds} & 0 & 0 \\ \omega_{ds} & 0 & 0 & 0 \\ 0 & 0 & 0 & -\omega_{dr} \\ 0 & 0 & \omega_{dr} & 0 \end{bmatrix} \begin{bmatrix} \psi_{sd} \\ \psi_{sq} \\ \psi_{rd} \\ \psi_{rq} \end{bmatrix}$$

则式(4－144)变成

$$u = Ri + Lpi + e_r \tag{4-145}$$

这就是异步电动机非线性动态电压方程式。

3. 转矩和运动方程

在 ABC 三相坐标系上的转矩方程为

$$T_e = p_n L_{m1}[(i_A i_a + i_B i_b + i_C i_c)\sin\theta_{aA} + (i_A i_b + i_B i_c + i_C i_a)\sin(\theta_{aA} + 120°) + (i_A i_c + i_B i_a + i_C i_b)\sin(\theta_{aA} - 120°)]$$

利用反变换矩阵 $C_{2r/3s}$ 和 $C_{2r/3r}$ 把 ABC 坐标系上的定、转子电流变换到 $dq0$ 坐标系代入上面的转矩方程,并注意到转子和定子的相对位置 $\theta_{sr} = \theta_s - \theta_r$,经化简,最后得到 $dq0$ 坐标系上的转矩方程

$$T_e = p_n L_m (i_{sq} i_{rd} - i_{sd} i_{rq}) \tag{4-146}$$

运动方程与坐标变换无关,仍为式(4-114)

$$T_e = T_L + \frac{J}{p_n}\frac{d\omega_r}{dt}$$

式中 $\omega_r = \omega_{ds} - \omega_{dr}$,为电动机转子角速度。

式(4-143)、式(4-144)、式(4-116)构成异步电动机在两相以任意转速旋转的 $dq0$ 坐标系上的数学模型。它比 ABC 坐标系上的数学模型简单得多,阶次也降低了,但其非线性、多变量、强耦合的性质并未改变。

4.4.3 异步电动机在两相静止坐标系($\alpha\beta$ 坐标系)上的数学模型

静止坐标系 $\alpha\beta$ 上的数学模型是任意旋转坐标系 $dq0$ 数学模型下当坐标转速等于零时的特例。当 $\omega_{ds} = 0$ 时,$\omega_{dr} = -\omega$,即转子角转速的负值,并将下角标 d,q 改成 α,β,则式(4-143)的电压矩阵方程变成

$$\begin{bmatrix} u_{s\alpha} \\ u_{s\beta} \\ u_{r\alpha} \\ u_{r\beta} \end{bmatrix} = \begin{bmatrix} R_s + L_s p & 0 & L_m p & 0 \\ 0 & R_s + L_s p & 0 & L_m p \\ L_m p & \omega L_m & R_r + L_r p & \omega L_r \\ -\omega L_m & L_m p & -\omega L_r & R_r + L_r p \end{bmatrix} \begin{bmatrix} i_{s\alpha} \\ i_{s\beta} \\ i_{r\alpha} \\ i_{r\beta} \end{bmatrix} \tag{4-147}$$

而式(4-132)的磁链方程改为

$$\begin{bmatrix} \psi_{s\alpha} \\ \psi_{s\beta} \\ \psi_{r\alpha} \\ \psi_{r\beta} \end{bmatrix} = \begin{bmatrix} L_s & 0 & L_m & 0 \\ 0 & L_s & 0 & L_m \\ L_m & 0 & L_r & 0 \\ 0 & L_m & 0 & L_r \end{bmatrix} \begin{bmatrix} i_{s\alpha} \\ i_{s\beta} \\ i_{r\alpha} \\ i_{r\beta} \end{bmatrix} \tag{4-148}$$

利用两相旋转变换阵 $C_{2s/2r}$,可得

$$\begin{aligned} i_{sd} &= i_{s\alpha}\cos\theta + i_{s\beta}\sin\theta \\ i_{sq} &= -i_{s\alpha}\sin\theta + i_{s\beta}\cos\theta \\ i_{rd} &= i_{r\alpha}\cos\theta + i_{r\beta}\sin\theta \\ i_{rq} &= -i_{r\alpha}\sin\theta + i_{r\beta}\cos\theta \end{aligned}$$

代入式(4-146)并整理后,即得到 $\alpha\beta$ 坐标系上的电磁转矩

$$T_e = p_n L_m (i_{s\beta} i_{r\alpha} - i_{s\alpha} i_{r\beta}) \tag{4-149}$$

式(4-147)~式(4-149)再加上运动方程式便成为 $\alpha\beta$ 坐标系上的异步电动机数学模

型。这种在两相静止坐标系上的数学模型又称作 Kron 的异步电动机方程式或双轴原型电动机(Two Axis Primitive Machine)基本方程式。

4.4.4 异步电动机在两相同步旋转坐标系(*MT* 坐标系)上的数学模型

另一种很有用的坐标系是两相同步旋转坐标系,其坐标轴用 d,q 表示,只是坐标轴的旋转速度 ω_{ds} 等于定子频率的同步角速度 ω_s。而转子的转速为 ω_r,因此 dq 轴相对于转子的角速度 $\omega_{dr}=\omega_s-\omega_r=\omega_f$,即转差角速度。代入式(4-143),即得同步旋转坐标系上的电压方程

$$\begin{bmatrix} u_{sM} \\ u_{sT} \\ u_{rM} \\ u_{rT} \end{bmatrix} = \begin{bmatrix} R_s+L_sp & -\omega_sL_s & L_mp & -\omega_sL_m \\ \omega_sL_s & R_s+L_sp & \omega_sL_m & L_mp \\ L_mp & -\omega_fL_m & R_r+L_rp & -\omega_fL_r \\ \omega_fL_m & L_mp & \omega_fL_r & R_r+L_rp \end{bmatrix} \begin{bmatrix} i_{sM} \\ i_{sT} \\ i_{rM} \\ i_{rT} \end{bmatrix} \tag{4-150}$$

由式(4-148)、式(4-149)得 *MT* 坐标系下的磁链方程、转矩方程为

$$\begin{bmatrix} \psi_{sM} \\ \psi_{sT} \\ \psi_{rM} \\ \psi_{rT} \end{bmatrix} = \begin{bmatrix} L_s & 0 & L_m & 0 \\ 0 & L_s & 0 & L_m \\ L_m & 0 & L_r & 0 \\ 0 & L_m & 0 & L_r \end{bmatrix} \begin{bmatrix} i_{sM} \\ i_{sT} \\ i_{rM} \\ i_{rT} \end{bmatrix} \tag{4-151}$$

$$T_e = p_nL_m(i_{sT}i_{rm}-i_{sM}i_{rT}) \tag{4-152}$$

两相同步旋转坐标系的突出特点是,当三相 *ABC* 坐标系中的电压和电流是交流正弦波时,变换到 *MT* 坐标系上就成为直流。

4.5 磁场定向与基本方程

异步电动机的动态数学模型是一个高阶、非线性、强耦合的多变量系统,通过坐标变换,可以使之降阶并简化,但并没有改变其非线性、多变量的本质。下面研究如何对电动机模型进一步解耦。

经坐标变换后的任意 *MT* 轴系上的电压方程如式(4-143)所示,这里只规定了 *MT* 两轴的垂直关系和旋转角速度。如果对 *MT* 轴系的取向加以规定,使其成为特定的同步旋转坐标系,可以进一步解耦电动机模型。这种选择特定的同步旋转坐标系,即确定 *MT* 轴系的取向,称为定向。选择电动机某一旋转磁场轴作为特定的同步旋转坐标轴,则称之为磁场定向。顾名思义,矢量控制系统也称为磁场定向控制系统。

对异步电动机矢量控制系统的磁场定向轴的选择有三种:转子磁场定向、气隙磁场定向、定子磁场定向。本节以常用的解耦效果最好的转子磁场定向为主加以介绍,其他两种简单介绍。

4.5.1 磁场定向原则

MT 旋转轴系的磁场定向如图 4-18 所示,图中,若取 M 轴与 $\boldsymbol{\psi}_r$ 一致,则磁动势在 M 轴的分量 $\boldsymbol{F}_M$ 与 $\boldsymbol{\psi}_r$ 同向,M 轴分量 i_M 自然就是建立转子磁场的纯励磁分量,而 T 轴分量 i_T 就

是纯转矩分量。

如果能够实时检测或计算出电动机内的转子磁通的空间相位 φ_{m}，也就能随时确定所要选择的 MT 轴系的坐标位置。然后依据式(4－77)变换规律(此时 $\varphi_d=\varphi_{\mathrm{m}}$)进行 MT 轴系与 ABC 轴系间的坐标变换或矢量变换，便可由 i_M 和 i_T 确定三相定子电流 i_A，i_B 和 i_C，当此三相电流通过定子三相绕组后，就达到了控制这两个电流分量的目的。无论转子磁通如何变化，只要能够时刻确定其空间位置，上述控制就可以在动态过程中完成，即实现了对瞬态电磁转矩的控制。

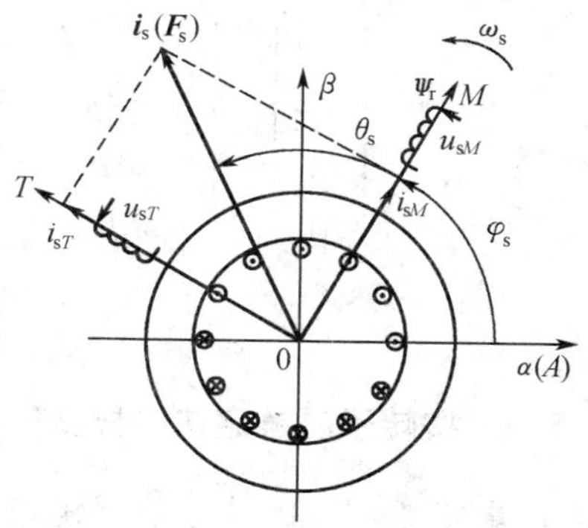

图 4－18 MT 旋转坐标的磁场定向

4.5.2 按转子磁场定向的基本方程

1. 电压方程

现在规定 M 轴沿着转子总磁链矢量 $\boldsymbol{\psi}_{\mathrm{r}}$ 的方向，而 T 轴则逆时针转 90°，即垂直矢量 $\boldsymbol{\psi}_{\mathrm{r}}$。这样，两相同步旋转坐标系就是规定按转子磁场定向的坐标系。由于 $\boldsymbol{\psi}_{\mathrm{r}}$ 本身就是以同步转速旋转的矢量，$\boldsymbol{\psi}_{\mathrm{r}}$ 在 MT 轴系上的分量可用方程表示为

$$\psi_{\mathrm{r}M}=\boldsymbol{\psi}_{\mathrm{r}}=L_{\mathrm{m}}i_{\mathrm{s}M}+L_{\mathrm{r}}i_{\mathrm{r}M} \tag{4-153}$$

$$\psi_{\mathrm{r}T}=0=L_{\mathrm{m}}i_{\mathrm{s}T}+L_{\mathrm{r}}i_{\mathrm{r}T} \tag{4-154}$$

将式(4－153)、式(4－154)代入式(4－150)，得

$$\begin{bmatrix} u_{\mathrm{s}M} \\ u_{\mathrm{s}T} \\ u_{\mathrm{r}M} \\ u_{\mathrm{r}T} \end{bmatrix}=\begin{bmatrix} R_{\mathrm{s}}+L_{\mathrm{s}}p & -\omega_{\mathrm{s}}L_{\mathrm{s}} & L_{\mathrm{m}}p & -\omega_{\mathrm{s}}L_{m} \\ \omega_{\mathrm{s}}L_{\mathrm{s}} & R_{\mathrm{s}}+L_{\mathrm{s}}p & \omega_{\mathrm{s}}L_{\mathrm{m}} & L_{\mathrm{m}}p \\ L_{\mathrm{m}}p & 0 & R_{\mathrm{r}}+L_{\mathrm{s}}p & 0 \\ \Delta\omega L_{\mathrm{m}} & 0 & \Delta\omega L_{\mathrm{r}} & R_{\mathrm{r}} \end{bmatrix}\begin{bmatrix} i_{\mathrm{s}M} \\ i_{\mathrm{s}T} \\ i_{\mathrm{r}M} \\ i_{\mathrm{r}T} \end{bmatrix} \tag{4-155}$$

式(4－155)第3,4行出现了零元素，减少了多变量之间的耦合关系，使模型得以简化。

2. 转矩方程

将式(4－153)、式(4－154)代入式(4－152)，得

$$\begin{aligned} T_{\mathrm{e}} &= p_nL_{\mathrm{m}}(i_{\mathrm{s}T}i_{\mathrm{r}M}-i_{\mathrm{s}M}i_{\mathrm{r}T})=p_nL_{\mathrm{m}}\left[i_{\mathrm{s}T}i_{\mathrm{r}M}-\frac{\boldsymbol{\psi}_{\mathrm{r}}-L_{\mathrm{r}}i_{\mathrm{r}M}}{L_{\mathrm{m}}}\left(-\frac{L_{\mathrm{m}}}{L_{\mathrm{r}}}i_{\mathrm{s}T}\right)\right] \\ &= p_nL_{\mathrm{m}}\left(i_{\mathrm{s}T}i_{\mathrm{r}M}+\frac{\boldsymbol{\psi}_{\mathrm{r}}}{L_{\mathrm{r}}}i_{\mathrm{s}T}-i_{\mathrm{s}T}i_{\mathrm{r}M}\right)=p_n\frac{L_{\mathrm{m}}}{L_{\mathrm{r}}}i_{\mathrm{s}T}\boldsymbol{\psi}_{\mathrm{r}} \end{aligned} \tag{4-156}$$

设转矩系数为 C_{MD}，$C_{\mathrm{MD}}=p_n\dfrac{L_{\mathrm{m}}}{L_{\mathrm{r}}}$，则式(4－156)可表示为

$$T_{\mathrm{e}}=C_{\mathrm{MD}}i_{\mathrm{s}T}\boldsymbol{\psi}_{\mathrm{r}} \tag{4-157}$$

式(4－157)表明，在同步旋转坐标上，如果按异步电动机转子磁场定向，则异步电动机的电磁转矩模型就与直流电动机的电磁转矩模型完全一样了。

将式(4－155)、式(4－157)归纳在一起就是按转子磁场定向的三相异步电动机在同步旋转轴系上的数学模型，即

$$\begin{bmatrix} u_{sM} \\ u_{sT} \\ 0 \\ 0 \end{bmatrix} = \begin{bmatrix} R_s + L_s p & -\omega_s L_s & L_m p & -\omega_s L_m \\ \omega_s L_s & R_s + L_s p & \omega_s L_m & L_m p \\ L_m p & 0 & R_r + L_s p & 0 \\ \omega_f L_m & 0 & \omega_f L_r & R_r \end{bmatrix} \begin{bmatrix} i_{sM} \\ i_{sT} \\ i_{rM} \\ i_{rT} \end{bmatrix}$$

$$T_e = C_{MD} \boldsymbol{\psi}_r i_{sT} \tag{4-158}$$

4.5.3 按转子磁链定向的异步电动机矢量控制系统的控制方程式

在矢量控制系统中，由于容易测量的被控制变量是定子电流矢量 $\boldsymbol{i}_s$，因此需找到定子电流矢量分量与其他物理量之间的关系，由式(4－155)第 3 行得

$$0 = R_r i_{rM} + p(L_m i_{sM} + L_r i_{rM}) = R_r i_{rM} + p\boldsymbol{\psi}_r$$

得

$$i_{rM} = -\frac{p\boldsymbol{\psi}_r}{R_r} \tag{4-159}$$

将式(4－159)代入式(4－153)中，得

$$i_{sM} = \frac{T_r p + 1}{L_m}\boldsymbol{\psi}_r \tag{4-160}$$

或

$$\boldsymbol{\psi}_r = \frac{L_m}{T_r p + 1} i_{sM} \tag{4-161}$$

式中　$T_r = \dfrac{L_r}{R_r}$，为转子励磁时间常数。

由式(4－161)可知，转子磁链 $\boldsymbol{\psi}_r$ 唯一由定子电流矢量中的励磁电流分量 i_{sM}产生，与定子电流矢量的转矩电流分量 i_{sT}无关。这说明了异步电动机矢量控制系统按转子全磁链(或全磁通)定向可以实现磁通和转矩电流的完全解耦；$\boldsymbol{\psi}_r$ 和 i_{sM}之间的传递函数是一个一阶惯性环节，当 i_{sM}为阶跃变化时，$\boldsymbol{\psi}_r$ 的变化要受到励磁惯性的阻挠，$\boldsymbol{\psi}_r$ 按时间常数 T_r 呈指数规律变化，这与直流电动机励磁绕组惯性作用是一致的。

由式(4－153)第 4 行得

$$0 = \omega_f(L_m i_{sM} + L_r i_{rM}) + R_r i_{rT} = \omega_f \boldsymbol{\psi}_r + R_r i_{rT}$$

得

$$i_{rT} = -\frac{\omega_f \boldsymbol{\psi}_r}{R_r} \tag{4-162}$$

由式(4－154)得

$$i_{rT} = -\frac{L_m}{L_r} i_{sT}$$

将式(4－162)代入得

$$-\frac{L_m}{L_r} i_{sT} = -\frac{\omega_f \psi_r}{R_r} \Rightarrow \omega_f = \frac{R_r}{L_r}\frac{L_m}{\psi_r} i_{sT} \Rightarrow \omega_f = \frac{L_m}{T_r \psi_r} i_{sT}$$

式(4-157)、式(4-161)和式(4-162)构成异步电动机矢量控制系统所依据的控制方程式。

式(4-162)所表达的物理意义是当 $\boldsymbol{\psi}_r$ 恒定时，无论是稳定还是动态过程，转差角频率 ω_f 都与异步电动机的转矩电流量 i_{rT}成正比。

4.6 按转子磁链定向的三相异步电动机矢量控制系统

4.6.1 三相异步电动机的等效直流电动机模型图

由式(4-157)、式(4-161)和式(4-162)所表达的矢量控制方程式，用结构图来描绘它们之间的物理关系，则更为清晰、直观、形象，如图4-19所示。

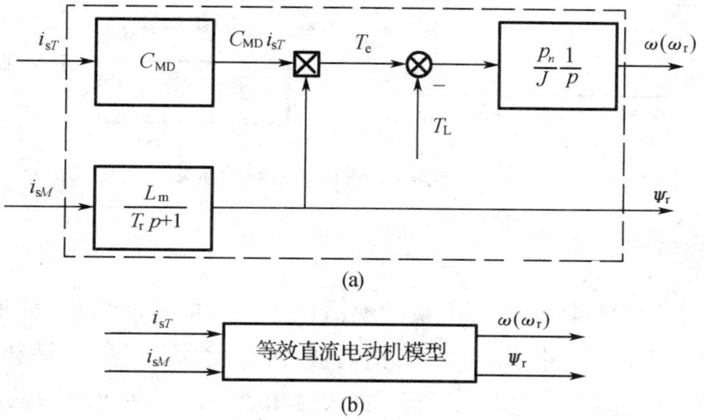

图4-19 三相异步电动机等效直流电动机模型

图4-19表示同步旋转坐标系上三相异步电动机的等效直流电动机模型结构图。由图看出，等效直流电动机可分为 i_{sM}($\boldsymbol{\psi}_r$ 子系统)和 i_{sT}(ω 子系统)，其输入分量是 i_{sT}，i_{sM}，输出分量为 $\omega(\omega_r)$ 和 $\boldsymbol{\psi}_r$。

应该指出，由式(4-157) $T_e = C_{MD}i_{sT}\boldsymbol{\psi}_r$ 可知，对于恒转矩调速方式，由于转矩 T_e 不仅受 i_{sT}控制还受 $\boldsymbol{\psi}_r$ 影响，当控制 $\boldsymbol{\psi}_r$ 使其为某一常值时，可以认为 T_e 只与 i_{sT}有关，$\boldsymbol{\psi}_r$ 只与 i_{sM}有关，则磁链与转矩完全解耦；而对于恒功率调速方式，无论是动态还是稳态，两个子系统之间不可能完全解耦。因此在设计矢量控制系统时应该予以考虑。

4.6.2 矢量控制的基本结构

通过矢量坐标变换和按转子磁场定向，最终得到三相异步电动机在同步旋转坐标系上的等效直流电动机模型，余下工作就是如何模仿直流电动机转速控制方法来设计三相异步电动机矢量控制系统的控制结构。

在转速环节设置了转速调节器ASR控制转速 ω 形成转速闭环控制，在磁链控制环节设置了磁链调节器AψR用以控制磁链 $\boldsymbol{\psi}_r$ 形成磁链闭环系统。通过对磁链 $\boldsymbol{\psi}_r$ 的闭环控制可实现 $\boldsymbol{\psi}_r = \text{const}$，使转矩只受转矩电流分量 i_{sT}控制，从而消除稳态时转矩形成环节的非线性因素的影响。为了消除或降低励磁惯性对转矩 T_e 的影响，即消除或降低两个子系统之间的动态耦合作用，可在转速闭环内设置有源校正环节。

结合图 4 - 8,得三相异步电动机矢量控制系统的基本控制结构图,如图 4 - 20 所示。

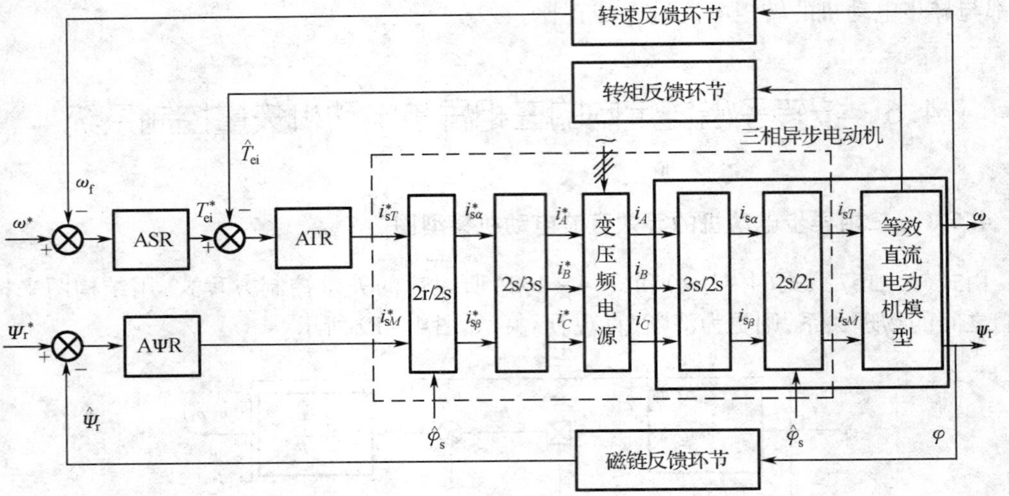

图 4 - 20　三相异步电动机矢量控制系统的基本控制结构图

4.6.3　转子磁链观测器

因为图 4 - 20 中的变量转子磁链矢量的模值 $|\boldsymbol{\psi}_r|$ 及磁场定向角 φ_m 都是实际值,人们曾尝试直接检测磁链的方法,一种是在电动机槽内埋设探测线圈,另一种是利用贴在定子内表面的霍尔器件或其他磁敏元件。从理论上说,直接检测应该比较准确,但实际上这些方法在安装和测量稳定性方面都会遇到不少工艺和技术上的问题,而且由于齿槽影响,使检测信号中含有较大的脉动分量,转速越低影响越严重。因此,在实际系统中,多采用间接计算方法,即利用容易测量的电压、电流及转速等信号,借助于转子磁链模型,实时计算磁链的幅值和相位。

转子磁链模型可以直接从电动机数学模型中推导出来,也可以利用状态观测器或状态估计理论得到闭环的观测模型。

4.7　基于定子磁通磁场定向的矢量控制

4.7.1　定向原则

定子磁场定向的直接矢量控制的最大优点是,其磁链矢量只受定子电阻(R_s)变化的影响。

由式(4 - 142)的第 3,4 项得

$$\begin{cases} u_{rd} = R_r i_{rd} + p\psi_{rd} - \omega_{dr}\psi_{rq} \\ u_{rq} = R_r i_{rq} + p\psi_{rq} + \omega_{dr}\psi_{rd} \end{cases} \tag{4-163}$$

式中,ω_{dr} 为 $dq0$ 旋转坐标系相对于转子角速度,此处的 $dq0$ 坐标系的转速为 ω_s 的 MT 坐标系,则 $\omega_{dr} = \omega_f$,即转差角频率。因 MT 坐标被认为是 $dq0$ 坐标系的一个特例,则可以将式(4 - 142)中的 d,q 角标直接替换成 M,T。

由式(4－133)的第3,4项得

$$\begin{cases}\psi_{rM}=L_m i_{sM}+L_r i_{rM}\\ \psi_{rT}=L_m i_{sT}+L_r i_{rT}\end{cases}\tag{4-164}$$

$$\begin{cases}i_{rM}=\dfrac{1}{L_r}\psi_{rM}-\dfrac{L_m}{L_r}i_{sM}\\ i_{rT}=\dfrac{1}{L_r}\psi_{rT}-\dfrac{L_m}{L_r}i_{sT}\end{cases}\tag{4-165}$$

由于式(4－142)中转子电流 i_{rd},i_{rq}难以测量,将式(4－165)代入式(4－142),消掉转子电流,得如下表达式

$$\frac{d\psi_{rM}}{dT}+\frac{R_r}{L_r}\psi_{rM}-\frac{L_m}{L_r}R_r i_{sM}-\omega_f\psi_{rT}=0\tag{4-166}$$

$$\frac{d\psi_{rT}}{dT}+\frac{R_r}{L_r}\psi_{rT}-\frac{L_m}{L_r}R_r i_{sT}+\omega_f\psi_{rM}=0\tag{4-167}$$

将式(4－166),式(4－167)的左右两边都乘以 $T_r=\dfrac{L_r}{R_r}$,整理后得到如下表达式:

$$(1+T_r p)\psi_{rM}-L_m i_{sM}-T_r\omega_f\psi_{rT}=0\tag{4-168}$$

$$(1+T_r p)\psi_{rT}-L_m i_{sT}+T_r\omega_f\psi_{rM}=0\tag{4-169}$$

由式(4－151)可知,电动机定子磁链表达式为

$$\psi_{sM}=L_s i_{sM}+L_m i_{rM}\tag{4-170}$$

$$\psi_{sT}=L_s i_{sT}+L_m i_{rT}\tag{4-171}$$

或

$$i_{rM}=\frac{\psi_{sM}}{L_m}-\frac{L_s}{L_m}i_{sM}\tag{4-172}$$

$$i_{rT}=\frac{\psi_{sT}}{L_m}-\frac{L_s}{L_m}i_{sT}\tag{4-173}$$

将式(4－172)和式(4－173)分别代入式(4－170)和式(4－171),得

$$\psi_{rM}=\frac{L_r}{L_m}\psi_{sM}+(L_m-\frac{L_rL_s}{L_m})i_{sM}\tag{4-174}$$

$$\psi_{rT}=\frac{L_r}{L_m}\psi_{sT}+(L_m-\frac{L_rL_s}{L_m})i_{sT}\tag{4-175}$$

式(4－174)和式(4－175)表明,用定子磁链和定子电流来求得转子磁链。分别将式(4－168)和式(4－169)代入式(4－174)和式(4－175),在等号两边乘以$\dfrac{L_m}{L_r}$,并化简得到下式

$$(1+sT_r)\psi_{sM}=(1+\sigma sT_r)L_s i_{sM}+\omega_f T_r(\psi_{sT}-\sigma L_s i_{sM})\tag{4-176}$$

$$(1+sT_r)\psi_{sT}=(1+\sigma sT_r)L_s i_{qs}-\omega_f T_r(\psi_{sM}-\sigma L_s i_{sM})\tag{4-177}$$

式中 $\sigma=1-\dfrac{L_m^2}{L_sL_r}$。

按定子磁场定向矢量控制图4－21所示,由于 $\psi_{qs}=0$,$\psi_{ds}=\boldsymbol{\psi}_s$ 则式(4－176)、式(4－177)可表示为

$$(1+sT_r)\psi_{sM}=(1+\sigma sT_r)L_s i_{sM}-\sigma L_s T_r\omega_f i_{sT} \tag{4-178}$$

$$(1+\sigma sT_r)L_s i_{sT}=\omega_f T_r(\psi_{sM}-\sigma L_s i_{sM}) \tag{4-179}$$

上述方程表明,定子磁链 ψ_{sM} 是 i_{sM} 和 i_{sT} 的函数,没有完全解耦,也就是说若用 i_{sT} 改变转矩,同时也会影响磁链。因此,需用解耦电路消除这种耦合效应,从而获得完全解耦的矢量控制。

解耦电路如图 4-22 所示为前馈解耦方法,图中磁链控制器的输入端加入解耦信号 i_{MT},两者产生 i_{sM}^* 指令信号,即

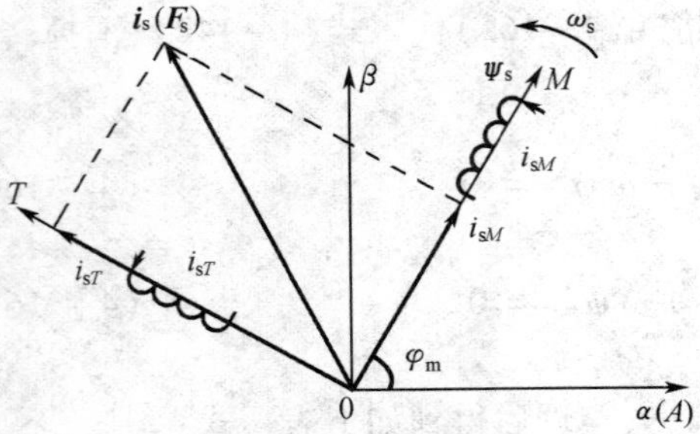

图 4-21 定子磁链定向矢量控制的相量图

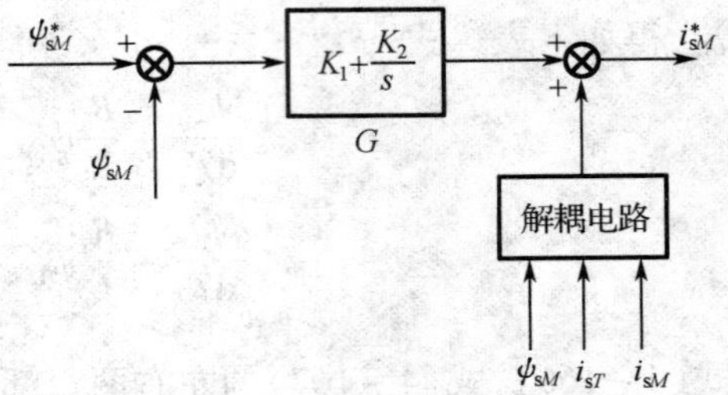

图 4-22 定子磁链定向矢量控制中的解耦电路

$$i_{MT}=G(\psi_{sM}^*-\psi_{sM})+i_{dq} \tag{4-180}$$

式中 $G=K_1+K_2/s$。

将式(4-180)代入式(4-178)得

$$(1+sT_r)\psi_{sM}=L_s[(1+\sigma sT_r)G(\psi_{sM}^*-\psi_{sM})+(1+\sigma sT_r)i_{MT}-\sigma T_r\omega_f i_{sT}] \tag{4-181}$$

由式(4-181),要实现解耦,即应使 $(1+\sigma sT_r)i_{MT}-\sigma T_r\omega_f i_{sT}=0$

即

$$i_{MT}=\frac{\sigma T_r\omega_f i_{sT}}{1+\sigma sT_r} \tag{4-182}$$

由式(4-179),得

$$\omega_f=\frac{(1+\sigma sT_r)L_s i_{sT}}{T_r(\psi_{sM}-\sigma L_s i_{sM})} \tag{4-183}$$

将式(4-183)代入式(4-182),有

$$i_{MT}=\frac{\sigma L_s i_{sT}^2}{\psi_{sM}-\sigma L_s i_{sM}} \tag{4-184}$$

4.7.2 电压方程

将式(4-170)、式(4-171)代入式(4-150)得

$$\begin{bmatrix}u_{sM}\\u_{sT}\\u_{rM}\\u_{rT}\end{bmatrix}=\begin{bmatrix}R_s+L_sp & 0 & L_mp & 0\\ \omega_sL_s & R_s & \omega_sL_m & 0\\ L_mp & -\omega_fL_m & R_r+L_rp & -\omega_fL_r\\ \omega_fL_m & L_mp & \omega_fL_r & R_r+L_rp\end{bmatrix}\begin{bmatrix}i_{sM}\\i_{sT}\\i_{rM}\\i_{rT}\end{bmatrix} \tag{4-185}$$

式(4-185)的第 1,2 行为零元素,使模型得以简化,这是按定子磁场矢量控制的优点。

4.7.3 转矩方程

将式(4－170)、式(4－171)代入式(4－152),得

$$T_e = p_n \psi_{sM} i_{sT} \tag{4-186}$$

同按转子磁场定向一样,只要能有效地控制定子磁链 ψ_{sM} 和定子电流转矩分量 i_{sT},就可以有效控制电磁转矩。

基于定子磁链定向矢量控制传动系统框图如图4－23所示。

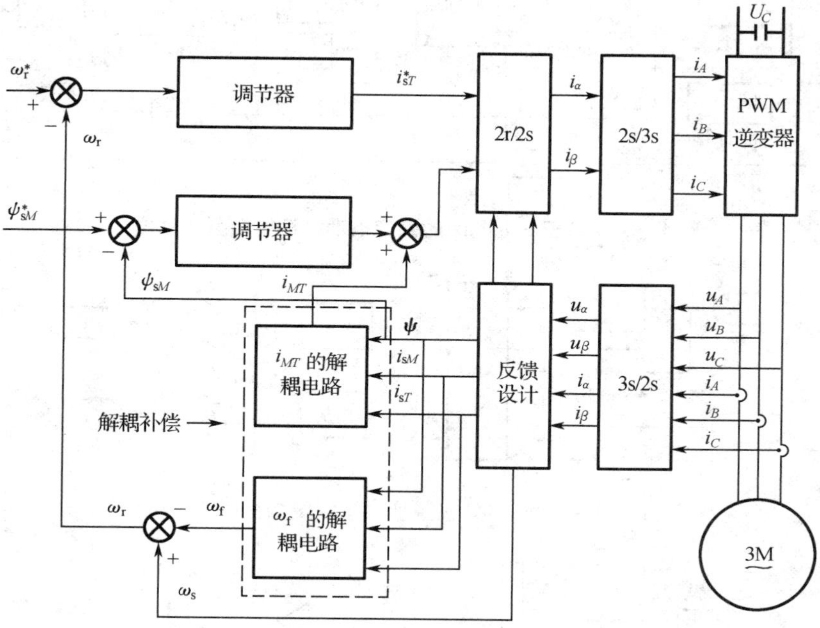

图4－23 定子磁链定向矢量控制传动系统框图

4.8 基于转子磁场定向的矢量控制系统仿真实例

在Matlab6.5的Simulink环境下,利用Sim Power System Toolbox 2.3丰富的模块库,在分析异步电动机数学模型的基础上,建立基于转子磁场定向矢量控制系统的仿真模型。系统采用双闭环结构:转速环采用PI调节器,电流环采用电流滞环调节。根据模块化建模的思想,将控制系统分割为各个功能独立的子模块,主要包括:三相感应电动机本体模块、速度调节模块、3/2变换模块、2/3变换模块、电流滞环调节模块、转矩计算模块、逆变器模块和电动机参数测量等。通过这些功能模块的有机整合,就可在Matlab/Simulink中搭建出异步电动机控制系统的仿真模型,如图4－24所示。

三相静止 *ABC* 轴系到同步旋转 *MT* 轴系矢量变换仿真框图如图4－25所示。

2/3变换模块实现的是参考相电流的 *MT/ABC* 变换,即 *MT* 旋转轴系下两相参考相电流到 *ABC* 静止轴系下三相参考相电流的2/3变换,模块的结构框图如图4－26所示,模块输入为位置信号Teta和 *MT* 两相参考电流 i_M^* 和 i_T^*;模块输出为 *ABC* 三相参考电流 i_A^*,i_B^* 和 i_C^*。

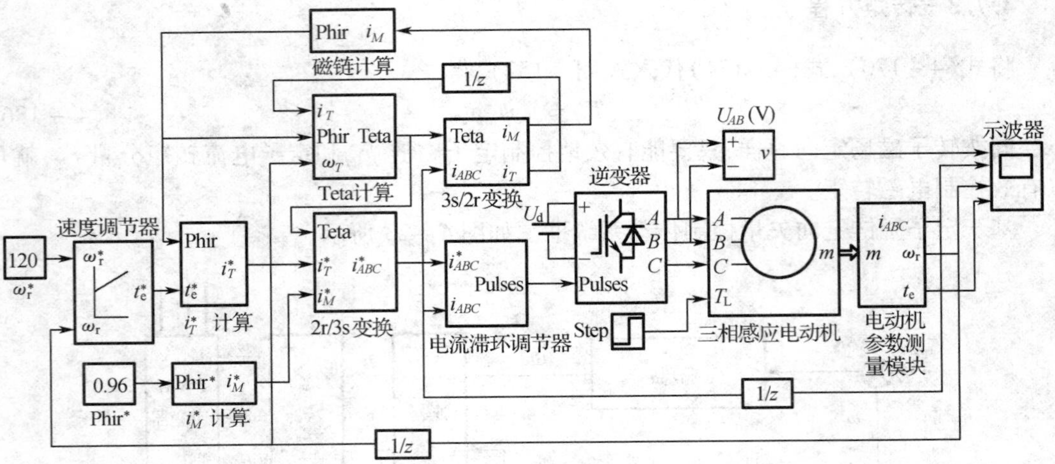

图 4-24　基于 Simulink 的感应电动机系统模型的框图

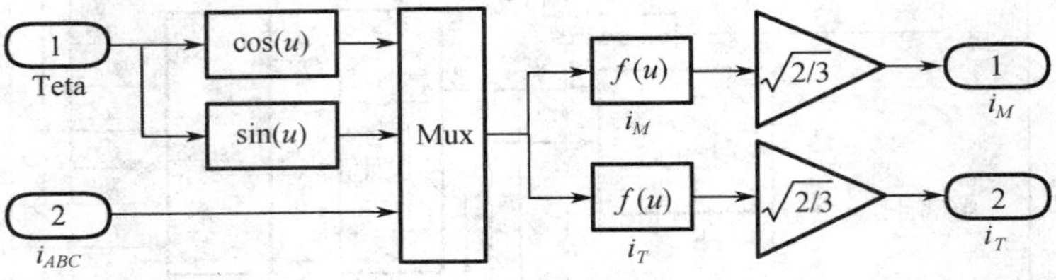

图 4-25　3/2 矢量变换模块结构框图

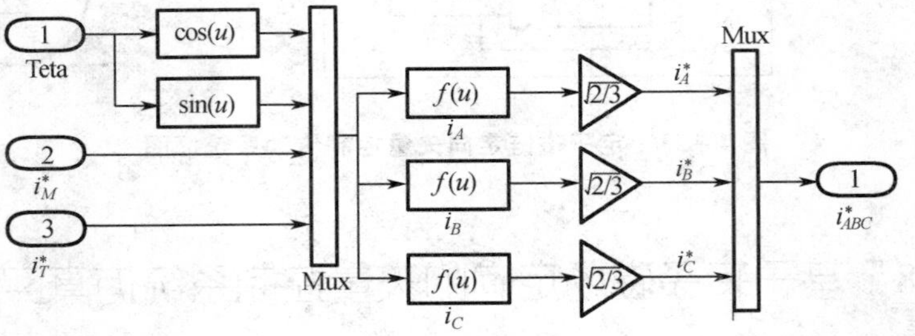

图 4-26　2/3 矢量变换模块的结构框图

电流滞环调节模块的作用是实现滞环电流调节，输入为三相参考电流 i_A^*，i_B^*，i_C^* 和三相实际电流 i_A，i_B，i_C，输出为逆变器控制信号，模块结构框图如图 4-27 所示。当实际电流低于参考电流且偏差大于滞环比较器的环宽时，对应相正向导通，负向关断；当实际电流超过参考电流且偏差大于滞环比较器的环宽时，对应相正向关断，负向导通。选择适当的滞环环宽，即可使实际电流不断跟踪参考电流的波形，实现电流闭环控制。

异步电动机的参数如下：

功率 $P_n=3.7$ kW，线电压 $U_{AB}=410$ V，定子相绕组电阻 $R_s=0.087$ Ω，转子相绕组电阻 $R_r=0.228$ Ω，定子绕组自感 $L_s=0.8$ mH，转子绕组自感 $L_r=0.8$ mH，定、转子之间的互感 $L_m=0.76$ mH，转动惯量 $J=0.662$ kg · m^2，额定转速 $\omega_n=120$ rad/s，极对数 $p=2$，转子磁链给定为 0.96 Wb，速度调节器参数为 $K_p=900$，$K_i=6$，电流滞环宽度为 10。

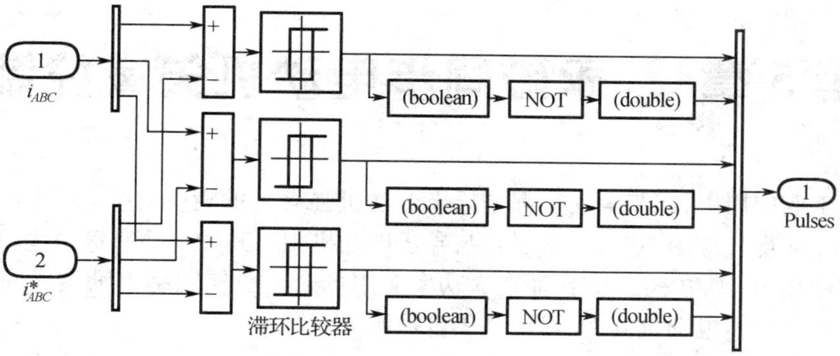

图 4 – 27　电流滞环调节模块的结构框图

系统空载启动，待进入稳态后，在 $t=0.5$ s 时突加负载 $T_L=100$ N · m，可得系统转矩 T_e、转速 ω_r、定子三相电流 i_{ABC}电流和线电压 V_{AB}分别如图 4 – 28 ~ 图 4 – 31 所示。

由仿真波形可以看出，在 $\omega_r=120$ rad · s^{-1}的参考转速下，系统响应快速且平稳；在 $t=0.5$ s时突加负载，转速发生突降，但又能迅速恢复到平衡状态，稳态运行时无静差。

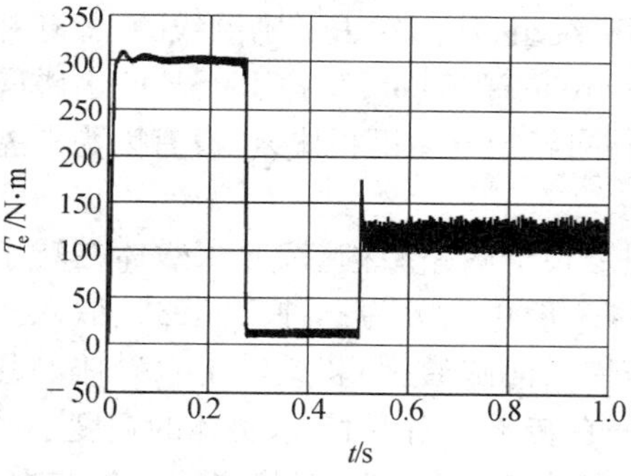

图 4 – 28　转矩响应曲线

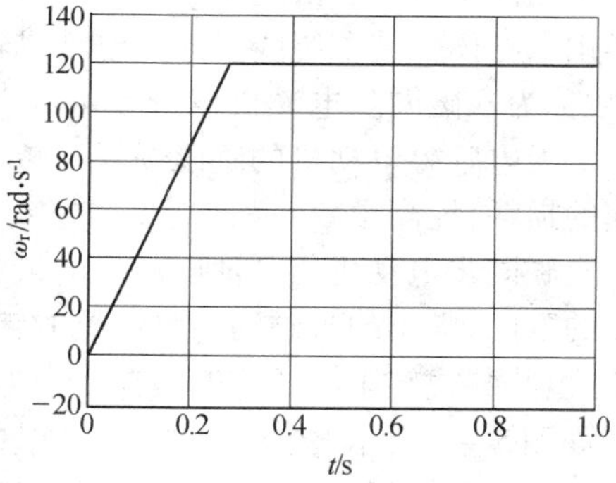

图 4 – 29　转速响应曲线

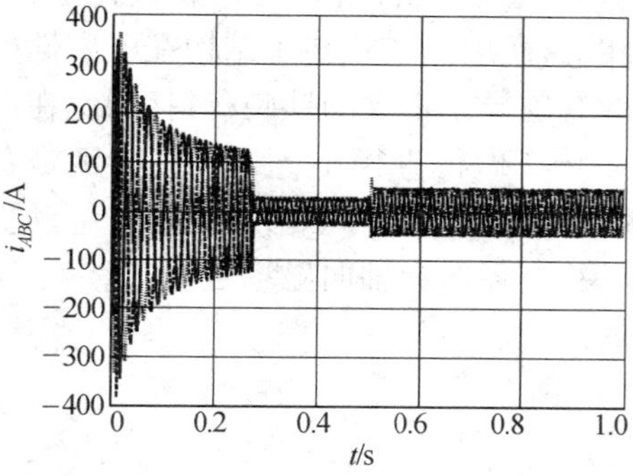

图 4 – 30　相电流曲线

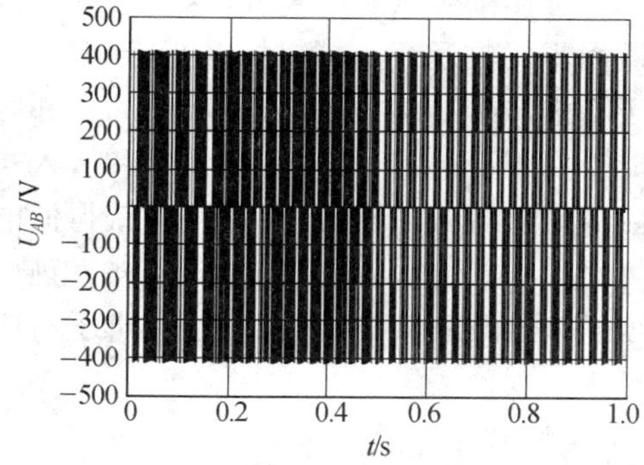

图 4 – 31　线电压曲线

第 5 章　永磁同步电动机矢量控制

在许多工业应用中,同步电动机都是异步电动机强有力的竞争对手,因其效率高,维护费用低等特点使得其应用不断扩大,尽管与异步电动机相比其造价要昂贵一些。永磁同步电动机一般应用在中、小功率的场合,而在大功率应用场合一般使用绕组励磁式同步电动机。本章以三相永磁同步电动机为例,讨论其矢量控制方法。

5.1　永磁同步电动机的结构及数学模型

5.1.1　永磁同步电动机的结构

永磁同步电动机由定子、转子和端盖等部件构成,定子与绕线式同步电动机基本相同,转子用永磁体代替了绕线式同步电动机转子中的励磁绕组,从而省去了励磁线圈、滑环和电刷,故称为永磁同步电动机(Permanent Magnet Synchronous Motor,简称 PMSM)。永磁同步电动机无电励磁电动机的励磁损耗和转子发热问题,同异步电动机相比,也没有因为滑差而引起的损耗,提高了效率和功率因数。

永磁同步电动机与其他电动机的最主要的区别是转子磁路结构。按照永磁体在转子上位置的不同,常用的永磁同步电动机的转子磁路结构一般可以分为三种:凸装式、嵌入式和内埋式。凸装式转子永磁体安装在转子外表面上,提供径向磁通。凸装式转子永磁体的几何形状如图 5 - 1 所示。图 5 - 2 中嵌入式转子永磁体嵌在转子表面下面,永磁体的宽度小于一个极距,相邻永磁体间的铁芯构成了一个大"齿";内埋式转子永磁体埋装在转子铁芯内部,每个永磁体都被铁芯所包容。这种结构,机械强度高,磁路气隙小,所以与外装式转子相比,更适用于弱磁运行。永磁材料的磁导率与空气几乎相等,所以凸装式转子结构在电磁性能上属于隐极转子结构,而嵌入式转子的相邻两磁极之间有磁导率很大的铁磁材料,因此在电磁性能上属于凸极转子结构。凸装式和嵌入式结构可使转子做得直径小、惯量低,特别是若将永磁体直接粘接在转轴上,还可以获得低电感,有效改善动态性能。此外,永磁同步电动机就整体结构,分为内转子式和外转子式;就磁场方向来说,有径向和轴向磁场之分;就定子结构来说,有分布绕组、集中绕组,以及定子有槽和无槽的区别。

5.1.2　数学模型的建立

永磁同步电动机的定子和普通电励磁三相同步电动机的定子是相似的。如果永磁体在电枢绕组产生的感应电动势与励磁线圈产生的电枢绕组感应电动势一样,也是正弦的,那么永磁同步电动机的数学模型就与电励磁同步机基本相同。

本系统采用的是正弦波永磁同步电动机,且转子上没有阻尼绕组,其物理模型如图 5 - 3 所式。$\boldsymbol{\psi}_{\mathrm{f}}$ 是转子永磁磁极与定子交链的磁链,θ_{rA} 是转子磁链与定子 A 相绕组轴线之间的电角度。

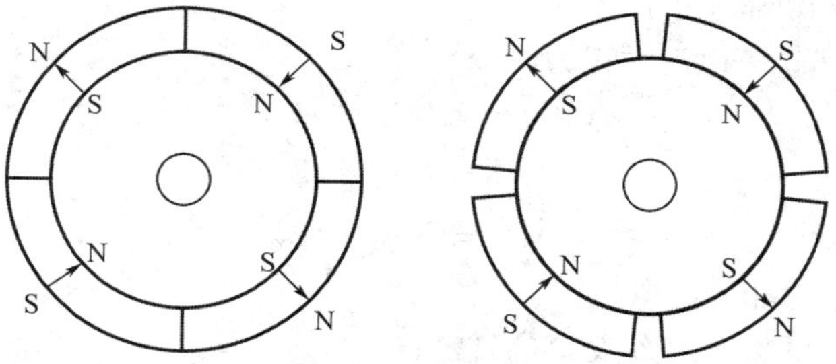

图5－1　表面式永磁同步电动机转子截面图

(a) 圆套筒型;(b) 瓦片型

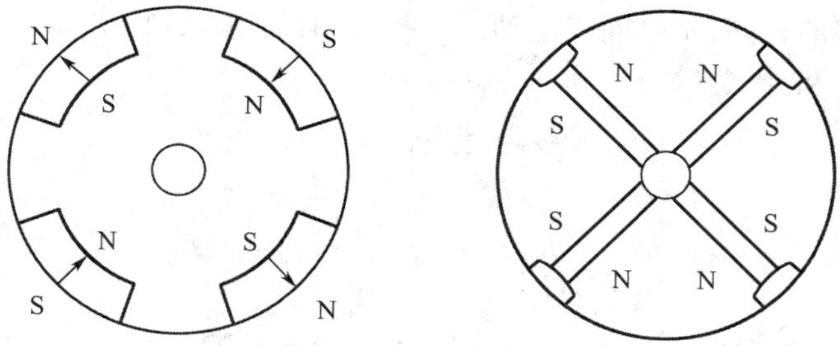

图5－2　嵌入式和内埋式永磁同步电动机转子截面图

(a) 嵌入式;(b) 内埋式

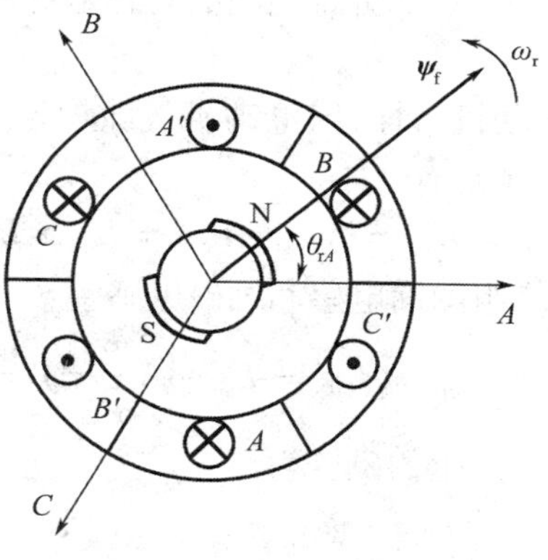

图5－3　永磁同步电动机的物理模型

永磁同步电动机的基本方程包括电动机的电压方程、磁链方程和转矩方程等,这些方程是永磁同步电动机数学模型的基础。

永磁同步电动机运转时其定子和转子处于相对运动状态,永久磁极与定子绕组、定子绕组与绕组之间的相互影响,导致永磁同步电动机内部的电磁关系十分复杂,再加上磁路饱和等非线性因素,给建立永磁同步电动机的精确数学模型带来了困难。在不影响研究效果的前提下需简化永磁同步电动机的数学模型,通常作如下假设:

(1) 忽略磁路中铁芯的磁饱和,不计铁芯的涡流和磁滞损耗;

(2) 转子上没有阻尼绕组,永磁体也没有阻尼作用;

(3) 永久磁铁在气隙中产生的磁势为正弦分布,无高次谐波,即定子的空载电势为正弦波;

(4) 永磁材料的电导率为零。

1. 永磁同步电动机定子电压方程

永磁同步电动机定子电压方程为

$$\begin{cases} u_A = R_s i_A + p\psi_A \\ u_B = R_s i_B + p\psi_B \\ u_C = R_s i_C + p\psi_C \end{cases} \tag{5-1}$$

式中 R_s—— 定子每相绕组电阻；

ψ_A, ψ_B, ψ_C—— 三相绕组交链的磁链；

$p = \mathrm{d}/\mathrm{d}t$—— 微分算子。

2. 永磁同步电动机磁链方程和转矩方程

与第 4 章叙述的相同，永磁同步电动机每相绕组的磁链是它本身的自感磁链和其他绕组对它互感磁链之和。则磁链方程为

$$\begin{cases} \psi_A = L_{AA} i_A + L_{AB} i_B + L_{AC} i_C + \psi_{fA} \\ \psi_B = L_{BB} i_B + L_{BA} i_A + L_{BC} i_C + \psi_{fB} \\ \psi_C = L_{CC} i_C + L_{CA} i_A + L_{CB} i_B + \psi_{fC} \end{cases} \tag{5-2}$$

式中 L_{AA}, L_{BB}, L_{CC}—— 定子各相自感；

$L_{AB}, L_{BA}, L_{AC}, L_{CA}, L_{BC}, L_{CB}$—— 定子各相之间的互感；

$\psi_{fA}, \psi_{fB}, \psi_{fC}$—— 永磁励磁磁场链过 A, B, C 绕组产生的磁链。

由于定子三相绕组互为 120°，且认为每相间的互感是对称的，则有 $L_{AB} = L_{BA}, L_{AC} = L_{CA}, L_{BC} = L_{CB}$。

与电励磁三相隐极同步电动机一样，因电动机气隙均匀，故 A, B, C 绕组的自感和互感都与转子位置无关，均为常值。于是有

$$L_{s1} = L_{AA} = L_{BB} = L_{CC} = L_{s\sigma} + L_{m1} \tag{5-3}$$

式中 $L_{s\sigma}, L_{m1}$—— 分别为相绕组的漏电感和励磁电感。

另有

$$L = L_{AB} = L_{BC} = L_{AC} = L_{m1}\cos\left(\frac{2}{3}\pi\right) = -\frac{1}{2}L_{m1} \tag{5-4}$$

另外，永磁磁通链过定子侧产生的磁链为

$$\begin{cases} \psi_{fA} = \boldsymbol{\psi}_f \cos\theta_{rA} \\ \psi_{fB} = \boldsymbol{\psi}_f \cos\left(\theta_{rA} - \frac{2}{3}\pi\right) \\ \psi_{fC} = \boldsymbol{\psi}_f \cos\left(\theta_{rA} + \frac{2}{3}\pi\right) \end{cases} \tag{5-5}$$

式中 $\boldsymbol{\psi}_f$—— 转子磁链。

由电动机 Y 型接法，三相电流应满足：

$$i_A + i_B + i_C = 0 \tag{5-6}$$

把式(5-4)、式(5-5)代入式(5-2)，得磁链方程为

$$\begin{cases} \psi_A = (L_{s1} - L) i_A + \psi_{fA} = L_0 i_A + \boldsymbol{\psi}_f \cos\theta_{rA} \\ \psi_B = (L_{s1} - L) i_B + \psi_{fB} = L_0 i_B + \boldsymbol{\psi}_f \cos\left(\theta_{rA} - \frac{2}{3}\pi\right) \\ \psi_C = (L_{s1} - L) i_C + \psi_{fC} = L_0 i_C + \boldsymbol{\psi}_f \cos\left(\theta_{rA} + \frac{2}{3}\pi\right) \end{cases} \tag{5-7}$$

其中，$L_0 = L_{s1} - L = \frac{3}{2}L_{m1} + L_{s\sigma}$。

把式(5－7)代入式(5－1)，得定子电压方程为

$$\begin{cases} u_A = R_s i_A + L_0 p i_A - \boldsymbol{\psi}_f \omega_r \sin\theta_{rA} \\ u_B = R_s i_B + L_0 p i_B - \boldsymbol{\psi}_f \omega_r \sin(\theta_{rA} - \frac{2}{3}\pi) \\ u_C = R_s i_C + L_0 p i_C - \boldsymbol{\psi}_f \omega_r \sin(\theta_{rA} + \frac{2}{3}\pi) \end{cases} \tag{5-8}$$

转矩方程为

$$T_e = -p_n \boldsymbol{\psi}_f \left[i_A \sin\theta_{rA} + i_B \sin\left(\theta_{rA} - \frac{2\pi}{3}\right) + i_C \sin\left(\theta_{rA} + \frac{2\pi}{3}\right)\right] \tag{5-9}$$

5.1.3 永磁同步电动机的坐标变换

坐标变换是用新的坐标系统替换原来的坐标系统，使得原来坐标系统的各个变量及其相互关系变换成在新坐标系统的变量及其相互关系。约束条件有功率不变或磁势不变。由4.3可知常用的坐标系有两大类：坐标系放在定子上的静止坐标系，主要有三相静止ABC坐标系和两相静止$\alpha\beta$坐标系；坐标系放在转子上随转子一起旋转的两相旋转dq坐标系。

对于永磁同步电动机来说，定义两相静止$\alpha\beta$坐标系的α轴与定子A相绕组重合，β轴逆时针超前α轴90°空间电角度。定义两相旋转dq坐标系的d轴与转子磁极轴线重合，q轴逆时针超前d轴90°空间电角度，d轴与A相定子绕组的夹角为θ_{rA}，该坐标系在空间随同转子以电角速度ω_r一起旋转，各坐标系关系如图5－4所示。

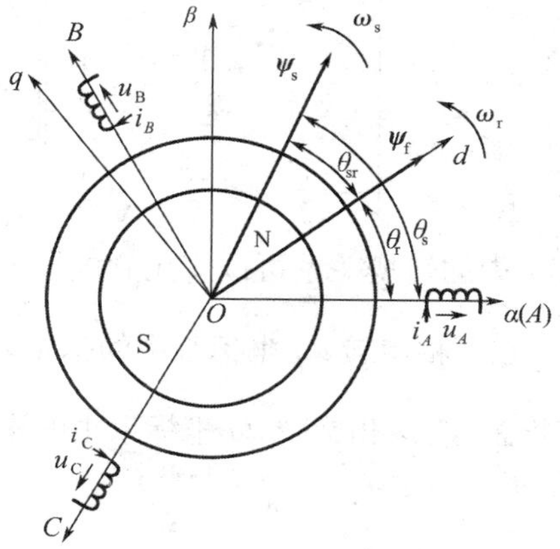

图5－4 $\alpha\beta/dq/ABC$ 坐标变换图

永磁同步电动机定子分别通以三相定子交流电产生一个旋转的磁场，在4.3中已经提到两相相位正交的对称绕组通以两相相位相差90°的交流电时，也能产生旋转磁场。两个互相垂直的绕组通以直流电，产生合成的磁动势，如果人为地让两个绕组的整个铁芯旋转，同样产生了旋转的磁场。如果保证这三个磁场下磁动势的幅值、旋转方向和速度相等，则这三个磁场是等效的。

根据功率不变的约束条件，可以建立两相旋转dq坐标系和三相静止ABC坐标系之间的变换关系（详见4.3）：

$$\begin{bmatrix} i_d \\ i_q \\ i_0 \end{bmatrix} = \sqrt{\frac{2}{3}} \begin{bmatrix} \cos\theta_{rA} & \cos\left(\theta_{rA} - \frac{2\pi}{3}\right) & \cos\left(\theta_{rA} + \frac{2\pi}{3}\right) \\ -\sin\theta_{rA} & -\sin\left(\theta_{rA} - \frac{2\pi}{3}\right) & -\sin\left(\theta_{rA} + \frac{2\pi}{3}\right) \\ \sqrt{\frac{1}{2}} & \sqrt{\frac{1}{2}} & \sqrt{\frac{1}{2}} \end{bmatrix} \begin{bmatrix} i_A \\ i_B \\ i_C \end{bmatrix} \tag{5-10}$$

$$\begin{bmatrix} i_A \\ i_B \\ i_C \end{bmatrix} = \sqrt{\frac{2}{3}} \begin{bmatrix} \cos\theta_{rA} & -\sin\theta_{rA} & \sqrt{\frac{1}{2}} \\ \cos\left(\theta_{rA} - \frac{2\pi}{3}\right) & -\sin\left(\theta_{rA} - \frac{2\pi}{3}\right) & \sqrt{\frac{1}{2}} \\ \cos\left(\theta_{rA} + \frac{2\pi}{3}\right) & -\sin\left(\theta_{rA} + \frac{2\pi}{3}\right) & \sqrt{\frac{1}{2}} \end{bmatrix} \begin{bmatrix} i_d \\ i_q \\ i_0 \end{bmatrix} \tag{5-11}$$

同理,式(5 - 10)、式(5 - 11) 中的转换关系可以应用到电压方程和磁链方程中。

两相静止 $\alpha\beta$ 坐标系与三相静止 ABC 坐标系的变换关系:

$$\begin{bmatrix} i_\alpha \\ i_\beta \\ i_0 \end{bmatrix} = \sqrt{\frac{2}{3}} \begin{bmatrix} 1 & -\frac{1}{2} & -\frac{1}{2} \\ 0 & \frac{\sqrt{3}}{2} & -\frac{\sqrt{3}}{2} \\ \sqrt{\frac{1}{2}} & \sqrt{\frac{1}{2}} & \sqrt{\frac{1}{2}} \end{bmatrix} \begin{bmatrix} i_A \\ i_B \\ i_C \end{bmatrix} \tag{5-12}$$

$$\begin{bmatrix} i_A \\ i_B \\ i_C \end{bmatrix} = \sqrt{\frac{2}{3}} \begin{bmatrix} 1 & 0 & \sqrt{\frac{1}{2}} \\ \frac{1}{2} & \frac{\sqrt{3}}{2} & \sqrt{\frac{1}{2}} \\ -\frac{1}{2} & -\frac{\sqrt{3}}{2} & \sqrt{\frac{1}{2}} \end{bmatrix} \begin{bmatrix} i_\alpha \\ i_\beta \\ i_0 \end{bmatrix} \tag{5-13}$$

同理,式(5 - 12)、式(5 - 13) 中的转换关系可以应用到电压方程和磁链方程中。

5.1.4 永磁同步电动机在两相旋转 *dq* 坐标系中的基本方程

基于 4.3 得到的坐标变换公式,两相旋转 dq 坐标系中的永磁同步电动机电压、磁链、转矩、运动方程以及状态方程如下。

(1) 电压方程

$$\begin{cases} u_d = R_s i_d + p\psi_d - \omega_r \psi_q \\ u_q = R_s i_q + p\psi_q + \omega_r \psi_d \end{cases} \tag{5-14}$$

式中 u_d, u_q—— 定子电压矢量的 d,q 轴分量;

i_d, i_q—— 定子电流矢量的 d,q 轴分量;

ψ_d, ψ_q—— 定子磁链的 d,q 轴分量。

可将式(5 - 14) 表示为

$$\begin{cases} u_d = R_s i_d + L_d \dfrac{di_d}{dt} - \omega_r L_q i_q \\ u_q = R_s i_q + L_q \dfrac{di_q}{dt} + \omega_r (L_d i_d + \boldsymbol{\psi}_f) \end{cases} \tag{5-15}$$

式(5 - 15) 可表示为

$$\begin{cases} u_d = R_s i_d + L_d \dfrac{di_d}{dt} - \omega_r L_q i_q \\ u_q = R_s i_q + L_q \dfrac{di_q}{dt} + \omega_r L_d i_d + \omega_r \boldsymbol{\psi}_f \end{cases} \tag{5-16}$$

结合式对于面装式永磁同步电动机有 $L_d = L_q = L$，在正弦稳态情况下，永磁同步电动机的电压方程为

$$\begin{cases} u_d = R_s i_d - \omega_r L_q i_q \\ u_q = R_s i_q + \omega_r L_d i_d + \omega_r \boldsymbol{\psi}_f \end{cases} \tag{5-17}$$

（2）磁链方程

$$\begin{cases} \psi_d = L_d i_d + \boldsymbol{\psi}_f \\ \psi_q = L_q i_q \end{cases} \tag{5-18}$$

式中 L_d, L_q—— d,q 轴同步电感，表示为 $L_q = L_{s\sigma} + L_{mq}$，$L_d = L_{s\sigma} + L_{md}$。$L_{mq}, L_{md}$ 为 d,q 轴等效励磁电感。

（3）转矩方程

$$T_e = p_n(\psi_d i_q - \psi_q i_d) \tag{5-19}$$

（4）运动方程

$$\frac{J}{p_n}\frac{d\omega_r}{dt} = T_e - B\frac{\omega_r}{p_n} - T_L \tag{5-20}$$

式中 J—— 转动惯量；

T_L—— 负载转矩；

B—— 黏滞摩擦系数。

以上电压方程、磁链方程、转矩方程可以表示为空间向量的形式：

$$\begin{cases} \boldsymbol{u}_s = u_d + ju_q = R_s \boldsymbol{i}_s + \dfrac{d\boldsymbol{\psi}_s}{dt} + j\omega_r \boldsymbol{\psi}_s \\ \boldsymbol{\psi}_s = \psi_d + \psi_q \\ T_e = p_n \boldsymbol{\psi}_s \boldsymbol{i}_s \end{cases} \tag{5-21}$$

（5）状态方程

以面装式转子结构的永磁同步电动机为对象，假设磁路不饱和，不计磁滞和涡流损耗影响，在空间磁场呈正弦分布的条件下，摩擦系数 $B = 0$，得两相旋转 dq 坐标系上的永磁同步电动机的状态方程为

$$\begin{bmatrix} pi_d \\ pi_q \\ p\omega_r \end{bmatrix} = \begin{bmatrix} -\dfrac{R_s}{L} & p_n\omega_r & 0 \\ -p_n\omega_r & -\dfrac{R_s}{L} & -\dfrac{p_n\boldsymbol{\psi}_f}{L} \\ 0 & \dfrac{p_n\boldsymbol{\psi}_f}{J} & 0 \end{bmatrix} \begin{bmatrix} i_d \\ i_q \\ \omega_r \end{bmatrix} + \begin{bmatrix} \dfrac{u_d}{L} \\ \dfrac{u_q}{L} \\ \dfrac{-T_L}{J} \end{bmatrix} \tag{5-22}$$

5.2 永磁同步电动机的矢量控制系统及控制方法

5.2.1 矢量控制系统

在交流电动机控制中,励磁磁场与电枢磁势间的空间角度不是固定的,两个磁动势互不垂直,又相互影响,要想控制转矩,不但要控制定、转子电流的幅值,还要控制定、转子电流矢量之间的夹角。矢量控制基本思想是在普通交流电动机上设法模拟直流电动机转矩控制的规律,通过电动机外部的控制系统,实现对电枢磁动势相对励磁磁场进行空间定向控制,就可以直接控制两者的空间角度;若对电枢电流的幅值也进行直接控制,就可以获得与直流电动机同样的调速性能。因为既控制定子电流空间向量的相位,又控制其幅值,所以称矢量控制。在角度控制中,将电流矢量分解为产生磁通的励磁电流分量和产生转矩的转矩电流分量,并使两分量互相垂直,然后分别进行调节,这种情况称为磁场定向控制。

永磁同步电动机的矢量控制方法主要有:$i_d=0$ 控制、最大转矩电流比控制、$\cos\varphi=1$ 控制、恒磁链控制、弱磁控制等。$\cos\varphi=1$ 控制方法使电动机的功率因数恒定为1,逆变器的容量得到充分的应用。但该法在同等电流下输出转矩较小,且存在最大转矩限制的问题。恒磁链控制的方法是控制电动机定子电流,使气隙磁链与定子交链磁链的幅值相等。这种方法在功率因数较高的条件下,一定程度上提高了电动机的最大输出转矩,但仍然存在最大输出转矩的限制。

采用 $i_d=0$ 转子磁场定向矢量控制的永磁同步电动机调速系统的原理如图5－5所示。调速系统由以下四部分组成:

(1) 位置和速度检测模块;

(2) 电流环、速度环 PI 控制器;

(3) 坐标变换模块;

(4)SVPWM 模块和逆变模块。

控制过程:给定速度信号与检测到的速度信号相比较,经速度 PI 控制器的调节后,输出交轴电流分量作为电流 PI。调节器的给定信号 i_{qref}。同时,经坐标变换后,定子反馈电流变为 i_d,i_q,控制直轴给定电流 $i_{dref}=0$,与变换后得到的直轴电流 i_d 相比较,经过PID 调节器后输出直轴电压 u_{dref};给定交轴电流 i_{qref} 与变换后得到的交轴电流 i_q 相比较,经过PID 调节器后输出交轴电压 u_{qref},然后经过2r/2s 变换得到 α,β 轴电压。最后通过SVPWM 模块输出六路控制信号驱动逆变器工作,输出可变幅值和频率的三相正弦电流输入电动机定子三相绕组。

5.2.2 弱磁控制

采用 PWM 方式逆变器向电动机所能提供的最大相电压和最大相电流受到整流器能输出的直流电压电流极值的限制。

在正弦稳态情况下,由式(5－17) 可知,两相旋转 dq 坐标系中的电压方程为

$$\begin{cases}u_d=R_s i_d-\omega_r L_q i_q\\u_q=R_s i_q+\omega_r L_d i_d+\omega_r\boldsymbol{\psi}_f\end{cases}\tag{5-23}$$

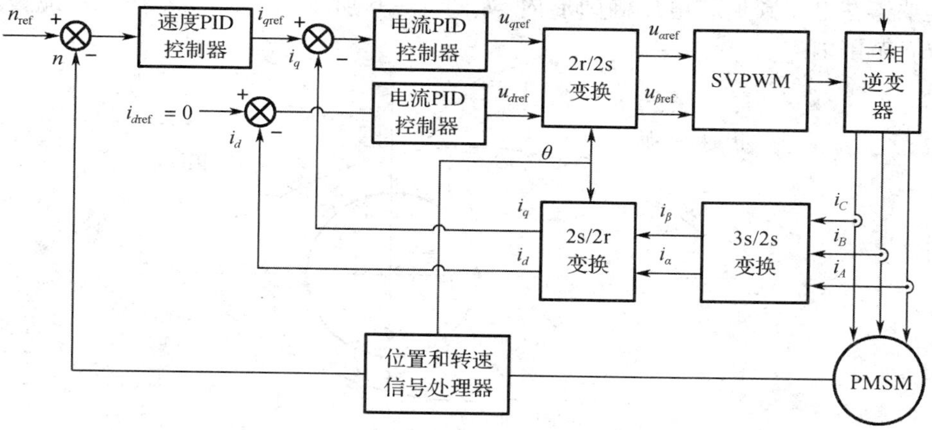

图5-5 永磁同步电动机矢量控制系统结构图

且有

$$|\boldsymbol{u}_s| = \sqrt{u_d^2 + u_q^2} \tag{5-24}$$

式中 $|\boldsymbol{u}_s|$ —— 定子电压矢量幅值。

在稳态情况下(额定转速下),若忽略定子电阻压降,式(5-24)可写为

$$|\boldsymbol{u}_s|^2 = (\omega_r\boldsymbol{\psi}_f + \omega_r L_d i_d)^2 + (\omega_r L_q i_q)^2 \tag{5-25}$$

将式(5-25)表示为

$$\frac{\left(i_d + \frac{\boldsymbol{\psi}_f}{L_d}\right)^2}{\left(\frac{|\boldsymbol{u}_s|}{\omega_r L_d}\right)^2} + \frac{i_q^2}{\left(\frac{|\boldsymbol{u}_s|}{\omega_r L_q}\right)^2} = 1 \tag{5-26}$$

式(5-26)实际上是一个椭圆方程,可以表达成如下形式

$$\frac{(i_d + C)^2}{A^2} + \frac{i_q^2}{B^2} = 1 \tag{5-27}$$

式中 $A = \frac{|\boldsymbol{u}_s|}{\omega_r L_d}$,为椭圆半长轴的长度;

$B = \frac{|\boldsymbol{u}_s|}{\omega_r L_q}$,为椭圆半短轴的长度;

$C = -\frac{\boldsymbol{\psi}_f}{L_d}$,为椭圆中心相对于坐标原点的偏移量。

同样,逆变器输出电流的能力也要受到其容量的限制,若以定子电流矢量的两个分量表示,则有

$$i_d^2 + i_q^2 = \boldsymbol{i}_s^2 \tag{5-28}$$

由式(5-27)和式(5-28)构成了电压椭圆曲线和电流圆形曲线。设电流圆形曲线的外圆为电流额定极限值,则定子电流要限制在电流圆形曲线内,超出此圆形的电流便超出逆变器电流输出范围,实际上是不能输出的。

由式(5-27)可以看出,电压椭圆曲线的中心是固定的,但椭圆的大小随着转速 ω_r 的增加而减小。因为定子电流矢量 $\boldsymbol{i}_s$ 既要满足电流方程,又要满足电压方程,所以定子电流矢

量一定要落在电流圆形和电压椭圆形内。如图 5 - 6 所示，当 $\omega_r = \omega_{r1}$ 时，$\boldsymbol{i}_s$ 应被限制在 $ABCDEF$ 范围内。

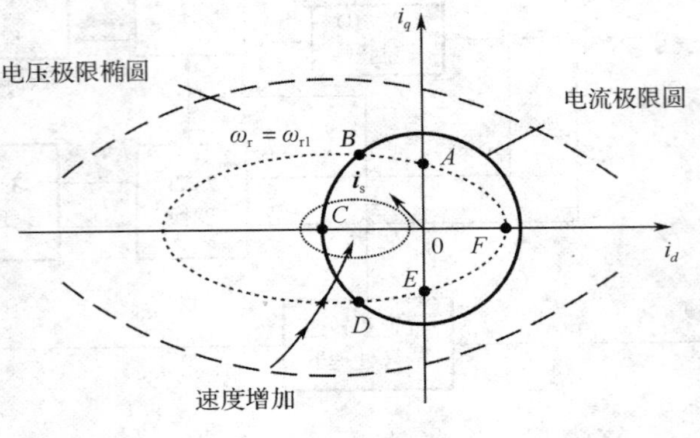

图 5 - 6　弱磁方式电流控制的运行状况

弱磁控制与定子电流最优控制如图 5 - 7 所示，图中给出了电压椭圆、电流圆形曲线、最大转矩/电流比轨迹和最大功率输出轨迹。对于面装式永磁同步电动机，该轨迹即为 q 轴，两轨迹与电流极限值各相交于 A_1。落在电流极限圆内的轨迹为 OA_1 线段，即电动机可在此段轨迹内的每一点上作恒转矩运行，通过该点的电压椭圆对应的速度就是电动机可以达到的最高速度。恒转矩值愈高，电压椭圆愈大，可达到的最高转速愈低。其中，A_1 点与最大转矩输出对应，可以看出，当电动机运行于 A_1 点时，由于 A_1 点是电流圆形曲线的边缘，电流调节器已处于饱和状态，使控制系统丧失了对定子电流的控制能力。在这种情况下，电流矢量 $\boldsymbol{i}_s$ 将会脱离 A_1 点，如果在 A_1 点能够控制交轴分量 i_q 逐渐减小，直轴分量 i_d 逐渐增大，那么定子电流将会向左移动。$\boldsymbol{i}_s$ 的这种变化会使定子电压 $|\boldsymbol{u}_s|$ 减小，当 $|\boldsymbol{u}_s|$ 减小到使调节器脱离饱和状态时，系统就可以恢复对定子电流的控制功能。定子交、直轴电流的这种变化会使转子的速度范围得到逐步扩展，其原因为反向直轴电流产生的磁动势会对永磁体产生去磁作用，减弱了直轴磁场，这一过程称为弱磁，在弱磁过程中，对 i_d，i_q 的控制称为弱磁控制。

在弱磁控制中，一直保持定子电流为额定值，则定子电流矢量 $\boldsymbol{i}_s$ 的轨迹将会由 A_1 点沿着圆周逐步移向 A_2 点，当控制 $\theta_{sr} = 180°$ 时，定子电流全部为去磁电流。

5.2.3　$i_d = 0$ 控制

$i_d = 0$ 控制称为（转子）磁场定向控制。其本质是实现 d，q 轴电流解耦，使定子电流中只有交轴分量。从电动机端口看，相当于一台他励直流电动机，定子磁动势矢量与永磁体磁场空间矢量正交，且定子电流与转子永磁磁通相互独立。电流中只有交轴分量，且定子电流矢量位于 q 轴，无 d 轴分量（$i_d = 0$），该控制方法简单，计算量小，没有电枢反应对电动机的去磁问题，应用比较广泛。

将磁链方程（5 - 18）式代入永磁同步电动机转矩方程（5 - 19）式，得

$$T_e = p_n[\boldsymbol{\psi}_f i_d + (L_d - L_q) i_d i_q] \tag{5-29}$$

从式（5 - 29）可以看出，永磁同步电动机的电磁转矩基本上取决于定子交轴电流分量和直轴电流分量，在永磁同步电动机中，由于转子磁链恒定不变，故采用转子磁链定向方式来控制永磁同步电动机。

采用转子磁链定向的永磁同步电动机矢量图如图 5 - 8 所示。当 $i_d = 0$ 时，定子磁动势空

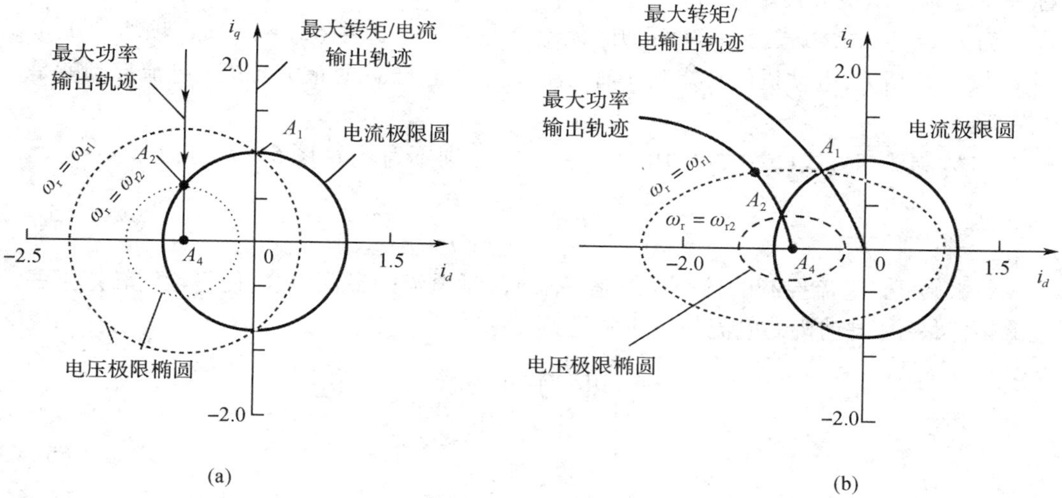

图 5 - 7　弱磁控制与定子电流最优控制

间矢量与永磁体磁场空间矢量正交，定子电流全部用来产生转矩，永磁同步电动机电磁转矩方程为

$$T_e = p_n \boldsymbol{\psi}_f i_q = p_n \boldsymbol{\psi}_f \boldsymbol{i}_s \tag{5-30}$$

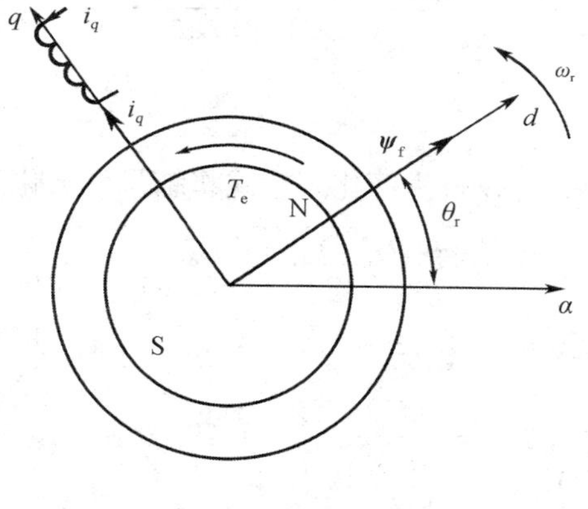

图 5 - 8　$i_d = 0$ 控制时永磁同步电动机矢量控制图

$i_d = 0$ 控制条件时 i_d, i_q 之间没有耦合关系。只要能准确检测出转子 d 轴的空间位置，控制逆变器使三相定子的合成电流矢量位于 q 轴上，就能使永磁同步电动机的电磁转矩只与定子电流的幅值 $\boldsymbol{i}_s$ 成正比。即直接控制定子电流幅值来控制转矩。

按转子磁场定向并使 $i_d = 0$ 的控制方法控制简单，转矩性能好，调速范围宽，多在高性能的控制场合应用。但伴随着负载增加，定子电流增大，定子反电动势随之增大使得定子电压升高，同时定子电压与 d 轴夹角增大导致功率因数降低，引起逆变器的容量相应地增加。这种控制方式多应用于小容量调速系统。

5.2.4　最大转矩／电流控制

最大转矩／电流控制是在电动机输出给定转矩时，控制定子电流最小的电流控方法，也称单位电流输出最大转矩控制。

当 $L_d = L_q$ 时，由式(5－29)可知，无论 i_d 是否为0，式中 $(L_d - L_q)i_d i_q$ 项均为0，电磁转矩 T_e 仅与 i_q 相关，电动机的转矩与 q 轴电流成线性变化，此时最大转矩/电流控制就是 $i_d = 0$ 控制。

当 $L_d \neq L_q$ 时，式(5－29)中的 $(L_d - L_q)i_d i_q$ 项不为0，由图5－4可知

$$\begin{cases} i_d = \boldsymbol{i}_s \cos\theta_{sr} \\ i_q = \boldsymbol{i}_s \sin\theta_{sr} \end{cases} \tag{5-31}$$

最大转矩/电流控制的核心思想是寻求 d,q 轴电流的最优组合，使得给定转矩下的定子电流幅值最小。电动机的电流矢量应满足：

$$\begin{cases} \dfrac{\partial\left(\dfrac{T_e}{\boldsymbol{i}_s}\right)}{\partial i_d} = 0 \\ \dfrac{\partial\left(\dfrac{T_e}{\boldsymbol{i}_s}\right)}{\partial i_q} = 0 \end{cases} \tag{5-32}$$

把式(5－18)标幺化并和 $i_s = \sqrt{i_d^2 + i_q^2}$ 代入上式可求得

$$T_e^* = i_q^* - (\rho - 1)i_d^* i_q^* \tag{5-33}$$

$$i_d = \frac{\boldsymbol{\psi}_f - \sqrt{\boldsymbol{\psi}_f^2 + 4(\rho - 1)^2 L_d^2 L_q^2}}{2(\rho - 1)L_d} \tag{5-34}$$

式中　$\rho = \dfrac{L_q}{L_d}$。

将式(5－34)代入式(5－29)，为简化表达式将结果标幺化处理，得

$$T_e^* = \sqrt{i_d^*[(\rho - 1)i_d^* - 1]^3} \tag{5-35}$$

$$T_e^* = \frac{i_q^*}{2}\left(2 + \sqrt{1 + 4(\rho - 1)^2 i_q^{*2}}\right) \tag{5-36}$$

式中，$i_d^* = \dfrac{i_d}{\left(\dfrac{\boldsymbol{\psi}_f}{L_d}\right)}$，$i_q^* = \dfrac{i_q}{\left(\dfrac{\boldsymbol{\psi}_f}{L_d}\right)}$，$T_e^* = \dfrac{T_e}{\left(\dfrac{p\boldsymbol{\psi}_f^2}{L_d}\right)}$；$i_d^*$，$i_q^*$，$T_e^*$ 分别是电流和电磁转矩的标幺值。

由式(5－35)、式(5－36)可知，与 $i_d = 0$ 的控制方式相比较，逆变器输出同样大小的电流，获得的电磁转矩采用最大转矩/电流控制时较大；最大转矩/电流控制在满足电动机输出力矩的条件下定子电流最小，减小了电动机损耗，有利于逆变器开关器件工作，能够降低成本。在该方法的基础上，采用适当的弱磁控制方法可以改善电动机的高速性能。此方法的不足在于随着输出转矩的增大，功率因数下降较快。

5.2.5　$\cos\varphi = 1$ 控制

$\cos\varphi = 1$ 控制是使电动机的功率因数恒为1，即定子电流矢量 $\boldsymbol{i}_s$ 与电压矢量 $\boldsymbol{U}_s$ 方向重合。此时的电动机矢量图如图5－9所示。

在 $\cos\varphi = 1$ 控制中，定子电流、电压与永磁同步电动机电动势夹角相同，内功率角 γ 与 β 角关系如下：

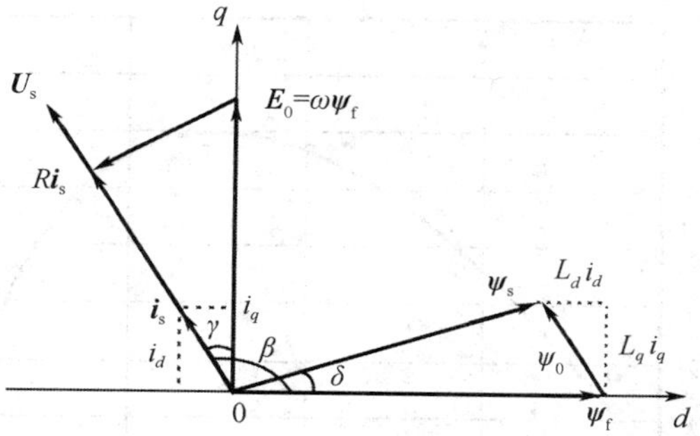

图5－9 $\cos\varphi=1$ 控制下矢量图

$$\gamma=\beta-\frac{\pi}{2} \tag{5-37}$$

设定 $I_s^*=\frac{i_s L_s}{\psi_f}$，由图5－9得

$$\tan\gamma=\frac{\rho I_s^*\cos\gamma}{1-I_s^*\sin\gamma} \tag{5-38}$$

$$\tan\left(\beta-\frac{\pi}{2}\right)=\frac{\rho I_s^*\cos\left(\beta-\frac{\pi}{2}\right)}{1-I_s^*\sin\left(\beta-\frac{\pi}{2}\right)} \tag{5-39}$$

得到

$$I_s^*=\frac{-\cos\beta}{\cos^2\beta+\rho\sin^2\beta} \tag{5-40}$$

将上式与式(5－33)联立求解，可得电动机定子的合成电流矢量 I_s^* 幅值与输出电磁转矩的关系，如图5－10所示。在 $\cos\varphi=1$ 的条件下，电磁转矩存在一个极大值。当定子电流从0开始增大时，输出电磁转矩也随之增大；当电磁转矩达到最大值 T_{emax}^*，对应的定子电流的幅值为 I_{smax}^*，过了 T_{emax}^* 点后，电磁转矩将随定子电流的增大而减小。电动机工作于转矩随定子电流增大而增大的区间时，除了转矩最大值外，对于某给定转矩 T_e^*，与之对应的总有两个电流值，所以当采用 $\cos\varphi=1$ 控制时，工作点通常应选择在 $|I_s^*|<I_{smax}^*$ 区间，才能保证系统正常工作。

由于永磁同步电动机的转子励磁无法调节，此控制下当负载变化时，电枢绕组的总磁链不为定值，因此，电枢电流与转矩无法保持线性关系。

5.2.6 恒磁链控制

恒磁链控制是通过控制定子交、直轴电流，使电动机全磁通在定子绕组中产生的磁链 ψ_s 始终保持恒定，并且与转子磁链 ψ_f 相等的控制方法。矢量图如图5－11所示：
可以得到

$$\psi_s=\sqrt{(\psi_f+L_d i_d)^2+(L_q i_q)^2} \tag{5-41}$$

因此有

$$\psi_f=\sqrt{(\psi_f+L_d i_d)^2+(L_q i_q)^2} \tag{5-42}$$

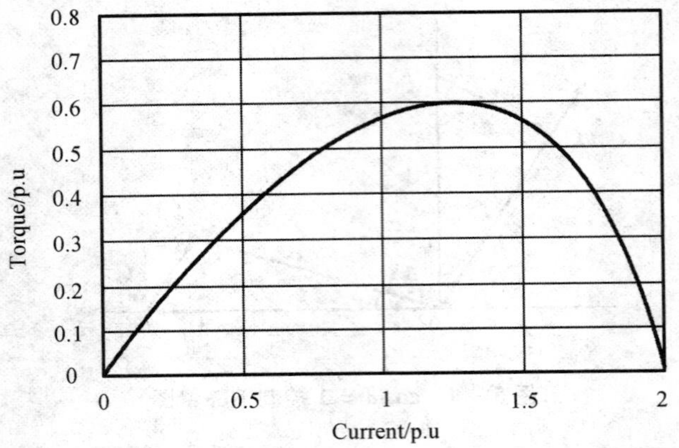

图 5 - 10　$\cos\varphi = 1$ 控制时永磁同步电动机定子电流与电磁转矩关系曲线

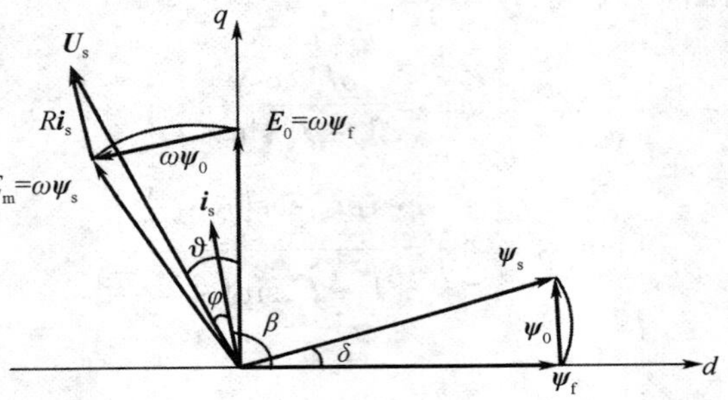

图 5 - 11　恒磁链控制下矢量图

结合式(5 - 31) 可得

$$i_s = \frac{-2L_d\psi_f\cos\theta_{sr}}{L_d^2\cos^2\theta_{sr} + L_q^2\sin^2\theta_{sr}} \tag{5-43}$$

将式(5 - 31) 带入式(5 - 18) 可得

$$T_e = \frac{3}{2}p_n\left[\psi_f i_s\sin\theta_{sr} + \frac{1}{2}(L_d - L_q)i_s^2\sin2\theta_{sr}\right] \tag{5-44}$$

联立式(5 - 33)、(5 - 34) 得到电磁转矩与电流以及角之间的关系。

恒磁链控制时的电动机输入功率因数为

$$\cos\varphi = \cos\left[\vartheta - \left(\theta_{sr} - \frac{\pi}{2}\right)\right] = \sin(\theta_{sr} - \vartheta) \tag{5-45}$$

式中　$\vartheta = \tan^{-1}\dfrac{\omega L_q i_q}{E_0 - \omega L_d i_d}$;

$\theta_{sr} = \pi - \tan^{-1}\dfrac{i_q}{i_d}$。

恒磁链控制方法与 $i_d = 0$ 控制方法比较,可以获得较高的功率因数,在一定程度上提高了电动机的最大输出力矩,并且在输出相同转矩情况下,需要的逆变器容量比 $i_d = 0$ 方式小,但去磁分量大。

5.3 谐波转矩及其削弱方法

5.3.1 谐波转矩

在分析谐波转矩时，作如下假定：

(1) 不考虑永磁体和转子的阻尼效应；

(2) 转子励磁磁场对称分布；

(3) 定子电流不含偶次谐波。

为产生恒定电磁转矩，要求永磁同步电动机的电动势和电流均为正弦波。实际上，永磁励磁磁场在空间的分布不可能是完全正弦的，感应电动势的波形一定会发生畸变；由逆变器馈入的定子电流，尽管经过调制可以逼近正弦波，但其中还含有许多谐波。

若定子为Y连接，且没有中性线，则定子相电流中不含3次和3的倍数次谐波。在基于转子磁场的矢量控制中，若控制$\beta = 90°$电角度，在稳态下，相绕组中定子电流基波与感应电动势基波同相位。于是，可将相电流和感应电动势写为

$$i_A(t) = I_{m1}\sin\omega_r t + I_{m5}\sin5\omega_r t + I_{m7}\sin7\omega_r t + \cdots \tag{5-46}$$

$$e_A(t) = E_{m1}\sin\omega_r t + E_{m5}\sin5\omega_r t + E_{m7}\sin7\omega_r t + \cdots \tag{5-47}$$

式中 ω_r——转子电角速度，电动机在稳定运行时，就是电源角频率。

A相电磁功率为

$$P_{eA} = e_A(t)I_A(t) = P_0 + P_4\cos2\omega_r t + P_4\cos4\omega_r t + P_6\cos6\omega_r t + \cdots \tag{5-48}$$

同理，可写出B相、C相的电磁功率为

$$P_{eB} = e_B(t)I_B(t) = P_0 + P\cos2\left(\omega_r t - \frac{2\pi}{3}\right) + P_4\cos4\left(\omega_r t - \frac{2\pi}{3}\right) + P_6\cos6\left(\omega_r t - \frac{2\pi}{3}\right) + \cdots \tag{5-49}$$

$$P_{eC} = e_C(t)I_C(t) = P_0 + P\cos2\left(\omega_r t + \frac{2\pi}{3}\right) + P_4\cos4\left(\omega_r t + \frac{2\pi}{3}\right) + P_6\cos6\left(\omega_r t + \frac{2\pi}{3}\right) + \cdots \tag{5-50}$$

电磁转矩为

$$\begin{aligned} T_e(t) &= \frac{1}{\Omega_r}(p_{eA} + p_{eB} + p_{eC}) \\ &= T_0 + T_6\cos6\omega_r t + T_{12}\cos12\omega_r t + T_{18}\cos18\omega_r t + T_{24}\cos24\omega_r t + \cdots \end{aligned} \tag{5-51}$$

式中

$$T_0 = \frac{3}{2\Omega_r}(E_{m1}I_{m1} + E_{m5}I_{m5} + E_{m7}I_{m7} + E_{m11}I_{m11} + \cdots)$$

$$T_6 = \frac{3}{2\Omega_r}[I_{m1}(E_{m7} - E_{m5}) + I_{m5}(E_{m11} - E_{m1}) + I_{m7}(E_{m1} + E_{m13}) + I_{m11}(E_{m5} + E_{m17}) + \cdots]$$

$$T_{12} = \frac{3}{2\Omega_r}[I_{m1}(E_{m13} - E_{m11}) + I_{m5}(E_{m17} - E_{m7}) + I_{m7}(E_{m19} - E_{m5}) + I_{m11}(E_{m23} - E_{m1}) + \cdots]$$

$$T_{18} = \frac{3}{2\Omega_r}[I_{m1}(E_{m19} - E_{m17}) + I_{m5}(E_{m23} - E_{m13}) + I_{m7}(E_{m25} - E_{m11}) + I_{m11}(E_{m29} - E_{m7}) + \cdots]$$

$$T_{24} = \frac{3}{2\Omega_{\mathrm{r}}}[I_{\mathrm{m1}}(E_{\mathrm{m25}} - E_{\mathrm{m23}}) + I_{\mathrm{m5}}(E_{\mathrm{m29}} - E_{\mathrm{m19}}) + I_{\mathrm{m7}}(E_{\mathrm{m31}} - E_{\mathrm{m17}}) + I_{\mathrm{m11}}(E_{\mathrm{m35}} - E_{\mathrm{m13}}) + \cdots]$$

写成矩阵的形式，有

$$\begin{bmatrix} T_0 \\ T_6 \\ T_{12} \\ T_{18} \end{bmatrix} = \frac{3}{2\Omega_{\mathrm{r}}}\begin{bmatrix} E_{\mathrm{m1}} & E_{\mathrm{m1}} & E_{\mathrm{m1}} & E_{\mathrm{m1}} \\ E_{\mathrm{m7}} - E_{\mathrm{m5}} & E_{\mathrm{m11}} - E_{\mathrm{m1}} & E_{\mathrm{m13}} + E_{\mathrm{m1}} & E_{\mathrm{m17}} + E_{\mathrm{m5}} \\ E_{\mathrm{m13}} - E_{\mathrm{m11}} & E_{\mathrm{m17}} - E_{\mathrm{m7}} & E_{\mathrm{m19}} - E_{\mathrm{m5}} & E_{\mathrm{m23}} - E_{\mathrm{m1}} \\ E_{\mathrm{m19}} - E_{\mathrm{m17}} & E_{\mathrm{m23}} - E_{\mathrm{m13}} & E_{\mathrm{m25}} - E_{\mathrm{m11}} & E_{\mathrm{m29}} - E_{\mathrm{m7}} \end{bmatrix}\begin{bmatrix} I_{\mathrm{m1}} \\ I_{\mathrm{m5}} \\ I_{\mathrm{m7}} \\ I_{\mathrm{m11}} \end{bmatrix} \tag{5-52}$$

上述分析表明，次数相同的感应电动势和电流谐波作用后产生平均转矩，不同次数谐波电动势和电流作用将产生脉动频率为基波频率6倍的谐波转矩，各谐波转矩的幅值与感应电动势和电流波形的畸变程度有关。

定义转矩脉动系数为

$$\delta = \frac{T_p}{T_0} \tag{5-53}$$

式中 T_0—— 平均转矩；

T_p—— 转矩峰 - 峰值间的脉动幅度。

感应电动势中的谐波是由永磁励磁磁场在定子绕组中感应的，因此它与励磁磁场和定子绕组的空间分布有关。定子基波电流和各次谐波电流，除了产生基波磁动势外，还会产生谐波磁动势。下面从永磁励磁磁场与定子磁动势间相互作用的角度来分析谐波转矩，因为此类谐波转矩实质是由定、转子磁场相互作用生成。

定子 k 次谐波电流产生的 γ 次谐波磁动势波为

$$f_{sk} = F_{sk}\sin(k\omega_{\mathrm{r}}t \pm \gamma\theta_{\mathrm{s}}) \tag{5-54}$$

式中 $k = 1,5,7\cdots$；

$\gamma = 1,5,7\cdots$；

θ_{s}—— 沿定子内圆的空间坐标。

这些旋转磁动势波的速度和方向为

$$\omega_{\mathrm{r}k} = \pm\frac{k}{\gamma}\omega_{\mathrm{r}} \tag{5-55}$$

式中 “+”号 —— 与基波磁动势旋转方向相同；

“-”号 —— 与基波磁动势旋转方向相反。

两个谐波次数不同的旋转磁场相互作用不会产生电磁转矩，只有次数相同的谐波磁场相互作用才会产生电磁转矩。如果这两个谐波磁场转速相同，便会产生平均转矩，否则只能产生脉动转矩，其平均值一定为零。

如果 ε 是转子永磁励磁磁场的谐波次数，$\varepsilon = 1,5,7,\cdots$，那么只有在满足 $\varepsilon = \gamma$ 的条件下，才会产生转矩。当转子速度为 ω_{r} 时，这个转矩的脉动频率为

$$\omega_{\mathrm{r}\varepsilon} = \gamma\left[\omega_{\mathrm{r}} - \left(\pm\frac{k}{\gamma}\omega_{\mathrm{r}}\right)\right] = (\gamma \mp k)\omega_{\mathrm{r}} \tag{5-56}$$

式中 “+”—— 与反向旋转磁动势波相对应；

“-”—— 与正向旋转磁动势波相对应。

例如，当 $k = 5$ 和 $\gamma = 7$ 时，转矩脉动频率为 $12\omega_{\mathrm{r}}$，因为5次谐波电流产生的空间磁动势中的7次谐波相对定子反向旋转，速度为 $\left(-\frac{5}{7}\right)\omega_{\mathrm{r}}$，它相对转子的速度为 $\left(\frac{12}{7}\right)\omega_{\mathrm{r}}$，若转子励

磁磁场中存在 7 次谐波($\varepsilon=\gamma=7$)，则两者产生转矩的脉动频率为 $12\omega_r$。依次，可列表 5－1，表中的数据为各脉动转矩频率(以 ω_r 的倍数给出)。

表 5－1 脉动转矩频率

k	γ										
	1	5	7	11	13	17	19	23	25	29	…
1	0	6	6	12	12	18	18	24	24	30	
5	6	0	12	6	18	12	24	18	30	24	
7	6	12	0	18	6	24	12	30	18	36	
11	12	6	18	0	24	6	30	12	36	18	
13	12	18	6	24	0	30	6	36	12		
17	18	12	24	6	30	0	36	6	42		
19	18	24	12	30	6	36	0	42	6		
23	24	18	30	12	36	6	42	0	48		
25	24	30	18	36	12	42	6	48	0		
29	30	24		18	42						
31					18						

表 5－1 中，列出的定子 k 次谐波电流产生的 γ 次谐波磁场与转子 ε 次谐波励磁磁场生成的谐波转矩，条件是 $\varepsilon=\gamma$。转矩谐波的次数为($\gamma\mp k$)，($\gamma\mp k$)应为 6 的整数倍，并可由此来决定两者是相加还是相减。于是，可将整个转矩表示为

$$T_e=\sum_{\gamma=k}T_{\gamma k}\pm\sum_{\gamma\neq k}T_{\gamma k}\frac{3}{2\Omega_r}\cos(\gamma\mp k)\omega_r t\qquad k=1,5,7,\cdots;\gamma=1,5,7,\cdots\tag{5-57}$$

式中 $T_{\gamma k}$—— 谐波转矩的幅值。

式(5－57)中，当 $\varepsilon=\gamma$ 时，可以产生平均转矩；当($\gamma-k$)为 6 的整数倍时，取正值；当($\gamma+k$)为 6 的整数倍时，取负值。亦即，当 $\gamma\neq\varepsilon$ 时，会产生谐波转矩，谐波转矩的脉动频率等于馈电频率的 $6n$ 倍，$n=1,2,3,\cdots$。此式对于 3 种转子结构的永磁同步电动机都适用。

式(5－57)右端第一项 $k=\gamma$ 表示 k 次谐波电流产生了 γ 次定子谐波磁场。例如，当 $k=5$ 时，$\gamma=5$，是指式(5－46)中 5 次谐波电流产生的 5 次谐波磁动势，由该磁动势产生了 5 次定子谐波磁场。若转子永磁体励磁磁场中也存在 5 次谐波磁场，则这两个定、转子谐波磁场相互作用会产生平均电磁转矩。因为 5 次谐波电流产生的基波磁动势相对定子的速度为 $-5\omega_r$，而 5 次谐波电流产生的 5 次谐波磁动势相对速度为 ω_r，它产生的 5 次定子谐波磁场与转子 5 次谐波磁场在空间相对静止，所以会产生平均转矩。其中，定子 5 次谐波磁场幅值 I_{m5}，而转子 5 次谐波磁场幅值决定了感应电动势中 5 次谐波分量的幅值，分析表明，此平均转矩为 $\left(\frac{2}{3}\Omega_r\right)(E_{m5}I_{m5})$。这样的结果同样适用于 $k=1,7,11,\cdots$

对于 $k\neq\gamma$ 的情况，是指 k 次谐波电流产生的 γ 次定子谐波磁场($k\neq\gamma$)与转子 ε 次谐

波磁场（$\varepsilon=\gamma$）相互作用，因两者不再相对静止，产生了脉动转矩，可将其表示为 $\left(\frac{2}{3}\Omega_r\right)(E_{m\varepsilon}I_{mk})$。

于是，可将式（5－57）表示为

$$T_e=\frac{3}{2\Omega_r}\left[\sum_{\varepsilon=k}E_{m\varepsilon}I_{mk}\pm\sum_{\varepsilon\neq k}E_{m\varepsilon}I_{mk}\cos(\varepsilon\mp k)\omega_r t\right]\quad \varepsilon=1,5,7,\cdots;k=1,5,7,\cdots \tag{5-58}$$

式中，当（$\varepsilon-k$）为 6 的整数倍时，取正值；当（$\varepsilon+k$）为 6 的整数倍时，取负值。

将式（5－56）展开，便得到式（5－51）的形式。

关于转速波动方面，将式（5－57）表示为

$$T_e=T_0\pm\sum T_{ek} \tag{5-59}$$

式中　T_0——平均转矩；

$\sum T_{ek}$——脉动转矩。

即有

$$T_0=\frac{3}{2\Omega_r}\sum_{\varepsilon=k}E_{m\varepsilon}I_{mk}\quad \varepsilon=1,5,7,\cdots;k=1,5,7,\cdots \tag{5-60}$$

$$\sum T_0=\pm\frac{3}{2\Omega_r}\sum_{\varepsilon\neq k}E_{m\varepsilon}I_{mk}\cos(\varepsilon\mp k)\omega_r t\quad \varepsilon=1,5,7,\cdots;k=1,5,7,\cdots \tag{5-61}$$

电动机的机械特性方程为

$$T_e-T_L=R_\Omega\Omega_r+J\frac{d\Omega_r}{dt} \tag{5-62}$$

在谐波转矩作用下，转速会产生波动，可将实际转速 Ω_r 表示为

$$\Omega_r=\Omega_{rv}+\sum\Omega_{rk} \tag{5-63}$$

式中　Ω_{rv}——平均转速。

将式（5－59）和式（5－63）分别代入式（5－62）中，可得

$$T_0+\sum T_{ek}-T_L=R_\Omega\left(\Omega_{rv}+\sum\Omega_{rk}\right)+J\frac{d}{dt}\left(\Omega_{rv}+\sum\Omega_{rk}\right) \tag{5-64}$$

于是，有

$$\sum T_{ek}=R_\Omega\sum\Omega_{rk}+J\frac{d}{dt}\left(\sum\Omega_{rk}\right) \tag{5-65}$$

若忽略 $R_\Omega\sum\Omega_{rk}$ 项，则有

$$\sum\Omega_{rk}=\frac{1}{J}\int\sum T_{ek}dt \tag{5-66}$$

将式（5－60）和式（5－61）代入（5－65），可得

$$\Omega_r=\Omega_{rv}\pm\frac{1}{J}\int\frac{3}{2\Omega_r}\sum_{\varepsilon\neq k}E_{m\varepsilon}I_{mk}\cos(\varepsilon\mp k)\omega_r dt \tag{5-67}$$

最后可得到转速方程为

$$\Omega_r=\Omega_{rv}\pm\frac{3}{2}\frac{1}{Jp}\frac{1}{\Omega_r^2}\sum_{\varepsilon\neq k}\frac{1}{(\varepsilon\mp k)}E_{m\varepsilon}I_{mk}\sin(\varepsilon\mp k)\omega_r t \tag{5-68}$$

式（5－68）表明，在脉动转矩作用下，电动机转速产生了一系列谐波分量，各次谐波分

量的幅值与转速的平方成反比，这会使电动机允许的最低转速受到限制，也会直接影响到低速时电动机的伺服性能。

系统的转动惯量值 J 对转速波动影响很大，增大转动惯量可以有效抑制转速波动，但过大的惯量会影响系统的动态响应能力。

在谐波转速幅值相同的情况下，谐波次数（$\varepsilon \mp k$）愈低，对转速波动影响愈大，应尽量消除 6 次和 12 次等低次谐波转矩。

5.3.2 谐波转矩削弱方法

通常，将因感应电动势和电流波形畸变引起的谐波转矩称为纹波转矩。为减小纹波转矩，应使电流和感应电动势波形尽可能地接近理想正弦波。

如前所述，若由电流可控PWM逆变器供电，可采用各种调制技术，使定子电流快速跟踪正弦参考电流，所以低次谐波含量不大，而会含有较丰富的高次谐波，但高次谐波的幅值较小，由此产生的高频转矩脉动很容易被转子滤掉。现假设定子电流为正弦波，则式（5－52）变为

$$\begin{bmatrix} T_0 \\ T_6 \\ T_{12} \\ T_{18} \end{bmatrix} = \frac{3}{2}\frac{I_m}{\Omega_r}\begin{bmatrix} E_{m1} \\ E_{m7} - E_{m5} \\ E_{m13} - E_{m11} \\ E_{m19} - E_{m17} \end{bmatrix} \tag{5-69}$$

式（5－69）表明，此时谐波转矩是由感应电动势谐波引起的。为消除感应电动势中的谐波，首先应使永磁体产生的励磁磁场尽量按正弦分布，以降低磁场中各次谐波的幅值，这可以通过改变永磁体的形状和极弧宽度，或者采用其他有效措施来实现；其次在绕组设计上可以采用短距和分布绕组，尽量削弱或消除各次谐波电动势。

除了在电动机设计方面努力外，还可以从控制角度采取措施消除或减小转矩脉动。关于这方面取得的研究成果已有大量文献发表。下面，通过举例来说明这个问题。

现要基本消除 6 次和 12 次谐波转矩。由（5－52）或式（5－57），已知 6 次和 12 次谐波转矩分别为

$$T_6 = \frac{3}{2\Omega_r}[I_{m1}(E_{m7} - E_{m5}) + I_{m5}(E_{m11} - E_{m1}) + I_{m7}(E_{m1} + E_{m13}) + I_{m11}(E_{m5} + E_{m17}) + \cdots] \tag{5-70}$$

$$T_{12} = \frac{3}{2\Omega_r}[I_{m1}(E_{m13} - E_{m11}) + I_{m5}(E_{m17} - E_{m7}) + I_{m7}(E_{m19} - E_{m5}) + I_{m11}(E_{m23} - E_{m1}) + \cdots] \tag{5-71}$$

在定子电流和转子永磁励磁磁场中，5 次和 7 次谐波是主要的，若忽略 11 次以上的谐波，根据式（5－70）和式（5－71），可得

$$I_{m1}(E_{m7} - E_{m5}) + (-E_{m1}I_{m5}) + I_{m7}E_{m1} = 0 \tag{5-72}$$

$$-I_{m5}E_{m7} + (-I_{m7}E_{m5}) = 0 \tag{5-73}$$

由式（5－72）和式（5－73），可解出

$$I_{m5} = \frac{E_{m5}(E_{m7} - E_{m5})}{E_{m1}(E_{m5} + E_{m7})}I_{m1} \tag{5-74}$$

$$I_{m7}=\frac{E_{m7}(E_{m5}-E_{m7})}{E_{m1}(E_{m5}+E_{m7})}I_{m1} \tag{5-75}$$

对于给定的电动机,通过磁场计算或试验可求出 E_{m1},E_{m5} 和 E_{m7}。由转矩指令可得到 I_{m1} 大小,根据式(5 - 74) 和式(5 - 75),可解出 I_{m5} 和 I_{m7}。显然,如果向正弦参考电流注入这样的 5 次、7 次谐波电流,将会有利于消除 6 次和 12 次转矩谐波。

在高次谐波磁场中,有一种谐波的次数为

$$\gamma_Z=\frac{Z}{p}\pm 1 \tag{5-76}$$

式中　Z—— 定子齿数。

通常,将这类谐波称为齿谐波。

常将因定子开槽引起的齿谐波磁场所产生的谐波转矩称为齿槽转矩。图 5 - 12 所示是面装式永磁同步电动机一个极下的物理模型。定子采用开口槽,槽宽为 b_1,齿宽为 a_1,齿距 $\lambda_1=a_1+b_1$,若忽略曲率半径影响,可认为槽和齿各自都是等宽的。

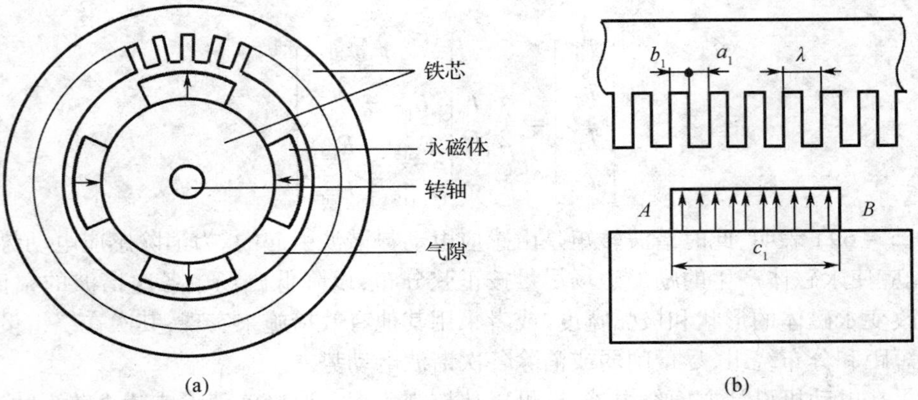

图 5 - 12　面装式永磁同步电动机一个极下的物理模型

图 5 - 12(b) 中,当转子旋转时,处于永磁体中间部分的定子齿与永磁体间的磁导几乎不变,而与永磁体两侧面 A 和 B 对应的由一个或两个定子齿构成的一小段封闭区域内的磁导变化却很大,导致磁场储能改变,由此产生了齿槽转矩,如图 5 - 13 所示。可以看出,这是一个周期函数,其基波分量波长与齿距一致,而且基波分量是齿槽转矩的主要部分。

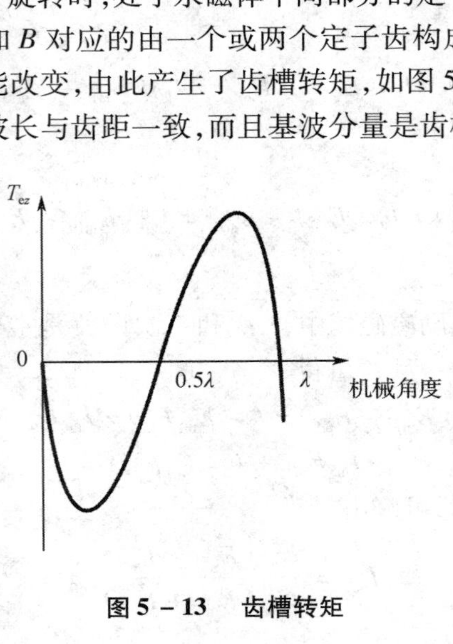

图 5 - 13　齿槽转矩

齿槽转矩会降低电动机位置伺服的定位精度，特别在低速时更严重。因此，必须采取各种措施来削弱和消除齿槽转矩。

合理选择永磁体宽度 c_1 或选择合适的齿槽宽度比$\frac{a_1}{b_1}$，都可以减小气隙磁导的变化。定子斜槽或转子斜极是削弱或消除齿槽转矩的有效措施。定子斜槽斜一个齿距，可基本消除齿槽转矩；也可以通过转子斜极达到与斜槽同样的效果，但因永磁体难以加工，转子斜极比较困难，可以采用多块永磁体连续移位的措施，使其能达到与定子斜极同样的效果。

齿谐波的特点是绕组因数与基波绕组因数相同，因此不能采用短距和分布绕组来削弱。同电励磁同步电动机一样，可以采用分数槽绕组来削弱谐波，这种方法在低速永磁同步电动机中获得了广泛应用。

5.4 电压空间矢量SVPWM技术的基本原理

PWM控制技术是利用半导体开关器件的导通与关断把直流电压变成电压脉冲序列，并通过控制电压脉冲宽度或周期以达到变频、调压及减少谐波含量的一种控制技术。初期PWM逆变控制的目标被定位在电压正弦变化，希望直流电压利用率高而谐波含量低，在此目标下产生了电压型逆变电路。这种电路就其输出电流而言是开环的，它可能远非正弦波，因为电压源逆变电路中，输出电流的波形受到负载参数的影响。分析表明，电动机电流谐波不仅使损耗增加，还会产生脉动转矩，影响电动机性能，由此出现了电流型控制方式逆变器，它直接追求输出电流的正弦化，这比只着眼于电压输出的正弦化近了一步。然而，就交流调速而言，电动机电流正弦化的目的是希望在空间建立圆形磁链轨迹，从而产生恒定的电磁转矩。按磁链轨迹为圆的目标形成PWM控制信号，称为磁链跟踪控制，由于磁链轨迹可借助电压空间矢量相加得到，故又称电压空间矢量控制。

5.4.1 电压空间矢量与磁链矢量的关系

空间矢量的概念始于电动机分析，将外加电压分别定义于电动机三相定子绕组上，由于电动机绕组在空间互差120°分布，故电动机定子电压可用空间矢量表示。当三相对称正弦波电源供电时，加到电动机定子三相绕组上的三相对称电压为

$$\begin{cases} \boldsymbol{u}_A = \dfrac{2}{3}U_\mathrm{d}\cos\omega t \\ \boldsymbol{u}_B = \dfrac{2}{3}U_\mathrm{d}\cos(\omega t - 2\pi/3) \\ \boldsymbol{u}_C = \dfrac{2}{3}U_\mathrm{d}\cos(\omega t + 2\pi/3) \end{cases} \tag{5-77}$$

式中 U_d—— 直流母线电压值；

ω_s—— 电源频率；

$\boldsymbol{u}_A,\boldsymbol{u}_B,\boldsymbol{u}_C$—— 分别为三相定子绕组的相电压。

定义电压矢量 $\boldsymbol{u}_A,\boldsymbol{u}_B,\boldsymbol{u}_C$，其方向在各定子绕组轴线上，在空间互差120°，其相加的合成矢量 $\boldsymbol{U}$ 也为空间矢量，且可表示为

$$\boldsymbol{U} = \boldsymbol{u}_A + \boldsymbol{u}_B + \boldsymbol{u}_C \tag{5-78}$$

根据三相系统向两相系统变换前后功率不变的原则，定子电压的空间矢量可以表示为

$$\boldsymbol{U} = \sqrt{\frac{2}{3}}(\boldsymbol{u}_A + \mathrm{e}^{\mathrm{j}120^\circ}\boldsymbol{u}_B + \mathrm{e}^{\mathrm{j}240^\circ}\boldsymbol{u}_C) = \sqrt{\frac{2}{3}}U_{\mathrm{d}}\mathrm{e}^{\mathrm{j}\omega t} \tag{5-79}$$

当电动机转速不是很低时，定子绕组电阻压降可忽略不计，电动机气隙中磁通可表示为

$$\boldsymbol{\phi} = \int \boldsymbol{U}\mathrm{d}t = \int |\boldsymbol{U}|\mathrm{e}^{\mathrm{j}\omega t}\mathrm{d}t = \frac{|\boldsymbol{U}|}{\omega}\mathrm{e}^{\mathrm{j}(\omega t-\frac{\pi}{2})} = \frac{|\boldsymbol{U}|}{2\pi f}\mathrm{e}^{\mathrm{j}(\omega t-\frac{\pi}{2})} \tag{5-80}$$

由此可见，磁通矢量是一个落后于电压矢量 90° 的旋转矢量。磁通矢量的轨迹为圆，其半径 r 为

$$r = \frac{|\boldsymbol{U}|}{2\pi f} \tag{5-81}$$

这样，电动机旋转磁场的形状问题就可转化为电压空间矢量运动轨迹的形状问题来讨论。由式(5－81)可知，当供电电压与频率之比为常数时，磁通轨迹圆的半径也为常数。这样随着 ω 的变化，磁通矢量顶点的运动轨迹就形成了一个以 r 为半径的圆形，即得到了一个理想的磁通圆，SVPWM 法就是以此理想磁通圆为基准圆进行控制。

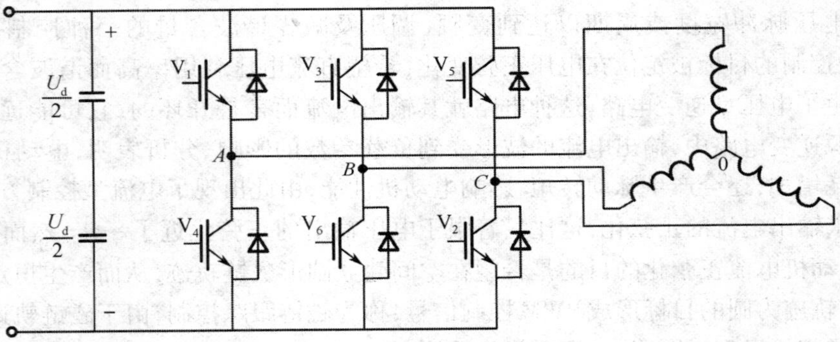

图 5－14　三相电压型逆变电路

5.4.2　基本电压空间矢量

在变频调速系统中，逆变器为电动机提供经过调制的 PWM 电压。如图 5－14 所示是一种典型的三相电压源逆变器。此种逆变器根据其功率开关管不同的开关状态和顺序组合，以及开关时间的调整，以保证电压空间矢量圆形运行轨迹为目标，就可以产生较少的谐波且直流电源利用率较高的交流输出。对于三相电压型逆变器而言，电动机的相电压依赖于它所对应的逆变器桥臂上下功率开关的状态。图 5－14 中 V_1 ～ V_6 是 6 个功率开关管，其中同一桥臂上下两个功率开关管的动作是互补的，用三个开关变量 S_a，S_b，S_c 来表示 3 个桥臂的开关状态。规定当上桥臂开关管“开”状态时，开关状态值为 1；当上桥臂开关管“关”状态时，开关状态值为 0。3 个桥臂的开关状态只有“1”和“0”两种状态。因此 S_a，S_b，S_c 形成了 000，001，010，011，100，101，110，111 共 8 种开关模式，其中 000 和 111 开关模式下逆变器的输出为零，称为零状态。

设三相逆变器输出的线电压矢量 $[U_{AB}\quad U_{BC}\quad U_{CA}]^{\mathrm{T}}$，用开关状态矢量 $[S_a\quad S_b\quad S_c]^{\mathrm{T}}$ 表示线电压的关系为

$$\begin{bmatrix} U_{AB} \\ U_{BC} \\ U_{CA} \end{bmatrix} = \frac{1}{3}U_{\mathrm{d}}\begin{bmatrix} 1 & -1 & 0 \\ 0 & 1 & -1 \\ -1 & 0 & 1 \end{bmatrix}\begin{bmatrix} S_a \\ S_b \\ S_c \end{bmatrix} \tag{5-82}$$

三相逆变器输出的相电压矢量$[U_A \quad U_B \quad U_C]^{\mathrm{T}}$,用开关状态矢量$[S_a \quad S_b \quad S_c]^{\mathrm{T}}$表示相电压的关系为

$$\begin{bmatrix} U_A \\ U_B \\ U_C \end{bmatrix} = \frac{1}{3}U_{\mathrm{d}}\begin{bmatrix} 2 & -1 & -1 \\ -1 & 2 & -1 \\ -1 & -1 & 2 \end{bmatrix}\begin{bmatrix} S_a \\ S_b \\ S_c \end{bmatrix} \tag{5-83}$$

根据式(5－82)和(5－83)可计算出8种开关状态对应的相电压和线电压,如表5－2所示。

表5－2　开关状态与相电压和线电压的对应关系

开关状态 S_a,S_b,S_c	U_A	U_B	U_C	U_{AB}	U_{BC}	U_{CA}
000	0	0	0	0	0	0
100	$2U_{\mathrm{d}}/3$	$-U_{\mathrm{d}}/3$	$-U_{\mathrm{d}}/3$	U_{d}	0	$-\boldsymbol{U}_{\mathrm{d}}$
010	$-U_{\mathrm{d}}/3$	$2U_{\mathrm{d}}/3$	$-U_{\mathrm{d}}/3$	$-U_{\mathrm{d}}$	U_{d}	0
110	$U_{\mathrm{d}}/3$	$U_{\mathrm{d}}/3$	$-2U_{\mathrm{d}}/3$	0	U_{d}	$-U_{\mathrm{d}}$
001	$-U_{\mathrm{d}}/3$	$-U_{\mathrm{d}}/3$	$2U_{\mathrm{d}}/3$	0	$-U_{\mathrm{d}}$	U_{d}
101	$U_{\mathrm{d}}/3$	$-2U_{\mathrm{d}}/3$	$U_{\mathrm{d}}/3$	U_{d}	$-U_{\mathrm{d}}$	0
011	$-2U_{\mathrm{d}}/3$	$U_{\mathrm{d}}/3$	$U_{\mathrm{d}}/3$	$-U_{\mathrm{d}}$	0	U_{d}
111	0	0	0	0	0	0

表5－2中的线电压和相电压值是在三相静止ABC坐标系中。由于计算需要,利用3s/2s坐标变换将三相静止ABC坐标系中的相电压转换到两相静止$\alpha\beta$坐标系中。转换式为

$$\begin{bmatrix} U_\alpha \\ U_\beta \end{bmatrix} = \sqrt{\frac{2}{3}}\begin{bmatrix} 1 & -\frac{1}{2} & -\frac{1}{2} \\ 0 & \frac{\sqrt{3}}{2} & -\frac{\sqrt{3}}{2} \end{bmatrix}\begin{bmatrix} U_A \\ U_B \\ U_C \end{bmatrix} \tag{5-84}$$

根据式(5－84),可将表5－2中与8种开关函数相对应的相电压转换成两相静止$\alpha\beta$坐标系中的分量,转换结果见表5－3。

表5－3　开关函数与相电压在两相静止$\alpha\beta$坐标系中的分量的对应关系表

开关状态 S_a,S_b,S_c	U_α	U_β	矢量符号
000	0	0	$\boldsymbol{U}_8$
100	$\sqrt{\frac{2}{3}}U_{\mathrm{d}}$	0	$\boldsymbol{U}_1$
110	$\sqrt{\frac{1}{6}}U_{\mathrm{d}}$	$\sqrt{\frac{1}{2}}U_{\mathrm{d}}$	$\boldsymbol{U}_2$

表 5－3 （续）

开关状态 S_a,S_b,S_c	U_α	U_β	矢量符号
010	$-\sqrt{\frac{1}{6}}U_d$	$\sqrt{\frac{1}{2}}U_d$	$\boldsymbol{U}_3$
011	$-\sqrt{\frac{2}{3}}U_d$	0	$\boldsymbol{U}_4$
001	$-\sqrt{\frac{1}{6}}U_d$	$-\sqrt{\frac{1}{2}}U_d$	$\boldsymbol{U}_5$
101	$\sqrt{\frac{1}{6}}U_d$	$-\sqrt{\frac{1}{2}}U_d$	$\boldsymbol{U}_6$
111	0	0	$\boldsymbol{U}_7$

由表5－3可以看出，8种开关状态组成了8个基本电压矢量。根据从一个电压空间矢量转换到另一个矢量的过程中，应当遵循功率器件的开关状态变化最小的原则，即应当只有一个功率器件的开关状态发生变化。规定转换到两相静止 $\alpha\beta$ 坐标系下的8个基本电压空间矢量的位置关系以及所对应的开关状态如图5－7所示，6个非零矢量组成一个六边形，分为6个扇区，两个相邻的矢量之间夹角为60°，6个非零矢量空间电压矢量的模值都为 $2U_d/3$，各矢量表达式如式（5－85）所示，两个零矢量 $\boldsymbol{U}_7,\boldsymbol{U}_8$ 位于圆点。

$$\boldsymbol{U}_k = \frac{2}{3}U_d e^{j\frac{k\pi}{3}} (k = 1,2,3,4,5,6) \qquad (5-85)$$

5.4.3 SVPWM 波的生成方式

如图5－15所示，如果逆变器电压空间矢量的作用顺序为 $\boldsymbol{U}_1 \to \boldsymbol{U}_2 \to \boldsymbol{U}_3 \to \boldsymbol{U}_4 \to \boldsymbol{U}_5 \to \boldsymbol{U}_6$，那么定子磁链旋转轨迹为正六边形，与圆形旋转磁链轨迹相差甚远。为了得到近似圆形的定子磁链旋转轨迹，将圆形旋转轨迹的每个扇区再等分成 K 个子区，则每个扇区中将有 K 段圆弧。SVPWM 控制的目的即通过开关状态的组合，将这8个基本电压空间矢量进行合理的组合，通过控制所选用的基本电压空间矢量的作用时间，使合成电压空间矢量按给定参考值 $\boldsymbol{U}_r$ 作圆形旋转，这样磁链空间矢量旋转轨迹就能更加逼近圆形。

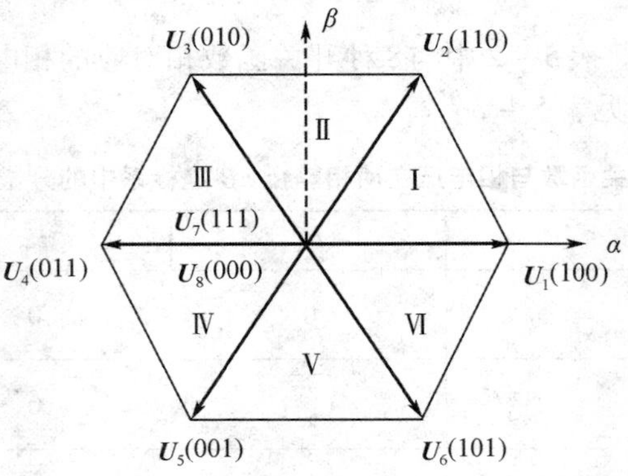

图5－15 基本电压空间矢量

每个扇区都有两个非零电压空间矢量相交，通过合理调控它们的作用顺序和作用时间，就能使定子磁链轨迹逼近圆形。设某个时刻 $\boldsymbol{U}_r$ 转到某扇区中，组成此扇区的两个非零电压空间矢量，按逆时针方向设为 $\boldsymbol{U}_x$，$\boldsymbol{U}_y$，分别对应的作用时间为 T_x，T_y，组合得到给定参考值 $\boldsymbol{U}_r$。$\boldsymbol{U}_r$ 矢量可分解为

$$\boldsymbol{U}_r T_c = \boldsymbol{U}_x T_x + \boldsymbol{U}_y T_y \tag{5-86}$$

式(5－86)中，T_c 为采样周期(每个子区对应的开关周期)。实际中，非零电压空间矢量作用时间 $T_x + T_y$ 小于采样周期 T_c，因此磁链追踪的速度，也就是PWM波的基波频率达不到要求的频率 f。由于零电压空间矢量的作用不改变磁链轨迹的形状，只是使定子磁链静止不动，改变的是磁链的变化速度。为了能使定子磁链移动的平均速度与设定速度一致，即 $\boldsymbol{U}_x$，$\boldsymbol{U}_y$ 作用产生的磁链的角速度 $\omega = 2\pi f$，利用零电压空间矢量来调节作用时间，每段多余的时间用零电压空间矢量来补足。设零电压空间矢量作用时间为 T_0，则

$$T_1 + T_2 + T_0 = T_c \tag{5-87}$$

$$T_7 + T_8 = T_0 \tag{5-88}$$

T_7 和 T_8 是零电压空间矢量 $\boldsymbol{U}_7$ 和 $\boldsymbol{U}_8$ 的作用时间，选择 $T_7 = T_8$ 时有

$$T_7 = T_8 = \frac{1}{2}(T_c - T_1 - T_2) \tag{5-89}$$

对每一个SVPWM波的零电压空间矢量分割方法以及选择的不同，会产生不同的SVPWM波。选择主要以功率开关的开关次数最少，任意一次电压空间矢量的变化只能有一个桥臂的开关动作，编程容易为原则。这里采用七段式空间矢量合成方法来生成SVPWM波形，它由3段零矢量和4段非零电压空间矢量组成，3段零电压空间矢量分别位于PWM波的开始、中间和结束。这种方法，每相每个PWM波输出只使功率开关开关一次；考虑到零矢量分布的对称性，每个PWM波都是以零电压空间矢量 $\boldsymbol{U}_8$ 开始和结束、零电压空间矢量 $\boldsymbol{U}_7$ 插在中间，而且插入的 $\boldsymbol{U}_7$，$\boldsymbol{U}_8$ 零矢量的时间相同。以I扇区为例，将矢量切换点 T_{CM1}，T_{CM2}，T_{CM3} 分别与三角波比较，差值大于滞环比较器所定义的滞环宽度时，PWM信号输出值为1，否则输出为0。PWM信号的生成方式如图5－16所示。

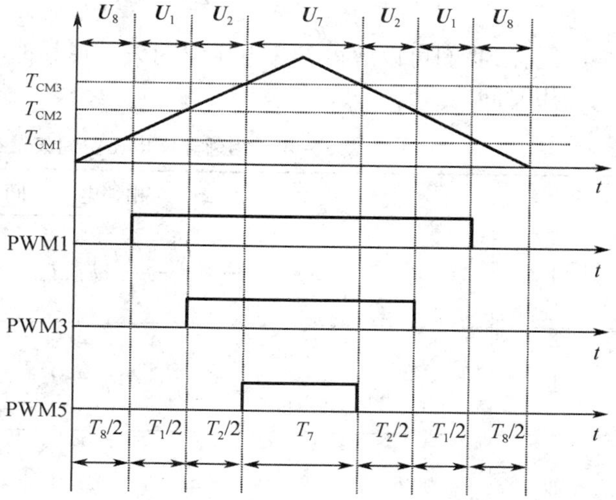

图5－16　扇区I内的SVPWM波形图

5.4.4　定子参考电压 $\boldsymbol{U}_r$ 的合成方案

1. 非零电压空间矢量作用时间的计算

如图5－17所示，假设参考电压空间矢量 $\boldsymbol{U}_r$ 处于第I扇区(0°～60°)，则为了使 $\boldsymbol{U}_r$ 的相邻矢量 $\boldsymbol{U}_1$，$\boldsymbol{U}_2$ 的合成矢量等效于 $\boldsymbol{U}_r$，须有

$$\boldsymbol{U}_1 T_1 + \boldsymbol{U}_2 T_2 = \boldsymbol{U}_r T_c \tag{5-90}$$

式中　T_c—— 采样周期；

T_1——$\boldsymbol{U}_1$ 的作用时间；

T_2——$\boldsymbol{U}_2$ 的作用时间。

又设参考电压空间矢量在 α,β 的分量分别为 U_α, U_β。则将（5－33）式分解到 α,β 轴后由图 5－17 可得

$$\begin{cases} U_\alpha = \dfrac{T_1}{T_c}|\boldsymbol{U}_1| + \dfrac{T_2}{T_c}|\boldsymbol{U}_2|\cos60° \\ U_\beta = \dfrac{T_2}{T_c}|\boldsymbol{U}_2|\sin60° \end{cases} \tag{5-91}$$

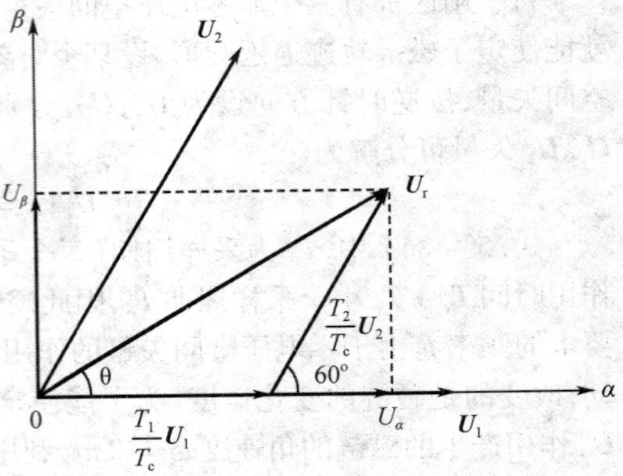

图 5－17　电压空间矢量的线性组合

由于每个有效矢量的幅值均为 $2U_d/3$，所以由式(5－91) 可解得

$$\begin{cases} T_1 = \dfrac{1}{2}(\sqrt{3}U_\alpha - U_\beta)\dfrac{\sqrt{3}T_c}{U_d} \\ T_2 = U_\beta \dfrac{\sqrt{3}T_c}{U_d} \end{cases} \tag{5-92}$$

同样，我们可以解得参考电压空间矢量在其他扇区内时，两个相邻的非零电压空间矢量的作用时间。

表 5－4　相邻非零电压空间矢量在各扇区内的作用时间

扇区号	相邻电压空间矢量作用时间
Ⅰ	$T_2 = \dfrac{\sqrt{3}T_c}{U_d}U_\beta, T_1 = -\dfrac{T_c}{2U_d}(\sqrt{3}U_\beta - 3U_\alpha)$
Ⅱ	$T_3 = \dfrac{T_c}{2U_d}(\sqrt{3}U_\beta + 3U_\alpha), T_2 = -\dfrac{T_c}{2U_d}(\sqrt{3}U_\beta - 3U_\alpha)$
Ⅲ	$T_4 = \dfrac{T_c}{2U_d}(\sqrt{3}U_\beta + 3U_\alpha), T_3 = -\dfrac{\sqrt{3}T_c}{U_d}U_\beta$
Ⅳ	$T_5 = \dfrac{T_c}{2U_d}(\sqrt{3}U_\beta - 3U_\alpha), T_4 = -\dfrac{\sqrt{3}T_c}{U_d}U_\beta$
Ⅴ	$T_6 = \dfrac{T_c}{2U_d}(\sqrt{3}U_\beta - 3U_\alpha), T_5 = -\dfrac{T_c}{2U_d}(\sqrt{3}U_\beta + 3U_\alpha)$
Ⅵ	$T_1 = \dfrac{\sqrt{3}T_c}{U_d}U_\beta, T_6 = -\dfrac{T_c}{2U_d}(\sqrt{3}U_\beta - 3U_\alpha)$

从表 5－4 中可以总结出，在每个扇区都要计算的相关部分，得到两个相邻的非零电压空间矢量在一个 PWM 周期中的作用时间的公用计算公式：

$$\begin{cases} X = \dfrac{\sqrt{3}T_c}{U_d}U_\beta \\ Y = \dfrac{T_c}{2U_d}(\sqrt{3}U_\beta + 3U_\alpha) \\ Z = \dfrac{T_c}{2U_d}(\sqrt{3}U_\beta - 3U_\alpha) \end{cases} \tag{5-93}$$

将两个相邻的非零电压空间矢量的作用时间表示为 T_x,T_y,与 X,Y,Z 的对应关系如表 5-5 所示。

表 5-5 相邻的非零电压空间矢量作用时间的公用计算公式

扇区号	Ⅰ	Ⅱ	Ⅲ	Ⅳ	Ⅴ	Ⅵ
T_x	X	Y	$-Y$	Z	$-Z$	$-X$
T_y	$-Z$	Z	X	$-X$	$-Y$	Y

之后还要进行饱和判断:

当 $T_x + T_y > T_c$ 时,$T_x = T_xT_c/(T_x + T_y)$,$T_y = T_yT_c/(T_x + T_y)$,$T_0 = 0$;

当 $T_x + T_y < T_c$ 时,T_x,T_y 保持不变,$T_0 = T_c - T_x - T_y$。

2. 切换时间的计算

在知道各扇区内两相邻非零电压空间矢量作用时间后,遵循开关次数少的原则,便可采用七段式空间矢量合成方法来发送各电压空间矢量,即,在每个扇区内,每个零电压空间矢量均以(000)开始和结束,中间的零电压空间矢量均为(111),其他非零矢量的发送保证每次只有一个开关切换。仍以Ⅰ扇区为例,此扇区内的PWM信号时序以及生成方式如图5-16所示。

为了计算空间电压矢量比较器的切换点,在此定义

$$\begin{cases} t_a = \dfrac{T - T_1 - T_2}{4} \\ t_b = t_a + \dfrac{T_1}{2} \\ t_c = t_b + \dfrac{T_2}{2} \end{cases} \tag{5-94}$$

可使用同样方法获得其他扇区的切换时间,如表 5-6 所示。

表 5-6 各扇区内切换时间的选择

扇区号	Ⅰ	Ⅱ	Ⅲ	Ⅳ	Ⅴ	Ⅵ
T_{CM1}	t_a	t_b	t_c	t_c	t_b	t_a
T_{CM2}	t_b	t_a	t_a	t_b	t_c	t_c
T_{CM3}	t_c	t_c	t_b	t_a	t_a	t_b

根据表5-6中的切换时间生成SVPWM波,对逆变器进行控制,便可以合成所期望的电压空间矢量,从而实现磁链追踪。显然,控制器采样频率越大,逆变器开关频率越高,磁链追

踪的精度越高，但逆变器开关频率的提高必然造成电流谐波含量的增大和开关损耗的增加。

3. 电压空间矢量所在扇区的判断

上述计算方法的实现，都要先确定参考电压空间矢量 $\boldsymbol{U}_\mathrm{r}$ 处于哪个扇区。如图 5 - 17 所示，$\boldsymbol{U}_\mathrm{r}$ 处于扇区 Ⅰ 中，则需要满足：

$$\begin{cases} U_\alpha > 0 \\ U_\beta > 0 \end{cases} \quad 且 \quad \begin{cases} |U_\alpha| \geqslant \dfrac{1}{2}|\boldsymbol{U}_\mathrm{r}| \\ |U_\beta| < \dfrac{\sqrt{3}}{2}|\boldsymbol{U}_\mathrm{r}| \end{cases} \tag{5-95}$$

根据对矢量图几何关系分析，可得等价条件：

$$0^\circ < \arctan(U_\beta/U_\alpha) < 60^\circ \tag{5-96}$$

即 $U_\beta > 0, \sqrt{3}U_\alpha - U_\beta > 0$。可使用同样的方法获得其他扇区的判断条件如表 5 - 7 所示。

表 5 - 7　各扇区内 U_α, U_β 应满足的条件

扇区号	U_α, U_β 满足条件
Ⅰ	$U_\beta > 0, \sqrt{3}U_\alpha - U_\beta > 0$
Ⅱ	$U_\beta > 0, \sqrt{3}U_\alpha - U_\beta < 0, -\sqrt{3}U_\alpha - U_\beta < 0$
Ⅲ	$U_\beta > 0, -\sqrt{3}U_\alpha - U_\beta > 0$
Ⅳ	$U_\beta < 0, -\sqrt{3}U_\alpha - U_\beta > 0$
Ⅴ	$U_\beta < 0, \sqrt{3}U_\alpha - U_\beta > 0, -\sqrt{3}U_\alpha - U_\beta > 0$
Ⅵ	$U_\beta < 0, \sqrt{3}U_\alpha - U_\beta > 0$

采用上述条件，只需通过简单的计算便可确定参考电压空间矢量 $\boldsymbol{U}_\mathrm{r}$ 处于哪个扇区，避免了计算复杂的非线性函数。由表 5 - 7 可以看出，参考电压空间矢量 $\boldsymbol{U}_\mathrm{r}$ 处于哪个扇区可由 $U_\beta, \sqrt{3}U_\alpha - U_\beta, -\sqrt{3}U_\alpha - U_\beta$ 三项的正负关系决定，所以，可定义如下变量：

$$\begin{cases} B_0 = U_\beta \\ B_1 = \sqrt{3}U_\alpha - U_\beta \\ B_2 = -\sqrt{3}U_\alpha - U_\beta \\ N = 4\mathrm{sign}(B_2) + 2\mathrm{sign}(B_1) + \mathrm{sign}(B_0) \end{cases} \tag{5-97}$$

式中，$\mathrm{sign}(x)$ 为符号函数，当 $x \geqslant 0$ 时值为 1，$x < 0$ 时值为 0。如表 5 - 8 所示，为 N 值与扇区号的对应关系。

表 5 - 8　N 值与扇区的对应关系

N	1	2	3	4	5	6
扇区号	Ⅱ	Ⅵ	Ⅰ	Ⅳ	Ⅲ	Ⅴ

5.5 系统仿真模型的建立及结果分析

5.5.1 电动机模型

仿真系统中，永磁同步电动机的本体模块是非常重要的模块。可利用MATLAB/Simulink中的SimPowerSystems提供的永磁同步电动机电动机模块。永磁同步电动机模块的定子绕组按星形连接，共有四个输入端，包括A相，B相，C相的输入端和负载转矩输入端T_m(N·m)。输出参数包括：定子三相电流i_A，i_B，i_C单位A(三相静止ABC坐标系)；定子两相电流i_d，i_q(A)(两相旋转dq坐标系)；转子角速度ω_r(rad·s^{-1})；转子机械位置角Thetam(rad)和电磁转矩T_e(N·m)。永磁同步电动机模块输出的各项参数可通过Simpowersystem提供的电动机测量模块直接输出。永磁同步电动机的主要参数包括：定子电阻R_s(Ω)；交直轴定子电感L_d，L_q(H)；转子磁场磁通Φ_r(Wb)；转动惯量J(kg·m^2)；黏滞摩擦系数B(N·ms)；极对数p_n。永磁同步电动机模块如图5－18所示。

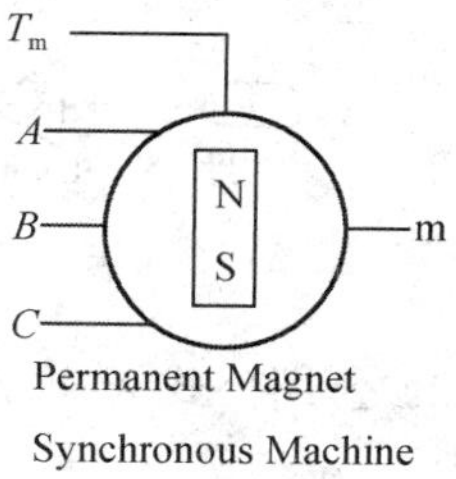

图5－18 永磁同步电动机模块

5.5.2 控制系统模型建立

1. 坐标变换模块

电动机测量模块中直接提供了两相旋转dq坐标系下的两相定子电流i_d，i_q，所以无需进行3s/2s变换和2s/2r变换，只需进行2r/2s变换，即将U_d，U_q转换为U_α，U_β。2r/2s变换的模块如图5－19所示。

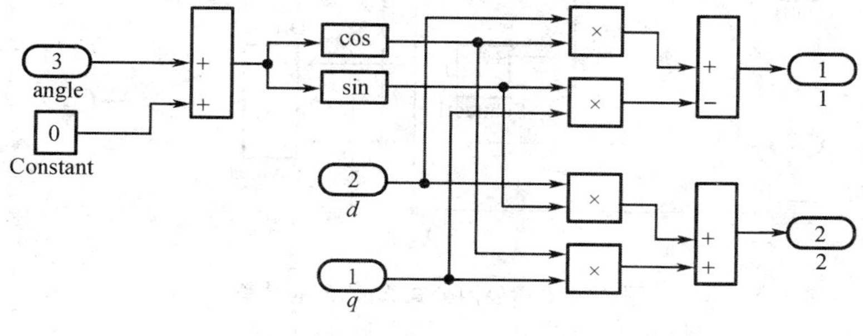

图5－19 Park逆变换模块

2. SVPWM模块

SVPWM的实现算法在2.5.4节中已有详述，SVPWM算法仿真模块的建立主要分为以下三个步骤。

(1) 确定空间电压矢量所在扇区

根据各扇区与U_α，U_β的关系，当$U_\beta>0$时，令$B_0=1$；当$\sqrt{3}U_\alpha-U_\beta>0$时，令$B_1=1$；当$\sqrt{3}U_\alpha+U_\beta<0$时，令$B_2=1$。取$N=B_0+2B_1+4B_2$，可得到各扇区与$N$的对应关系。其

模型如图 5 - 20 所示。

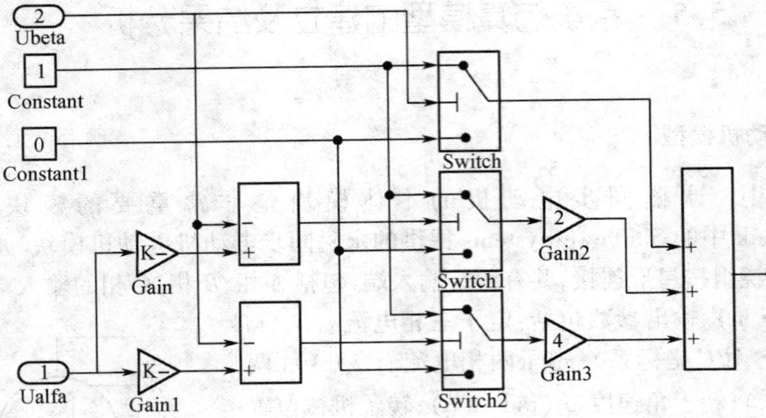

图 5 - 20　扇区选择模块

(2) 公用公式 X,Y,Z 的计算

由 $X=\frac{\sqrt{3}T_c}{U_d}U_\beta, Y=\frac{\sqrt{3}T_c}{2U_d}(\sqrt{3}U_\alpha+U_\beta), Z=\frac{\sqrt{3}T_c}{2U_d}(-\sqrt{3}U_\alpha+U_\beta)$ 得到两个相邻电压空间矢量在一个 PWM 周期中的作用时间的公用公式 X,Y,Z。其模型如图 5 - 21 所示。

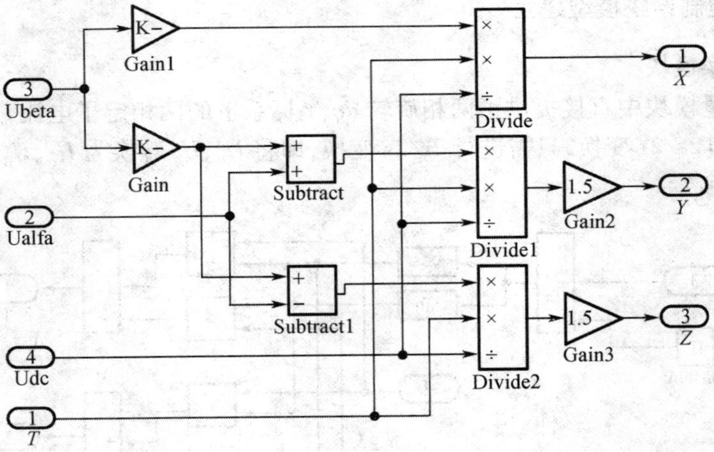

图 5 - 21　公用公式 X,Y,Z 的计算

(3) 基本电压矢量作用时间模块

利用计算出的 X,Y,Z 的值，得到 N 与矢量作用时间 T_1 和 T_2 的对应关系。其模型如图 5 - 22 所示。

(4) T_a,T_b,T_c 计算模块

由 $T_a=\frac{T_0}{4}=\frac{T-T_1-T_2}{4}, T_b=T_a+\frac{T_1}{2}, T_c=T_b+\frac{T_0}{2}$，得到 N 与 T_{cm1},T_{cm2},T_{cm3} 之间的对应关系。其模型如图 5 - 23 所示。

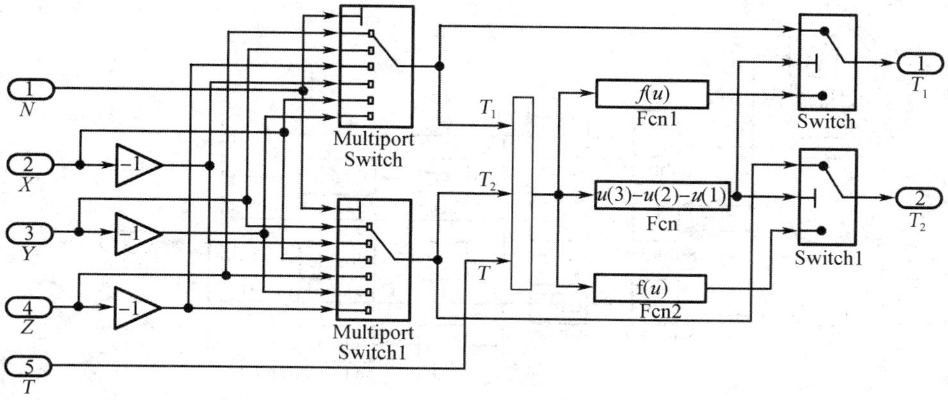

图 5－22　基本电压矢量作用时间模块

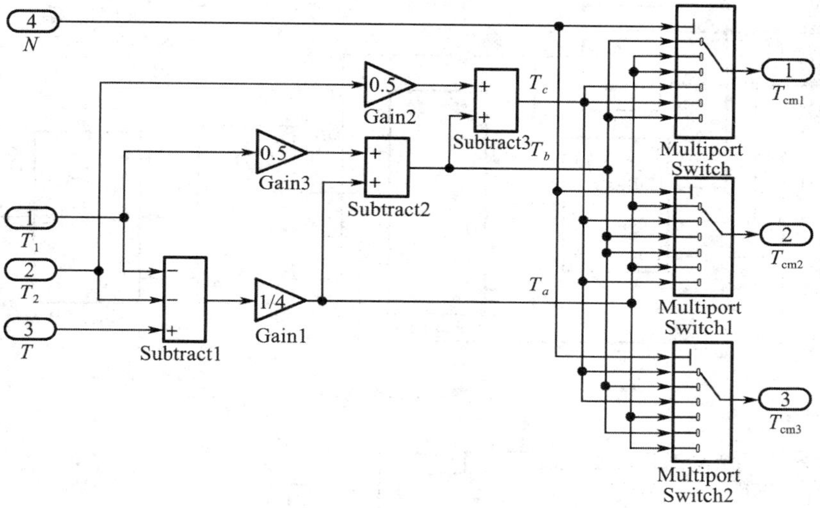

图 5－23　T_a, T_b, T_c 计算模块

(5) PWM 波生成模块

计算得到的 T_{cm1}, T_{cm2}, T_{cm3} 值与等腰三角形进行比较，就可以生成对称空间矢量 PWM 波形。将生成的 PWM1, PWM3, PWM5 取反就可以生成 PWM2, PWM4, , PWM6，同时还应将其由 bool 类型转换成 double 类型。

将以上模块连接生成完整的 SVPWM 模块，如图 5－25 所示。

3. 永磁同步电动机矢量控制调速系统模型

把上述建立好的各个子模块合成，就可以得到如图 5－26 所示的永磁同步电动机矢量控制调速系统模型。

5.5.4　仿真结果分析

为了验证系统性能以及所搭建的仿真模型的正确性和有效性，进行了仿真实验。本仿真使用的方法和参数如下。

采用的电动机参数如下：电动机功率 $P = 1.1$ kW、额定电压 220 V、额定负载 3 N·m、定

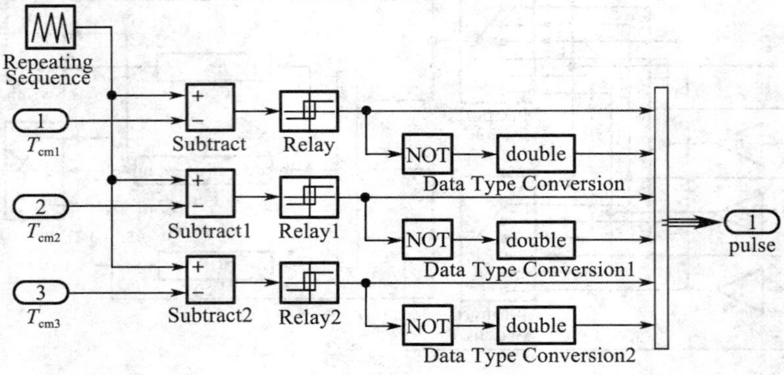

图 5 – 24　PWM 波生成模块

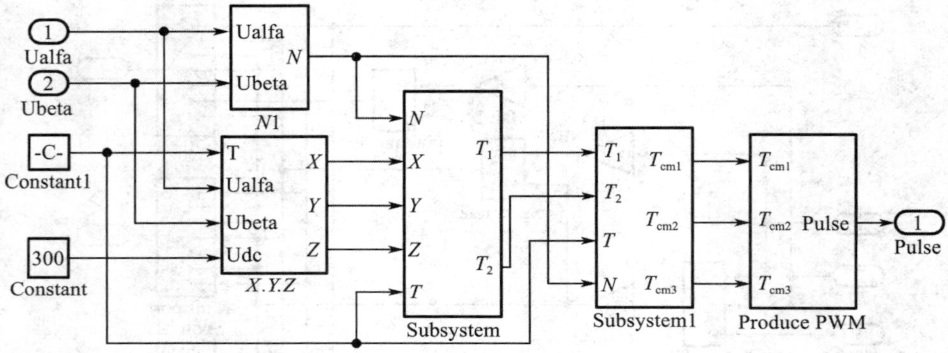

图 5 – 25　SVPWM 模块

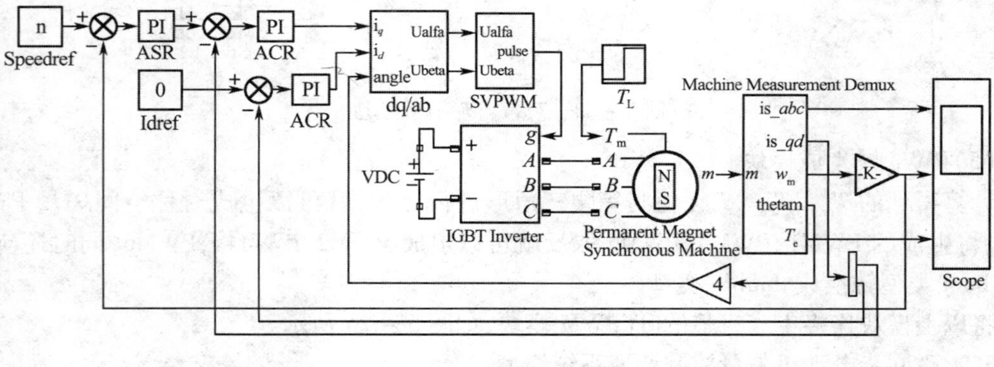

图 5 – 26　永磁同步电动机矢量控制调速系统模型

子绕组电阻 $R_s = 2.875\ \Omega$、d 相绕组自感 $L_d = (8.5e-3)$ H、q 相绕组自感 $L_q = (8.5e-3)$ H、转子磁场磁通 $\boldsymbol{\psi}_f = 0.175$ Wb、转动惯量 $J = (0.8e-3)\ \mathrm{kg \cdot m^2}$、极对数 $P_m = 4$、黏滞摩擦系数 $F = (1e-3)\ \mathrm{N \cdot ms}$。

仿真情况为电动机空载启动，给定转速为 3 000 $\mathrm{r \cdot min^{-1}}$，在系统运行时间 $t = 0.2$ s 时加上3 N · m 的额定负载。采用传统 PID 控制器的永磁同步电动机矢量控制系统进行仿真，电动机的转速、转矩曲线以及定子三相电流如图 5 – 27 ~ 图 5 – 29 所示。

第一种情况中，电动机在 0.05 s 时转速达到给定转速，存在 3% 的超调，此时的转速、转

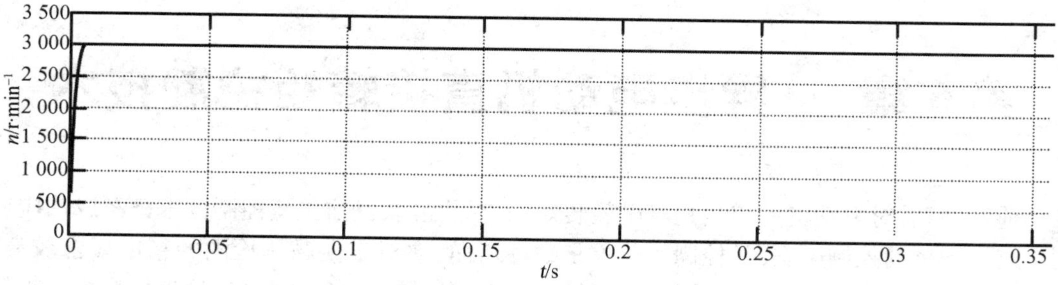

图 5 – 27 转速曲线

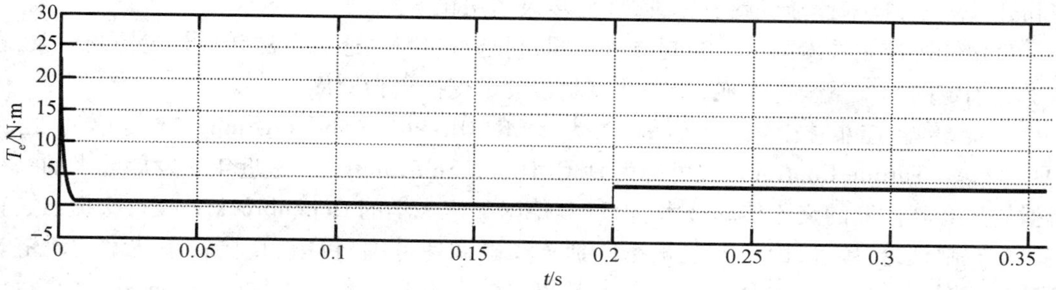

图 5 – 28 转矩曲线

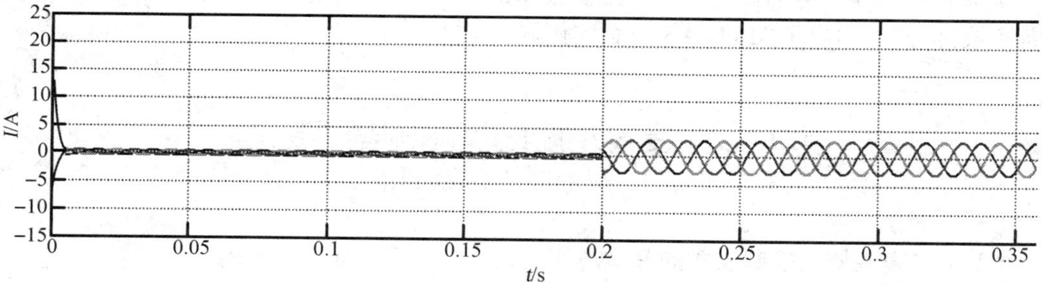

图 5 – 29 定子三相电流图

矩曲线已非常稳定平滑;第二种情况中,再给电动机加上负载之后,转速下降了 0.7%,具有较好的静差率,转速的恢复时间为 0.01 s。

由仿真波形可以看出,空载启动时系统能快速达到额定转速,在额定转速附近系统运行平稳,在0.2 s突加负载后,转速有所降低,但又能迅速恢复到额定状态,稳态运行时无静差。

第6章　异步电动机直接转矩控制技术

前面提到,对电动机的控制是对电磁转矩的有效控制,目前矢量控制技术已经成功应用到交流电动机的控制中。矢量控制的前提是磁场定向,它对定向磁场检测的精度要求较高,对电动机参数的依赖性较强。实际上由于转子磁链难以准确测量,加之矢量坐标变换计算较为复杂,使得矢量控制的实际效果难以达到理论分析的结果。尽管如此,由于矢量控制的研究和开发较早,技术逐渐成熟和完善,现已步入实用化阶段。

直接转矩控制技术与矢量控制技术不同,它是直接将磁通和电磁转矩作为控制对象,省略了磁场定向的矢量坐标变换,使得其控制较矢量变换更为简便。

直接转矩控制技术,德语称之为 DSR(Direkte Selb-stregelung),英语称之为 DTC(Direct Torque Control),又可称为 DSC(Direct Self-Control),是近年来发展起来的一种新型的具有高性能的交流传动技术。1985 年德国鲁尔大学的 Depenbrock 教授首次提出了直接转矩控制理论,接着,1987 年它被推广到了弱磁调速范围。目前,直接转矩技术的磁链轨迹控制方案多采用德国的 Depenbrock 教授提出的六边形方案和日本的 Takahashi 教授提出的圆形方案。

本章介绍了异步电动机直接转矩控制技术的基本原理,详细分析了直接转矩控制系统的各组成部分,并给出了 MATLAB 仿真实例。

6.1　直接转矩控制技术的基本原理

6.1.1　直接转矩控制技术的基本思想

异步电动机的转速是通过转矩来控制的,异步电动机中产生的转矩可以用许多方法表示。其中的一种方法为

$$T_e = \frac{3}{2} p_n \boldsymbol{\psi}_s \times \boldsymbol{i}_s \tag{6-1}$$

式中　$\boldsymbol{\psi}_s$—— 定子磁链空间矢量;

$\boldsymbol{i}_s$—— 定子电流空间矢量。

同样,定子磁链和转子磁链空间矢量可表示为

$$\boldsymbol{\psi}_s = L_s \boldsymbol{i}_s + L_m \boldsymbol{i}_r \tag{6-2}$$

$$\boldsymbol{\psi}_r = L_r \boldsymbol{i}_r + L_m \boldsymbol{i}_s \tag{6-3}$$

由式(6-3) 中消去 $\boldsymbol{i}_r$ 得到

$$\boldsymbol{\psi}_s = \frac{L_m}{L_r} \boldsymbol{\psi}_r + L'_s \boldsymbol{i}_s \tag{6-4}$$

式中　L'_s—— 定子瞬态电感,$L'_s = L_s - \frac{L_m^2}{L_r}$。

$\boldsymbol{i}_{\mathrm{s}}$ 对应的表达式为

$$\boldsymbol{i}_{\mathrm{s}}=\frac{\boldsymbol{\psi}_{\mathrm{s}}}{L_{\mathrm{s}}'}-\frac{L_{\mathrm{m}}}{L_{\mathrm{r}}L_{\mathrm{s}}'}\boldsymbol{\psi}_{\mathrm{r}} \tag{6-5}$$

将式(6－5)代入式(6－1),可得

$$\begin{aligned}T_{\mathrm{e}}&=\frac{3}{2}p_n\frac{L_{\mathrm{m}}}{L_{\mathrm{s}}'L_{\mathrm{r}}}\boldsymbol{\psi}_{\mathrm{r}}\times\boldsymbol{\psi}_{\mathrm{s}}=\frac{3}{2}p_n\frac{L_{\mathrm{m}}}{L_{\mathrm{s}}'L_{\mathrm{r}}}|\boldsymbol{\psi}_{\mathrm{s}}||\boldsymbol{\psi}_{\mathrm{r}}|\sin(\rho_{\mathrm{s}}-\rho_{\mathrm{r}})\\&=\frac{3}{2}p_n\frac{L_{\mathrm{m}}}{L_{\mathrm{s}}'L_{\mathrm{r}}}|\boldsymbol{\psi}_{\mathrm{s}}||\boldsymbol{\psi}_{\mathrm{r}}|\sin\delta_{\mathrm{sr}}\end{aligned} \tag{6-6}$$

式中 $\rho_{\mathrm{s}},\rho_{\mathrm{r}}$——定子磁链和转子磁链矢量相对于 A 轴的空间电角度;

δ_{sr}——定、转子磁链矢量之间的夹角,$\delta_{\mathrm{sr}}=\rho_{\mathrm{s}}-\rho_{\mathrm{r}}$。

式(6－6)表明,电磁转矩决定于定子磁链矢量和转子磁链矢量的矢量积,若$|\boldsymbol{\psi}_{\mathrm{s}}|$和$|\boldsymbol{\psi}_{\mathrm{r}}|$保持不变,即决定于两者之间的空间电角度。

转子磁链矢量与定子磁链矢量相比,变化速度相对要慢一些。这可以采用图6－1所示的异步电动机等效电路进行简单定性分析。

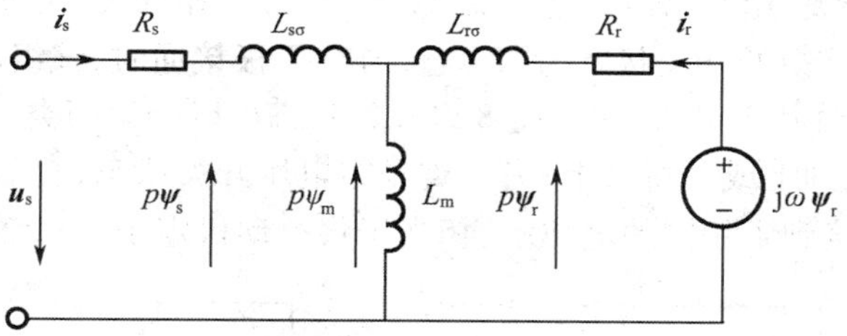

图6－1 异步电动机的动态T模型

从等效电路,我们得到定子磁链的导数对定子电压变化立即有反应,各自的两个空间矢量 $\boldsymbol{u}_{\mathrm{s}}$ 和 $p\boldsymbol{\psi}_{\mathrm{s}}$ 在电路中只被电阻 R_{s} 分开。然而,转子磁链导数的矢量 $p\boldsymbol{\psi}_{\mathrm{r}}$ 是被定子和转子漏电感 $L_{\mathrm{s}\sigma}$ 和 $L_{\mathrm{r}\sigma}$ 与定子磁链导数 $p\boldsymbol{\psi}_{\mathrm{s}}$ 隔开。因此,转子磁链矢量对于定子电压的反应与定子磁链矢量相比有点缓慢,而且,由于有漏电感的低通滤波作用,转子磁链波形比定子磁链波形要圆滑。

在实际动态控制中,只要控制的响应时间比转子时间常数快得多,则在此时间常数中转子磁链矢量变化可以忽略,如果能保持定子磁链的幅值不变,则异步电动机的电磁转矩只由角 δ_{sr} 的变化来控制。

我们知道定子电压矢量方程为

$$\boldsymbol{u}_{\mathrm{s}}=R_{\mathrm{s}}\boldsymbol{i}_{\mathrm{s}}+\frac{\mathrm{d}\boldsymbol{\psi}_{\mathrm{s}}}{\mathrm{d}t} \tag{6-7}$$

如果忽略定子电阻 R_{s},于是有

$$\boldsymbol{u}_{\mathrm{s}}=\frac{\mathrm{d}\boldsymbol{\psi}_{\mathrm{s}}}{\mathrm{d}t} \tag{6-8}$$

可表示为

$$\Delta\boldsymbol{\psi}_{\mathrm{s}}=\boldsymbol{u}_{\mathrm{s}}\Delta t \tag{6-9}$$

由上式可知,定子磁链矢量和定子电压矢量间具有积分关系。在定子电压矢量作用的很短时间内,定子磁链矢量的增量 $\Delta\boldsymbol{\psi}_{\mathrm{s}}$ 等于 $\boldsymbol{u}_{\mathrm{s}}$ 和 Δt 的乘积,$\Delta\boldsymbol{\psi}_{\mathrm{s}}$ 的方向与外加电压矢量 $\boldsymbol{u}_{\mathrm{s}}$ 的

方向相同，亦即定子磁链矢量 $\boldsymbol{\psi}_s$ 变化的轨迹与 $\boldsymbol{u}_s$ 相同，而轨迹的变化速率等于 $\boldsymbol{u}_s$，当 $\boldsymbol{u}_s$ 不变时，$\boldsymbol{\psi}_s$ 的变化速率是恒定的。如图 6 – 2 所示。

由图6 – 2 可以看出，$\boldsymbol{\psi}_s$ 幅值和角度的变化与 $\boldsymbol{u}_s$ 有直接关系，只有控制 $\boldsymbol{u}_s$ 的大小和方向与我们预期的 $\Delta\boldsymbol{\psi}_s$ 一致，$\boldsymbol{\psi}_s$ 才能在预期的控制范围内运动。$\boldsymbol{u}_s$ 由逆变器输出，下面将讨论逆变器输出的 8 种电压矢量。

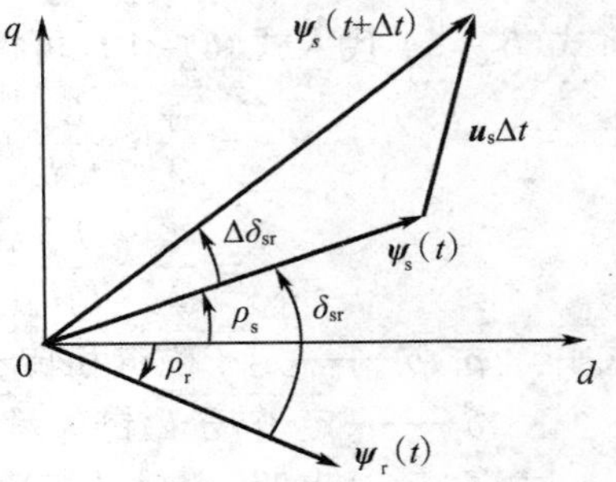

图 6 – 2　直接转矩控制的矢量表示

6.1.2　逆变器的开关状态和电压空间矢量

1. 逆变器的开关状态

我们知道电压型逆变器的主回路一般由 3 组、6 个开关（S_A，$\overline{S}_A$，S_B，$\overline{S}_B$，S_C，$\overline{S}_C$）组成，其原理如图 6 – 3 所示。每组的上下两个开关互补，即一个接通，另一个则断开，于是3 组开关有 $2^3=8$ 种可能的开关组合。把开关 S_A，$\overline{S}_A$ 称为 A 相开关，用 S_A 表示；把开关 S_B，$\overline{S}_B$ 称为 B 相开关，用 S_B 表示，把开关 S_C，$\overline{S}_C$ 称为 C 相开关，用 S_C 表示。并规定每组开关与“+”极接通时，该组的开关状态为“1”态；与“–”极接通时，该组的开关状态为“0”态。则 8 种可能的开关组合状态见表6 – 1。这8 组开关状态可以分为两类：一类是6 种工作状态，即三相负载并不都接到上或下桥臂上；另一类是零电压开关状态，表示三相上或下桥臂同时导通，即三相负载都接到了相同的电位上，相当于将电动机定子三相绕组短接。

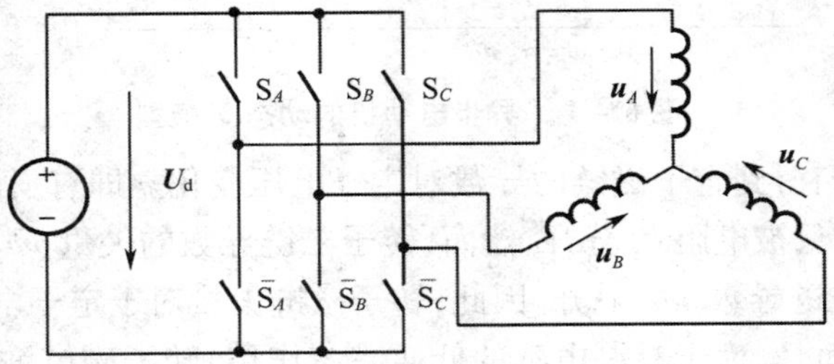

图 6 – 3　电压型逆变器示意图

表 6 – 1　逆变器的开关状态

开关组	工作状态						零状态	
S_A	0	0	1	1	1	0	0	1
S_B	1	0	0	0	1	1	0	1
S_C	1	1	1	0	0	0	0	1

假设电压型逆变器输出端负载为三相完全对称，则在不输出零电压开关状态的情况下，只要知道某个时刻的三相桥臂的开关状态 S_A，S_B，S_C 和直流母线侧的电压 U_d，则系统情况稳定时输出的相电压波形如图 6 – 4 所示（可参见电压型逆变器章节内容）。

由图6 – 4 可知相电压波形与开关状态都是6 个状态为一周期，然后再循环。相电压波形分 $\pm\frac{1}{3}U_d$，$\pm\frac{2}{3}U_d$ 四种离散的情况。

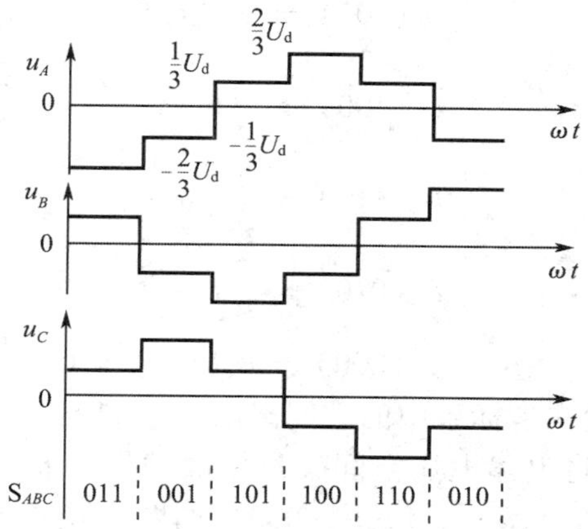

图6－4　无零状态输出时相电压波形及所对应的开关状态和电压状态

以上分析了逆变器的电压状态及其相电压波形。如果把逆变器的输出电压用空间矢量来表示，则逆变器的各种电压状态和次序就有了空间的概念，便于理解和分析。

2. 电压空间矢量

在对异步电动机进行分析研究时，均需对三相电源进行分析控制，需引入 Park 矢量变换。Park 矢量变换将三个标量（三维）变换为一个矢量（二维），这种表达关系对于时间函数也适用。如果异步电动机中对称的三相物理量 $X_A(t)$，$X_B(t)$，$X_C(t)$ 的 Park 矢量为

$$\boldsymbol{X}(t) = \frac{2}{3}[X_A(t) + \rho X_B(t) + \rho^2 X_C(t)] \tag{6-10}$$

式中　ρ—— 复系数，称为旋转因子，$\rho = e^{j2\pi/3}$。

若 A，B，C 三相负载的定子绕组接成星形，并用 $\boldsymbol{U}_s(S_A, S_B, S_C)$表示输出的电压空间矢量，则逆变器输出的电压空间矢量的 Park 矢量变换表达式为（由 ABC 坐标变换为 $\alpha\beta$ 坐标）

$$\boldsymbol{U}_s(S_A, S_B, S_C) = \frac{2}{3}U_d(S_A + S_B e^{j\frac{2\pi}{3}} + S_C e^{j\frac{4\pi}{3}}) = U_{s\alpha} + jU_{s\beta} \tag{6-11}$$

逆变器输出的电压空间矢量则可以用 $\boldsymbol{U}_s(011)$，$\boldsymbol{U}_s(001)$，$\boldsymbol{U}_s(101)$，$\boldsymbol{U}_s(100)$，$\boldsymbol{U}_s(110)$，$\boldsymbol{U}_s(010)$，$\boldsymbol{U}_s(000)$，$\boldsymbol{U}_s(111)$ 表示，分别与表 6－1 中的 8 个电压状态对应。

下面计算这 8 个空间矢量对应的空间位置。

对于 $\boldsymbol{U}_s(011)$，将 S_A，S_B，S_C 的输出值为 0，1，1 代入式(6－11)，得

$$\begin{aligned}\boldsymbol{U}_s(011) &= \frac{2}{3}U_d(0 + e^{j\frac{2\pi}{3}} + e^{j\frac{4\pi}{3}}) \\ &= \frac{2}{3}U_d\left[\left(-\frac{1}{2} + j\frac{\sqrt{3}}{2}\right) + \left(-\frac{1}{2} - j\frac{\sqrt{3}}{2}\right)\right] \\ &= -\frac{2}{3}U_d = \frac{2}{3}U_d e^{j\pi}\end{aligned} \tag{6-12}$$

对照图 6－5 可知，$\boldsymbol{U}_s(011)$ 位于 α 轴的负方向上。

对于 $\boldsymbol{U}_s(001)$，将 S_A，S_B，S_C 的输出值 0，0，1 代入式(6－11)，得

$$\boldsymbol{U}_s(001) = \frac{2}{3}U_d(0 + 0 + e^{j\frac{4\pi}{3}}) = \frac{2}{3}U_d e^{j\frac{4\pi}{3}} \tag{6-13}$$

同理，依次计算其余 6 个空间矢量为

$$U_s(101) = \frac{2}{3}U_d e^{j\frac{5\pi}{3}}$$

$$U_s(100) = \frac{2}{3}U_d e^{j0}$$

$$U_s(110) = \frac{2}{3}U_d e^{j\frac{\pi}{3}}$$

$$U_s(010) = \frac{2}{3}U_d e^{j\frac{2\pi}{3}}$$

$$U_s(000) = U_s(111) = 0$$

这 8 个电压空间矢量在坐标系中的空间离散位置如图 6 – 5 所示，其中 $\boldsymbol{U}_s(000)$ 和 $\boldsymbol{U}_s(111)$ 位于中心点处。将上述电压空间矢量依次编号为 $\boldsymbol{u}_{s1}(100)$，$\boldsymbol{u}_{s2}(110)$，$\boldsymbol{u}_{s3}(010)$，$\boldsymbol{u}_{s4}(011)$，$\boldsymbol{u}_{s5}(001)$，$\boldsymbol{u}_{s6}(101)$，$\boldsymbol{u}_{s7}(111)$，$\boldsymbol{u}_{s8}(000)$。如果控制逆变器依次按照上述电压空间矢量顺序控制开关 S_A，S_B，S_C 的导通和关断，就能在矢量坐标系中得到幅值相同，沿逆时针方向旋转的电压空间矢量。

前面提到通过控制电压空间矢量来控制定子磁链的旋转速度，从而改变定、转子磁链矢量之间的夹角，达到控制电动机转矩的目的。下面将讨论电压空间矢量与定子磁链的关系。

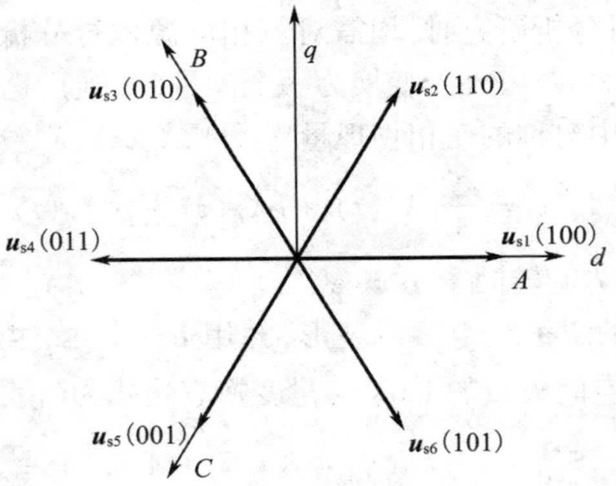

图 6 – 5　6 个定子电压空间矢量

6.1.3　定子电压空间矢量与磁链矢量轨迹的关系

逆变器的输出电压 $\boldsymbol{u}_s(t)$ 直接加到异步电动机的定子上，则定子电压也为 $\boldsymbol{u}_s(t)$。由式(6 – 7)、式(6 – 8) 和式(6 – 9) 可知，$\Delta\boldsymbol{\psi}_s$ 的方向与外加电压矢量 $\boldsymbol{u}_s$ 的方向相同，亦即定子磁链矢量 $\boldsymbol{\psi}_s$ 变化的轨迹与 $\boldsymbol{u}_s$ 相同，而轨迹的变化速率等于 $\boldsymbol{u}_s$，当 $\boldsymbol{u}_s$ 不变时，$\boldsymbol{\psi}_s$ 的变化速率是恒定的。如图 6 – 6 中所示位置 P，如果此时逆变器加到定子上的电压空间矢量 $\boldsymbol{u}_s(t)$ 为 $\boldsymbol{u}_{s3}(010)$，根据式(6 – 9)，定子磁链空间矢量的顶点将沿着 $\boldsymbol{u}_{s3}(010)$ 所指的方向运动，当 $\boldsymbol{\psi}_s$ 运动到 Q 点，逆变器加到定子上的电压空间矢量 $\boldsymbol{u}_s(t)$ 变为 $\boldsymbol{u}_{s3}(011)$，定子磁链空间矢量的顶点将沿着 $\boldsymbol{u}_{s3}(011)$ 所指的方向运动。如果逆变器是按照图 6 – 5 所示的顺序，即按 010，011，001，101，100，110 状态依次变化，每次变化的间隔时间相同，即得到如图 6 – 6 所示的 6 个以步进形式输出的电压矢量 $\boldsymbol{u}_{s3}(010)$，$\boldsymbol{u}_{s4}(011)$，$\boldsymbol{u}_{s5}(001)$，$\boldsymbol{u}_{s6}(101)$，$\boldsymbol{u}_{s1}(100)$，$\boldsymbol{u}_{s2}(110)$，在这 6 个电压矢量的依次作用下，定子磁链矢量的变化轨迹为一正六边形，如图 6 – 6$PQRSMN$ 之间的虚线所示。

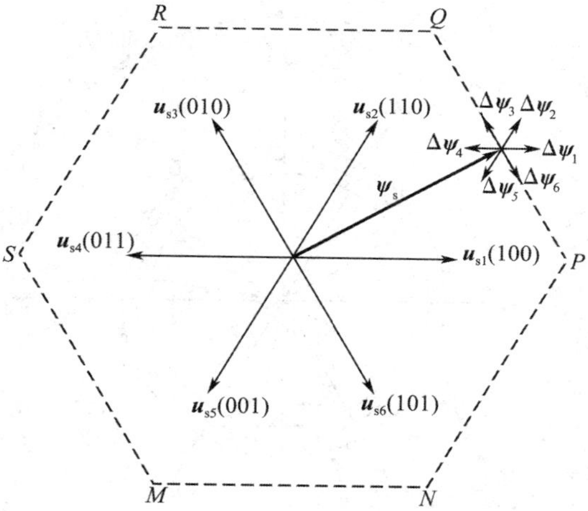

图6－6　6个步进电压作用下的定子磁链轨迹

6.1.4　定子磁链矢量控制

由图6－6可以看出，定子磁链矢量 $\boldsymbol{\psi}_s$ 的幅值不是恒定的，其在正六边形的拐点处达到最大值，当运动到与正六边形某一条边垂直的位置时幅值最小。由矢量 $\boldsymbol{\psi}_s$ 在三相绕组 ABC 轴线上的投影可得到链过每相绕组的磁链值，显然，每相绕组的磁链值不是时间的正弦函数。由定子每相磁链变化可知，定子每相电流波形也是非正弦的。

式(6－6)表明，$\boldsymbol{\psi}_s$ 的幅值基本保持恒定，将有利于转矩的控制和减小脉动，并使定子每相磁通基本按正弦规律变化。为此，希望定子磁链矢量的运行轨迹为圆形。

定子磁链空间矢量的运动轨迹决定于定子电压矢量的选择。反之，根据希望或设定的定子磁链矢量的运行轨迹，可以选择合适的定子电压矢量来予以实现，这就需要对定子电压矢量进行调制，以获得正弦分布的定子磁场。在直接转矩控制中，通常设定 $\boldsymbol{\psi}_s$ 的参考值（指令值）$\boldsymbol{\psi}_{sref}$ 的运行轨迹为一圆形，如图6－7所示，然后对 $\boldsymbol{\psi}_s$ 采取滞环控制。

在这里需要始终将 $\boldsymbol{\psi}_s$ 的幅值控制在滞环的上下带宽内，滞环的总宽度为 $2|\Delta\boldsymbol{\psi}_s|$，其上限为 $|\boldsymbol{\psi}_{sref}|+|\Delta\boldsymbol{\psi}_s|$，下限为 $|\boldsymbol{\psi}_{sref}|-|\Delta\boldsymbol{\psi}_s|$，然后，再将空间复平面分成6个空间。对照图6－5和图6－7可以看出，每个区间的范围是以定子电压空间矢量为中线，各向前后扩展了30°电角度，因此，区间跨度是60°电角度，区间的序号 k = Ⅰ，Ⅱ，Ⅲ，Ⅳ，Ⅴ，Ⅵ与定子电压空间矢量的序号相同，例如，区间 Ⅰ 就是 $\boldsymbol{u}_{s1}$ 所在的区间。

由图6－7可知，如果定子磁链矢量位于第 k 个区间，那么可以选择定子电压矢量 $\boldsymbol{u}_{sk}$，$\boldsymbol{u}_{s(k-1)}$ 和 $\boldsymbol{u}_{s(k+1)}$，使其幅值增大，也可以选择 $\boldsymbol{u}_{s(k+2)}$，$\boldsymbol{u}_{s(k-2)}$ 和 $\boldsymbol{u}_{s(k+3)}$，使其幅值减小；下标括号内"＋"表示往前转（逆时针），"－"表示往后转（顺时针）。亦即，若使 $\boldsymbol{\psi}_s$ 的幅值增大，应选择 $\boldsymbol{\psi}_s$ 所在区间和相邻两个区间内的定子电压矢量，因为这些电压矢量的作用方向是由转子圆心向外；若使 $\boldsymbol{\psi}_s$ 的幅值减小，应选择另外三个电压矢量，因为这些电压矢量的作用方向是由外指向圆心。例如，定子磁链矢量 $\boldsymbol{\psi}_s$ 若在区间 Ⅰ 内，可选择 $\boldsymbol{u}_{s1}$，$\boldsymbol{u}_{s6}$ 和 $\boldsymbol{u}_{s2}$，使其幅值增大，还可以选择 $\boldsymbol{u}_{s3}$，$\boldsymbol{u}_{s4}$ 和 $\boldsymbol{u}_{s5}$，使其幅值减小。除这6个电压矢量外，还可以选择零电压矢量 u_{s0} 或 u_{s7}。当选择零电压矢量时，定子磁链矢量的变化率为零（因定子电阻的影响还要有些变化），如表6－2所示。

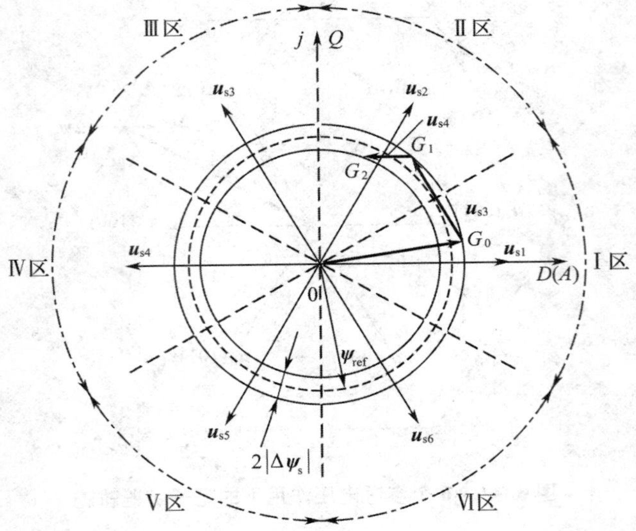

图6－7　定子电压空间矢量调制与定子磁链矢量

表6－2　磁链变化开关表

$\Delta\psi$	Ⅰ	Ⅱ	Ⅲ	Ⅳ	Ⅴ	Ⅵ
增加	u_{s1},u_{s2},u_{s6}	u_{s1},u_{s2},u_{s3}	u_{s2},u_{s3},u_{s4}	u_{s3},u_{s4},u_{s5}	u_{s4},u_{s5},u_{s6}	u_{s1},u_{s5},u_{s6}
减小	u_{s3},u_{s4},u_{s5}	u_{s4},u_{s5},u_{s6}	u_{s1},u_{s5},u_{s6}	u_{s1},u_{s2},u_{s6}	u_{s1},u_{s2},u_{s3}	u_{s2},u_{s3},u_{s4}

6.1.5　定子磁链和电磁转矩控制

由式(6－6)可知,当保持$\boldsymbol{\psi}_s$的幅值不变时,电磁转矩的变化主要取决于定、转子磁链矢量之间的夹角δ_{sr}的变化。显然,在控制定子磁链矢量幅值时,所选择的开关电压矢量必然影响到定子磁链空间矢量的旋转方向和速度,也就必然影响到电磁转矩。对于每一个开关,电压矢量都可以沿定子磁链矢量运行轨迹分解成两个分量,一个是径向分量,直接影响到$\boldsymbol{\psi}_s$的幅值;另一个是切向分量,直接影响到$\boldsymbol{\psi}_s$的旋转方向和速度。或者说,定子磁链空间矢量在其运行轨迹上有径向分量和切向分量,如果能独立地控制这两个分量,就实现了对定子磁链和电磁转矩的解耦控制。

为了更好地控制电磁转矩,同定子磁链矢量控制一样,也是通过滞环比较将其控制在一定的偏差带内。滞环带宽为$2|\Delta T_e|$,其上限值为$|T_{eref}|+|\Delta T_e|$,下限值为$|T_{eref}|-|\Delta T_e|$,$|T_{eref}|$为转矩参考值。

因此,需要同时根据定子磁链偏差和电磁转矩偏差来选择合适的开关电压矢量,既要将定子磁链幅值维持在一定偏差范围内,又要能按电磁转矩指令要求,控制矢量$\boldsymbol{\psi}_s$的旋转方向和速度。

对电磁转矩的控制主要靠改变定子磁链空间矢量与转子磁链空间矢量的相对位置来实现。如果所施加的开关电压矢量能使$\boldsymbol{\psi}_s$快速地离开或接近$\boldsymbol{\psi}_r$,这样就拉大或缩小了定、转子磁链矢量之间的夹角δ_{sr},使得电磁转矩增大或减小;施加零开关电压矢量时,$\boldsymbol{\psi}_s$几乎停止,而转子磁链空间矢量还在继续旋转，定、转子磁链矢量之间的夹角 δ_{sr} 减小，使得电磁转矩减小。

现在再来分析图6－7中所示的例子。假定定子磁链空间矢量的初始位置位于I区内，并假定定子磁链矢量需要逆时针旋转，那么增加电磁转矩矢量的定子电压矢量规定：由此定子电压引起的定子磁链矢量的变化方向是指向逆时针旋转方向的。由图6－7可知，I区内使电磁转矩矢量增加的定子电压矢量为 $\boldsymbol{u}_{s2}$，$\boldsymbol{u}_{s3}$，$\boldsymbol{u}_{s4}$。假定定子磁链空间矢量的初始位置在 G_0 点，亦即位于I区内，并假定定子磁链矢量需要逆时针旋转，由于此时定子磁链矢量幅值达到了滞环比较的上限值，因此必须使其减小。按前面提出的原则，选择开关电压矢量 $\boldsymbol{u}_{s3}$ 是合适的，在 $\boldsymbol{u}_{s3}$ 的作用下，定子磁链矢量由 G_0 点迅速地运动到点 G_1，而点 G_1 位于 II 区内。在 G_1 点，定子磁链矢量幅值再次达到了滞环比较器的上限值，当它仍需逆时针旋转时，应选择开关电压矢量 $\boldsymbol{u}_{s4}$，于是 $\boldsymbol{\psi}_s$ 由点 G_1 运动到 G_2 点。

另一种情况是，当 $\boldsymbol{\psi}_s$ 由 G_0 点运动到 G_1 点后，如果转矩指令要求减小，可以选择开关电压矢量 $\boldsymbol{u}_{s5}$，使定子磁链空间矢量顺时针旋转（转子是逆时针旋转的），将迫使电磁转矩下降。在这种情况下，也可以选择零电压开关矢量 $\boldsymbol{u}_{s0}$ 或 $\boldsymbol{u}_{s7}$，使定子磁链矢量停转，但由于前面应用的开关电压矢量是 $\boldsymbol{u}_{s3}$(010)，所以选择 $\boldsymbol{u}_{s0}$(000) 比较合理，因为此时仅需要一个逆变开关进行转换。

定子磁链空间矢量在 G_2 点时，其幅值已下降至滞环比较的下限值（$|\boldsymbol{\psi}_{sref}|-|\Delta\boldsymbol{\psi}_s|$），为使幅值增加，可以选择开关电压矢量 $\boldsymbol{u}_{s3}$ 或者 $\boldsymbol{u}_{s1}$。选择 $\boldsymbol{u}_{s3}$ 时将使 $\boldsymbol{\psi}_s$ 逆时针旋转，即使 $\boldsymbol{\psi}_s$ 幅值增大的同时，也使 δ_{sr} 增大，从而使电磁转矩增加；选择 $\boldsymbol{u}_{s1}$ 时将使 $\boldsymbol{\psi}_s$ 顺时针旋转，即幅值增大的同时，也使 δ_{sr} 减小，从而使电磁转矩减小。

6.1.6 电压矢量开关的选择

定子电压矢量的选择既考虑到转矩偏差又兼顾了磁链的偏差，当定子磁链空间矢量位于不同区域时，其选择开关组合是不一样的，下面讨论如何合理选择电压矢量的开关状态的问题。

图6－7给出了定子磁链矢量轨迹在区间I的情形，在此期间内选择 $\boldsymbol{u}_{s1}$ 和 $\boldsymbol{u}_{s4}$ 是不合适的，因为会使 $\boldsymbol{\psi}_s$ 幅值急剧变化，而难以将其控制在滞环带宽内。可供选择的电压矢量有 $\boldsymbol{u}_{s2}$，$\boldsymbol{u}_{s3}$，$\boldsymbol{u}_{s5}$，$\boldsymbol{u}_{s6}$ 以及 $\boldsymbol{u}_{s7}$，$\boldsymbol{u}_{s0}$。由每个开关电压矢量在定子磁链矢量运动轨迹径向和切向方向的投影，可以判断出该开关电压矢量对磁链和转矩所起的作用。开关电压矢量对磁链和转矩的作用分别用 $\boldsymbol{\psi}_+$，$\boldsymbol{\psi}_-$ 和 T_+，T_- 来表示，下标“+”号表示增加，“－”号表示减小。于是可根据磁链和转矩滞环比较器的输出信号来合理选择其中的开关电压矢量。当定子磁链矢量在扇区I时，若要磁链幅值增大可选电压矢量 $\boldsymbol{u}_{s2}$，$\boldsymbol{u}_{s6}$，若要磁链幅值减小可选电压矢量 $\boldsymbol{u}_{s3}$，$\boldsymbol{u}_{s5}$，且根据前面所述增大电磁转矩即增大 δ_{sr}，减小电磁转矩即减小 δ_{sr} 可知，增大电磁转矩选择电压矢量 $\boldsymbol{u}_{s2}$，$\boldsymbol{u}_{s3}$；减小电磁转矩选择电压矢量 $\boldsymbol{u}_{s5}$，$\boldsymbol{u}_{s6}$。对于其他区间可做出同样的合理选择，表6－3给出了6个区间的开关电压矢量查询表，表中用 Ⅰ，Ⅱ，Ⅲ，Ⅳ，Ⅴ，Ⅵ 来表示区间。

表6－3中，$\Delta\boldsymbol{\psi}$ 的正负是根据滞环比较器的数字输出来确定的，如表6－4所示，即有

若 $|\boldsymbol{\psi}_s| \leqslant |\boldsymbol{\psi}_{sref}|-|\Delta\boldsymbol{\psi}_s|$，则输出为1，$\Delta\boldsymbol{\psi}$ 取1。

若 $|\boldsymbol{\psi}_s| \geqslant |\boldsymbol{\psi}_{sref}|+|\Delta\boldsymbol{\psi}_s|$，则输出为0，$\Delta\boldsymbol{\psi}$ 取－1。

表6－3中，ΔT 的符号由转矩滞环比较器的三个输出信号来确定，当需要定子磁链矢量逆时针旋转时，如表6－5所示，即有：

若 $|T_e| \leqslant |T_{eref}|-|\Delta T_e|$，则输出为1，$\Delta T$ 取1；

若$|T_e| \geqslant |T_{eref}|$,则输出为0,$\Delta T$取0。

若$|T_e| \geqslant |T_{eref}| + |\Delta T_e|$,则输出为-1,$\Delta T$取-1;

若$|T_e| \leqslant |T_{eref}|$,则输出为0,$\Delta T$取0。

$\Delta\boldsymbol{\psi}$的正负是根据滞环比较器的数字输出来确定的,ΔT的符号由转矩滞环比较器的三个输出信号来确定。

表6-3　开关电压查询表

$\Delta\boldsymbol{\psi}$	ΔT	Ⅰ	Ⅱ	Ⅲ	Ⅳ	Ⅴ	Ⅵ
1	1	$\boldsymbol{u}_{s2}$	$\boldsymbol{u}_{s3}$	$\boldsymbol{u}_{s4}$	$\boldsymbol{u}_{s5}$	$\boldsymbol{u}_{s6}$	$\boldsymbol{u}_{s1}$
	0	$\boldsymbol{u}_{s7}$	$\boldsymbol{u}_{s0}$	$\boldsymbol{u}_{s7}$	$\boldsymbol{u}_{s0}$	$\boldsymbol{u}_{s7}$	$\boldsymbol{u}_{s0}$
	-1	$\boldsymbol{u}_{s6}$	$\boldsymbol{u}_{s1}$	$\boldsymbol{u}_{s2}$	$\boldsymbol{u}_{s3}$	$\boldsymbol{u}_{s4}$	$\boldsymbol{u}_{s5}$
-1	1	$\boldsymbol{u}_{s3}$	$\boldsymbol{u}_{s4}$	$\boldsymbol{u}_{s5}$	$\boldsymbol{u}_{s6}$	$\boldsymbol{u}_{s1}$	$\boldsymbol{u}_{s2}$
	0	$\boldsymbol{u}_{s0}$	$\boldsymbol{u}_{s7}$	$\boldsymbol{u}_{s0}$	$\boldsymbol{u}_{s7}$	$\boldsymbol{u}_{s0}$	$\boldsymbol{u}_{s7}$
	-1	$\boldsymbol{u}_{s5}$	$\boldsymbol{u}_{s6}$	$\boldsymbol{u}_{s1}$	$\boldsymbol{u}_{s2}$	$\boldsymbol{u}_{s3}$	$\boldsymbol{u}_{s4}$

表6-4　磁链滞环比较器的数学模型

磁链判据	输出	$\Delta\boldsymbol{\psi}$
$\|\boldsymbol{\psi}_s\| \leqslant \|\boldsymbol{\psi}_{sref}\| - \|\Delta\boldsymbol{\psi}_s\|$	1	1
$\|\boldsymbol{\psi}_s\| \geqslant \|\boldsymbol{\psi}_{sref}\| + \|\Delta\boldsymbol{\psi}\|$	0	-1

表6-5　转矩滞环比较器的数学模型

转矩判据	输出	ΔT
$\|T_e\| \leqslant \|T_{eref}\| - \|\Delta T_e\|$	1	1
$\|T_e\| \geqslant \|T_{eref}\|$	0	0
$\|T_e\| \geqslant \|T_{eref}\| + \|\Delta T_e\|$	-1	-1
$\|T_e\| \leqslant \|T_{eref}\|$	0	0

电磁转矩控制中采用了零电压矢量$\boldsymbol{u}_{s0}$,$\boldsymbol{u}_{s7}$,主要目的是减小转矩脉动,当由正常电压矢量切换到零电压矢量时,可使转矩变化放缓,提高了电压矢量选择的正确率,有效的减小了转矩的脉动。

6.2　直接转矩控制系统的基本结构

异步电动机直接转矩控制系统的组成框图如图6-8所示,从功能上可分为两个部分:第一部分是电动机状态观测,通过电流、电压和转速反馈值观测电动机的运行状态,如转矩反馈值T_f、磁链反馈值$\boldsymbol{\psi}_f$和磁链运行区间信号S_n,观测单元包括三相到两相的变换、转矩观测、磁链观测、磁链运行区间判断等；第二部分是比较选择，反馈值与给定值比较后经调节器通过 Bang-Bang 控制形成转矩调节信号 TQ，P/N 和磁链调节信号 ψQ，开关状态选择单元根据 TQ，P/N，ψQ 和 S_n 信号去选择控制逆变器的开关状态，输出相应的电压空间矢量 $\boldsymbol{U}_s(S_a, S_b, S_C)$，实现异步电动机的转矩和转速调节。

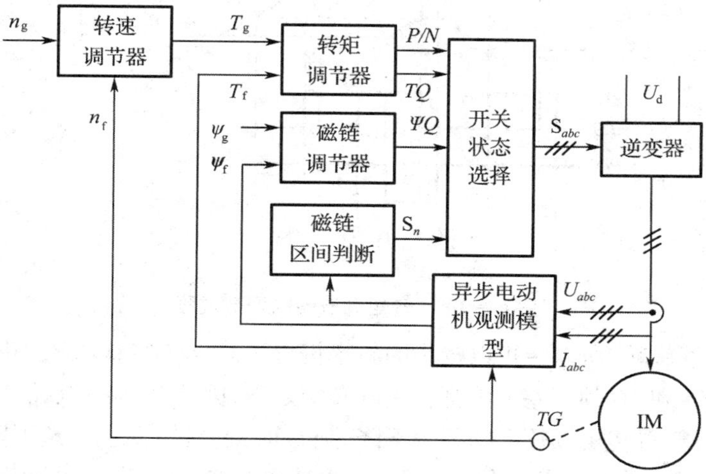

图6－8　异步电动机直接转矩控制系统图

6.2.1　转矩调节

转矩调节的任务是实现对转矩的直接控制，为了控制转矩，转矩调节必须具备两个功能：

(1) 转矩两点式调节器(Bang-Bang 控制器) 直接调节转矩；

(2) P/N 调节器在调节转矩的同时，控制定子磁链的旋转方向。

包括转矩调节和 P/N 调节两个功能的完整的转矩调节器如图6－9所示。它由转矩两点式调节器和 P/N 调节器两部分组成，调节器由施密特触发器构成，容差分别为 $\pm\varepsilon_m$ 和 $\pm\varepsilon_{P/N}$，并且有 $\varepsilon_{P/N} > \varepsilon_m$。输入是转矩给定值与转矩反馈值的差，输出则是调节信号 P/N 和 TQ。只有在转矩给定值变化较大时，P/N 调节器才参与调节，具体的调节过程如图6－10所示。

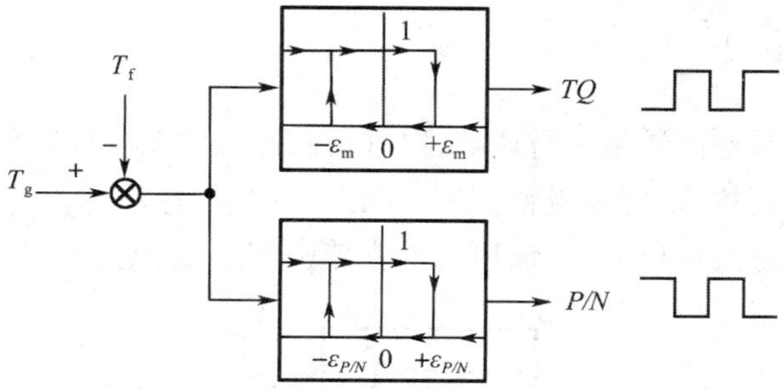

图6－9　转矩调节器方框图

当 $t < t_0$ 时，P/N 和 TQ 信号都为“1”态，选择正转的工作电压，转矩迅速上升。在 t_0 时刻，转矩上升到容差上限 $+\varepsilon_m$，TQ 信号变为“0”态，施加零电压，于是定子磁链静止不动，但

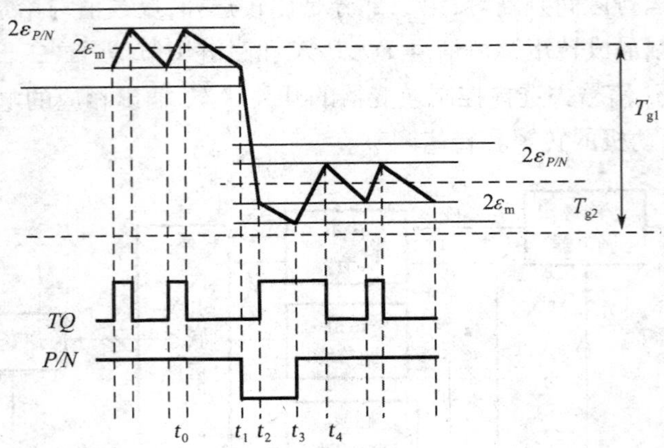

图6－10　转矩调节器的调节过程

由于转子磁链继续旋转，所以转矩以较小的斜率慢慢下降。t_1 时刻转矩给定值从 T_{g1} 突然下降到 T_{g2}，此时 P/N 和 TQ 的容差上限都在实际转矩之下，因此 P/N 和 TQ 信号都变为“0”态，施加反转的电压，使得转矩以较大的斜率下降。到 t_2 时刻，转矩到达容差下限 $-\varepsilon_m$ 处，于是 TQ 信号变为“1”态，而 P/N 信号仍为“0”态，这时施加零电压，定子磁链静止不动，因而转矩又缓慢下降。到 t_3 时刻，转矩到达 P/N 调节器的容差下限 $-\varepsilon_{P/N}$ 处，P/N 信号变为“1”态，此时 TQ 信号仍为“1”态，施加正转的电压，则转矩又迅速增加至 t_4 时刻。t_4 时刻时，P/N 信号为“1”态，TQ 信号为“0”态，施加零电压，转矩又缓慢下降，重复 $t_0 \sim t_1$ 的过程。

以上分析了转矩调节器在转矩给定值变化较大时一个完整的转矩调节过程。转矩调节器的两个输出信号状态与定子磁链矢量的运转状态之间的关系可以归纳到表6－6中。

表6－6　转矩调节器输出信号状态与定子磁链运转状态的关系

TQ	P/N	$\boldsymbol{\psi}_s$	TQ	P/N	$\boldsymbol{\psi}_s$
0	1	静止	0	0	反转
1	1	正转	1	0	静止

6.2.2　磁链调节

磁链调节的任务是对磁链量进行调节，以维持磁链幅值在允许的范围内波动。磁链调节器也是由施密特触发器构成，对磁链幅值进行两点式调节，容差为 $\pm\varepsilon_\psi$，如图6－11所示。输入是磁链给定值与磁链反馈值的差，输出则是磁链调节信号 ψQ。

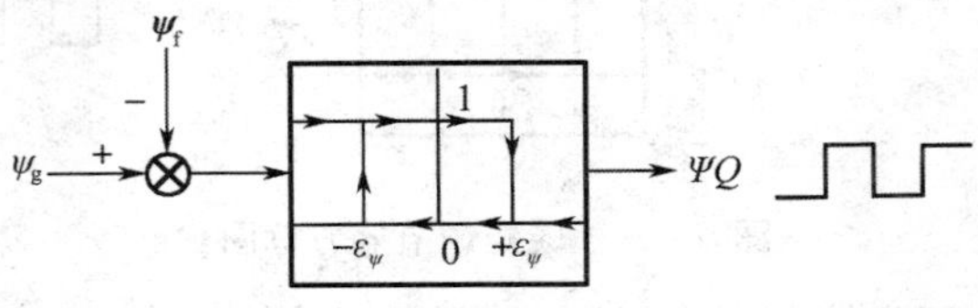

图6－11　磁链调节器原理图

磁链调节的过程见图 6 - 12，定子磁链由点 1 向前运动的过程中，由于定子电阻压降的影响，幅值慢慢降低；到达 2 点时，磁链幅值下降到容差的下限 $-\varepsilon_\psi$，此时磁链调节信号 ψQ 变为“1”态，施加 -120° 电压，磁链由 2 点运动到 3 点，幅值增加；到达 3 点时，磁链幅值上升到容差的上限 $+\varepsilon_\psi$，此时磁链调节信号 ψQ 变为“0”态，-120° 电压断开，磁链由于定子电阻压降的影响又慢慢降低，重复以前过程。由分析可知，磁链调节的作用使得磁链在运动过程中始终在 $\pm\varepsilon_\psi$ 内波动，保证了磁链幅值的恒定。

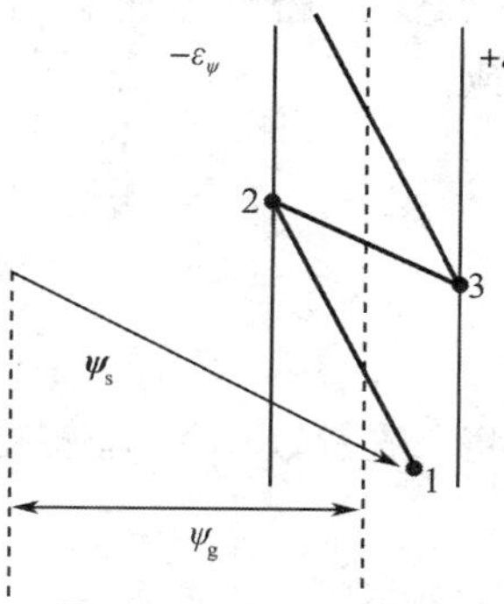

图 6 - 12　磁链两点式调节过程

6.2.3　磁链所在扇区的判断

磁链扇区是根据三相坐标系下相磁链的正负与 $\alpha\beta$ 坐标系下磁链的正负来判断的。由图形模型图 6 - 13 可得定子磁链空间矢量所处区间判定方法的数学模型，如表 6 - 7 所示，磁链值为正时用“1”表示，磁链值为负时用“0”表示；“×”表示冗余条件。

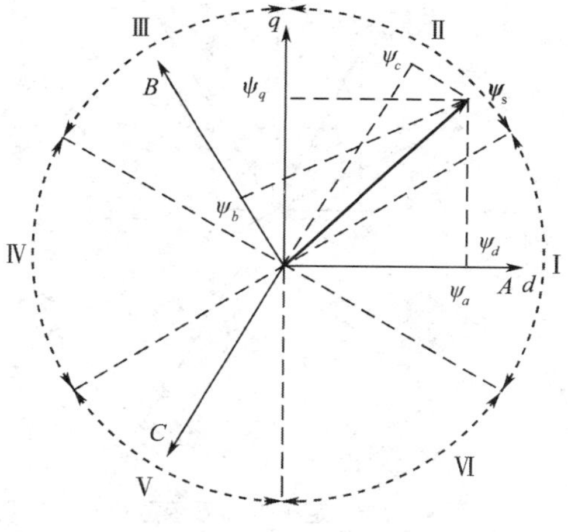

图 6 - 13　定子磁链空间矢量所处区间的确定

表 6 - 7　磁链扇区的判断

ψ_d	ψ_q	ψ_b	ψ_c	扇区(n)
×	×	0	0	Ⅰ(001)
1	1	1	×	Ⅱ(010)
0	1	×	0	Ⅲ(011)
×	×	1	1	Ⅳ(100)
0	0	0	×	Ⅴ(101)
1	0	×	1	Ⅵ(110)

由上表可得磁链所在扇区的数学模型即组合逻辑电路的函数表达式(扇区用二进制形式表达):

$$\begin{cases} Y_2 = \psi_d\overline{\psi_q}\psi_c + \overline{\psi_d}\,\overline{\psi_q}\,\overline{\psi_b} + \psi_b\psi_c \\ Y_1 = \psi_d\psi_q\psi_b + \psi_d\overline{\psi_q}\psi_c + \overline{\psi_d}\psi_q\overline{\psi_c} \\ Y_0 = \overline{\psi_b}\,\overline{\psi_c} + \overline{\psi_d}\psi_q\overline{\psi_c} + \overline{\psi_d}\,\overline{\psi_q}\,\overline{\psi_b} \end{cases}$$

将二进制数 $Y_2Y_1Y_0$ 转化为十进制数,就得出定子磁链矢量所在的区间位置。

6.3　异步电动机转矩磁链观测模型

在直接转矩控制中,采用空间矢量的分析方法,在定子静止 $\alpha\beta$ 坐标系下描述异步电动机的方程和模型。定子坐标系的分布如图6-14所示,空间矢量在 α 轴上的投影称为 α 分量,在 β 轴上的投影称为 β 分量。

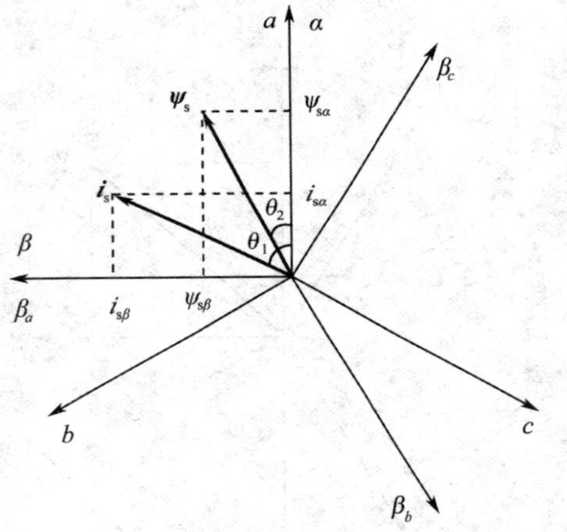

图6-14　定子坐标系示意图

在定子 $\alpha-\beta$ 坐标系下的异步电动机电压方程为

$$\begin{bmatrix} u_{s\alpha} \\ u_{s\beta} \\ 0 \\ 0 \end{bmatrix} = \begin{bmatrix} R_s & 0 & 0 & 0 \\ 0 & R_s & 0 & 0 \\ 0 & 0 & R_r & 0 \\ 0 & 0 & 0 & R_r \end{bmatrix} \begin{bmatrix} i_{s\alpha} \\ i_{s\beta} \\ i_{r\alpha} \\ i_{r\beta} \end{bmatrix} + \begin{bmatrix} p & 0 & 0 & 0 \\ 0 & p & 0 & 0 \\ 0 & 0 & p & \omega_r \\ 0 & 0 & -\omega_r & p \end{bmatrix} \begin{bmatrix} \psi_{s\alpha} \\ \psi_{s\beta} \\ \psi_{r\alpha} \\ \psi_{r\beta} \end{bmatrix} \tag{6-14}$$

磁链方程为

$$\begin{bmatrix} \psi_{s\alpha} \\ \psi_{s\beta} \\ \psi_{r\alpha} \\ \psi_{r\beta} \end{bmatrix} = \begin{bmatrix} L_s & 0 & L_m & 0 \\ 0 & L_s & 0 & L_m \\ L_m & 0 & L_r & 0 \\ 0 & L_m & 0 & L_r \end{bmatrix} \begin{bmatrix} i_{s\alpha} \\ i_{s\beta} \\ i_{r\alpha} \\ i_{r\beta} \end{bmatrix} \tag{6-15}$$

6.3.1 转矩观测模型

由前面叙述可以得到电磁转矩的估计值,即

$$T_e = p_n \boldsymbol{\psi}_s \boldsymbol{i}_s = p_n(\psi_{s\alpha} i_{s\beta} - \psi_{s\beta} i_{s\alpha}) \tag{6-16}$$

根据式(6 - 16) 构成的转矩观测模型框图如图 6 - 15 所示。

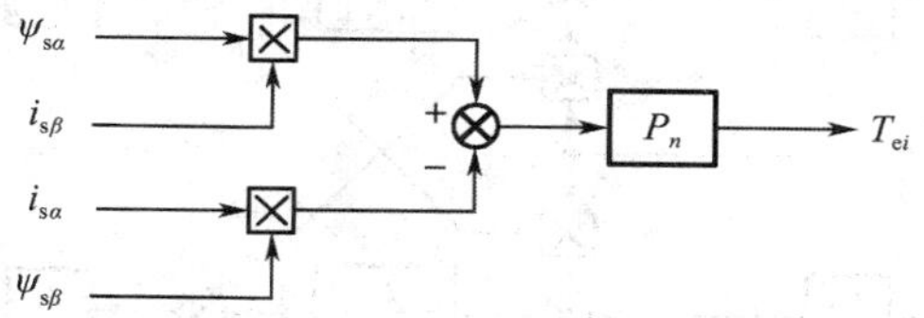

图 6 - 15 异步电动机转矩观测模型

6.3.2 磁链观测模型

异步电动机定子磁链观测模型通常采用全速范围内都实用的高精度磁链模型,称为 $u-n$ 模型,也叫电动机模型。$u-n$ 模型由定子电压、电流和转速来获得定子磁链,所用的数学方程式如下

$$\left.\begin{aligned} T_r \frac{d\psi_{r\alpha}}{dt} + \psi_{r\alpha} &= L_m i_{s\alpha} + T_r \omega_r \psi_{r\beta} \\ T_r \frac{d\psi_{r\beta}}{dt} + \psi_{r\beta} &= L_m i_{s\beta} - T_r \omega_r \psi_{r\alpha} \end{aligned}\right\} \tag{6-17}$$

$$\left.\begin{aligned} \psi_{s\alpha} &= \int (u_{s\alpha} - i_{s\alpha} R_s)\,dt \\ \psi_{s\beta} &= \int (u_{s\beta} - i_{s\beta} R_s)\,dt \end{aligned}\right\} \tag{6-18}$$

$$\left.\begin{aligned} \psi_{s\alpha} &\approx \psi_{r\alpha} + L_\sigma i'_{s\alpha} \\ \psi_{s\beta} &\approx \psi_{r\beta} + L_\sigma i'_{s\beta} \end{aligned}\right\} \tag{6-19}$$

式中 $T_r = L_r/R_r$—— 转子时间常数;

$L_\sigma = L_{s\sigma} + L_{r\sigma}$,$L_{s\sigma}$ 为定子漏感,$L_{r\sigma}$ 为转子漏感。

由以上三组方程构成 $u-n$ 模型,如图6 - 16 所示。模型中电流调节器 PI 单元的作用是强迫电动机模型电流和实际的电动机电流相等。

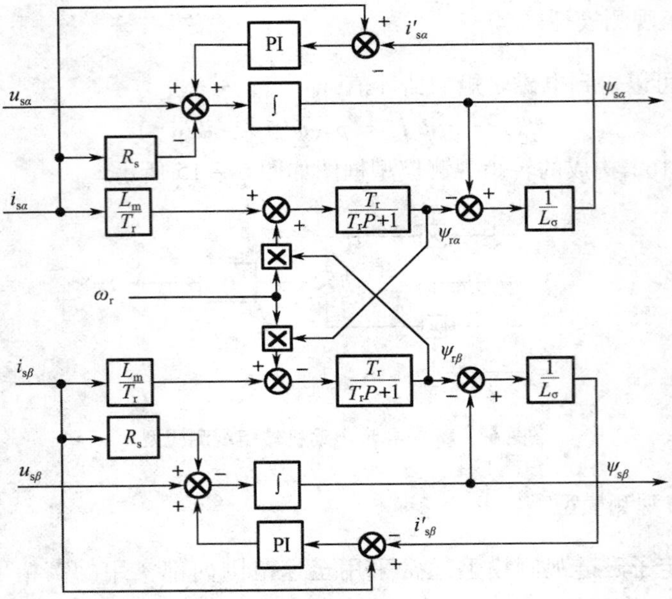

图 6－16　异步电动机定子磁链 *u*－*n* 模型图

6.4　直接转矩控制低速运行时的控制方法

6.4.1　传统直接转矩控制方法中存在的转矩脉动问题

直接转矩控制是通过选择适当的定子电压矢量把转矩和定子磁链误差限制在滞环内，这种控制模式算法简单，转矩响应速度快，但是这种方法仍存在一些问题，其中比较明显的一个问题就是转矩脉动大，尤其是在低速范围内转矩脉动更为明显。

影响转矩脉动有诸多因素，总结如下：

1. 转矩脉动和转矩滞环比较器的滞环宽度直接相关。在数字信号处理器和微处理器的应用中，转矩超过滞环带的现象不可避免。如果滞环比较器的带宽设得太小或者采样周期太大，转矩可能会超过滞环带上限，这时会选择一个反向的电压矢量，反向电压矢量会使转矩迅速减小，从而可能导致转矩反向低于滞环带下限；同理，当转矩低于滞环带下限时，则会选择一个正的电压矢量，正电压矢量会使转矩迅速增大，致使转矩正向超出滞环带上限。因此，即使使用小的滞环宽度，转矩脉动还是很大。

2. 由于普遍采用 $u-i$ 模型，需要对定子电阻进行观测，而在电动机运行一段时间之后，电动机的温度升高，定子电阻的阻值发生变化，使定子磁链的估计精度降低，导致电磁转矩出现较大的脉动。

3. 逆变器开关频率的高低也会影响转矩脉动的大小，开关频率越高转矩脉动越小，反之开关频率越低转矩脉动越大。但逆变器的频率受开关器件性能的影响，不能无限度的升高逆变器的频率。

6.4.2 基于占空比控制的异步电动机直接转矩控制系统减小转矩脉动的方法

1. 占空比的计算

在传统的直接转矩控制中，空间电压矢量作用在整个 PWM 周期内，而在系统实际运行过程中可能只需要作用某一小于 PWM 周期的一小段时间 t_s 就可以使得电动机的电磁转矩达到给定参考值，而此时如果继续对电动机施加工作电压矢量就会使转矩继续增大或减小，从而超出转矩给定值，使得转矩产生比较大的脉动。占空比控制的基本思想是在每个周期中输出电压矢量只作用于该周期的一部分时间，而在周期的剩余时间里选择零电压矢量。占空比控制技术的核心问题就是如何确定每个周期中工作电压矢量的作用时间（即占空比）。

为了计算和实际使用的方便，在占空比控制中引入合成电压矢量思想。将同一个周期中的工作电压矢量和零电压矢量合成为一个新的电压矢量。用此合成电压矢量代替原来的两个电压矢量，作用于整个周期。为使替换前后产生的控制效果相同，要保证替换后该周期定子磁链矢量的改变量与替换前的相同。因此可得

$$\boldsymbol{u}_s\delta T_s + \boldsymbol{u}_0(1-\delta)T_s = \boldsymbol{V}^* T_s \tag{6-20}$$

式中 $\boldsymbol{u}_s$—— 该周期内工作的电压矢量；

δ—— 所选工作电压矢量的占空比；

T_s—— 一个周期；

$\boldsymbol{u}_0$—— 零电压；

$\boldsymbol{V}^*$—— 合成电压。

考虑到 $\boldsymbol{u}_0=0$，所以式(6－20)可简写为

$$\boldsymbol{V}^* = \delta\boldsymbol{u}_s \tag{6-21}$$

由式(6－21)可得到如下结论：

(1) 合成电压矢量与原来的工作电压矢量具有相同的方向；

(2) 合成电压矢量的幅值是原工作电压矢量的 δ 倍；

(3) 如果合成电压矢量满足式(6－21)，则它可以用于替代原来的工作电压矢量和零电压矢量。

因为 δ 在 0 ~ 1 之间变化，所以合成电压矢量的端点分布于坐标原点与基本电压源型逆变器电压矢量的端点之间，如图6－17 所示。例如，如果所选工作电压矢量为 $\boldsymbol{u}_3$，则合成电压矢量的端点位于坐标原点与 $\boldsymbol{u}_3$ 的端点之间。

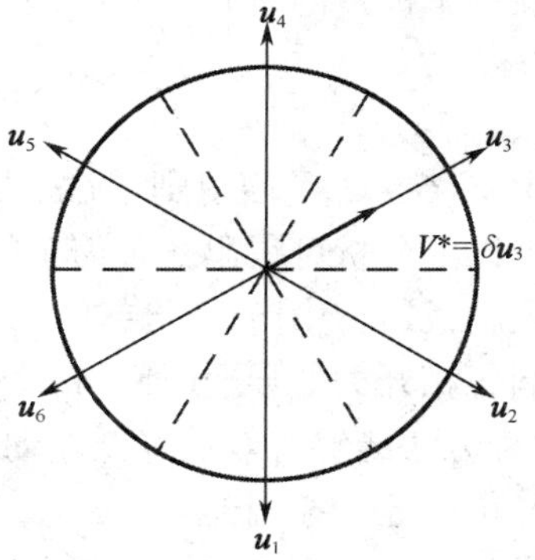

图 6－17 占空比控制中的合成电压矢量

直接转矩控制系统中电动机的电磁转矩计算公式为

$$T_e = \frac{3}{2}p_n\frac{L_m}{L_s'L_r}|\boldsymbol{\psi}_s||\boldsymbol{\psi}_r|\sin\delta_{sr} \tag{6-22}$$

将式(6－22)求导，可得电磁转矩增量 dT_e 和转矩角增量 $d\theta$ 之间的关系表达式：

$$dT_e = \frac{3}{2}p_n\frac{L_m}{L_s'L_r}|\boldsymbol{\psi}_s||\boldsymbol{\psi}_r|\cos\delta_{sr}d\delta_{sr} \tag{6-23}$$

由式(6－23)可知，交流异步电动机输出转矩的增量 dT_e 与转矩角增量 $d\delta_{sr}$ 有直接联系，与转子空间位置和转速无关。可以通过改变转矩角增量 $d\delta_{sr}$ 来使转矩增量 dT_e 快速变化，

从而获得电磁转矩的快速响应。占空比控制的最终目的是得到系统工作电压矢量的占空比与转矩增量的关系，因此只要找出占空比与 $d\delta_{sr}$ 之间的关系，便可以建立起这种联系。由于定子磁链矢量采用圆形轨迹，转矩角增量 $d\delta_{sr}$ 所对应的定子磁链增量 $d\boldsymbol{\psi}_s$ 可以由下式近似计算，即

$$d\boldsymbol{\psi}_s \approx |\boldsymbol{\psi}_s| d\delta_{sr} \tag{6-24}$$

通常情况下 $d\delta_{sr}$ 是个比较小的值，由几何学知识可知，采用式(6－24)计算 $d\boldsymbol{\psi}_s$ 有足够的准确度。在参考文献[1]中指出，低速范围内，当零电压作用时定子电阻压降会对磁链的运行轨迹产生影响，故不可忽略；而当工作电压矢量接通时，由于工作电压并未降低，故可忽略定子电阻压降。本书所要推出的占空比正是由工作电压接通的时间计算出来的，故忽略定子电阻压降后，可以得到定子磁链改变量与电压矢量和时间的关系为

$$\Delta\boldsymbol{\psi}_s = \boldsymbol{u}_s \Delta t \tag{6-25}$$

由上式可以看出，在一个很短的时间段 Δt（Δt 为 $\boldsymbol{u}_s$ 的实际作用时间）内，作用于某一电压矢量后所产生的定子磁链矢量改变量，与该电压矢量具有相同的方向。如果 $\boldsymbol{u}_s$ 作用的占空比为 δ，那么一个周期 T_s 内，为了消除转矩脉动所需要的工作电压的等效作用值满足：

$$\boldsymbol{V}^* = \boldsymbol{u}_s \delta \tag{6-26}$$

显然，通过选择合适的 $\boldsymbol{V}^*$ 完全可以更好的消除转矩的脉动。式(6－25)还可以用下式表示：

$$d\boldsymbol{\psi}_s = \boldsymbol{V}^* T_s \tag{6-27}$$

在每一个周期中，只要合理的选择工作电压矢量 $\boldsymbol{u}_s$，并控制 $\boldsymbol{u}_s$ 的作用时间，就可以实现对 $d\boldsymbol{\psi}_s$ 的控制，从而实现圆形磁链矢量轨迹。

将式(6－24)、式(6－26)和式(6－27)以及占空比公式 $\delta = t_s/T_s$ 代入到式(6－23)可得如下公式：

$$dT_e = \frac{3}{2} T_s p_n \frac{L_m |\boldsymbol{u}_s|}{L_s' L_r} |\boldsymbol{\psi}_r| \delta \cos\delta_{sr} \tag{6-28}$$

在一个极短的时间内，以上公式可等效为

$$\delta = \frac{2}{3} \frac{\Delta T_e L_s' L_r}{T_s P_n L_m |\boldsymbol{u}_s| |\boldsymbol{\psi}_r \cos\delta_{sr}} \tag{6-29}$$

由式(6－29)便得到了每个周期内转矩增量 ΔT_e 与占空比 δ 的关系。

由以上分析可得出一种简单的降低直接转矩控制系统转矩脉动的方法。此种方法建立起了电动机运行中产生的转矩误差与电压矢量作用时间之间的联系，通过计算得到占空比来控制各相开关的导通时间。每个周期产生能够消除电动机转矩误差的大小合适的电压矢量。这种方法能够有效的降低电动机低速下运行的转矩脉动。

2. 单神经元控制器

异步电动机直接转矩控制系统，其模型结构是确定的，但系统参数通常难以精确测定，一些参数将随着工作点的变化而变化。因此，应该在按模型控制的基础上，增加一定的智能控制手段，以消除参数变化和扰动的影响。采用单神经元智能控制方法，根据系统转速的偏差、偏差的积分和微分，调节控制的权值，可提高系统的鲁棒性。单神经元智能控制方法既具有神经网络自学习、自适应功能，又具有传统调节器的优点，而且运算简单，可用于直接转矩控制这一类的快速控制过程。

利用单神经元速度调节器替换传统 PI 调节器，就构成单神经元自适应直接转矩控制系

统。作为神经网络的基本单位，单神经元具有自学习和自适应能力，而且结构简单、易于计算。而 PI 调节器的参数与被控对象联系密切，将两者结合，组成具有自适应能力的单神经元 PI 控制器，可以实现电动机负载变化时控制器参数的自动调节。图 6－18 为单神经元控制器结构图。

图 6－18 中，y 为控制对象的输出，r 为给定值，w_1,w_2,w_3 分别为单神经元的突触权值，K 为单神经元控制器的增益，u 为单神经元控制器的控制量。x_1,x_2,x_3 为单神经元的三个输入量。

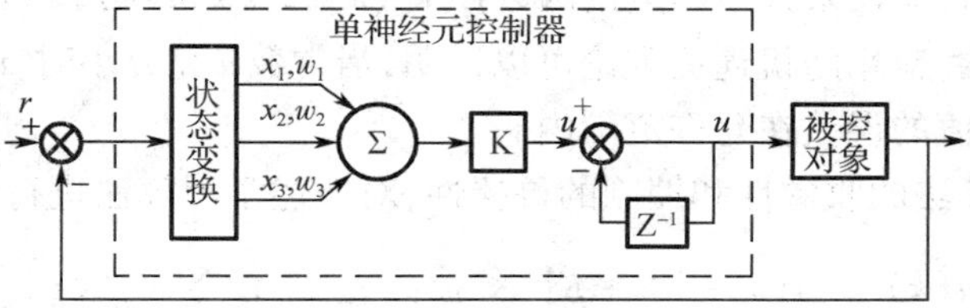

图 6－18　单神经元控制器结构图

用单神经元实现自适应 PID 控制时，控制器根据设定值及实际输出值计算出神经元控制所需要的状态量：

$$\begin{cases} x_1(k) = r(k) - y(k) = e(k) \\ x_2(k) = e(k) - e(k-1) = \Delta e(k) \\ x_3(k) = e(k) - 2e(k-1) + e(k-2) \end{cases} \quad (6-30)$$

$x_i(k)(i=1,2,3)$ 这种取法有明显的物理意义，它们分别相当于 PID 调节器的积分项、比例项、微分项。控制器的输出为

$$u(k) = u(k-1) + K\left[\sum_{i=1}^{3} w_i(k)x_i(k) / \sum_{i=1}^{3} |w_i(k)|\right] \quad (6-31)$$

式中　$U_{\max}$—— 最大限幅值，$|w_i(k)| \leqslant U_{\max}$。

K—— 神经元比例系数，它对系统的快速跟踪和抗干扰能力有较大的影响。

对于不同的权值，学习效率采用不同的值，以便根据需要对各自对应的权值进行调整，其取值可由仿真估计并由实验确定。

通过某些学习规则可以确定和更新 $w_i(k)$。可采用有监督的 Delta 学习算法和无监督的 Hebb 学习算法相结合的学习规则，称之为有监督 Hebb 学习规则。该神经元的学习规则可表示为

$$w_i(k+1) = w_i(k) + \eta_i e(k)u(k)x_i(k) \quad (6-32)$$

式中　η_i—— 学习效率，$\eta_i > 0(i=1,2,3)$。

该算法中，权值系数 $w_i(k)$ 和神经元的输入、输出和误差信号相关。

$$w_i(k+1) = (1-d)w_i(k) + \eta_i v_i(k) \quad (6-33)$$

$$v_i(k) = z(k)u(k)x_i(k) \quad (6-34)$$

式中　η_i—— 学习效率，$\eta_i > 0$；

$z(k)$—— 输出误差信号，$z(k) = e(k)$；

d—— 常数，通常在 0 ～ 1 之间。

由式(6－33) 和式(6－34) 可以推出

$$\Delta w_i(k) = w_i(k+1) - w_i(k) = -d\left[w_i(k) - \frac{\eta}{d}z(k)u(k)x_i(k)\right] \quad (6-35)$$

如果存在一函数 $f_i(w_i(k),z(k),u(k),x_i(k))$，使得

$$\frac{\partial f_i}{\partial_{w_i}} = w_i(k) - \frac{\eta_i}{d}e(k)u(k)x_i(k) \tag{6-36}$$

则式(6－35)可写成

$$\Delta w_i(k) = -d\frac{\partial f_i}{\partial w_i(k)} \tag{6-37}$$

式(6－37)表明，加权系数的调整按函数 $f_i(w_i(k),z(k),u(k),x_i(k))$ 对应于 $w_i(k)$ 的负梯度方向进行搜索。应用随机逼近理论可以证明，当常数 d 充分小时，$w_i(k)$ 可以收敛到某一稳定值，而且与期值的误差在允许范围内。

为了保证学习算法的收敛性和控制的鲁棒性，对上述学习算法进行规范化处理，如下

$$\begin{cases} u(k) = u(k-1) + K\left[\sum_{i=1}^{3} w_i(k)x_i(k) / \sum_{i=1}^{3}|w_i(k)|\right] \\ w_i(k+1) = w_i(k) + \eta_i e(k)u(k)x_i(k)\ (i=1,2,3) \end{cases} \tag{6-38}$$

这种学习规则中，权值的变化量可以随着控制器的输入 $e(k)$ 和控制器的输出 $u(k)$ 不断的改变，权值便能够随着系统的变化，即时修正完善自己。所以单神经元自适应控制器在与被控对象的交互作用中，能够不断地增加学习能力、适应能力和控制能力，易于实时控制。

单神经元算法，不但结构简单，而且能适应环境变化，克服参数变化对系统性能的影响，具有较强的鲁棒性。

综合上述内容，得到了一种基于占空比控制技术的异步电动机直接转矩控制系统，如图6－19所示。与基本的异步电动机直接转矩控制系统相比，新系统中增加了占空比产生的部分。在每个周期开始时，对定子磁链与电磁转矩进行估算。测量得到的实际转速值与给定转速值经过单神经元速度控制器得到参考转矩值。计算出的定子磁链幅值与转矩值分别与它们的参考值相比较，误差经过各自的滞环比较器得到误差等级（T_Q 和 ψ_Q）。在电压矢量选择表中，根据 T_Q 和 ψ_Q，以及定子磁链矢量的位置，选择出工作电压矢量 $\boldsymbol{u}_s$。它的占空比则由所设计的占空比控制器得出。占空比的推导是借助于电磁转矩方程及合成电压矢量的思想得到的。

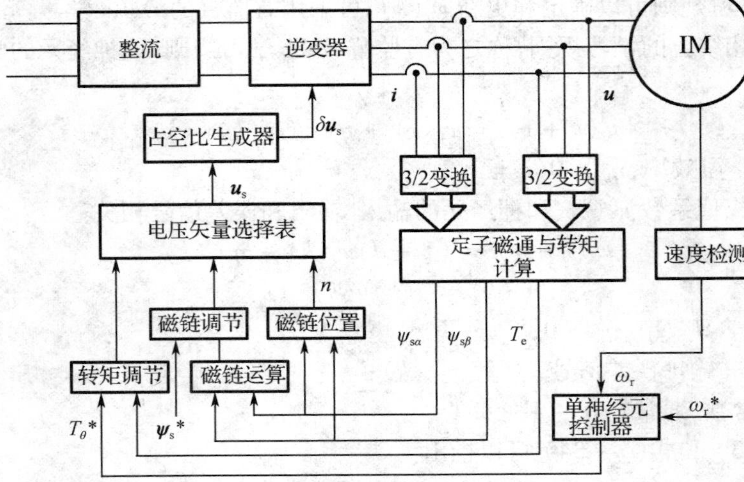

图6－19　基于占空比控制技术的异步电动机直接转矩控制系统框图

利用空间合成电压矢量的方法计算占空比，得出了工作状态的电压矢量在一个PWM周期内的作用时间，这个时间就是刚好能消除转矩误差而又不会产生过大转矩脉动的时间。

合成电压矢量方法的使用使得计算出的占空比更加精确。采用单神经元控制器取代传统的PI调节器使得系统受电动机参数变化影响小，增强了系统的抗干扰能力。

6.4.3 基于离散占空比调节技术的异步电动机直接转矩控制方法

1. 电压矢量的作用

定子磁链与转矩的解耦控制方式如图6-20所示。定子磁链矢量运动到扇区I时定子电压矢量 $\boldsymbol{u}_{s011}$ 可以分解为切向电压分量 $u_{s011}{}^{\tau}$ 和径向电压分量 $u_{s011}{}^{n}$。$u_{s011}{}^{\tau}$ 是通过改变定子磁链矢量旋转速度进而改变与转子磁链矢量的空间电角度 δ_{sr}，即改变电磁转矩的大小；而 $u_{s011}{}^{n}$ 是通过改变定子磁链矢量幅值的大小，以保持磁链矢量幅值为一恒定值。因此，在系统稳态下定子电压矢量可以分解为切向和径向电压矢量，以分别保持电磁转矩和定子磁链矢量幅值为恒定值。

2. 空间电压矢量对转矩的影响

由参考文献[45]可知，一个周期时间 T_s 内，由电压矢量 $\boldsymbol{u}_s$ 作用所引起的电磁转矩改变量 ΔT 的表达式为

$$\Delta T = \Delta T_{e1} + \Delta T_{e2} \tag{6-39}$$

$$\Delta T_{e1} = -T_e\left(\frac{R_s}{L_s}+\frac{R_r}{L_r}\right)\frac{T_s}{\sigma} \tag{6-40}$$

$$\Delta T_{e2} = \frac{3}{2}p_n\frac{L_m}{L'_sL_r}[\boldsymbol{\psi}_s\cdot\boldsymbol{u}_s - j\omega_m(\boldsymbol{\psi}_r\cdot\boldsymbol{\psi}_s)]T_s \tag{6-41}$$

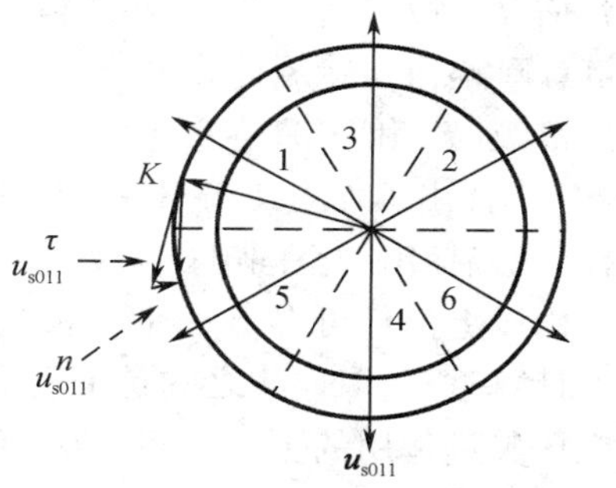

图6-20 定子磁链与转矩的解耦控制

式中 T_e—— 当前电磁转矩值；

ω_m—— 当前转子转速。

由式(6-39)可见，转矩改变量可以分为两部分：ΔT_{e1} 和 ΔT_{e2}。ΔT_{e1} 与当前的转矩值有关，而与转速等量无关。ΔT_{e2} 与当前转矩无关，而与转速值有关。随着转速的增大，转速对 ΔT_{e2} 的影响也将变大。当零电压矢量作用时，$\boldsymbol{u}_s=0$，这种影响更为显著。因此，在不同的速度范围内零电压矢量对转矩的减小量有很大不同。从式(6-41)可以看出，高速时零电压矢量对转矩的减小作用比低速时要强得多。因此，在低速下如果要减小转矩可以使所选择的非零电压的作用时间缩短，而使零电压作用的时间增加，这样便可缓和瞬态时转矩的过度减小带来的转矩波动。

由以上分析可得：直接转矩控制中，在定子磁链矢量运动的轨迹周长一定，电压矢量幅值不变的情况下，可以得出非零电压矢量切向分量作用时间与转矩成正比；而定子非零电压矢量径向电压分量对电磁转矩的影响较小，可以认为其有效值与电动机转矩无关；在电动机运行过程中，通过降低电压矢量的幅值便可以避免在一些调节周期中转矩变化比较剧烈的现象发生。

3. 对电压调节法的改进

上述介绍的调节电压幅值的方法在一定程度上可降低转矩及转速的脉动，但在实际中若想实现对电压幅值的调节，只能通过调节占空比大小来实现。这里介绍一种基于转矩实际

误差的电压闭环调节方法，此种方法是借鉴了 6.4.1 所介绍的基于占空比控制的直接转矩控制系统的思想。为了进一步减小计算量，将转矩的误差分级，每一级选取一个固定的占空比，这种方法叫作离散占空比法。

利用直接转矩控制系统的传统模型测得电磁转矩的实际偏差为 −2.5 ~ 2.5 N·m（相对于给定转矩），通过观察转矩波形发现在1 ~ 2 N·m之间时转矩的振动成分较大。因此，将偏差划分为如下几级：−2.5 ~ −1.5 N·m，−1.5 ~ −1 N·m，−1 ~ −0.5 N·m，−0.5 ~ 0 N·m，0 ~ 0.5 N·m，0.5 ~ 1 N·m，1 ~ 1.5 N·m，1.5 ~ 2.5 N·m，2.5 N·m以上。将离散占空比的值依次设置为0.3，0.4，0.5，0.6，0.7。转矩偏差的绝对值越大，占空比越大。根据此原则，当偏差为2.5 N·m以上时，$\delta = 0.7$；当偏差为0 ~ 0.5 N·m和 −0.5 ~ 0 N·m时，$\delta = 0.3$；当偏差为0.5 ~ 1 N·m和 −1 ~ 0.5 N·m时，$\delta = 0.4$；当偏差为1 ~1.5 N·m和 −1.5 ~ −1 N·m时，$\delta = 0.5$；当偏差为1.5 ~ 2 N·m和 −2 ~ −1.5 N·m时，$\delta = 0.6$。

基于上述离散占空比技术的异步电动机直接转矩控制系统与基本的直接转矩控制系统相比，新系统中增加了离散占空比产生的部分。在每个周期开始时，对定子磁链与电磁转矩进行估算。测量得到的实际转速值与给定转速值经过速度 PI 控制器得到参考转矩值。定子磁链计算幅值与转矩计算值分别与它们的参考值相比较，误差经过各自的滞环比较器得到误差等级（T_Q 和 ψ_Q）。在电压矢量选择表中，根据 T_Q 和 ψ_Q 的值，以及定子磁链矢量所处的区间 SN 选择出工作电压矢量 $\boldsymbol{V}_s$。它的离散占空比的值则由所设计的离散占空比生成器得出。这样，使选择出的空间电压矢量作用于逆变器，可以获得很好的控制效果。

由以上分析可得出一种简单的低速下的直接转矩控制方法。该系统改进了复杂的占空比的计算过程，取而代之的是采用了类似于模糊控制的方法来得到离散占空比的值，使得工作电压矢量作用的更加合理，减小了系统的转矩脉动。

6.4.3 基于空间矢量调制技术的异步电动机直接转矩控制方法

在传统的直接转矩控制中只利用了磁链和转矩误差信号的极性，通过 8 个基本电压矢量粗略的调节磁链和转矩的大小，并没有考虑误差信号的大小，这就限制了磁链和转矩的控制精度。如果在每个控制周期内利用两个相邻的非零基本电压矢量和零电压矢量合成任意的电压矢量，就可为磁链和转矩的控制提供更加精确的电压矢量，同时省略了优化开关表和滞环比较器，突破了传统直接转矩控制的局限性。

1. 空间矢量调制产生的基本方法

图 6 − 21 为逆变器的 8 个空间电压矢量及扇区的划分图。图中所要合成的参考电压矢量 $\boldsymbol{V}_{ref}$ 可由与其所在扇区邻近的两个非零电压矢量 $\boldsymbol{V}_4$ 和 $\boldsymbol{V}_6$ 来合成。根据伏秒平衡原则：

$$\boldsymbol{u}_{s1}T_1 + \boldsymbol{u}_{s2}T_2 + \boldsymbol{u}_{s0}T_0 = \boldsymbol{u}_{ref}T \tag{6-42}$$

$$T_1 + T_2 + T_0 = T \tag{6-43}$$

式中 T——PWM 周期；

T_1，T_2——$\boldsymbol{u}_{s1}$，$\boldsymbol{u}_{s2}$ 的作用时间；

T_0—— 零矢量 $\boldsymbol{u}_{s0}$ 或 $\boldsymbol{u}_{s7}$ 的作用时间。

矢量作用时间的推导过程比较复杂，这里采用一种比较简单的方法来推导各矢量的作用时间。此方法利用空间矢量所在扇区对称的特点，只需计算 3 个扇区的作用时间，就可推导出另外 3 个扇区的作用时间，达到减少计算工作量的目的。

如图 6 − 22 所示，由正弦定理可得：

$$\frac{OA}{\sin(\frac{\pi}{3}-\theta)}=\frac{OB}{\sin(\frac{2}{3}\pi)}=\frac{AB}{\sin\theta} \quad (6-44)$$

即

$$\frac{T_1\boldsymbol{u}_{s1}}{\sin(\frac{\pi}{3}-\theta)}=\frac{T\boldsymbol{V}_{ref}}{\sin(\frac{2}{3}\pi)}=\frac{T_2\boldsymbol{u}_{s2}}{\sin\theta} \quad (6-45)$$

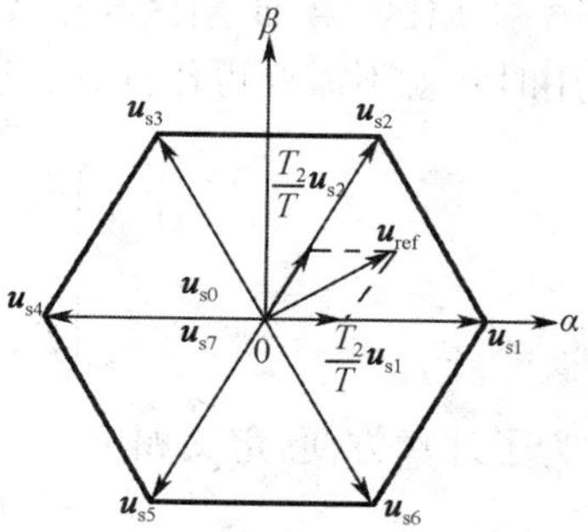

图 6－21 基本电压空间矢量分布

把 $\boldsymbol{u}_{s1}=\boldsymbol{u}_{s2}=\frac{2U_d}{3}$ 代入上式，即可求出第 Ⅰ 扇区的矢量时间分配：

$$\begin{cases}T_1=\dfrac{\sqrt{3}\boldsymbol{u}_{ref}T}{U_d}\sin(\dfrac{\pi}{3}-\theta)\\T_2=\dfrac{\sqrt{3}\boldsymbol{u}_{ref}T}{U_d}\sin\theta\end{cases} \quad (6-46)$$

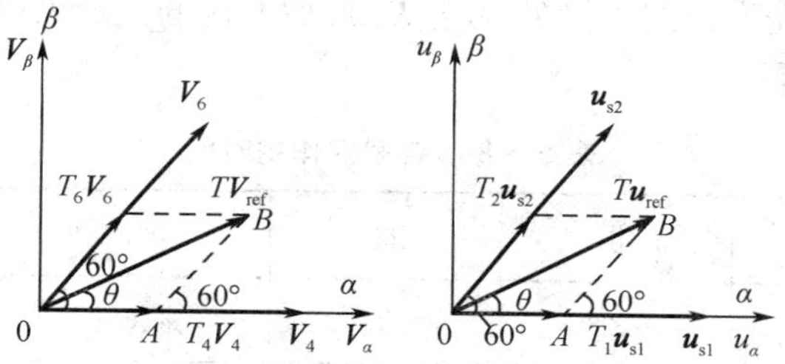

图 6－22 参考电压矢量的合成

同理，可以推出第 Ⅱ 扇区时的矢量时间分配为

$$\begin{cases}T_2=\dfrac{\sqrt{3}\boldsymbol{u}_{ref}T}{U_d}\sin(\dfrac{2\pi}{3}-\theta)\\T_3=\dfrac{\sqrt{3}\boldsymbol{u}_{ref}T}{U_d}\sin(\theta-\dfrac{\pi}{3})\end{cases} \quad (6-47)$$

在第 Ⅲ 扇区时的矢量时间分配为

$$\begin{cases}T_3=\dfrac{\sqrt{3}\boldsymbol{u}_{ref}T}{U_d}\sin(\pi-\theta)\\T_4=\dfrac{\sqrt{3}\boldsymbol{u}_{ref}T}{U_d}\sin(\theta-\dfrac{2\pi}{3})\end{cases} \quad (6-48)$$

综合以上三式，就可得到 Ⅰ，Ⅱ，Ⅲ 扇区的矢量作用时间计算公式：

$$\begin{cases}T_x=\dfrac{\sqrt{3}\boldsymbol{u}_{ref}T}{U_d}\sin(\dfrac{N\pi}{3}-\theta)\\T_y=\dfrac{\sqrt{3}\boldsymbol{u}_{ref}T}{U_d}\sin\left[\theta-\dfrac{(N-1)\pi}{3}\right]\end{cases} \quad (6-49)$$

从图 6－21 中可以看出，第 Ⅰ 扇区内矢量与第 Ⅳ 扇区内矢量关于圆心对称，即空间相位差为 180°，根据这种对称关系可以知道各矢量作用时间值也是关于圆心相对称的第 Ⅱ 扇区与第 V 扇区、第 Ⅲ 扇区与第 Ⅵ 扇区则有着同样的对称关系。因而第 Ⅳ, V, Ⅵ 扇区各矢量作用时间就不需要再作推导,直接根据第 Ⅰ, Ⅱ, Ⅲ 扇区作用时间来确定即可。

$$\begin{cases} T_x = \dfrac{\sqrt{3}\boldsymbol{u}_{\mathrm{ref}}T}{U_{\mathrm{d}}}\sin\left[\dfrac{(N-3)\pi}{3}-\theta\right] \\ T_y = \dfrac{\sqrt{3}\boldsymbol{u}_{\mathrm{ref}}T}{U_{\mathrm{d}}}\sin\left[\theta-\dfrac{(N-4)\pi}{3}\right] \end{cases} \tag{6-50}$$

为了计算方便,定义如下三个公用变量:

$$\begin{cases} X = \dfrac{\sqrt{3}T}{U_{\mathrm{d}}}u_\beta \\ Y = \dfrac{T}{U_{\mathrm{d}}}\left(\dfrac{3}{2}u_\alpha + \dfrac{\sqrt{3}}{2}u_\beta\right) \\ Z = \dfrac{T}{U_{\mathrm{d}}}\left(-\dfrac{3}{2}u_\alpha + \dfrac{\sqrt{3}}{2}u_\beta\right) \end{cases} \tag{6-51}$$

在此,定义扇区内先发送的矢量 T_x 为主矢量,后发送的矢量 T_y 为辅矢量。将计算综合成一个表格,如表 6 - 8 所示。

表 6 - 8　各扇区作用时间

扇区号	Ⅰ	Ⅱ	Ⅲ	Ⅳ	V	Ⅵ
T_x	$-Z$	Z	X	$-X$	$-Y$	Y
T_y	X	Y	$-Y$	Z	$-Z$	$-X$

在知道各扇区内两相邻矢量作用时间后,遵循开关次数最少的原则,便可采用七段式空间矢量合成方法来发送各矢量,即在每个扇区内,中间的零矢量均以(111) 开始和结束,其余的零矢量均以(000) 开始和结束,其他非零矢量的发送保证每次只有一个开关切换。各矢量的发送顺序规律如表 6 - 9 所示。

表 6 - 9　电压矢量的发送顺序

$T_0/2$	$T_x/2$	$T_y/2$	$T_7/2$	$T_y/2$	$T_x/2$	$T_0/2$
$\boldsymbol{u}_{s0}$	u_x	u_y	$\boldsymbol{u}_{s7}$	u_y	u_x	$\boldsymbol{u}_{s0}$

为了计算空间电压矢量比较器的切换点,在此定义:

$$\begin{cases} t_a = \dfrac{T-T_x-T_y}{4} \\ t_b = t_a + \dfrac{T_x}{2} \\ t_c = t_b + \dfrac{T_y}{2} \end{cases} \tag{6-52}$$

遵循上述各矢量的发送顺序和作用时间规律,便可以合成所期望的电压矢量,得到任意相位和大小的电压矢量,从而得到合适的控制磁链和转矩的电压矢量。

各扇区的矢量切换点如表6－10所示。

表6－10 矢量切换点

扇区号	Ⅰ	Ⅱ	Ⅲ	Ⅳ	Ⅴ	Ⅵ
T_{CM1}	t_a	t_b	t_c	t_c	t_b	t_a
T_{CM2}	t_b	t_a	t_a	t_b	t_c	t_c
T_{CM3}	t_c	t_c	t_b	t_a	t_a	t_b

在使用电压空间矢量这种方法时，需要知道由u_α和u_β所决定的空间电压矢量所处的扇区。通常的判断方法是，根据u_α和u_β计算出电压矢量的幅值，再结合u_α和u_β的正负进行判断。这种方法含有非线性函数，使计算复杂，在实际系统中不容易实现。下面介绍一种简单有效的判断方法。

通过分析u_α和u_β的关系来判断参考电压矢量$\boldsymbol{u}_{\text{ref}}$所处的扇区。参考图6－21可以得出：

$$若\begin{cases}u_\alpha>0\\u_\beta>0\end{cases},且\begin{cases}|u_\alpha|\geqslant\frac{1}{2}|\boldsymbol{u}_{\text{ref}}|\\|u_\beta|<\frac{\sqrt{3}}{2}|\boldsymbol{u}_{\text{ref}}|\end{cases}\tag{6-53}$$

其中$|\boldsymbol{u}_{\text{ref}}|=\sqrt{u_\alpha^2+u_\beta^2}$，则$\boldsymbol{V}_{\text{ref}}$位于扇区Ⅰ，实际上，若进一步结合矢量图几何关系分析，式(6－53)可表述为

$$u_\beta>0,且\frac{\sqrt{3}}{2}u_\alpha-\frac{1}{2}u_\beta>0\tag{6-54}$$

使用式(6－54)判断扇区与式(6－53)等效，且与$\boldsymbol{u}_{\text{ref}}$无关，完全避免了计算非线性函数，实现起来就容易多了。

其他扇区的判断可依此类推，得到：

$u_\beta>0$，且$\left|\frac{\sqrt{3}}{2}u_\alpha\right|-\frac{1}{2}u_\beta<0$时，$\boldsymbol{u}_{\text{ref}}$位于扇区Ⅱ；

$u_\beta>0$，且$-\frac{\sqrt{3}}{2}u_\alpha-\frac{1}{2}u_\beta>0$时，$\boldsymbol{u}_{\text{ref}}$位于扇区Ⅲ；

$u_\beta>0$，且$\frac{\sqrt{3}}{2}u_\alpha-\frac{1}{2}u_\beta<0$时，$\boldsymbol{u}_{\text{ref}}$位于扇区Ⅳ；

$u_\beta>0$，且$-\left|\frac{\sqrt{3}}{2}u_\alpha\right|-\frac{1}{2}u_\beta<0$时，$\boldsymbol{u}_{\text{ref}}$位于扇区Ⅴ；

$u_\beta>0$，且$-\frac{\sqrt{3}}{2}u_\alpha-\frac{1}{2}u_\beta<0$时，$\boldsymbol{u}_{\text{ref}}$位于扇区Ⅵ。

采用上述条件，只需经过简单的加减及逻辑运算即可确定所在的区间，避免了复杂非线性函数的计算。但这还不是最简练的表述，若对以上条件作进一步分析，判断方法可进一步简化，由所推导出的条件可以看出，$\boldsymbol{u}_{\text{ref}}$所在的扇区完全可由$u_\beta$，$\frac{\sqrt{3}}{2}u_\alpha-\frac{1}{2}u_\beta$，$-\frac{\sqrt{3}}{2}u_\alpha-\frac{1}{2}u_\beta$三式与零电压矢量的关系决定，由此，可定义以下变量：

$$\begin{cases} \boldsymbol{u}_{\mathrm{ref}} = u_\beta \\ \boldsymbol{u}_{\mathrm{ref2}} = \dfrac{\sqrt{3}}{2}u_\alpha - \dfrac{1}{2}u_\beta \\ \boldsymbol{u}_{\mathrm{ref3}} = -\dfrac{\sqrt{3}}{2}u_\alpha - \dfrac{1}{2}u_\beta \end{cases} \tag{6-55}$$

再定义：若 $\boldsymbol{u}_{\mathrm{ref1}} > 0$，则 $A = 1$，否则 $A = 0$；若 $\boldsymbol{u}_{\mathrm{ref2}} > 0$，则 $B = 1$，否则 $B = 0$；若 $\boldsymbol{u}_{\mathrm{ref3}} > 0$，则 $C = 1$，否则 $C = 0$。

A,B,C 之间共有 8 种组合，但由判断扇区的公式可知，A,B,C 不会同时为 0 或同时为 1，所以实际的组合有 6 种。A,B,C 组合取不同的值对应着不同的扇区，并且是一一对应的，因此完全可以由 A,B,C 的组合判断所在的扇区。为区别 6 种状态，令

$$S = A + 2B + 4C \tag{6-56}$$

S 可为 1 ~ 6 六个整数值，S 值与扇区号的对应关系如表 6 – 11 所示。

表 6 – 11　S 值与扇区的对应关系

扇区号	Ⅰ	Ⅱ	Ⅲ	Ⅳ	Ⅴ	Ⅵ
S	3	1	5	4	6	2

2. 采用空间电压矢量调制的直接转矩控制系统

在直接转矩控制系统中应用空间电压矢量调制技术，关键是确定需要调制的控制量。美国学者 Habetler 提出了无差拍(Deadbeat) 控制技术，其基本思想是在一个控制周期内根据磁链和转矩的误差计算出能使误差为零的定子电压矢量，在下一个控制周期中使用空间电压矢量调制的方法将其合成出来以实现控制。无差拍的方法理论上能完美解决传统直接转矩控制的各种问题，但实际计算量太大，不易实现。这里使用 PI 调节器获得可以补偿定子磁链和转矩误差的参考电压量，再由 8 种基本的空间电压矢量合成去控制逆变器。这种方法直接简单，利于实现。

将定子磁链置于同步旋转坐标系下，设定子磁链的旋转速度为 ω_s，并且令旋转坐标系的 d 轴与定子磁链矢量 $\boldsymbol{\psi}_s$ 对齐，则有 $\boldsymbol{\psi}_s = \psi_{sd}, \psi_{sq} = 0$。此时定子电压矢量可表示为

$$\begin{cases} u_{sd} = R_s i_{sd} + \dfrac{\mathrm{d}\boldsymbol{\psi}_s}{\mathrm{d}t} \\ u_{sq} = R_s i_{sd} + \omega_s \boldsymbol{\psi}_s \end{cases} \tag{6-57}$$

此时的电磁转矩可以表示为

$$T_e = \frac{3}{2} n_p \boldsymbol{\psi}_s i_{sq} \tag{6-58}$$

由式(6 – 58) 可得

$$i_{sq} = \frac{2T_e}{3n_p \boldsymbol{\psi}_s}$$

代入式(6 – 57) 中，可得

$$\begin{cases} u_{sd} = R_s i_{sd} + \dfrac{\mathrm{d}\boldsymbol{\psi}_s}{\mathrm{d}t} \\ u_{sq} = R_s \dfrac{2T_e}{3n_p \boldsymbol{\psi}_s} + \omega_s \boldsymbol{\psi}_s \end{cases} \tag{6-59}$$

由式(6－59)可见,定子电压矢量的 u_{sd} 分量对定子磁通的变化率有很大的影响,u_{sq} 分量可用作产生转矩的控制,也就是说每个周期由磁链和转矩的误差信号通过 PI 调节器可得到消除误差信号的电压矢量。由此可见,可以利用磁链偏差和转矩偏差得到 2 个解耦的基准定子电压 u_{sd},u_{sq}。控制系统结构见图 6－23。

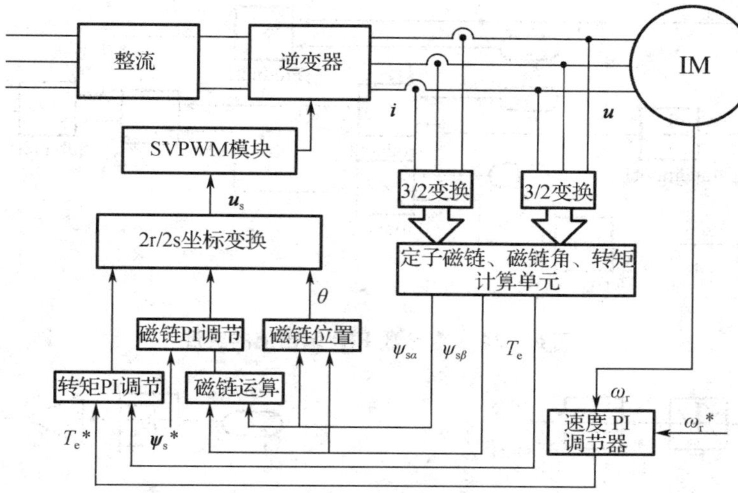

图 6－23　基于空间矢量调制的直接转矩系统结构图

由检测到的三相电流和电压经过 3s/2s 变换,转换为静止两相坐标系下的电流和电压。经过定子磁链、磁链角、转矩计算单元得到实际的定子磁链和转矩值。二者分别与给定磁链和转矩作比较,得到磁链和转矩的误差。磁链的误差经过 PI 调节器得到 u_{sd}。转矩的误差经过 PI 调节器后得到 u_{sq}。将 u_{sd} 与 u_{sq} 经过 2r/2s 变换后得到 u_α,u_β,再输入到 SVPWM 模块中去,通过计算得到相邻的工作电压矢量及零电压矢量的作用时间去控制逆变器各个开关的导通与关断,从而可以得到精确消除磁链和转矩误差的电压信号。

从图 6－23 上可以看出,基于 PI 调节的直接转矩控制与按定子磁场定向的矢量控制相似,但二者是有区别的。定子磁场定向的矢量控制基于同步旋转坐标系,定向于定子磁链 d 轴,q 轴磁链为零,另外还要对 d 轴方向上的磁链和 q 轴方向上的电流进行解耦。而基于 PI 调节的直接转矩控制并不需要,只需要使转矩输出和定子磁链反馈通过 PI 调节的方法来跟随上给定即可,因此比较容易实现,并且相对于传统的直接转矩控制可以提高开关频率,减小了低速下的转矩脉动,但是在这种方法中需要选取合适的 PI 参数,否则会影响控制系统的动、静态性能。

6.5　直接转矩控制系统仿真模型举例

6.5.1　滞环控制模块

1. 转矩滞环比较器的实现

根据表 6－5 转矩滞环比较器的数学模型实现其仿真模型,如图 6－24 所示。

在仿真模型死区、限幅元件中设定调试好的参数，即可实现转矩滞环比较器的功能，如图 6 – 25 所示。

2. 磁链滞环比较器的实现

根据表 6 – 4 磁链滞环比较器的数学模型实现其仿真模型，如图 6 – 26 所示。

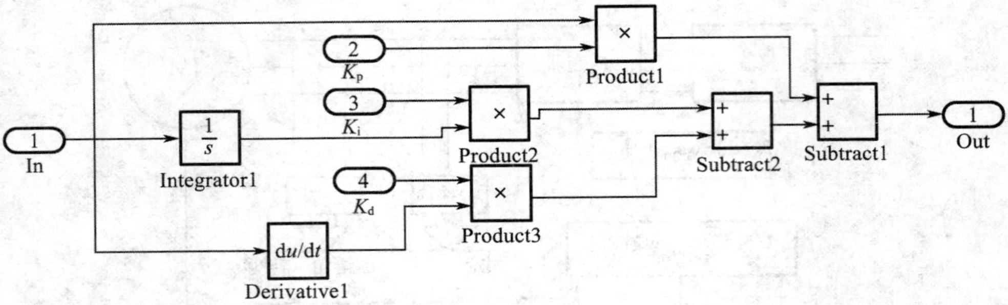

图 6 – 24　变参数 PID 输出值的实现

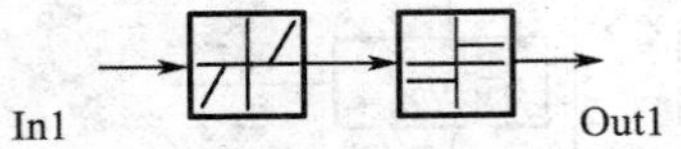

图 6 – 25　转矩滞环比较器的仿真模型

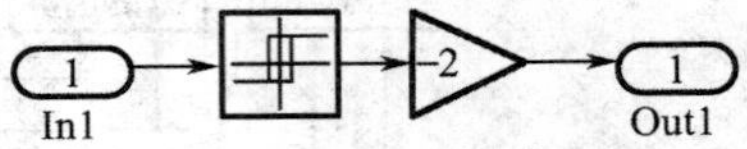

图 6 – 26　磁链滞环比较器的仿真模型

6.5.2　定子电压、电流在 $\alpha\beta$ 坐标系下的实现

$$
\begin{cases}
i_d = i_a - \frac{1}{2}(i_b + i_c) \\
i_q = i_a - \frac{\sqrt{3}}{2}(i_b - i_c) \\
u_d = u_a - \frac{1}{2}(u_b + u_c) \\
u_q = u_a - \frac{\sqrt{3}}{2}(u_b - u_c)
\end{cases}
\tag{6-60}
$$

上式为定子电压、电流在 $\alpha\beta$ 坐标系下实现 i_d,i_q,u_d,u_q 的数学模型，根据其数学模型实现各自的仿真模型，如图 6 – 27 所示。

6.5.3　磁链仿真模型的实现

$$
\begin{cases}
\psi_b = \int u_b - i_b R_s \mathrm{d}t \\
\psi_c = \int u_c - i_c R_s \mathrm{d}t \\
\psi_d = \int u_d - i_d R_s \mathrm{d}t \\
\psi_q = \int u_q - i_q R_s \mathrm{d}t
\end{cases}
\tag{6-61}
$$

上式是磁链观测器的数学模型，由磁链观测器的数学模型建立磁链观测器的仿真模型，如图 6 －28 所示。

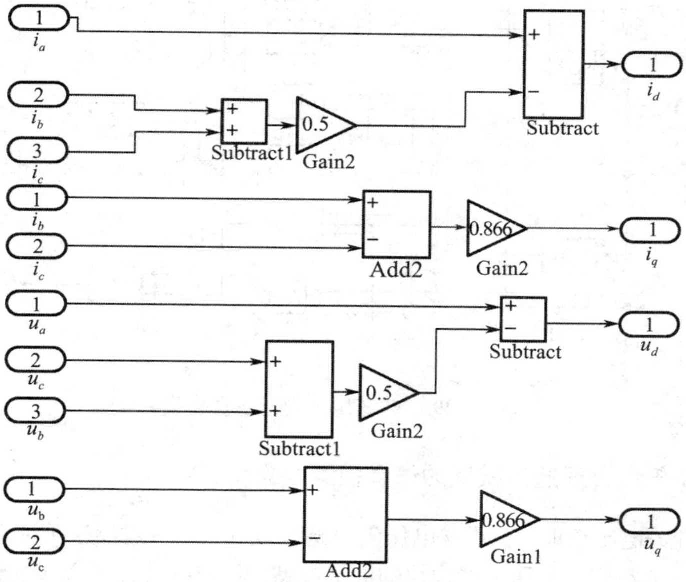

图 6 －27　定子电压、电流 $\alpha\beta$ 坐标系下实现 i_d,i_q,u_d,u_q 的仿真模型

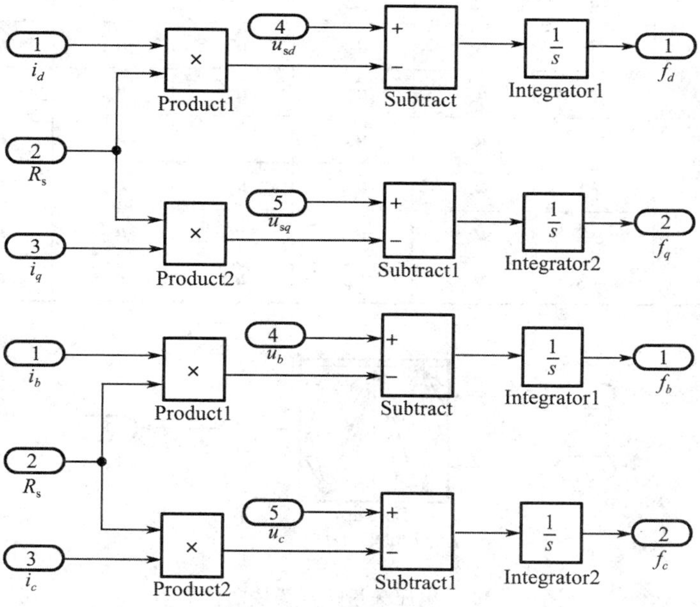

图 6 －28　磁链观测器的仿真模型

6.5.4　磁链所在扇区判断模型的建立

由组合逻辑函数表达式建立该模型的仿真组合逻辑电路模型，如图 6 －29 所示。然后再将二进制数转化为十进制数，就可以简洁、有效地表达出定子磁链矢量所在的区间位置。

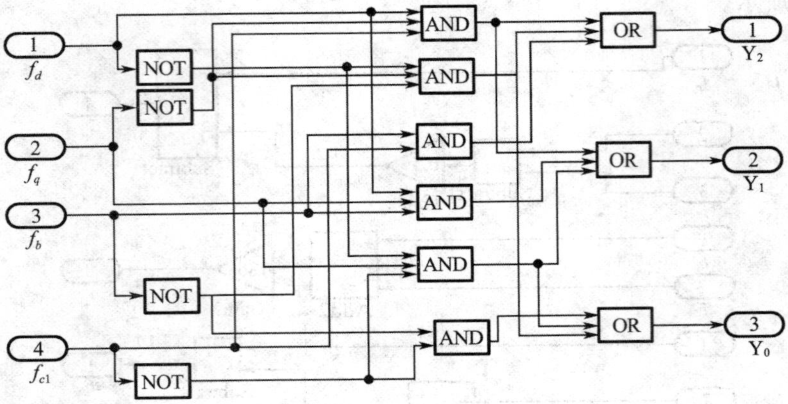

图 6 – 29　磁链扇区判断仿真模型

6.5.5　电压矢量合理选择模块的仿真模型建立

由表 6 – 3(开关电压查询表) 建立电压矢量选择模块的仿真模型。现对输入信号作一下处理,即 $C_{in} = 2\Delta\boldsymbol{\psi} + \Delta T$,建立电压矢量模块的数学模型,见表 6 – 12;其仿真模型,见图 6 – 30。

表 6 – 12　电压矢量选择模块的数学模型

$\Delta\boldsymbol{\psi}$	ΔT	C_{in}	1	2	3	4	5	6
1	1	3	$\boldsymbol{u}_{s2}$	$\boldsymbol{u}_{s3}$	$\boldsymbol{u}_{s4}$	$\boldsymbol{u}_{s5}$	$\boldsymbol{u}_{s6}$	$\boldsymbol{u}_{s1}$
	0	2	$\boldsymbol{u}_{s7}$	$\boldsymbol{u}_{s0}$	$\boldsymbol{u}_{s7}$	$\boldsymbol{u}_{s0}$	$\boldsymbol{u}_{s7}$	$\boldsymbol{u}_{s0}$
	– 1	1	$\boldsymbol{u}_{s6}$	$\boldsymbol{u}_{s1}$	$\boldsymbol{u}_{s2}$	$\boldsymbol{u}_{s3}$	$\boldsymbol{u}_{s4}$	$\boldsymbol{u}_{s5}$
– 1	1	– 1	$\boldsymbol{u}_{s3}$	$\boldsymbol{u}_{s4}$	$\boldsymbol{u}_{s5}$	$\boldsymbol{u}_{s6}$	$\boldsymbol{u}_{s1}$	$\boldsymbol{u}_{s2}$
	0	– 2	$\boldsymbol{u}_{s0}$	$\boldsymbol{u}_{s7}$	$\boldsymbol{u}_{s0}$	$\boldsymbol{u}_{s7}$	$\boldsymbol{u}_{s0}$	$\boldsymbol{u}_{s7}$
	– 1	– 3	$\boldsymbol{u}_{s5}$	$\boldsymbol{u}_{s6}$	$\boldsymbol{u}_{s1}$	$\boldsymbol{u}_{s2}$	$\boldsymbol{u}_{s3}$	$\boldsymbol{u}_{s4}$

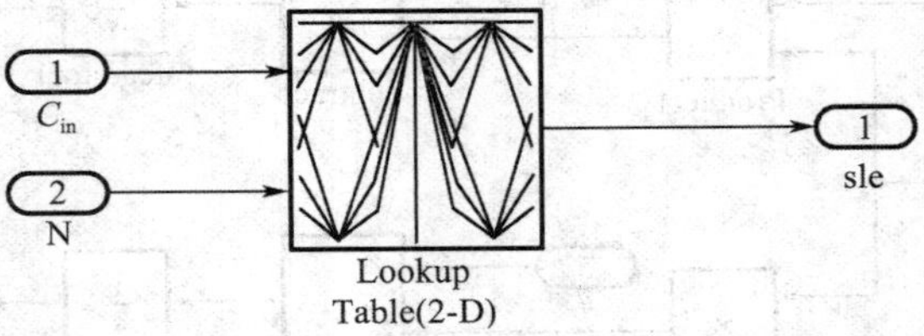

图 6 – 30　电压矢量选择模块的仿真模型

6.5.6　电压型逆变器仿真模型的实现

本书中使用可控直流电压源代替晶闸管元件。电压型逆变器的数学模型,见表 6 – 13;电压型逆变器的仿真模型,见图 6 – 31。

由表 6 – 13 可以实现 $\alpha\beta$ 坐标系下的电压矢量转化为三相坐标系下的相电压数值,然后将相电压的数值通过可控电压源得到电动机相电压。

表 6 − 13 电压型逆变器的数学模型状态

状态	u_{s0}	u_{s1}	u_{s2}	u_{s3}	u_{s4}	u_{s5}	u_{s6}	u_{s7}
u_a	0	$\frac{2}{3}V_c$	$\frac{1}{3}V_c$	$-\frac{1}{3}V_c$	$-\frac{2}{3}V_c$	$-\frac{1}{3}V_c$	$\frac{1}{3}V_c$	V_c
u_b	0	$-\frac{1}{3}V_c$	$\frac{1}{3}V_c$	$\frac{2}{3}V_c$	$\frac{1}{3}V_c$	$-\frac{1}{3}V_c$	$-\frac{2}{3}V_c$	V_c
u_c	0	$-\frac{1}{3}V_c$	$-\frac{2}{3}V_c$	$-\frac{1}{3}V_c$	$\frac{1}{3}V_c$	$\frac{2}{3}V_c$	$\frac{1}{3}V_c$	V_c

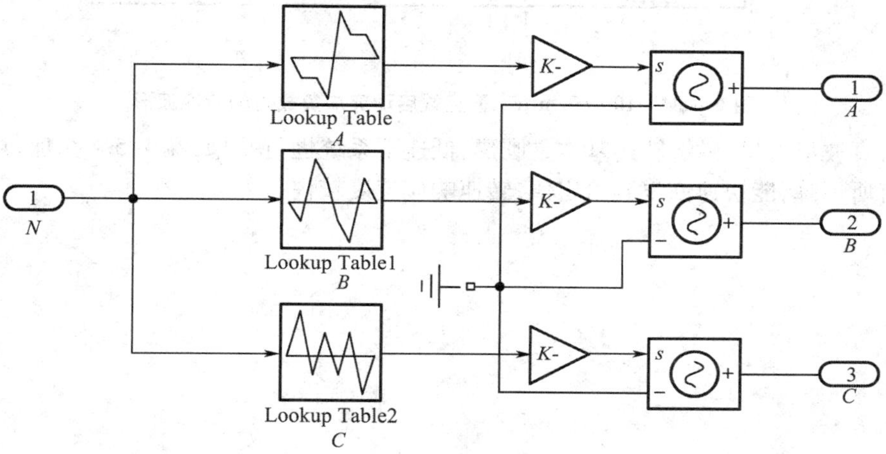

图 6 − 31 电压型逆变器仿真模型

6.5.7 仿真结果

电动机仿真参数如下：$P_N = 7.5$ kW，$T_{eN} = 50$ N·m，$\Phi_N = 1.18$ Wb，$n_N = 1\ 440$ r·min^{-1}，频率 $f = 50$ Hz，$R_s = 0.738\ 4\ \Omega$，$R_r' = 0.740\ 2\ \Omega$，$L_s = 0.127\ 145$H，$L_r = 0.127\ 145$ H，$L_m = 0.124\ 1$ H；通过观测知 $|\boldsymbol{\psi}_r| = 0.82$ Wb。给定转速为100 r·min^{-1}，周期 $T_s = 70$ μs，θ角可通过定、转子磁链的空间位置（图 6 − 32）计算得到。

分别对系统空载运行及突加10 N·m负载时的运行情况进行仿真，仿真波形分别如图 6 − 33，图 6 − 34 所示。

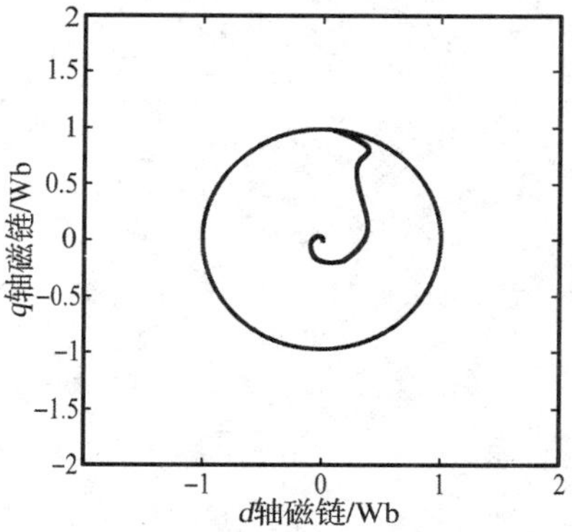

图 6 − 32 定子磁链轨迹曲线

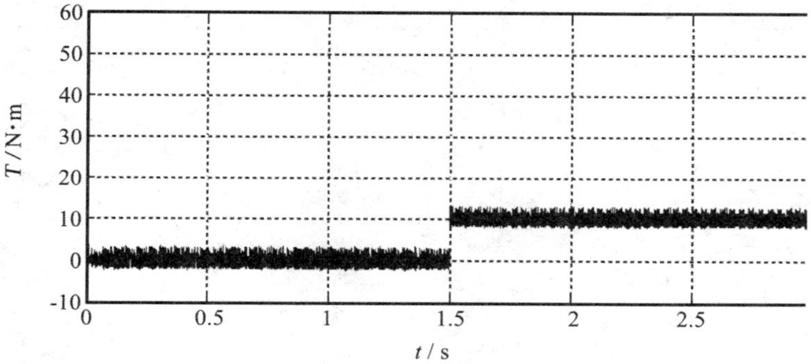

图 6 − 33 100 r·min^{-1} 下空载启动突加负载时的转矩波形

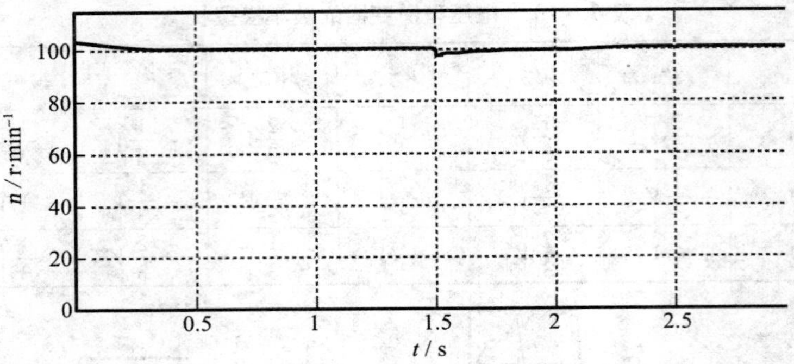

图 6－34　100 r·min^{-1} 下空载启动突加负载时的转速波形

由仿真波形可见，磁链轨迹基本是圆形，低速下系统运行平稳，在 1.5 s 突加负载后，系统转速有所下降，能快速恢复到给定值，转速响应速度较快。

第7章 永磁同步电动机直接转矩控制技术

7.1 直接转矩控制基本原理

7.1.1 转矩生成与控制

在面装式 PMSM 中，存在着三个磁场，一个是永磁体产生的励磁磁场 $\boldsymbol{\psi}_f$，称为转子磁场；一个是定子电流矢量 $\boldsymbol{i}_s$ 产生的电枢磁场 $L_s\boldsymbol{i}_s$；另一个是由两者合成的定子磁场 $\boldsymbol{\psi}_s$。如图7-1所示，即

$$\boldsymbol{\psi}_s = L_s\boldsymbol{i}_s + \boldsymbol{\psi}_f \tag{7-1}$$

电磁转矩的生成可看成是上述三个磁场中的任意两个磁场相互作用的结果，既可认为是由转子磁场与电枢磁场相互作用生成的，也可以看成是定子磁场 $\boldsymbol{\psi}_s$ 与电枢磁场 $L_s\boldsymbol{i}_s$ 相互作用生成的，还可看成是转子磁场 $\boldsymbol{\psi}_f$ 与定子磁场相互作用的结果，如式(7-2)所示。

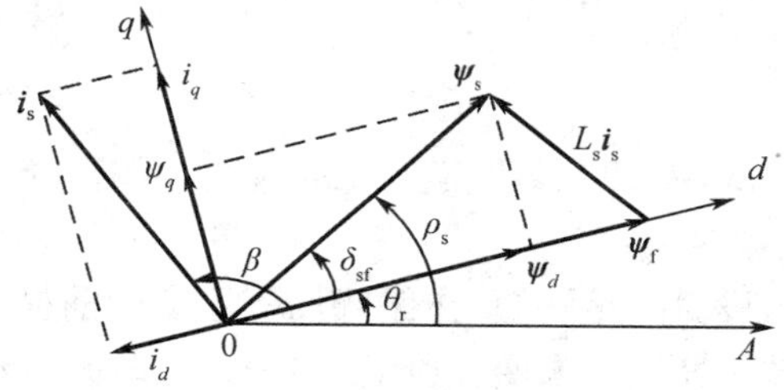

图7-1 面装式 PMSM 中的定子电流和磁链矢量

$$t_e = p\boldsymbol{\psi}_f\boldsymbol{i}_s = p\frac{1}{L_s}\boldsymbol{\psi}_f(L_s\boldsymbol{i}_s) = p\frac{1}{L_s}\boldsymbol{\psi}_s(L_s\boldsymbol{i}_s) = p\frac{1}{L_s}\boldsymbol{\psi}_f\boldsymbol{\psi}_s \tag{7-2}$$

将式(7-2)表示为

$$t_e = p\frac{1}{L_s}\boldsymbol{\psi}_f\boldsymbol{\psi}_s\sin\delta_{sf} \tag{7-3}$$

式中 δ_{sf}——负载角，为定子磁链与转子磁链和 α 轴成角度的差值。

在 PMSM 中，转子磁链矢量 $\boldsymbol{\psi}_f$ 的幅值不变，由式(7-3)可知，若能控制定子磁链矢量 $\boldsymbol{\psi}_s$ 的幅值为常数，则电磁转矩只与 δ_{sf} 有关，通过控制 δ_{sf} 可以控制电磁转矩，这就是 PMSM 直接转矩控制基本原理。

在永磁同步电动机中最终能控制的还是定子电压（在电压源逆变器中），如何通过控制定子电压来控制负载角并最终控制电磁转矩呢？在 *ABC* 轴系中，定子电压矢量方程为

$$\boldsymbol{u}_s = R_s\boldsymbol{i}_s + \frac{d\boldsymbol{\psi}_s}{dt} \tag{7-4}$$

在电动机额定转速附近，可忽略定子电阻 R_s 的影响，得

$$\boldsymbol{u}_s = \frac{d\boldsymbol{\psi}_s}{dt} \tag{7-5}$$

式(7-5)可近似表示为

$$\Delta \boldsymbol{\psi}_{\mathrm{s}} = \boldsymbol{u}_{\mathrm{s}} \cdot \Delta t \tag{7-6}$$

式(7－6)表明，在很短时间 Δt 内，矢量 $\boldsymbol{\psi}_{\mathrm{s}}$ 的增量 $\Delta\boldsymbol{\psi}_{\mathrm{s}}$ 等于 $\boldsymbol{u}_{\mathrm{s}}$ 与 Δt 的乘积，$\Delta\boldsymbol{\psi}_{\mathrm{s}}$ 的变化方向与外加电压 $\boldsymbol{u}_{\mathrm{s}}$ 的方向相同，如图 7－2 所示。

如图 7－2 所示，定子磁链矢量 $\boldsymbol{\psi}_{\mathrm{s}}$ 为

$$\boldsymbol{\psi}_{\mathrm{s}} = |\boldsymbol{\psi}_{\mathrm{s}}| \mathrm{e}^{\mathrm{j}\rho_{\mathrm{s}}} \tag{7-7}$$

式中　$\rho_{\mathrm{s}} = \int \omega_{\mathrm{s}} \mathrm{d}t$，

ω_{s}——$\boldsymbol{\psi}_{\mathrm{s}}$ 的旋转速度。

将式(7－7)代入式(7－5)，可得

$$\boldsymbol{u}_{\mathrm{s}} = \frac{\mathrm{d}|\boldsymbol{\psi}_{\mathrm{s}}|}{\mathrm{d}t} \mathrm{e}^{\mathrm{j}\rho_{\mathrm{s}}} + \mathrm{j}\omega_{\mathrm{s}}\boldsymbol{\psi}_{\mathrm{s}} \tag{7-8}$$

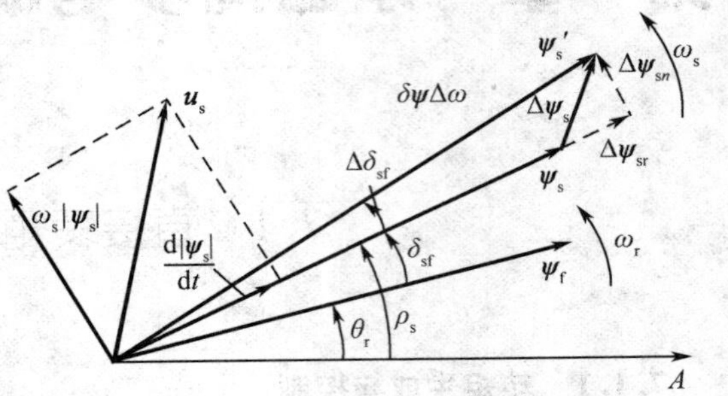

图 7－2　定子电压矢量作用与定子磁链矢量轨迹变化

由式(7－8)可知，外加电压分解为其径向分量 $\frac{\mathrm{d}|\boldsymbol{\psi}_{\mathrm{s}}|}{\mathrm{d}t}$ 与切向分量 $\omega_{\mathrm{s}}\boldsymbol{\psi}_{\mathrm{s}}$ 的矢量和，可用外加电压 $\boldsymbol{u}_{\mathrm{s}}$ 来直接控制 $\boldsymbol{\psi}_{\mathrm{s}}$，通过 $\frac{\mathrm{d}|\boldsymbol{\psi}_{\mathrm{s}}|}{\mathrm{d}t}$ 控制幅值 $|\boldsymbol{\psi}_{\mathrm{s}}|$ 的变化，而利用 $\omega_{\mathrm{s}}\boldsymbol{\psi}_{\mathrm{s}}$ 控制 $\boldsymbol{\psi}_{\mathrm{s}}$ 的转速 ω_{s} 的变化，如图 7－2 所示。

图 7－2 中，负载角 δ_{sf} 也可表示为

$$\delta_{\mathrm{sf}} = \int (\omega_{\mathrm{s}} - \omega_{\mathrm{r}}) \mathrm{d}t = \int \Delta\omega \mathrm{d}t \tag{7-9}$$

式(7－9)表明，若使 $\Delta\omega$ 增加，可增大 δ_{sf}，使 T_{e} 增大；否则，使 $\Delta\omega$ 减小，会减小 δ_{sf}，使 T_{e} 减小。

设时间足够短，在保持 $|\boldsymbol{\psi}_{\mathrm{s}}|$ 不变的前提下，依靠 $\omega_{\mathrm{s}}\boldsymbol{\psi}_{\mathrm{s}}$ 的作用可使 $\boldsymbol{\psi}_{\mathrm{s}}$ 加速旋转，而这期间转子速度尚未变化(因为转子机电时间常数要比电气时间常数大得多)，因此 $\Delta\omega$ 增加，δ_{sf} 增大，就可使电磁转矩瞬时增大；反之，若使 $\boldsymbol{\psi}_{\mathrm{s}}$ 反方向旋转，可使 δ_{sf} 变小，电磁转矩便随之减小。

在直接转矩控制中，可以在很短的时间内突加足够大的切向电压，因此，能够快速改变电磁转矩，提高了控制系统的动态响应能力。

对于插入式和面装式 PMSM，假设永磁同步电动机具有正弦波反电势，磁路线性且不考虑磁路饱和，忽略电动机中的涡流损耗和磁滞损耗，可以得到永磁同步电动机在转子同步旋转坐标系下的数学模型。

定子磁链方程

$$\begin{cases} \psi_d = \boldsymbol{\psi}_{\mathrm{f}} + L_d i_d \\ \psi_q = L_q i_q \end{cases} \tag{7-10}$$

式中　ψ_d, ψ_q——定子磁链 d,q 轴分量；

L_d, L_q——定子绕组 d,q 轴等效电感；

i_d, i_q——定子电流 d,q 轴分量；

$\boldsymbol{\psi}_{\mathrm{f}}$——转子磁链。

定子电压方程

$$\begin{cases} u_d = R_{\mathrm{s}} i_d + p\psi_d - \omega_{\mathrm{r}}\psi_q \\ u_q = R_{\mathrm{s}} i_q + p\psi_q + \omega_{\mathrm{r}}\psi_d \end{cases} \tag{7-11}$$

电磁转矩和运动方程

$$T_e = p(\psi_d i_q - \psi_q i_d) \tag{7-12}$$

$$T_e - T_L = J\frac{d\omega_r}{dt} + B\omega_r \tag{7-13}$$

式中 u_d, u_q——定子电压 d,q 轴分量；

R_s——定子绕组电阻；

p——微分算子；

ω_r——转子角速度；

T_e——电磁转矩；

p_n——电动机极对数；

T_L——负载转矩；

J——电动机转动惯量；

B——黏滞系数。

永磁同步电动机中磁链、电流和电压的矢量关系如图 7－3 所示。其中 dq 坐标系固定在转子旋转坐标系上，转子磁链的轴向为 d 轴的正向；$\alpha\beta$ 坐标系固定在定子旋转坐标系上，定子磁链的方向为 α 轴的方向。

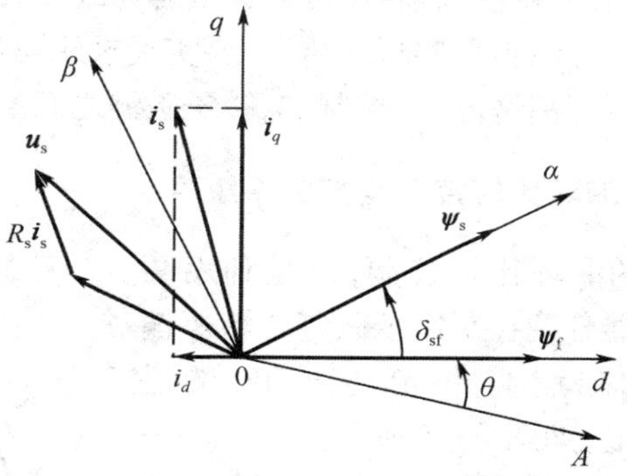

图 7－3　永磁同步电动机的矢量图

从图 7－3 可以得到

$$\sin\delta_{sf} = \frac{\psi_q}{|\boldsymbol{\psi}_s|} \tag{7-14}$$

$$\cos\delta_{sf} = \frac{\psi_d}{|\boldsymbol{\psi}_s|} \tag{7-15}$$

式中 $|\boldsymbol{\psi}_s|$——定子磁链的幅值。

dq 坐标系到 $\alpha\beta$ 坐标系的变换公式为

$$\begin{bmatrix} u_d \\ u_q \end{bmatrix} = \begin{bmatrix} \cos\delta_{sf} & -\sin\delta_{sf} \\ \sin\delta_{sf} & \cos\delta_{sf} \end{bmatrix} \begin{bmatrix} u_\alpha \\ u_\beta \end{bmatrix} \tag{7-16}$$

式(7－16)同样适用于电流和磁链方程。将 i_d, i_q 用式(7－16)表示并代入式(7－12)，可得

$$T_e = \frac{3}{2}p[\psi_d(i_\alpha\sin\delta + i_\beta\cos\delta) - \psi_q(i_\alpha\cos\delta - i_\beta\sin\delta)] = \frac{3}{2}p|\boldsymbol{\psi}_s|i_\beta \tag{7-17}$$

将式(7－10)写成矩阵形式为

$$\begin{bmatrix} \psi_d \\ \psi_q \end{bmatrix} = \begin{bmatrix} L_d & 0 \\ 0 & L_q \end{bmatrix} \begin{bmatrix} i_d \\ i_q \end{bmatrix} + \begin{bmatrix} \boldsymbol{\psi}_f \\ 0 \end{bmatrix} \tag{7-18}$$

将式(7－18)用式(7－16)的形式写成 $\alpha\beta$ 坐标系下的表达式为

$$\begin{aligned}\begin{bmatrix} \psi_\alpha \\ \psi_\beta \end{bmatrix} &= \begin{bmatrix} L_d\cos\delta & L_q\sin\delta \\ -L_q\sin\delta & L_d\cos\delta \end{bmatrix} \begin{bmatrix} \cos\delta & -\sin\delta \\ \sin\delta & \cos\delta \end{bmatrix} \begin{bmatrix} i_\alpha \\ i_\beta \end{bmatrix} + \begin{bmatrix} \boldsymbol{\psi}_f \\ 0 \end{bmatrix} \begin{bmatrix} \cos\delta \\ -\sin\delta \end{bmatrix} \\ &= \begin{bmatrix} L_d\cos^2\delta + L_q\sin^2\delta & (L_d - L_q)\sin\delta\cos\delta \\ (L_d - L_q)\sin\delta\cos\delta & L_d\cos^2\delta + L_q\sin^2\delta \end{bmatrix} \begin{bmatrix} i_\alpha \\ i_\beta \end{bmatrix} + \begin{bmatrix} \boldsymbol{\psi}_f \\ 0 \end{bmatrix} \begin{bmatrix} \cos\delta \\ -\sin\delta \end{bmatrix}\end{aligned} \tag{7-19}$$

由于定子磁链定向于 α 轴，故 $\psi_\beta=0$。所以可由式(7－19)的第 2 个方程得到

$$i_\alpha=\frac{2\boldsymbol{\psi}_{\mathrm f}\sin\delta-[(L_d+L_q)+(L_d-L_q)\cos2\delta]i_\beta}{(L_q-L_d)\sin2\delta} \tag{7-20}$$

将式(7－20)代入式(7－19)的第 1 个方程可得

$$i_\beta=\frac{1}{2L_dL_q}[2\boldsymbol{\psi}_{\mathrm f}L_q\sin\delta-|\boldsymbol{\psi}_{\mathrm s}|(L_d-L_q)\sin2\delta] \tag{7-21}$$

将式(7－21)代入式(7－17)得

$$T_{\mathrm e}=\frac{p_n\boldsymbol{\psi}_{\mathrm s}}{2L_dL_q}[2\boldsymbol{\psi}_{\mathrm f}L_q\sin\delta_{\mathrm{sf}}-\boldsymbol{\psi}_{\mathrm s}(L_d-L_q)\sin2\delta_{\mathrm{sf}}] \tag{7-22}$$

由式(7－22)可知，永磁同步电动机的输出转矩由两部分组成：第 1 部分为永磁体产生的励磁转矩，第 2 部分为凸极结构产生的磁阻转矩。当定子磁链为一恒定值时，电动机的转矩随转矩角的变化而变化。又由于电动机机械时间常数远大于其电气时间常数，亦即电动机定子磁链的旋转速度较转子旋转速度容易改变，因而转矩角的改变可通过改变定子磁链的旋转速度和方向得以实现。所以，要实现永磁同步电动机的直接转矩控制，可以在保持定子磁链幅值不变的情况下，控制定、转子磁链之间的夹角。

7.1.2　滞环比较控制与控制系统

PMSM 的滞环比较控制，也是利用两个滞环比较器分别控制定子磁链和转矩偏差。如果想保持 $|\boldsymbol{\psi}_{\mathrm s}|$ 恒定，应使 $\boldsymbol{\psi}_{\mathrm s}$ 的运行轨迹为圆形，如图 7－4 所示。

由 6.1 的内容可知，可以选择合适的开关电压矢量来同时控制 $|\boldsymbol{\psi}_{\mathrm s}|$ 和旋转速度。开关电压矢量的选择原则与三相感应电动机滞环控制时所确定的原则完全相同。

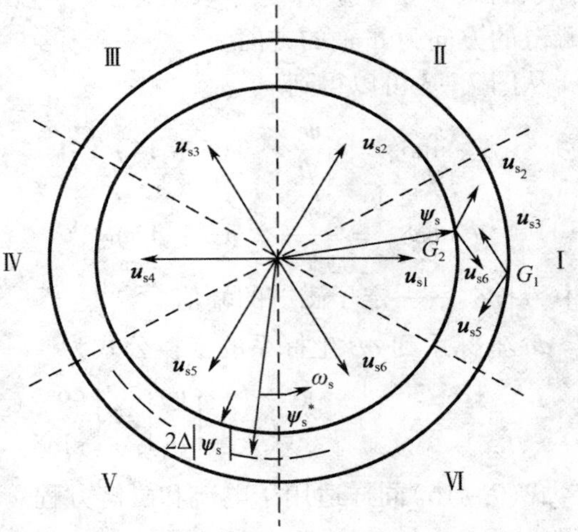

图 7－4　定子磁链矢量运行轨迹的控制

例如，当 $\boldsymbol{\psi}_{\mathrm s}$ 处于扇区 Ⅰ 时，在 G_2 点 $|\boldsymbol{\psi}_{\mathrm s}|$ 已达到磁链滞环比较器下限值，顺时针方向磁链增加应选择电压矢量 $\boldsymbol{u}_{\mathrm{s2}}$，逆时针方向磁链增加应选择电压矢量 $\boldsymbol{u}_{\mathrm{s6}}$；而对于 G_1 点，$|\boldsymbol{\psi}_{\mathrm s}|$ 已达到比较器上限值，顺时针方向磁链增加应选择电压矢量 $\boldsymbol{u}_{\mathrm{s3}}$，逆时针方向磁链增加应选择电压矢量 $\boldsymbol{u}_{\mathrm{s5}}$，以此来改变负载角 δ_{sf}，使转矩增大或减小。当 $\boldsymbol{\psi}_{\mathrm s}$ 在其他区间时也按此原则选择开关电压矢量，由此可确定开关电压矢量选择规则，如表 7－1 所示。

表 7－1　开关电压矢量选择表

$\Delta\psi$	ΔT	Ⅰ	Ⅱ	Ⅲ	Ⅳ	Ⅴ	Ⅵ
1	1	$\boldsymbol{u}_{\mathrm{s2}}$	$\boldsymbol{u}_{\mathrm{s3}}$	$\boldsymbol{u}_{\mathrm{s4}}$	$\boldsymbol{u}_{\mathrm{s5}}$	$\boldsymbol{u}_{\mathrm{s6}}$	$\boldsymbol{u}_{\mathrm{s1}}$
	－1	$\boldsymbol{u}_{\mathrm{s6}}$	$\boldsymbol{u}_{\mathrm{s1}}$	$\boldsymbol{u}_{\mathrm{s2}}$	$\boldsymbol{u}_{\mathrm{s3}}$	$\boldsymbol{u}_{\mathrm{s4}}$	$\boldsymbol{u}_{\mathrm{s5}}$
－1	1	$\boldsymbol{u}_{\mathrm{s3}}$	$\boldsymbol{u}_{\mathrm{s4}}$	$\boldsymbol{u}_{\mathrm{s5}}$	$\boldsymbol{u}_{\mathrm{s6}}$	$\boldsymbol{u}_{\mathrm{s1}}$	$\boldsymbol{u}_{\mathrm{s2}}$
	－1	$\boldsymbol{u}_{\mathrm{s5}}$	$\boldsymbol{u}_{\mathrm{s6}}$	$\boldsymbol{u}_{\mathrm{s1}}$	$\boldsymbol{u}_{\mathrm{s2}}$	$\boldsymbol{u}_{\mathrm{s3}}$	$\boldsymbol{u}_{\mathrm{s4}}$

表 7－1 中，$\Delta\boldsymbol{\psi}$ 和 ΔT 值分别由磁链和转矩滞环比较器给出，$\Delta\boldsymbol{\psi}=1$ 和 $\Delta T=1$ 表示应使 $\boldsymbol{\psi}_s$ 和 T_e 增加；$\Delta\boldsymbol{\psi}=-1$ 和 $\Delta T=-1$ 表示应使 $\boldsymbol{\psi}_s$ 和 T_e 减小。这种滞环比较控制方式与三相感应电动机直接转矩控制中采用的基本相同，只是没有采用零开关电压矢量 $\boldsymbol{u}_{s7}$ 和 $\boldsymbol{u}_{s8}$。

图 7－5 是直接转矩控制系统的原理框图。

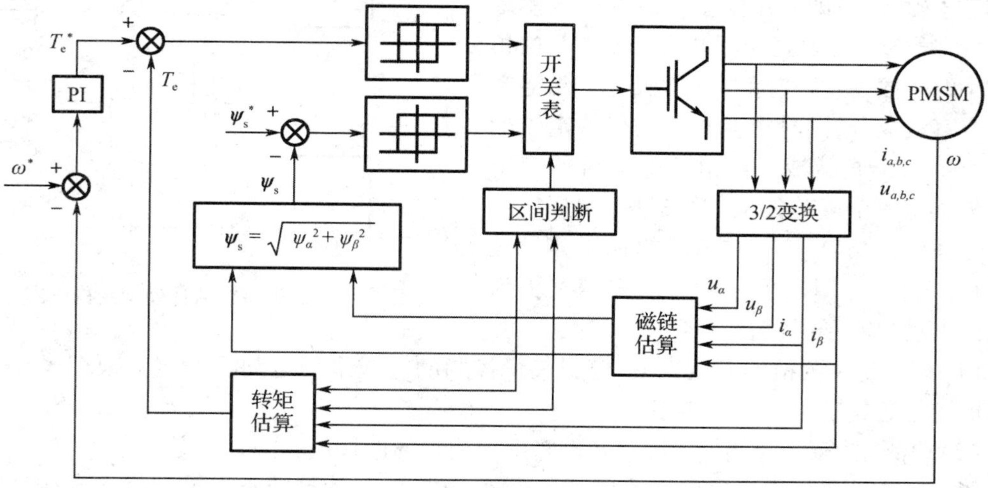

图 7－5　PMSM 直接转矩控制系统的原理框图

7.2　磁链和转矩估计

无论是感应电动机还是 PMSM，直接转矩控制都是直接将转矩和定子磁链作为控制变量，滞环比较控制就是利用两个滞环比较器直接控制转矩和磁链的偏差的，显然能否获得转矩和定子磁链的真实信息是至关重要的。电磁转矩的估计在很大程度上取决于定子磁链估计的准确性，因此首先要保证定子磁链估计的准确性。

7.2.1　电压模型

同感应电动机一样，可由定子电压矢量方程估计定子磁链矢量，即有

$$\boldsymbol{\psi}_s=\int(\boldsymbol{u}_s+R_s\boldsymbol{i}_s)\mathrm{d}t \tag{7-23}$$

一般情况下，由矢量 $\boldsymbol{\psi}_s$ 在定子 $\alpha\beta$ 坐标中的两个分量 ψ_α 和 ψ_β 来估计它的幅值和空间相位角 ρ_s，即

$$\psi_\alpha=\int(u_\alpha+R_si_\alpha)\mathrm{d}t \tag{7-24}$$

$$\psi_\beta=\int(u_\beta+R_si_\beta)\mathrm{d}t \tag{7-25}$$

$$|\boldsymbol{\psi}_s|=\sqrt{\psi_\alpha^2+\psi_\beta^2} \tag{7-26}$$

$$\rho_s=\arcsin\frac{\psi_\beta}{|\boldsymbol{\psi}_s|} \tag{7-27}$$

式中，i_α 和 i_β 由定子三相电流 i_A，i_B 和 i_C 的检测值经坐标变换后求得，u_α 和 u_β 可以是检测值，也可直接由逆变器开关状态，利用式(4－41)和式(4－42)求得。

定子磁链估计模型结构框图如图 7－6 所示。如果采用式(7－23)的积分方式得到电动机的定子磁链，亦即采用定子磁链的电压模型来估算定子磁链，则当定子电压 $\boldsymbol{u}_s$ 与 $R_s\boldsymbol{i}_s$ 相差很小的时候，会使实际的电动机定子磁链产生一个直流成分，同时也会在电动机的定子电流中产生一个直流成分。由于电动机的定子磁链矢量是一个旋转矢量，像矢量控制那样采用低通滤波的方法来滤去磁链的直流分量是不可行的。通常用以下两种方法来得到更为准确的电动机定子磁链：

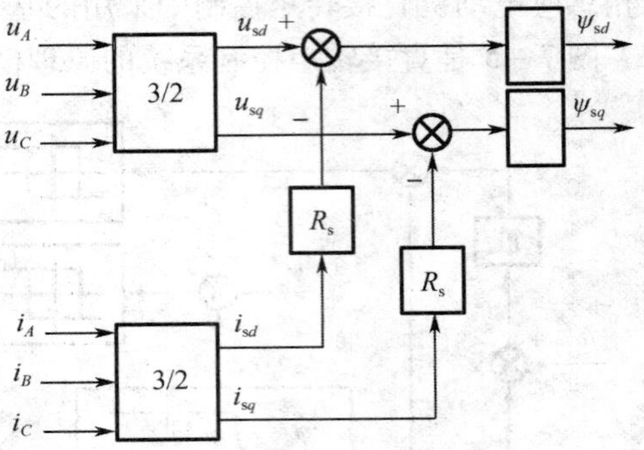

图 7－6　定子磁链估计模型结构框图

(1)摒弃定子磁链的电压模型，模拟矢量控制的方式采用电动机的电流模型来计算电动机的定子磁链；

(2)检测定子磁链的偏移量，然后再修正检测到的偏移量。

第一种方法采用电动机的电流模型计算定子磁链，与传统的矢量控制有很多相似的地方。这种实现方式能够得到很好的性能，但是正因为它采用了矢量控制的一些实现方式，所以也继承了矢量控制的一些弊病，比如受电动机参数变化的影响，需要进行复杂的坐标变换，需要得到精确的转子位置信息等。

第二种方法仍然采用经典的定子磁链电压模型来计算电动机的定子磁链。Zolghadri 以及 Jun Hu 和 Bin Wu 提出了两种改进积分方法，用来修正纯积分器产生的定子磁链偏移。

Zolghadri 于 1996 年提出一种简单的积分方式，即用一阶的滤波器代替积分器的解决方案，用来解决定子磁链原点偏移问题，如图 7－7 所示。这个一阶的滤波器近似为积分器，随着时间的推移，系统的初始误差会以时间常数 τ 逐渐地衰减。如果我们仅考虑正弦的反电势，那么最后估算得到的定子磁链矢量也一定是在以原点为圆心的圆形轨迹上。但显然这种方式会对磁链的幅值和相位产生影响，而这种影响在低频低速下尤为明显。

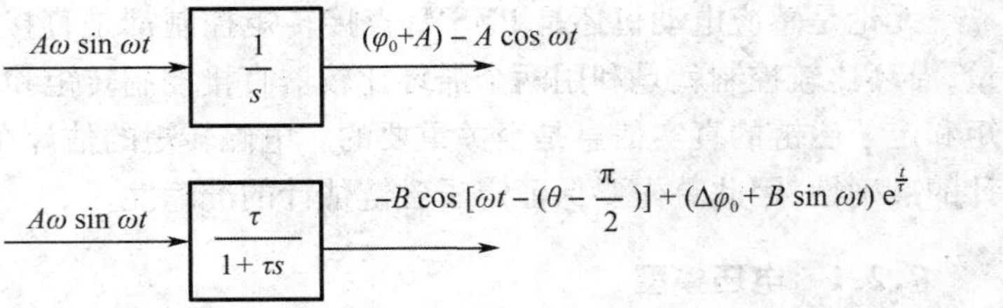

图 7－7　纯积分器和改进后的积分器

图 7－7 分别给出了原始的定子磁链积分模型和改进后的定子磁链积分模型，可以看出 $(\Delta\varphi_0+B\sin\omega t)$ 仍然存在于输出的结果中，但是会随着时间常数 τ 逐渐地衰减。电动机定子磁链在高速高频的情况下是一个正弦信号，这里表示为 $A\omega\sin\omega t$，改进后模型的输出结果中 B 和 θ 分别是积分器产生的定子磁链幅值和相位偏移，确定方法如下

$$B=\frac{A\omega\tau}{\sqrt{1+\omega^2\tau^2}} \tag{7-28}$$

$$\theta=\tan^{-1}\omega t \tag{7-29}$$

以上的偏移可以通过对电动机频率的估算后计算得到，从而可以对电动机定子磁链的幅值和相位偏移进行动态的修正。此积分器的实现十分简单，但用这种积分方式来计算电动机的定子磁链不能够彻底解决定子磁链的原点偏移问题。当电动机处在静止和低速的状态时，由于电动机的反电势不是正弦的，电动机的定子磁链也不是正弦的，所以不能够采用这种方式对电动机的定子磁链进行估算。由于定子磁链电压模型不准确的运行区域恰好在静止和低速低频区域内，所以必须另外寻求计算电动机的定子磁链的方法。

为了消除纯积分器产生的原点偏移和直流偏置成分，Jun Hu 和 Bin Wu 于 1997 年提出了三种改进方案用于高性能的交流电动机驱动系统磁链的估算，这三种方案都是基于传统的纯积分器。第一个模型主要是为了阐述改进积分器的基本原则；第二个模型适用于在整个运行范围内电动机的定子磁链恒定的情况下；第三个模型采用自适应的方式，能够应用在更为广泛的运行范围之内。这些模型解决了纯积分器带来的偏移问题。第三个模型能够在很广的运行范围（1∶100）内准确的测量电动机定子磁链的幅值和相位，并得到验证。

通常这些改进积分器的统一输出形式为

$$y = \frac{1}{s + \omega_c}x + \frac{\omega_c}{s + \omega_c}z \tag{7-30}$$

式中 x——积分器的输入；

z——一个补偿信号；

ω_c——关断角频率。

当补偿信号为零时，式(7－30)作为一个低通滤波器，其他时候作为一个纯积分器。假设补偿信号 z 为零，那么改进后的积分器从本质上讲就是一个低通滤波器。和上面介绍的 Zolghadri 提出的方案一样，由于低通滤波器产生的定子磁链幅值和相位偏移问题，如果恰当的设计积分器的补偿信号 z，改进后的积分器能够获得良好的运行效果，并且避免由纯积分器产生的负面问题。下面对这三种改进积分器进行详细讨论。

（1）采用饱和反馈改进的积分器

图 7－8 为具有积分反馈的改进积分器原理图，其中输入信号 x 的值为 $u_\alpha - R_s i_\alpha$ 和 $u_\beta - R_s i_\beta$。输出信号 y 为 ψ_α 和 ψ_β。补偿信号 z 取积分器输出信号 y 的极限值，则积分器的输出为

$$y = \frac{1}{s + \omega_c}x + \frac{\omega_c}{s + \omega_c}z_L \tag{7-31}$$

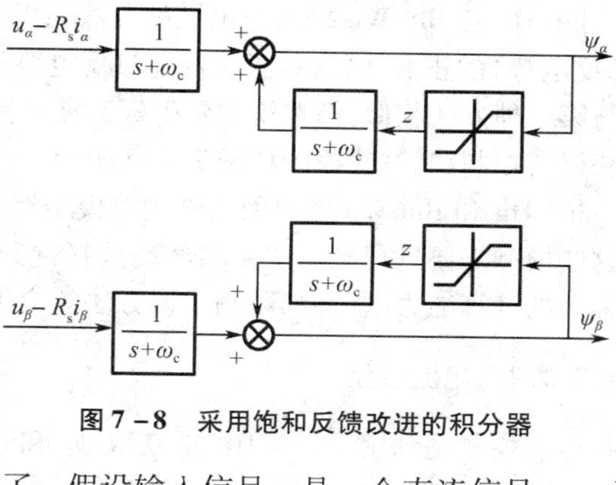

图 7－8 采用饱和反馈改进的积分器

其中 z_L 是饱和限幅模块的输出，它的输出幅值被限定在 L 内。可以发现，由于反馈环节是一个低通滤波器，饱和限幅模块的这种非线性作用的程度被反馈环节削弱了。假设输入信号 x 是一个直流信号 x_{dc}。那么积分器的最大输出为

$$y_{dc} = \frac{1}{\omega_c}x_{dc} + L \tag{7-32}$$

这表明，如果饱和模块的限幅值 L 设置恰当，改进后的积分器就不会进入饱和区域。这种模型实现的关键在于选择适当的饱和模块限幅值 L。为了抑制输出信号中的直流成分，

饱和模块的限幅值 L 应该设计与实际的磁链幅值相等。如果饱和模块的限幅值 L 比实际的磁链幅值大，估算得到的磁链波形会因为直流偏移的原因而上下波动，直到达到饱和限幅的上下限为止。这样，输出的波形就包含交流的磁链信号和一个直流偏置信号。饱和模块的限幅值 L 与实际的磁链幅值的差距越大，直流偏置信号的幅值也就越大。如果饱和模块的限幅值 L 比实际的磁链幅值小，输出的磁链波形就不会包含任何直流成分，但是波形会被扭曲。

(2)采用幅值限幅改进的积分器

在这种方法中对积分器的输出幅值进行了限制，尤其适用于具有两个分量的合成量的积分。图 7－9 中在 Jun Hu 和 Bin Wu 最初提出的积分器中需要两个坐标变换，首先变量变换成极坐标形式，通过幅值的限制之后再转变到笛卡尔坐标系。这些变化包括了反正切、反正弦和反余弦等三角函数的求取，同时需要一个除法器和一个开方器。实际系统中积分周期越小越好，可通过在笛卡尔坐标系中对某些量进行限制来避免三角函数的计算，但是这种模型同样存在适当选择饱和模块限幅值 L 的问题。如果电动机运行在磁链幅值变化的情况下，必须相应地修改饱和模块限幅值 L，那么这种模型更适用于电动机的磁链在整个运行范围内不变的情况下。

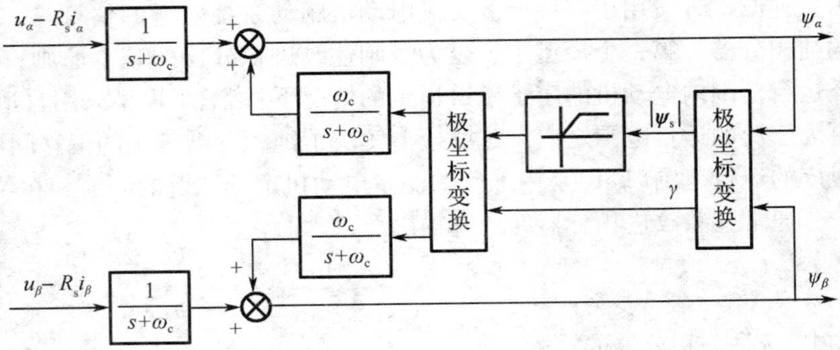

图 7－9 采用幅值限幅改进的积分器

(3)采用自适应补偿改进的积分器

Jun Hu 和 Bin Wu 提出的第三种方法利用了磁链矢量与被积分的电压与电阻压降之差(即反电势)的正交性，这种正交性通过反电势和磁链的乘积来检测。改进积分器的积分结构与第二种方法相似，但在笛卡尔坐标到极坐标的变换后补偿信号的幅值通过一个 PI 调节器获得了控制，其算法框图如图 7－10 所示。

Jun Hu 和 Bin Wu 提出的磁链观测模型经实验证明能够运行在较宽的调速范围内。但是这些模型需要进行坐标变换和准确选择饱和模块限幅值 L，而且相角的变换需要处理器有强大的计算能力，这些都限制了该方法的应用。

7.2.2 电流模型

电流模型是利用式(7－10)来获取 ψ_d 和 ψ_q 的。但这两个方程是以转子 dq 轴系表示的，必须进行坐标变换，将定子静止坐标系转换成转子旋转坐标系，才能求得 i_d 和 i_q，这需要实际检测转子位置。此外，电动机参数 L_d，L_q 和 $\boldsymbol{\psi}_f$ 与实际值是否相符也影响估计值的准确性，必要时还需要对相关参数进行在线测量或辨识。但与电压模型相比，电流模型中消除了定子电阻变化的影响，不存在低频积分困难的问题。

图 7－11 是由电流模型估计定子磁链的系统框图。图中表明，也可以用电流模型来修正电压模型低速时的估计结果。

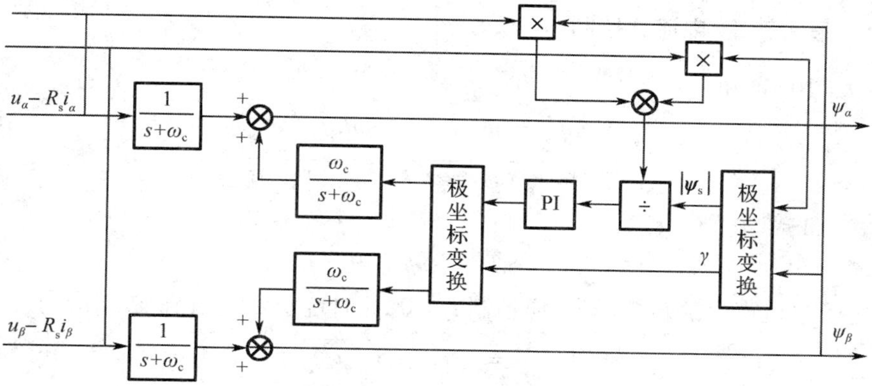

图7－10 采用自适应补偿改进的积分器

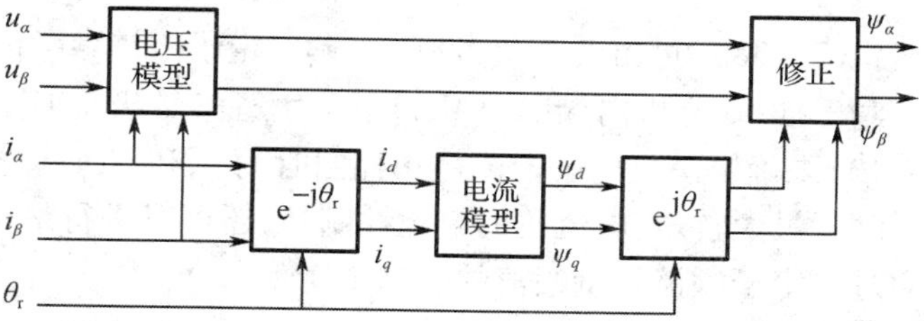

图7－11 由电流模型估计定子磁链

实际上，在转矩和定子磁链的滞环比较控制中，控制周期很短，这要求定子磁链的估计要在这个周期内完成，即需要定子磁链的估计计算过程短。由于电流模型中的测量转子位置、转子位置传感器（例如光电编码器）和电动机控制模块间的通信、电流模型中的滤波环节等原因使得电流模型在很短的时间内完成较为困难。电压模型由于不存在上述问题，运行速度很快，这两个模型虽不可能在相同的时间量级内完成定子磁链估计，但可以间断地予以修正。

7.2.3 电磁转矩估计

在定子 $\alpha\beta$ 坐标系下可利用下式估计转矩，即有

$$T_e = p(\psi_\alpha i_\beta - \psi_\beta i_\alpha) \tag{7-33}$$

式中，ψ_α 和 ψ_β 为估计值，i_α 和 i_β 为实测值。

7.3 定子磁链的控制准则

直接转矩控制是直接将定子磁链作为控制变量，通过控制施加的定子电压或者控制 i_d 和 i_q 来达到控制定子磁链为幅值不变并在矢量空间运行的轨迹是圆形的目的。但是，在实际控制中，很多情况下要求能够实现某些最优控制，例如，在恒转矩运行时进行的最大转矩/电流比控制，即要求在给定的电磁转矩下定子电流幅值应为最小，再采用定子磁链幅值恒定的控制准则已无法满足这种最优控制要求，因为定子磁链幅值的大小应由满足这种控制要求的定子电流 i_d 和 i_q 来确定。

7.3.1 最大转矩/电流比控制

由式(7-10)可知

$$\boldsymbol{\psi}_s = \boldsymbol{\psi}_f + L_d i_d + jL_q i_q \tag{7-34}$$

$$|\boldsymbol{\psi}_s| = \sqrt{(\boldsymbol{\psi}_f + L_d i_d)^2 + (L_q i_q)^2} \tag{7-35}$$

对于面装式 PMSM,转矩方程为

$$T_e = p\boldsymbol{\psi}_f i_q \tag{7-36}$$

若使单位定子电流产生的转矩最大,应控制 $i_d=0$,此时定子磁链幅值 $|\boldsymbol{\psi}_s^*|$ 应为

$$|\boldsymbol{\psi}_s^*| = \sqrt{\boldsymbol{\psi}_f^2 + (L_q i_q)^2} \tag{7-37}$$

考虑到式(7-36),可有

$$|\boldsymbol{\psi}_s^*| = \sqrt{\boldsymbol{\psi}_f^2 + L_s^2\left(\frac{T_e^*}{p\boldsymbol{\psi}_f}\right)^2} \tag{7-38}$$

根据式(7-38),可由转矩参考值 T_e^* 确定定子磁链参考值 $|\boldsymbol{\psi}_s^*|$。

对于插入式和内装式 PMSM,因为存在凸极效应,应根据转矩方程(7-12)及式(7-10)来确定满足定子电流最小控制时的 i_d 和 i_q,具体过程可参阅相关文献。

除了最大转矩/电流比的最优控制外,还可以进行最小损耗等其他最优控制,同样也可以通过对定子磁链矢量幅值的控制来实现。

7.3.2 弱磁控制

在直接转矩控制中,必须通过控制定子磁链来实现弱磁。已知定子电压矢量 $\boldsymbol{u}_s$ 为

$$\boldsymbol{u}_s = \sqrt{\frac{2}{3}}U_c e^{j(k-1)\frac{\pi}{3}} (k = 1,2,\cdots,6) \tag{7-39}$$

式中 U_c——直流电压值,受到整流器可能输出直流电压的限制。

在转子 dq 坐标系中,稳态电压方程为

$$u_q = R_s i_q + \omega_r L_d i_d + \omega_r \boldsymbol{\psi}_f \tag{7-40}$$

$$u_d = R_s i_d - \omega_r L_q i_q \tag{7-41}$$

因

$$|\boldsymbol{u}_s| = \sqrt{u_d^2 + u_q^2} \tag{7-42}$$

当电动机稳定运行时,在忽略定子电阻的情况下,定子电压方程(7-42)可写为

$$|\boldsymbol{u}_s|^2 = \omega_r^2[(\boldsymbol{\psi}_f + L_d i_d)^2 + (L_q i_q)^2] \tag{7-43}$$

式(7-43)还可以写成如下形式,即

$$\frac{(i_d + \boldsymbol{\psi}_f/L_d)^2}{1/L_d^2} + \frac{i_q^2}{1/L_q^2} = \left(\frac{|\boldsymbol{u}_s|}{\omega_r}\right)^2 \tag{7-44}$$

由式(7-44)可知其在 i_d-i_q 平面内是个椭圆形方程。当 $|\boldsymbol{u}_s| = |\boldsymbol{u}_s|_{max}$ 时,则有

$$\frac{(i_d + \boldsymbol{\psi}_f/L_d)^2}{1/L_d^2} + \frac{i_q^2}{1/L_q^2} = \left(\frac{|\boldsymbol{u}_s|_{max}}{\omega_r}\right)^2 \tag{7-45}$$

式(7-45)表示的是电压极限椭圆方程,随着速度的增加,便形成了逐渐变小的一簇套装椭圆。对于面装式 PMSM,这些椭圆就变成了圆。

由于逆变器馈电能力要受其容量的限制,因此定子电流也有一个极限值,若以定子电流矢量的两个分量表示,则有

$$|\boldsymbol{i}_{\mathrm{s}}|^2 = i_d^2 + i_q^2 \leqslant |\boldsymbol{i}_{\mathrm{s}}|_{\max} \tag{7-46}$$

式(7-46)表示的是电流极限圆方程。

将电压极限椭圆方程(即式(7-45))和电流极限圆方程(即式(7-46))分别标幺化后,可得到如图7-12所示的曲线。图中,设定$|\boldsymbol{i}_{\mathrm{s}}|_{\max}$的标幺值为1,即电流极限圆的直径为1。如果电动机以恒转矩运行,那么工作点一定要沿着恒转矩双曲线T_{en}移动。由于定子电流幅值$|\boldsymbol{i}_{\mathrm{s}}|$受到电流极限$|\boldsymbol{i}_{\mathrm{s}}|_{\max}$的约束,其工作点一定要落在电流极限圆内。电动机在恒转矩运行区内,输出转矩为额定值,而定子电流矢量幅值不能超过额定值。若工作点在电流极限圆内沿着恒转矩双曲线T_{en}由上向下移动,电动机的转速便随之增大。电动机在恒转矩运行区可以达到最大速度,将其称为转折速度。要想再提高速度必须进行弱磁控制,通常将这一转折速度称为额定转速,与之对应的频率称为额定运行频率,将与该工作点对应的i_d和i_q代入式(7-43),即有

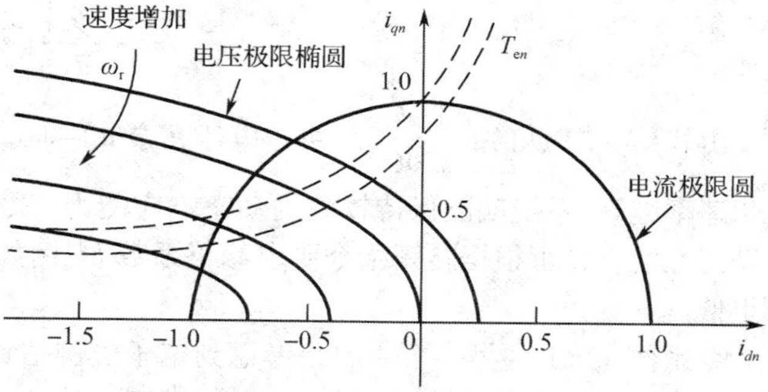

图7-12　电压极限椭圆与电流极限圆

$$\omega_{\mathrm{r}} = \frac{|\boldsymbol{u}_{\mathrm{s}}|_{\max}}{\sqrt{(\boldsymbol{\psi}_{\mathrm{f}} + L_d i_d)^2 + (L_q i_q)^2}} \tag{7-47}$$

在直接转矩控制中,只能通过定子磁链来进行弱磁控制。式(7-43)可写为

$$|\boldsymbol{u}_{\mathrm{s}}|^2 = \omega_{\mathrm{r}}^2[(\boldsymbol{\psi}_{\mathrm{f}} + L_d i_d)^2 + (L_q i_q)^2] = \omega_{\mathrm{r}}^2|\boldsymbol{\psi}_{\mathrm{s}}|^2 \tag{7-48}$$

在电压极限$|\boldsymbol{u}_{\mathrm{s}}|_{\max}$和电流极限$|\boldsymbol{i}_{\mathrm{s}}|_{\max}$约束下,由式(7-47),可得

$$\omega_{\mathrm{r}} = \frac{|\boldsymbol{u}_{\mathrm{s}}|_{\max}}{|\boldsymbol{\psi}_{\mathrm{s}}|} \tag{7-49}$$

为扩大速度范围,就要减小定子磁链$|\boldsymbol{\psi}_{\mathrm{s}}|$,也就是需要进行弱磁控制。

通常,当电动机转速超过ω_{rn}时,应控制$|\boldsymbol{\psi}_{\mathrm{s}}|$与转速$\omega_{\mathrm{r}}$成反比例关系,即有

$$|\boldsymbol{\psi}_{\mathrm{s}}| = \frac{k_{\mathrm{f}}}{\omega_{\mathrm{r}}} \tag{7-50}$$

式中,系数$k_{\mathrm{f}} \leqslant 1$,当$k_{\mathrm{f}} = 1$时,说明弱磁正好是从转速达到$\omega_{rn}$时开始的,实际弱磁点是提前开始的。一般情况下,应取$k_{\mathrm{f}} \leqslant 1$,其原因如下。

在图7-12中,高速运行时,定子电阻压降可以忽略,定子ABC轴系表示的电压矢量方程为

$$\frac{\mathrm{d}|\boldsymbol{\psi}_{\mathrm{s}}|}{\mathrm{d}t}\mathrm{e}^{\mathrm{j}\theta_{\mathrm{s}}} = \boldsymbol{u}_{\mathrm{s}} - \mathrm{j}\omega_{\mathrm{s}}|\boldsymbol{\psi}_{\mathrm{s}}|\mathrm{e}^{\mathrm{j}\theta_{\mathrm{s}}} \tag{7-51}$$

式中　θ_{s}——定子磁链矢量的空间相位;

ω_{s}——其旋转角速度,其平均速度可认为等于ω_{r}。

前面已分析了转矩的变化速率,在不计凸极效应时,取决于交轴电流的变化速率$\frac{\mathrm{d}i_q}{\mathrm{d}t}$,实

际上取决于交轴磁链 ψ_q 的变化速率$\frac{\mathrm{d}\psi_q}{\mathrm{d}t}$,而

$$|\boldsymbol{\psi}_s| = \sqrt{\psi_q^2 + \psi_d^2}$$

若 ψ_d 没有变化,则

$$\frac{\mathrm{d}\psi_q}{\mathrm{d}t} = \frac{\mathrm{d}|\boldsymbol{\psi}_s|}{\mathrm{d}t} \tag{7-52}$$

由式(7-51)可知,$\frac{\mathrm{d}|\boldsymbol{\psi}_s|}{\mathrm{d}t}$取决于电压冗余 $\boldsymbol{u}_s - \mathrm{j}\omega_s|\boldsymbol{\psi}_s|\mathrm{e}^{\mathrm{j}\theta_s}$,电压冗余越大,得到的转矩变化速率越高,系统就能保持较高的动态响应能力。令系数 $k_f<1$ 就是为了提高系统的这种动态性能。还可根据转矩指令要求修正系数 k_f,例如转矩需要阶跃变化时,系数 k_f 应降得更低。

令系数 $k_f<1$ 的另一个原因是考虑到定子磁链估计的不准确性。通常,定子磁链中占主导的是永磁励磁磁链 $\boldsymbol{\psi}_f$,如果采用电流模型法估计 $|\boldsymbol{\psi}_s|$,由于永磁体剩磁会随温度变化而变化,会使估计结果发生偏差。即使采用电压模型法,由于多种原因估计值也可能会产生偏差。如果 $|\boldsymbol{\psi}_s|$ 估计值偏高,则会提前开始弱磁,即弱磁频率要低于实际需要弱磁的频率 ω_m;反之,如果 $|\boldsymbol{\psi}_s|$ 估计值偏低,可能逆变器已经饱和了,而弱磁控制还没有开始。适当选择较小的系数 k_f,就可以避免这种情况的发生。

直接转矩控制是将定子磁链和转矩作为控制变量,对逆变器饱和的检测只能基于磁链滞环比较器,或者是转矩滞环比较器。因为定子磁链矢量更多地是与转矩控制有关,所以可以通过转矩滞环比较器的运行状态来控制弱磁。

7.4 系统仿真模型的建立及结果分析

本章利用 MATLAB 中的 Simulink 工具,对分析的永磁同步电动机直接转矩控制系统进行仿真研究。整个系统的结构框图如图 7-13 所示,图中以 alf 为下标的变量表示 α 轴变量,以 bet 为下标的变量表示 β 轴变量。

7.4.1 电压模型

由于测量交流电压 u_a, u_b, u_c 比较困难,需要用模拟的方法来获得三相电压,由于三相电压是逆变器的输出电压,因此这种方法又称为逆变器模型法。逆变器模型是由逆变器的开关状态和直流电压之间的关系得到的。逆变器模型的结构如图 7-14 所示,Sn 为逆变器的开关状态信号,逆变器模型部分为用户自定义函数,用来实现相关端电压输出的运算。

逆变器的每个电压状态和 u_α, u_β 的值如表 7-2 所示,逆变器桥臂上管导通时对应状态为"1",桥臂下管导通时对应状态为"0",其中 U_d 为逆变器的直流电压输入。表 7-2 为逆变器的理想化模型,该模型很容易用计算机来实现。

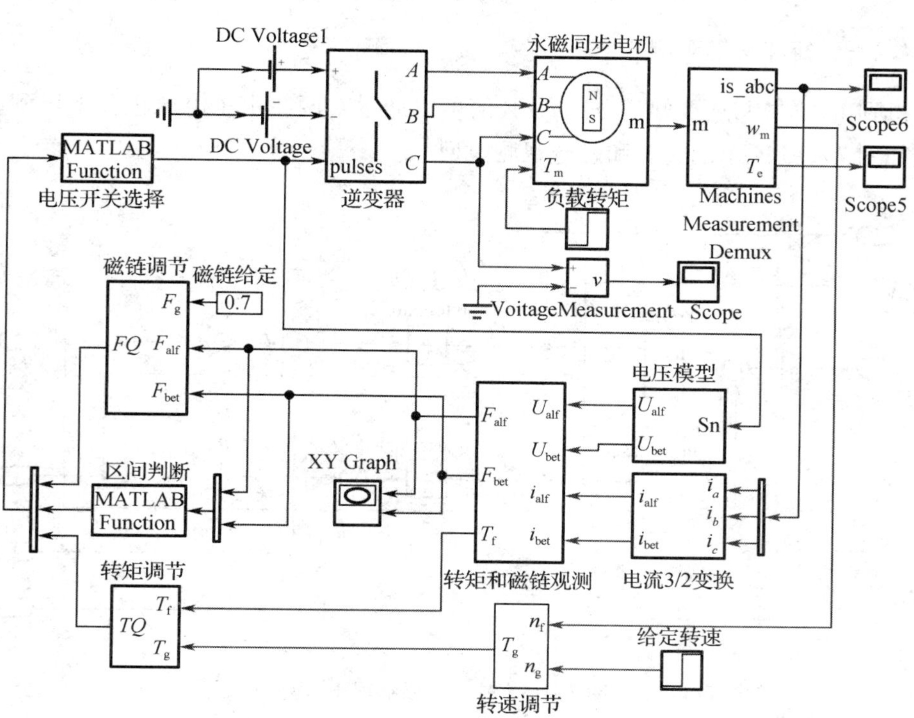

图 7－13 永磁同步电动机直接转矩控制系统仿真框图

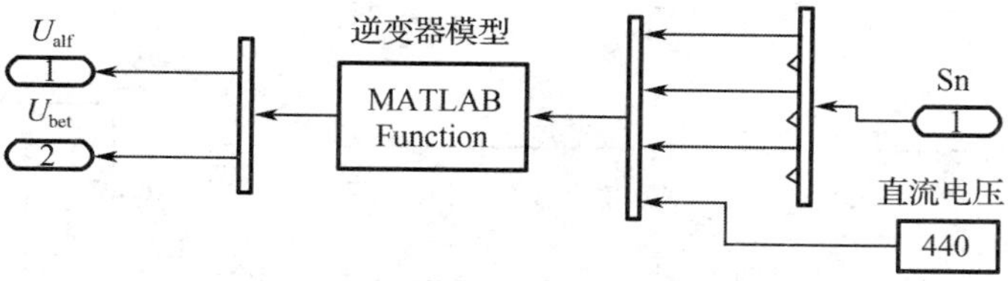

图 7－14 逆变器模型

表 7－2 逆变器的电压状态与定子电压分量值

开关状态(S_a,S_b,S_c)	定子电压分量值	
	u_α	u_β
011	$-2U_d/3$	0
001	$-U_d/3$	$-U_d/\sqrt{3}$
101	$+U_d/3$	$-U_d/\sqrt{3}$
100	$+2U_d/3$	0
110	$+U_d/3$	$+U_d/\sqrt{3}$
010	$-U_d/3$	$+U_d/\sqrt{3}$

7.4.2 转矩和磁链观测

要得到电磁转矩,还要知道 ψ_α,ψ_β,其值可以通过对两相定子电压积分来得到,于是可以得到如图 7－15 所示的转矩和磁链观测模型。

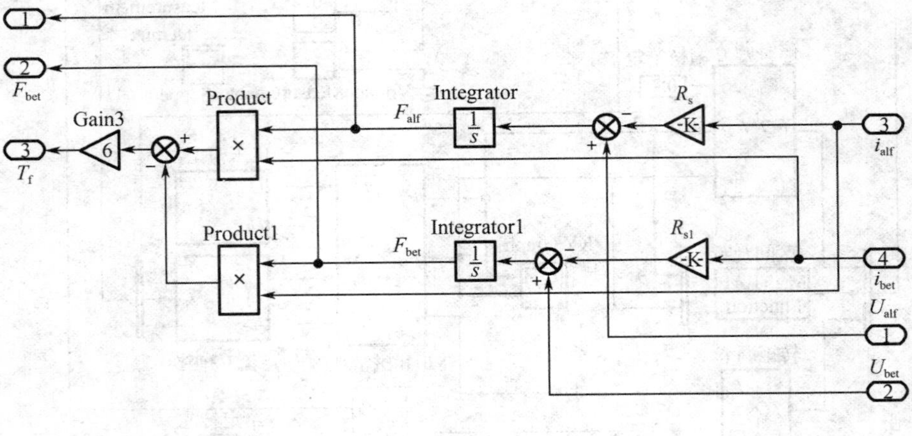

图 7－15　转矩和磁链观测模型

图 7－16 是根据幅值限幅改进积分器构造的改进磁链观测模型。经仿真验证,如果正确选择相关参数,该模型可以在很大程度上消除纯积分器带来的误差。

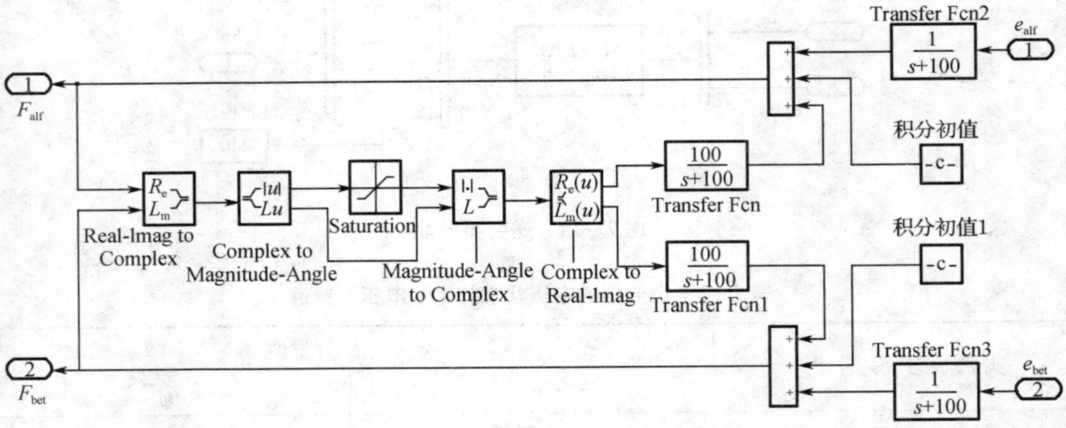

图 7－16　改进的磁链观测模型

7.4.3 区间判断

电压空间矢量平面被划分为 6 个区间,为了选择正确的电压空间矢量,必须对定子磁链矢量所在的区间进行判断。具体的判断方法是:首先根据 ψ_α 和 ψ_β 的正负关系大致判断定子磁链矢量所在的位置,然后根据 ψ_α 和 ψ_β 比值确定磁链矢量的具体位置。对于区间的判断是由自定义的函数来实现的。

7.4.4 转矩和磁链调节

转矩和磁链调节模块的结构如图 7－17 所示。

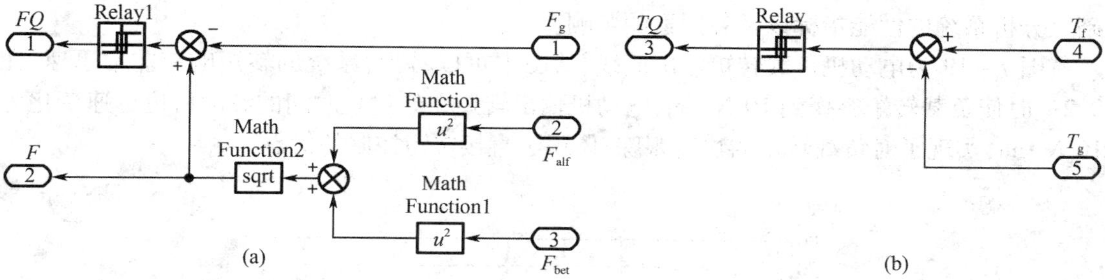

图 7－17

(a)磁链调节模块;(b)转矩调节模块

定子磁链的幅值$|\boldsymbol{\psi}_s|=\sqrt{\psi_\alpha^2+\psi_\beta^2}$与磁链给定值 F_g 经过滞环比较器处理后得到数字信号 *FQ*(0 或 1),当 *FQ* 由 1 变化为 0 时,表示实际磁链值小于磁链给定值,于是通过开关选择表选择使磁链增大的电压空间矢量;反之,当 *FQ* 由 0 变化为 1 时,表示实际磁链值大于磁链给定值,应该选择使磁链减小的电压空间矢量。得到转矩控制信号 *TQ* 的方法与得到 *FQ* 的方法相同,只是需要分别选择使转矩减小和增大的电压空间矢量。

7.4.5 转速调节

转速调节模块的结构如图 7－18 所示,它的作用是把给定转速和实际转速的差值进行 PI 调节后得到转矩的给定值。在 PI 控制器的参数中,随着比例系数的增大,系统动态响应加快,而积分系数主要影响系统的稳态误差,两者必须协调才能使系统达到较好的性能。

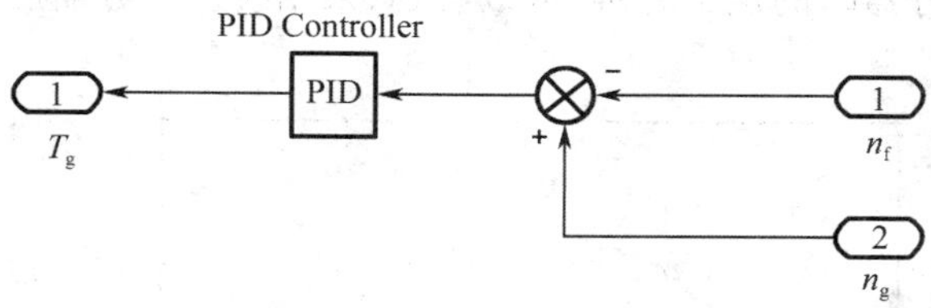

图 7－18 转速调节模块

7.4.6 电压开关选择

电压开关选择模块也是由自定义函数来实现的,永磁同步电动机直接转矩控制开关状态表的内容见表 7－1。该函数的输入为磁链和转矩调节模块的输出 *FQ* 和 *TQ*,另一个输入为区间判断模块的输出。该模块的作用是综合判断三个输入量的组合,按照开关选择表的规则产生不同的开关信号,来控制逆变器开关器件的导通。

7.4.7 仿真结果及分析

采用上述模型，利用 Matlab/Simulink 软件对一台永磁同步电动机进行了仿真研究，永磁同步电动机的参数如下：定子电阻 $R_s=2.875\ \Omega$，交、直轴等效电感 $L_d=L_q=0.0085$ H，转子磁链 $\boldsymbol{\psi}_f=0.175$ Wb，转动惯量 $J=0.0085\ \text{Kg}\cdot\text{m}^2$，黏滞系数 $B=0$，极对数 $p_n=4$，在此基础上分析系统的性能指标以及各因素的影响。

图 7－19 为电动机负载转矩输出曲线，从图中可以看到，系统的转矩响应非常迅速，在 0.2 s 时使负载转矩突变到 10 N·m，电动机输出转矩在经过短时间的波动后也迅速变化为 10 N·m，实现了对负载转矩的快速跟踪，体现了直接转矩控制的优点。

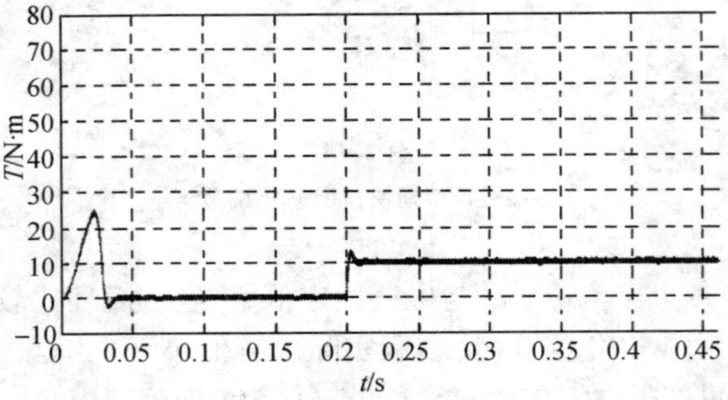

图 7－19 实加负载转矩时的输出转矩波形

图 7－20 为采用纯积分器时永磁同步电动机的定子磁链轨迹，从图中可以看到，在系统运行过程中定子磁链轨迹为圆形，磁链幅值基本保持不变。图 7－21 为采用幅值限幅改进积分器时的定子磁链，可以看到，采用改进积分器后磁链轨迹更加平滑。

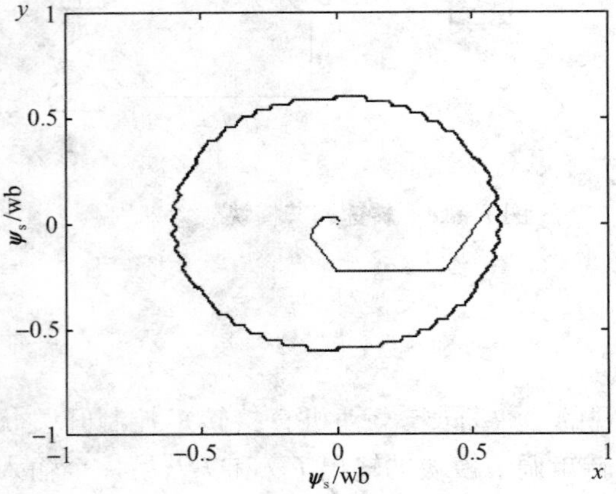

图 7－20 采用纯积分器的定子磁链轨迹

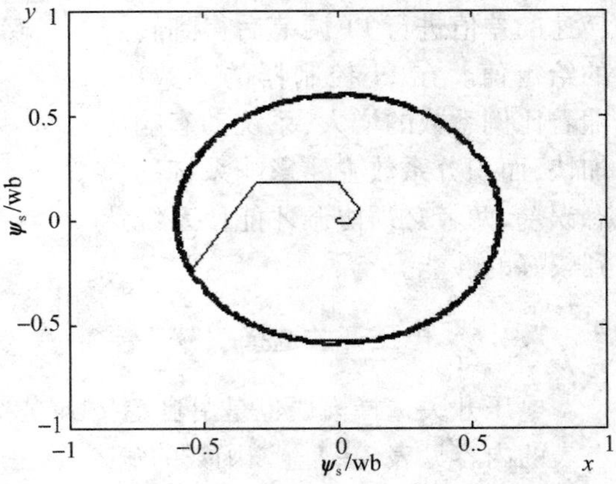

图 7－21 采用改进积分器的定子磁链轨迹

图 7－22 为永磁同步电动机的转速曲线，从图中可以看到，系统的转速响应也非常迅速，转速给定值为 100 $\text{r}\cdot\text{min}^{-1}$。在 0.2 s 时把负载转矩增加到 10 N·m，此时电动机转速

开始下降，转速曲线出现了一个低谷，经过短时间的波动后，转速又迅速恢复到给定值，可见系统对负载扰动的调节能力很强。

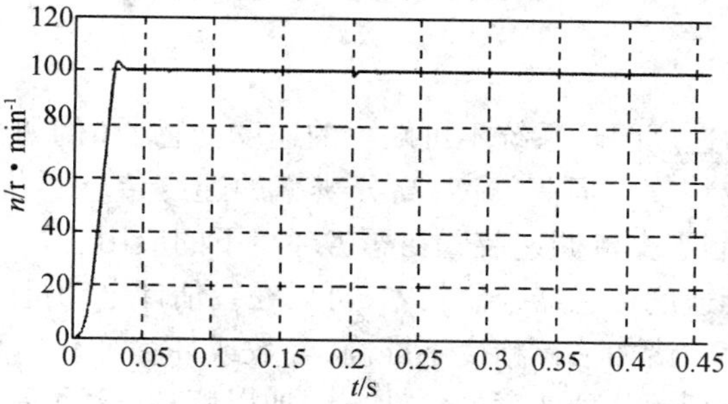

图 7-22 转速给定值为 80 rad · s^{-1}时的转速曲线

第8章 无速度传感器控制技术

交流调速装置作为速度闭环系统不可缺少的速度传感器(例如光电编码器等),大大提高了系统的控制和响应精度。但高精度、高分辨率的速度传感器价格昂贵,工作环境要求高,容易损坏等缺点限制了交流调速装置在恶劣环境下的应用。

目前正在兴起的无速度传感器控制技术,可以在线估计电动机的速度和位置,从而省去了速度传感器。但也存在诸如估计精度不准确,参数或环境变化时估计结果易受影响等问题。本章将对目前较流行的几种速度的估计方法加以阐述,这也是矢量控制和直接转矩控制不可缺少的。

8.1 基于数学模型的开环估计无位置传感器控制

8.1.1 数学模型的开环估计在异步电动机上的应用

1. 利用 ABC 轴系定、转子电压矢量方程估计转速

已知在静止 ABC 坐标系中,定、转子磁链和电压矢量方程为

$$\boldsymbol{\psi}_s = L_s\boldsymbol{i}_s + L_m\boldsymbol{i}_r \tag{8-1}$$

$$\boldsymbol{\psi}_r = L_m\boldsymbol{i}_s + L_r\boldsymbol{i}_r \tag{8-2}$$

$$\boldsymbol{u}_s = R_s\boldsymbol{i}_s + \frac{d\boldsymbol{\psi}_s}{dt} \tag{8-3}$$

$$0 = R_r\boldsymbol{i}_r + \frac{d\boldsymbol{\psi}_r}{dt} - j\omega_r\boldsymbol{\psi}_r \tag{8-4}$$

可以通过式(8-4)中含有转子角速度 ω_r 来获取转子速度信息,但式中的转子电流矢量 $\boldsymbol{i}_r$ 是测量不到的,此外,还需要知道转子磁链矢量的微分 $\frac{d\boldsymbol{\psi}_r}{dt}$,为此先要设法将 $\boldsymbol{i}_r$ 从式(8-4)中消去。

由式(8-2),可得

$$\boldsymbol{i}_r = \frac{1}{L_r}(\boldsymbol{\psi}_r - L_m\boldsymbol{i}_s) \tag{8-5}$$

将式(8-5)代入式(8-4),则有

$$\omega_r = \frac{\frac{d\boldsymbol{\psi}_r}{dt} + \frac{R_r}{L_r}\boldsymbol{\psi}_r - \frac{R_rL_m}{L_r}\boldsymbol{i}_s}{j\boldsymbol{\psi}_r} \tag{8-6}$$

式中,定子电流 $\boldsymbol{i}_s$ 取实测值,除此之外,还需要知道转子磁链矢量 $\boldsymbol{\psi}_r$。

由式(8-1)和式(8-2)得

$$\boldsymbol{\psi}_r = \frac{L_r}{L_m}\left[\boldsymbol{\psi}_s - \left(1 - \frac{L_m^2}{L_rL_s}\right)L_s\boldsymbol{i}_s\right] \tag{8-7}$$

由式(8－3)得

$$\boldsymbol{\psi}_{\mathrm{s}} = \int(\boldsymbol{u}_{\mathrm{s}} - R_{\mathrm{s}}\boldsymbol{i}_{\mathrm{s}})\mathrm{d}t \tag{8－8}$$

由式(8－7)和式(8－8)得

$$\frac{\mathrm{d}\boldsymbol{\psi}_{\mathrm{r}}}{\mathrm{d}t} = \frac{L_{\mathrm{r}}}{L_{\mathrm{m}}}\left[\frac{\mathrm{d}\boldsymbol{\psi}_{\mathrm{s}}}{\mathrm{d}t} - \left(1 - \frac{L_{\mathrm{m}}^2}{L_{\mathrm{r}}L_{\mathrm{s}}}\right)L_{\mathrm{s}}\frac{\mathrm{d}\boldsymbol{i}_{\mathrm{s}}}{\mathrm{d}t}\right] = \frac{L_{\mathrm{r}}}{L_{\mathrm{m}}}\left[\boldsymbol{u}_{\mathrm{s}} - R_{\mathrm{s}}\boldsymbol{i}_{\mathrm{s}} - \left(1 - \frac{L_{\mathrm{m}}^2}{L_{\mathrm{r}}L_{\mathrm{s}}}\right)L_{\mathrm{s}}\frac{\mathrm{d}\boldsymbol{i}_{\mathrm{s}}}{\mathrm{d}t}\right] \tag{8－9}$$

根据 $\boldsymbol{u}_{\mathrm{s}}$ 和 $\boldsymbol{i}_{\mathrm{s}}$ 的测量值，由式(8－7)～式(8－9)可计算出 $\boldsymbol{\psi}_{\mathrm{r}}$ 和$\frac{\mathrm{d}\boldsymbol{\psi}_{\mathrm{r}}}{\mathrm{d}t}$。

在实际估计中，常用式(8－6)在静止 $\alpha\beta$ 轴系中的分量形式，即

$$\omega_{\mathrm{r}} = \frac{-\frac{\mathrm{d}\psi_d}{\mathrm{d}t} - \frac{R_{\mathrm{r}}\psi_d}{L_{\mathrm{r}}} + \frac{R_{\mathrm{r}}L_{\mathrm{m}}}{L_{\mathrm{r}}}i_\alpha}{\psi_q} \tag{8－10}$$

式中

$$\psi_d = \frac{L_{\mathrm{r}}}{L_{\mathrm{m}}}\left[\psi_\alpha - \left(1 - \frac{L_{\mathrm{m}}^2}{L_{\mathrm{r}}L_{\mathrm{s}}}\right)L_{\mathrm{s}}i_\alpha\right] \tag{8－11}$$

$$\psi_\alpha = \int(u_\alpha - R_{\mathrm{s}}i_\alpha)\mathrm{d}t \tag{8－12}$$

$$\frac{\mathrm{d}\psi_d}{\mathrm{d}t} = \frac{L_{\mathrm{r}}}{L_{\mathrm{m}}}\left[u_\alpha - R_{\mathrm{s}}i_\alpha - \left(1 - \frac{L_{\mathrm{m}}^2}{L_{\mathrm{r}}L_{\mathrm{s}}}\right)L_{\mathrm{s}}\frac{\mathrm{d}i_\alpha}{\mathrm{d}t}\right] \tag{8－13}$$

$$\psi_q = \frac{L_{\mathrm{r}}}{L_{\mathrm{m}}}\int\left[u_\beta - R_{\mathrm{s}}i_\beta - \left(1 - \frac{L_{\mathrm{m}}^2}{L_{\mathrm{r}}L_{\mathrm{s}}}\right)L_{\mathrm{s}}\frac{\mathrm{d}i_\beta}{\mathrm{d}t}\right]\mathrm{d}t \tag{8－14}$$

上述方法很适合基于转子磁场定向的矢量控制，因为若采用直接磁场定向的控制方式，必须先要估计转子磁链矢量 $\boldsymbol{\psi}_{\mathrm{r}}$。但此方法估计中用到的参数(如 $R_{\mathrm{s}}, R_{\mathrm{r}}, L_{\mathrm{m}}, L_{\mathrm{r}}$)在电动机运行过程中并非恒定不变，在应用中要考虑温度变化与弱磁运行中各参数变化的趋势，并加以优化；在对定子磁链估计中，采用了积分器，积分器的输出会对输入测量值的偏差进行累积；另外，在低速时定子电阻 R_{s} 的变化对积分结果的影响很大。在实际应用中要注意上述问题并加以解决。

2. 利用定子磁场定向轴系估计转速

将转子电压矢量方程式(8－6)改写成

$$\frac{\mathrm{d}\boldsymbol{\psi}_{\mathrm{r}}}{\mathrm{d}t} - \frac{R_{\mathrm{r}}L_{\mathrm{m}}}{L_{\mathrm{r}}}\boldsymbol{i}_{\mathrm{s}} = -\frac{R_{\mathrm{r}}\boldsymbol{\psi}_{\mathrm{r}}}{L_{\mathrm{r}}} + \mathrm{j}\omega_{\mathrm{r}}\boldsymbol{\psi}_{\mathrm{r}} \tag{8－15}$$

将式(8－7)和式(8－9)代入式(8－15)，可得

$$\boldsymbol{u}_{\mathrm{s}} - \left(R_{\mathrm{s}} + \frac{R_{\mathrm{r}}L_{\mathrm{s}}}{L_{\mathrm{r}}}\right)\boldsymbol{i}_{\mathrm{s}} - \left(1 - \frac{L_{\mathrm{m}}^2}{L_{\mathrm{r}}L_{\mathrm{s}}}\right)L_{\mathrm{s}}\frac{\mathrm{d}\boldsymbol{i}_{\mathrm{s}}}{\mathrm{d}t} = -\frac{R_{\mathrm{r}}\boldsymbol{\psi}_{\mathrm{s}}}{L_{\mathrm{r}}} + \mathrm{j}\omega_{\mathrm{r}}\left[\boldsymbol{\psi}_{s} - \left(1 - \frac{L_{\mathrm{m}}^2}{L_{\mathrm{r}}L_{\mathrm{s}}}\right)L_{\mathrm{s}}\boldsymbol{i}_{\mathrm{s}}\right] \tag{8－16}$$

式(8－16)是以静止 $\alpha\beta$ 轴系表示的，现将其变换到沿定子磁场定向的 MT 轴系中，则有

$$\left[\boldsymbol{u}_{\mathrm{s}} - \left(R_{\mathrm{s}} + \frac{R_{\mathrm{r}}L_{\mathrm{s}}}{L_{\mathrm{r}}}\right)\boldsymbol{i}_{\mathrm{s}} - \left(1 - \frac{L_{\mathrm{m}}^2}{L_{\mathrm{r}}L_{\mathrm{s}}}\right)L_{\mathrm{s}}\frac{\mathrm{d}\boldsymbol{i}_{\mathrm{s}}}{\mathrm{d}t}\right]\mathrm{e}^{-\mathrm{j}\rho_{\mathrm{s}}} = -\frac{R_{\mathrm{r}}}{L_{\mathrm{r}}}\boldsymbol{\psi}_{\mathrm{s}}\mathrm{e}^{-\mathrm{j}\rho_{\mathrm{s}}} + \mathrm{j}\omega_{\mathrm{r}}\left[\boldsymbol{\psi}_{\mathrm{s}}\mathrm{e}^{-\mathrm{j}\rho_{\mathrm{s}}} - \left(1 - \frac{L_{\mathrm{m}}^2}{L_{\mathrm{r}}L_{\mathrm{s}}}\right)L_{\mathrm{s}}\boldsymbol{i}_{\mathrm{s}}\mathrm{e}^{-\mathrm{j}\rho_{\mathrm{s}}}\right] \tag{8－17}$$

式中 ρ_{s}——$\boldsymbol{\psi}_{\mathrm{s}}$ 在静止 $\alpha\beta$ 轴系中的空间相位。

由于 MT 轴系沿定子磁场定向，$\boldsymbol{\psi}_s$ 在 T 轴方向上的分量 $\psi_T=0$，则有

$$\boldsymbol{\psi}_s e^{-j\rho_s} = \psi_M + j\psi_T = |\boldsymbol{\psi}_s| \tag{8-18}$$

于是，式(8-17)可变为

$$\left[\boldsymbol{u}_s - \left(R_s + \frac{R_r L_s}{L_r}\right)\boldsymbol{i}_s - \left(1 - \frac{L_m^2}{L_r L_s}\right)L_s \frac{d\boldsymbol{i}_s}{dt}\right]e^{-j\rho_s} = -\frac{R_r|\boldsymbol{\psi}_s|}{L_r} + j\omega_r\left[|\boldsymbol{\psi}_s| - \left(1 - \frac{L_m^2}{L_r L_s}\right)L_s \boldsymbol{i}_s^M\right] \tag{8-19}$$

式中 $\boldsymbol{i}_s^M$——以定子磁场定向 MT 轴系表示的定子电流矢量。

式(8-19)左端表示为

$$u_M + ju_T = \left[\boldsymbol{u}_s - \left(R_s + \frac{R_r L_s}{L_r}\right)\boldsymbol{i}_s - \left(1 - \frac{L_m^2}{L_r L_s}\right)L_s \frac{d\boldsymbol{i}_s}{dt}\right]e^{-j\rho_s} \tag{8-20}$$

在已知定子电压和电流以及相位 ρ_s 后，由式(8-19)可求取 u_M 和 u_T。

$$u_M = -\frac{|\boldsymbol{\psi}_s|}{T_r} + \omega_r\left(1 - \frac{L_m^2}{L_r L_s}\right)L_s i_T \tag{8-21}$$

$$u_T = \omega_r\left[|\boldsymbol{\psi}_s| - \left(1 - \frac{L_m^2}{L_r L_s}\right)L_s i_M\right] \tag{8-22}$$

图 8-1 为估计 ω_r 的框图。

可由式(8-21)或式(8-22)求得转子速度 ω_r。现用式(8-22)来估计 ω_r，即

$$\hat{\omega}_r = \frac{u_T}{|\boldsymbol{\psi}_s| - \left(1 - \frac{L_m^2}{L_r L_s}\right)L_s i_M} \tag{8-23}$$

此方法很适合基于定子磁场定向的矢量控制。定子磁场矢量控制本身就需要利用“定子磁链模型”来估计定子磁链矢量的幅值 $|\boldsymbol{\psi}_s|$ 和空间相位 ρ_s，为估计 $|\boldsymbol{\psi}_s|$ 和 ρ_s，同时要检测定子电压和电流。这样，在估计定子磁链矢量 $\boldsymbol{\psi}_s$ 的同时，可以方便地由式(8-20)和式(8-22)或者式(8-20)和式(8-21)求得 ω_r。

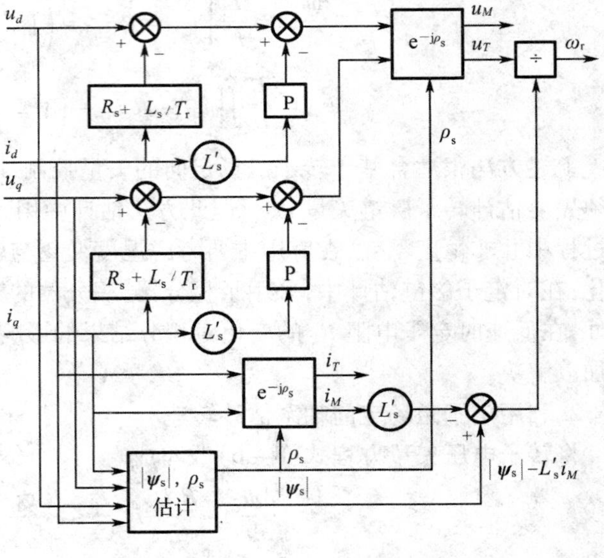

图 8-1 由定子磁场定向轴系估计 ω_r

此方法也适用于直接转矩控制，因为在直接转矩控制中，原本就需要估计 $|\boldsymbol{\psi}_s|$ 和 ρ_s。

8.1.2 数学模型的开环估计在永磁同步电动机上的应用

数学模型的开环估计在永磁同步电动机上的应用近年来也有研究，并已取得了许多研究成果，一般可分为对定子磁链矢量 $\boldsymbol{\psi}_s$ 的估计和借助永磁励磁磁链 $\boldsymbol{\psi}_f$ 在定子绕组中产生感应电动势来估计 $\boldsymbol{\psi}_f$ 的空间位置两种。第一种方法是通过 $\boldsymbol{\psi}_s$ 间接估计永磁励磁磁链矢量 $\boldsymbol{\psi}_f$ 的空间位置，其方法的实质是估计定子磁链矢量 $\boldsymbol{\psi}_s$ 的旋转速度 ω_s，而不是真正的转子旋转速度 ω_r，对于永磁同步电动机在稳态运行时 $\omega_s=\omega_r$，但在动态过程中两者并不相等。其

估计过程这里就不详述了，可参阅相关文献。下面讨论借助永磁励磁磁场 $\boldsymbol{\psi}_{\mathrm{f}}$ 在定子绕组中产生感应电动势来估计 $\boldsymbol{\psi}_{\mathrm{f}}$ 的空间位置的方法。

PMSM 在旋转过程中，永磁励磁磁场 $\boldsymbol{\psi}_{\mathrm{f}}$ 一定要在定子绕组中产生感应电动势（反电动势），于是可借助感应电动势来估计 $\boldsymbol{\psi}_{\mathrm{f}}$ 的空间位置。

对于面装式 PMSM，在静止 ABC 轴系中，由式(5－21)得到

$$\boldsymbol{u}_{\mathrm{s}} = R_{\mathrm{s}}\boldsymbol{i}_{\mathrm{s}} + L_{\mathrm{s}}\frac{\mathrm{d}\boldsymbol{i}_{\mathrm{s}}}{\mathrm{d}t} + \mathrm{j}\omega_{\mathrm{r}}\boldsymbol{\psi}_{\mathrm{f}} \tag{8-24}$$

式中，$\mathrm{j}\omega_{\mathrm{r}}\boldsymbol{\psi}_{\mathrm{f}}$ 为感应电动势 e_0，可表示为

$$\begin{aligned} e_0 &= \mathrm{j}\omega_{\mathrm{r}}\boldsymbol{\psi}_{\mathrm{f}} = \mathrm{j}\omega_{\mathrm{r}}\boldsymbol{\psi}_{\mathrm{f}}(\cos\theta_{\mathrm{r}} + \mathrm{j}\sin\theta_{\mathrm{r}}) \\ &= -\omega_{\mathrm{r}}\boldsymbol{\psi}_{\mathrm{f}}\sin\theta_{\mathrm{r}} + \mathrm{j}\omega_{\mathrm{r}}\boldsymbol{\psi}_{\mathrm{f}}\cos\theta_{\mathrm{r}} \\ &= e_\alpha + \mathrm{j}e_\beta \end{aligned} \tag{8-25}$$

式中，$\theta_{\mathrm{r}A}$ 为转子磁链矢量 $\boldsymbol{\psi}_{\mathrm{f}}$ 与定子 A 轴间的电角度，即为转子在 ABC 轴系中的位置。可以看出，e_0 中含有转子位置信息，如果能够获得 e_α 和 e_β，就可以估计出转子位置 $\theta_{\mathrm{r}A}$。

将式(8－24)表示为

$$\begin{bmatrix} u_\alpha \\ u_\beta \end{bmatrix} = R_{\mathrm{s}}\begin{bmatrix} i_\alpha \\ i_\beta \end{bmatrix} + p\begin{bmatrix} L_{\mathrm{s}} & 0 \\ 0 & L_{\mathrm{s}} \end{bmatrix}\begin{bmatrix} i_\alpha \\ i_\beta \end{bmatrix} + \begin{bmatrix} e_\alpha \\ e_\beta \end{bmatrix} \tag{8-26}$$

由式(8－26)，可得

$$e_\alpha = -\omega_{\mathrm{r}}\boldsymbol{\psi}_{\mathrm{f}}\sin\theta_{\mathrm{r}A} = u_\alpha - R_{\mathrm{s}}i_\alpha - L_{\mathrm{s}}\frac{\mathrm{d}i_\alpha}{\mathrm{d}t} \tag{8-27}$$

$$e_\beta = \omega_{\mathrm{r}}\boldsymbol{\psi}_{\mathrm{f}}\cos\theta_{\mathrm{r}A} = u_\beta - R_{\mathrm{s}}i_\beta - L_{\mathrm{s}}\frac{\mathrm{d}i_\beta}{\mathrm{d}t} \tag{8-28}$$

于是，转子位置角 $\theta_{\mathrm{r}A}$ 可由式(8－29)确定，即

$$\hat{\theta}_{\mathrm{r}A} = \arctan\left(\frac{-u_\alpha + R_{\mathrm{s}}i_\alpha + L_{\mathrm{s}}\dfrac{\mathrm{d}i_\alpha}{\mathrm{d}t}}{u_\beta - R_{\mathrm{s}}i_\beta - L_{\mathrm{s}}\dfrac{\mathrm{d}i_\beta}{\mathrm{d}t}}\right) \tag{8-29}$$

式中，定子电压和电流为实测值。

基于数学模型的开环估计可以根据控制对象的不同选择不同的数学模型，由于不采用积分环节和调节器，所以系统动态响应快。但其模型涉及了电动机参数，该参数选取的是系统稳态工作时的参数，由于系统动态工作时这些参数是变化的，采用稳态参数势必会影响动态工作时转速估计的准确性，这是开环估计存在的主要技术问题。虽然对电动机参数可以进行在线辨识，但辨识的实现也需要复杂的技术，这同样是比较困难的。

8.2 模型参考自适应系统

模型参考自适应系统（Model Reference Adaptive System，MRAS）是在 20 世纪 50 年代后期发展起来的，其主要特点是采用参考模型，由其规定了系统所要求的性能。可以利用 MRAS 来估计磁链和转速。

8.2.1 参考模型和可调模型

MRAS 速度辨识方法可以分为转子磁通估计法、反电势估计法和无功功率法。这里主要介绍异步电动机磁通估计法的 MRAS,反电势估计法和无功功率法的 MRAS 可参阅相关文献。

采用转子磁通估计法的 MRAS 将不含有电动机转速的电压模型作为参考模型,将含有电动机转速的模型作为可调模型,两个模型具有相同物理意义的输出量转子磁链,利用输出量的误差构成合适的自适应率以调节可调模型参数,来达到控制对象的输出跟踪参考模型的目的。

三相异步电动机在两相静止 $\alpha\beta$ 坐标系上的电压方程和电流方程为

电压方程

$$\begin{cases}\psi_{r\alpha} = \dfrac{L_r}{L_m}\displaystyle\int[u_{s\alpha} - (R_s + \sigma L_s p)i_{s\alpha}]\mathrm{d}t \\ \psi_{r\beta} = \dfrac{L_r}{L_m}\displaystyle\int[u_{s\beta} - (R_s + \sigma L_s p)i_{s\beta}]\mathrm{d}t\end{cases} \tag{8-30}$$

电流方程

$$\begin{cases}p\psi_{r\alpha} = \dfrac{L_m}{T_r}i_{s\alpha} - \dfrac{\psi_{r\alpha}}{T_r} - \omega_r\psi_{r\beta} \\ p\psi_{r\beta} = \dfrac{L_m}{T_r}i_{s\beta} - \dfrac{\psi_{r\beta}}{T_r} - \omega_r\psi_{r\alpha}\end{cases} \tag{8-31}$$

式中 $T_r = \dfrac{L_r}{R_r}$,为转子励磁时间常数;

$\sigma = \left(1 - \dfrac{L_m^2}{L_rL_s}\right)$。

无论是电压模型还是电流模型,转子磁链的幅值都是

$$|\boldsymbol{\psi}_r| = \sqrt{\psi_{r\alpha}^2 + \psi_{r\beta}^2} \tag{8-32}$$

令 ψ_{ru} 和 ψ_{ri} 分别表示电压模型和电流模型的输出值,认为它们的稳态值相等,取 ψ_{ru} 和 ψ_{ri} 的误差进行 PI 控制,可以采用幅值误差,也可以采用 $\alpha\beta$ 坐标的广义误差 e,本文采用的是广义误差,即

$$e = \psi_{r\beta}\hat{\psi}_{r\alpha} - \psi_{r\alpha}\hat{\psi}_{r\beta} \tag{8-33}$$

式中,带^的表示为电流模型的输出量;不带^的表示为电压模型的输出量。

由 PI 控制器的输出可以构成角速度信号 $\hat{\omega}_r$,再反馈给电流模型实现闭环控制。

该方法虽然叫作 MRAS,但是按照自适应控制的定义,并联 MRAS 的基本结构应该如图 8-3 所示。

图中,参考模型应该能代表受控系统性能的准确模型,其输出应该是自适应控制的期望值;可调模型就是受控系统,可以调整其参数或输入以获得尽量接近参考模型的性能;e 是参考模型和可调模型的广义误差。

比较图 8-2 和图 8-3 可以看出它们结构是相似的,不同的是图 8-3 中的电流模型只是一个可调整的磁链模型,并不是一个可调整的调速系统。因此,严格地说图 8-3 只能算是一个模型参考自适应控制的磁链观测器。

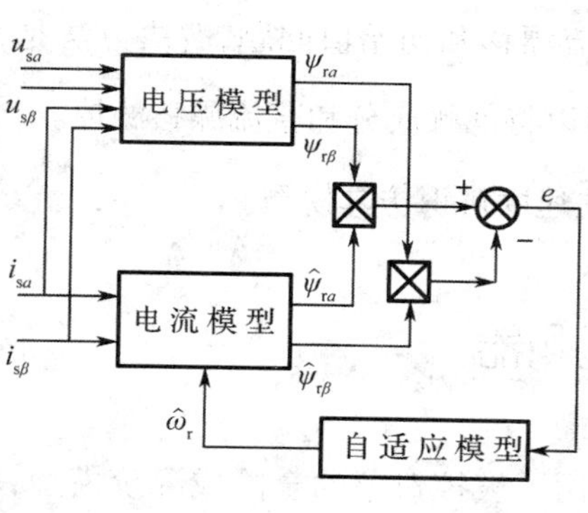

图 8-2 转速自适应辨识系统框图

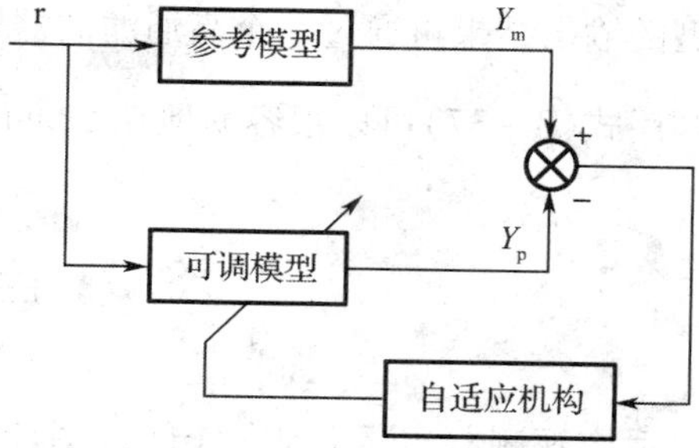

图 8-3 并联的 MRAS

8.2.2 系统稳定性

在控制结构选定后，可以用 Popov 超稳定性理论来证明系统的渐进稳定性。

自适应机构的设计需要考虑辨识系统的全局渐近稳定性，以保证状态收敛。由于电动机的机电时间常数比电气时间常数大很多，所以可将式(8-31)中的电动机角速度 ω_r 视为常数，则电流方程模型变为一个线性状态方程：

$$p\begin{bmatrix}\psi_{r\alpha}\\ \psi_{r\beta}\end{bmatrix}=\begin{bmatrix}-\dfrac{1}{T_r} & -\omega_r\\ \omega_r & -\dfrac{1}{T_r}\end{bmatrix}\begin{bmatrix}\psi_{r\alpha}\\ \psi_{r\beta}\end{bmatrix}+\frac{L_m}{T_r}\begin{bmatrix}i_{s\alpha}\\ i_{s\beta}\end{bmatrix} \tag{8-34}$$

根据模型参考自适应的原理，以式(8-32)为参考模型，选择并联可调整模型为

$$p\begin{bmatrix}\hat{\psi}_{r\alpha}\\ \hat{\psi}_{r\beta}\end{bmatrix}=\begin{bmatrix}-\dfrac{1}{T_r} & -\hat{\omega}_r\\ \hat{\omega}_r & -\dfrac{1}{T_r}\end{bmatrix}\begin{bmatrix}\hat{\psi}_{r\alpha}\\ \hat{\psi}_{r\beta}\end{bmatrix}+\frac{L_m}{T_r}\begin{bmatrix}i_{s\alpha}\\ i_{s\beta}\end{bmatrix} \tag{8-35}$$

式中 $\hat{\omega}_r$——自适应机构更新的可调整参数，即转速估计值。

自适应机构应包含记忆功能的积分作用，即可调参数 $\hat{\omega}_r$ 不仅依赖于当前的 $\boldsymbol{e}(t)$ 值，也与它的过去值$\{\boldsymbol{e}(\tau)|_{0\leqslant\tau\leqslant t}\}$有关。因此，$\hat{\omega}_r$ 可表示为

$$\hat{\omega}_r=\int_0^t \Phi_1(e,t,\tau)\mathrm{d}\tau+\Phi_2(e,t)+\hat{\omega}_r(0) \tag{8-36}$$

式中，e 为广义误差，可定义为 $e=\begin{bmatrix}\psi_{r\alpha}\\ \psi_{r\beta}\end{bmatrix}-\begin{bmatrix}\hat{\psi}_{r\alpha}\\ \hat{\psi}_{r\beta}\end{bmatrix}$

根据 Popov 超稳定性理论求解广义误差并带入式(8-36)中，可以得到自适应速度辨识公式：

$$\hat{\omega}_r=K_i\int_0^t(\psi_{r\beta}\hat{\psi}_{r\alpha}-\psi_{r\alpha}\hat{\psi}_{r\beta})\mathrm{d}\tau+K_p(\psi_{r\beta}\hat{\psi}_{r\alpha}-\hat{\psi}_{r\beta}\psi_{r\alpha})+\hat{\omega}_r(0) \tag{8-37}$$

式中 K_i，K_p——比例系数。

电压模型实际上并不是一个理想的参考模型，因为它在低速时是不准确的，还不如电流模型准确，这会使角速度信号 $\hat{\omega}_r$ 失真。这样选择的原因是，在电流模型中含有变量 ω_r，可以用它来实行调整，因而不得不违背 MRAS 的初衷；而采用低速不准确的电压模型作为参

考模型，是由于电压模型中的纯积分环节，会产生直流漂移和初始值问题，解决方法是将电压模型的输出结果再通过一个高通滤波器$\frac{s}{s+\lambda}$，就可以将低频成分和直流漂移滤掉。

利用式(8－37)可以很容易地在 Simulink 中建立速度辨识仿真模型。

8.3 自适应观测器

自适应观测器实际上是一个闭环估计器。它采用了被控对象的全阶或降阶模型，并使用了一个含有被控对象变量修正项的反馈环。修正项中包含有状态估计值与测量值间的偏差，由它产生对状态估计方程的修正输入，由此构成了闭环状态估计。

8.3.1 自适应转子磁链观测器的状态估计方程

在自适应转子速度观测器的模型中，其计算过程的输出不只是转速一个变量，这里介绍的是在三相感应电动机基于转子磁场定向的矢量控制中，转子磁链矢量一种全阶观测器，在观测转子磁链的同时，又可估计转子速度，且具有自适应性质，所以称之为全阶速度自适应转子磁链观测器。

为构建全阶观测器，这里利用的是三相异步电动机静止 *ABC* 轴系内的定、转子电压矢量和磁链矢量方程，即有

$$\boldsymbol{u}_s = R_s\boldsymbol{i}_s + \frac{d\boldsymbol{\psi}_s}{dt} \tag{8-38}$$

$$0 = R_r\boldsymbol{i}_r + \frac{d\boldsymbol{\psi}_r}{dt} - j\omega_r\boldsymbol{\psi}_r \tag{8-39}$$

$$\boldsymbol{\psi}_s = L_s\boldsymbol{i}_s + L_m\boldsymbol{i}_r \tag{8-40}$$

$$\boldsymbol{\psi}_r = L_m\boldsymbol{i}_s + L_r\boldsymbol{i}_r \tag{8-41}$$

将式(8－38)和式(8－39)变换为仅以$\boldsymbol{\psi}_r$和$\boldsymbol{i}_s$为状态变量的状态方程。状态估计方程中，将$\boldsymbol{\psi}_r$确定为待观测的状态变量，同时也选择定子电流矢量作为状态变量。因为定子电流矢量$\boldsymbol{i}_s$是可测量的，所以可由$\boldsymbol{i}_s$的测量值和估计值构成误差补偿器。

将式 (8－41)代入式(8－39)，消去$\boldsymbol{i}_r$，得

$$\frac{d\boldsymbol{\psi}_r}{dt} = \left(-\frac{1}{T_r} + j\omega_r\right)\boldsymbol{\psi}_r + \frac{L_m}{T_r}\boldsymbol{i}_s \tag{8-42}$$

由式(8－40)和式(8－41)，可得

$$\frac{d\boldsymbol{\psi}_s}{dt} = L_s\frac{d\boldsymbol{i}_s}{dt} + L_m\frac{d\boldsymbol{i}_r}{dt} \tag{8-43}$$

$$\frac{d\boldsymbol{i}_r}{dt} = \frac{1}{L_r}\left(\frac{d\boldsymbol{\psi}_r}{dt} - L_m\frac{d\boldsymbol{i}_s}{dt}\right) \tag{8-44}$$

将式(8－44)代入式(8－43)，得

$$\frac{d\boldsymbol{\psi}_s}{dt} = L_s\frac{d\boldsymbol{i}_s}{dt} + \frac{L_m}{L_r}\left(\frac{d\boldsymbol{\psi}_r}{dt} - L_m\frac{d\boldsymbol{i}_s}{dt}\right) \tag{8-45}$$

将式(8－42)代入式(8－45)，再将式(8－45)代入式(8－38)，即有

$$\frac{\mathrm{d}\boldsymbol{i}_{\mathrm{s}}}{\mathrm{d}t}=-\frac{1}{T'_{\mathrm{sr}}}\boldsymbol{i}_{\mathrm{s}}-\frac{L_{\mathrm{m}}}{L'_{\mathrm{s}}L_{\mathrm{r}}}\left(-\frac{1}{T_{\mathrm{r}}}+\mathrm{j}\omega_{\mathrm{r}}\right)\boldsymbol{\psi}_{\mathrm{r}}+\frac{\boldsymbol{u}_{\mathrm{s}}}{L'_{\mathrm{s}}} \tag{8-46}$$

式中，$T'_{\mathrm{sr}}=\frac{L'_{\mathrm{s}}}{R_{\mathrm{sr}}}$，$R_{\mathrm{sr}}=R_{\mathrm{s}}+(\frac{L_{\mathrm{m}}}{L_{\mathrm{r}}})^{2}R_{\mathrm{r}}$。

可将式(8-42)和式(8-46)作为状态观测器的电动机模型，将其写成矩阵形式，即有

$$\begin{bmatrix}\frac{\mathrm{d}\boldsymbol{i}_{\mathrm{s}}}{\mathrm{d}t}\\\frac{\mathrm{d}\boldsymbol{\psi}_{\mathrm{r}}}{\mathrm{d}t}\end{bmatrix}\begin{bmatrix}-\frac{1}{T'_{\mathrm{sr}}} & -\frac{L_{\mathrm{m}}}{L'_{\mathrm{s}}L_{\mathrm{r}}}\left(-\frac{1}{T_{\mathrm{r}}}+\mathrm{j}\omega_{\mathrm{r}}\right)\\\frac{L_{\mathrm{m}}}{T_{\mathrm{r}}} & -\frac{1}{T_{\mathrm{r}}}+\mathrm{j}\omega_{\mathrm{r}}\end{bmatrix}\begin{bmatrix}\boldsymbol{i}_{\mathrm{s}}\\\boldsymbol{\psi}_{\mathrm{r}}\end{bmatrix}+\begin{bmatrix}\frac{\boldsymbol{u}_{\mathrm{s}}}{L'_{\mathrm{s}}}\\0\end{bmatrix} \tag{8-47}$$

将式(8-47)表示为

$$\dot{\boldsymbol{x}}=\boldsymbol{A}\boldsymbol{x}+\boldsymbol{B}\boldsymbol{u} \tag{8-48}$$

式中 $\boldsymbol{x}=[i_{\alpha}\quad i_{\beta}\quad \psi_{d}\quad \psi_{q}]^{\mathrm{T}}$；

$\boldsymbol{u}=[u_{\alpha}\quad u_{\beta}]^{\mathrm{T}}$；

$\boldsymbol{A}=\begin{bmatrix}-\frac{1}{T'_{\mathrm{sr}}}\boldsymbol{I} & \frac{L_{\mathrm{m}}}{L'_{\mathrm{s}}L_{\mathrm{r}}}\left(\frac{1}{T_{\mathrm{r}}}\boldsymbol{I}-\omega_{\mathrm{r}}\boldsymbol{J}\right)\\\frac{L_{\mathrm{m}}}{T_{\mathrm{r}}}\boldsymbol{I} & -\frac{1}{T_{\mathrm{r}}}\boldsymbol{I}+\omega_{\mathrm{r}}\boldsymbol{J}\end{bmatrix}$，为状态矩阵，与转子速度 ω_{r} 有关，式中，$\boldsymbol{I}=2\times2$ 阶单位矩阵，$\boldsymbol{J}=\begin{bmatrix}\boldsymbol{0} & -1\\1 & \boldsymbol{0}\end{bmatrix}$；

$\boldsymbol{B}=\left[\frac{1}{L'_{\mathrm{s}}},\boldsymbol{I}\quad \boldsymbol{0}\right]^{\mathrm{T}}$，为输入矩阵；

$\boldsymbol{0}$——2×2 阶零矩阵。

将输出方程定义为

$$\boldsymbol{I}_{\mathrm{s}}=\boldsymbol{C}\boldsymbol{x} \tag{8-49}$$

式中 $\boldsymbol{C}=\begin{bmatrix}\boldsymbol{I} & \boldsymbol{0}\\\boldsymbol{0} & \boldsymbol{0}\end{bmatrix}$。

可由式(8-48)和式(8-49)来构建全阶状态观测器。

8.3.2 状态观测器

前面已指出，由定子电流观测误差来构成误差补偿器，于是状态观测器可确定为

$$\frac{\mathrm{d}\hat{\boldsymbol{x}}}{\mathrm{d}t}=\hat{\boldsymbol{A}}\hat{\boldsymbol{x}}+\boldsymbol{B}\boldsymbol{u}+\boldsymbol{K}(\boldsymbol{I}_{\mathrm{s}}-\hat{\boldsymbol{I}}_{\mathrm{s}}) \tag{8-50}$$

$$\hat{\boldsymbol{I}}_{\mathrm{s}}=\boldsymbol{C}\hat{\boldsymbol{x}} \tag{8-51}$$

式中

$$\hat{\boldsymbol{A}}=\begin{bmatrix}-\frac{1}{T'_{\mathrm{sr}}}\boldsymbol{I} & \frac{L_{\mathrm{m}}}{L'_{\mathrm{s}}L_{\mathrm{r}}}\left(\frac{1}{T_{\mathrm{r}}}\boldsymbol{I}-\hat{\omega}_{\mathrm{r}}\boldsymbol{J}\right)\\\frac{L_{\mathrm{m}}}{T_{\mathrm{r}}}\boldsymbol{I} & -\frac{1}{T_{\mathrm{r}}}\boldsymbol{I}+\hat{\omega}_{\mathrm{r}}\boldsymbol{J}\end{bmatrix}$$

应该指出，观测器状态矩阵 $\boldsymbol{A}$ 是转速 ω_{r} 的函数，状态方程(8-48)实际为时变非线性方程。但因电动机的机械时间常数远大于电气时间常数，因此，在电动机实际运行中可认为

ω_r 是缓慢变化的，于是式(8-48)和式(8-49)描述的可以认为是一个四阶线性缓变系统。在数字化控制中，在每一采样周期内，认为矩阵 $\boldsymbol{A}$ 的参数是恒定的。

在无速度传感器伺服系统中，矩阵 $\hat{\boldsymbol{A}}$ 中转速为一个待估计的参数 $\hat{\omega}_r$。在观测转子磁链 $\boldsymbol{\psi}_r$ 的同时，还可以辨识作为电动机参数的 ω_r。

式(8-50)中，$\boldsymbol{I}_s$ 是实际值，$\boldsymbol{I}_s=[i_d\quad i_q\quad 0\quad 0]^T$；$\hat{\boldsymbol{I}}_s$ 是估计值，$\hat{\boldsymbol{I}}_s=[\hat{i}_\alpha\quad \hat{i}_\beta\quad 0\quad 0]^T$；$\boldsymbol{K}$ 是观测器增益矩阵，$\boldsymbol{K}$ 的选择应满足系统稳定性要求。

8.3.3 转速自适应律

1. 转速估计

同模型参考自适应系统一样，状态观测器的稳定也是指状态误差的动态特性是渐近稳定的，且能以足够的速度收敛于零。由式(8-48)与式(8-50)的可获得误差动态方程

$$\begin{aligned}\frac{d\boldsymbol{e}_1}{dt}&=\frac{d}{dt}(\boldsymbol{x}-\hat{\boldsymbol{x}})=(\boldsymbol{A}-\boldsymbol{KC})(\boldsymbol{x}-\hat{\boldsymbol{x}})-(\hat{\boldsymbol{A}}-\boldsymbol{A})\hat{\boldsymbol{x}}\\&=(\boldsymbol{A}-\boldsymbol{KC})\boldsymbol{e}_1-\Delta\boldsymbol{A}\hat{\boldsymbol{x}}\end{aligned}\tag{8-52}$$

式中，$\boldsymbol{e}_1$ 为估计误差列向量。

则

$$\boldsymbol{e}_1=\boldsymbol{x}-\hat{\boldsymbol{x}}\tag{8-53}$$

$\Delta\boldsymbol{A}$ 为误差状态矩阵，为

$$\Delta\boldsymbol{A}=\hat{\boldsymbol{A}}-\boldsymbol{A}=\begin{bmatrix}0 & -(\hat{\omega}_r-\omega_r)\boldsymbol{J}\dfrac{L_m}{L'_sL_r}\\0 & (\hat{\omega}_r-\omega_r)\boldsymbol{J}\end{bmatrix}\tag{8-54}$$

可利用 Lyapunov 稳定性理论来分析观测器误差的动态稳定性，由 Lyapunov 函数 V 给出非线性系统渐近稳定的充分条件，而这个函数必须满足连续、可微、正定等要求，现将这个函数定义如下

$$V=\boldsymbol{e}_1^T\boldsymbol{e}_1+\frac{(\hat{\omega}_r-\omega_r)^2}{\lambda}\tag{8-55}$$

式中，λ 是正的常数。当转速估计 $\hat{\omega}_r$ 等于实际速度 ω_r 及误差 $\boldsymbol{e}_1$ 为零时，函数 V 为零。

非线性系统渐近稳定的充分条件是 Lyapunov 函数 V 的导数$\dfrac{d\boldsymbol{V}}{dt}$必须是负定，即误差应呈衰减趋势，估计值 $\hat{\omega}_r$ 应逐步逼近真实值 ω_r，亦即 V 必须是个下降的函数。由式(8-55)可得

$$\frac{d\boldsymbol{V}}{dt}=\boldsymbol{e}_1^T\frac{d\boldsymbol{e}_1}{dt}+\boldsymbol{e}_1\frac{d\boldsymbol{e}_1^T}{dt}+\frac{d}{dt}\frac{(\hat{\omega}_r-\omega_r)^2}{\lambda}\tag{8-56}$$

式中，认为 ω_r 变化缓慢，可近似为常数。

将式(8-52)代入式(8-56)，则有

$$\frac{d\boldsymbol{V}}{dt}=\boldsymbol{e}_1^T[(\boldsymbol{A}-\boldsymbol{KC})^T+(\boldsymbol{A}-\boldsymbol{KC})]\boldsymbol{e}_1+(\hat{\boldsymbol{x}}\Delta\boldsymbol{A}^T\boldsymbol{e}_1+\boldsymbol{e}_1\Delta\hat{\boldsymbol{x}})+\frac{2}{\lambda}(\hat{\omega}_r-\omega_r)\frac{d\hat{\omega}_r}{dt}\tag{8-57}$$

可以证明，式(8-52)中右端第一项总是负的，只要第二项和第三项之和为零，就可保证$\dfrac{d\boldsymbol{V}}{dt}$为负定的，即有

$$\hat{\boldsymbol{x}}\Delta\boldsymbol{A}^{\mathrm{T}}\boldsymbol{e}_1 + \boldsymbol{e}_1\Delta\boldsymbol{A}\hat{\boldsymbol{x}} + \frac{2}{\lambda}(\hat{\omega}_{\mathrm{r}} - \omega_{\mathrm{r}})\frac{\mathrm{d}\hat{\omega}_{\mathrm{r}}}{\mathrm{d}t} = 0 \tag{8-58}$$

将式(8-53)和(8-54)及$\hat{\boldsymbol{x}} = [\hat{\boldsymbol{i}}_{\mathrm{s}} \quad \hat{\boldsymbol{\psi}}_{\mathrm{r}}]^{\mathrm{T}}$代入式(8-58),可得

$$-2\frac{L_{\mathrm{m}}}{L'_{\mathrm{s}}L_{\mathrm{r}}}(\hat{\omega}_{\mathrm{r}} - \omega_{\mathrm{r}})\hat{\boldsymbol{\psi}}_{\mathrm{r}}^{\mathrm{T}}\boldsymbol{J}(\boldsymbol{i}_{\mathrm{s}} - \hat{\boldsymbol{i}}_{\mathrm{s}}) + \frac{2}{\lambda}(\hat{\omega}_{\mathrm{r}} - \omega_{\mathrm{r}})\frac{\mathrm{d}\hat{\omega}_{\mathrm{r}}}{\mathrm{d}t} = 0$$

于是,有

$$\frac{\mathrm{d}\hat{\omega}_{\mathrm{r}}}{\mathrm{d}t} = K_{\mathrm{i}}\hat{\boldsymbol{\psi}}_{\mathrm{r}}^{\mathrm{T}}\boldsymbol{J}(\boldsymbol{i}_{\mathrm{s}} - \hat{\boldsymbol{i}}_{\mathrm{s}}) \tag{8-59}$$

式中 $K_{\mathrm{i}} = \dfrac{\lambda L_{\mathrm{m}}}{L'_{\mathrm{s}}L_{\mathrm{r}}}$。

最后可得

$$\hat{\omega}_{\mathrm{r}} = K_{\mathrm{i}}\int\hat{\boldsymbol{\psi}}_{\mathrm{r}}^{\mathrm{T}}\boldsymbol{J}(\boldsymbol{i}_{\mathrm{s}} - \hat{\boldsymbol{i}}_{\mathrm{s}})\mathrm{d}t \tag{8-60}$$

为改进观测器的响应,可将式(8-60)修正为

$$\hat{\omega}_{\mathrm{r}} = K_{\mathrm{p}}\hat{\boldsymbol{\psi}}_{\mathrm{r}}^{\mathrm{T}}\boldsymbol{J}(\boldsymbol{i}_{\mathrm{s}} - \hat{\boldsymbol{i}}_{\mathrm{s}}) + K_{\mathrm{i}}\int\hat{\boldsymbol{\psi}}_{\mathrm{r}}^{\mathrm{T}}\boldsymbol{J}(\boldsymbol{i}_{\mathrm{s}} - \hat{\boldsymbol{i}}_{\mathrm{s}})\mathrm{d}t = \left(K_{\mathrm{p}} + \frac{K_{\mathrm{i}}}{p}\right)\hat{\boldsymbol{\psi}}_{\mathrm{r}}^{\mathrm{T}}\boldsymbol{J}(\boldsymbol{i}_{\mathrm{s}} - \hat{\boldsymbol{i}}_{\mathrm{s}}) \tag{8-61}$$

式中 $\hat{\boldsymbol{i}}_{\mathrm{s}}, \hat{\boldsymbol{\psi}}_{\mathrm{r}}$——由观测器得到的状态估计值;

$(\boldsymbol{i}_{\mathrm{s}} - \hat{\boldsymbol{i}}_{\mathrm{s}})$——定子电流观测误差。

将式(8-61)确定为估计转速的自适应律。通过式(8-61)可调节$\hat{\omega}_{\mathrm{r}}$趋向真实值$\omega_{\mathrm{r}}$,同时使$\hat{\boldsymbol{x}} = [\hat{\boldsymbol{i}}_{\mathrm{s}} \quad \hat{\boldsymbol{\psi}}_{\mathrm{r}}]^{\mathrm{T}}$接近实际状态$\boldsymbol{x} = [\boldsymbol{i}_{\mathrm{s}} \quad \boldsymbol{\psi}_{\mathrm{r}}]^{\mathrm{T}}$。可将式(8-61)表示为

$$\hat{\omega}_{\mathrm{r}} = -\left(K_{\mathrm{p}} + \frac{K_{\mathrm{i}}}{p}\right)\hat{\boldsymbol{\psi}}_{\mathrm{r}}(\boldsymbol{i}_{\mathrm{s}} - \hat{\boldsymbol{i}}_{\mathrm{s}}) = -\left(K_{\mathrm{p}} + \frac{K_{\mathrm{i}}}{p}\right)(\hat{\boldsymbol{\psi}}_{\mathrm{r}}\boldsymbol{i}_{\mathrm{s}} - \hat{\boldsymbol{\psi}}_{\mathrm{r}}\hat{\boldsymbol{i}}_{\mathrm{s}}) \tag{8-62}$$

若以坐标分量表示,则有

$$\hat{\omega}_{\mathrm{r}} = -\left(K_{\mathrm{p}} + \frac{K_{\mathrm{i}}}{p}\right)[(i_\alpha - \hat{i}_\alpha)\hat{\psi}_q - (i_\beta - \hat{i}_\beta)\hat{\psi}_d] \tag{8-63}$$

电磁转矩可表示为

$$T_{\mathrm{e}} = p\frac{L_{\mathrm{m}}}{L_{\mathrm{r}}}\boldsymbol{\psi}_{\mathrm{r}}\boldsymbol{i}_{\mathrm{s}} \tag{8-64}$$

若$\hat{\boldsymbol{\psi}}_{\mathrm{r}}$与实际$\boldsymbol{\psi}_{\mathrm{r}}$值相等,则可将式(8-62)改写为

$$\hat{\omega}_{\mathrm{r}} = \frac{L_{\mathrm{r}}}{pL_{\mathrm{m}}}\left(K_{\mathrm{p}} + \frac{K_{\mathrm{i}}}{p}\right)(\hat{T}_{\mathrm{e}} - T_{\mathrm{e}}) \tag{8-65}$$

式中 T_{e}——转矩实际值;

$\hat{T}_{\mathrm{e}}$——转矩估计值。

式(8-65)反映了转速自适应律的物理意义。速度调整信号取自转矩偏差信息,当转矩存在偏差时,通过式(8-62)调节$\hat{\omega}_{\mathrm{r}}$,$\hat{\omega}_{\mathrm{r}}$作为可调参数输入状态观测器后,使$\hat{\boldsymbol{i}}_{\mathrm{s}}$逼近于$\boldsymbol{i}_{\mathrm{s}}$,即使转矩偏差减小,在这一过程中估计值$\hat{\omega}_{\mathrm{r}}$逐步趋向实际值$\omega_{\mathrm{r}}$。

图8-4是速度自适应转子磁链观测器的原理性框图。对比图8-4和图8-3可以

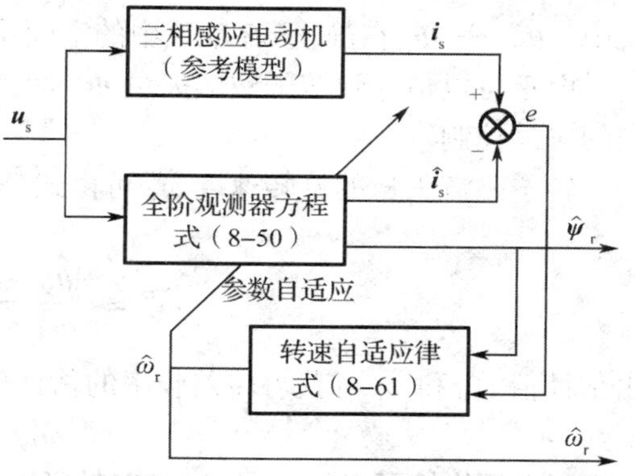

图8-4 基于MRAS速度自适应转子磁链观测器

看出，$\boldsymbol{i}_s$ 可看成是由参考模型（8－47）给出的，但此时定子电流矢量 $\boldsymbol{i}_s$ 为实测值，事实上已将电动机自身作为参考模型。由式（8－50）给出的全阶状态观测器相当于图 8－3 中的可调模型，并将 $\hat{\omega}_r$ 作为可调参数，也选择了 PI 调节器作为自适应机构，可见速度自适应转子磁链观测器也是一种基于 MRAS 的自适应系统。

2. 增益矩阵 $\boldsymbol{K}$ 及定子电阻辨识

在式（8－50）中，增益矩阵 $\boldsymbol{K}$ 起到加权的作用。当观测器模型中的矩阵 $\hat{\boldsymbol{A}}$ 与参考模型的矩阵 $\boldsymbol{A}$ 之间存在差异时，将会导致观测器输出 $\hat{\boldsymbol{i}}_s$ 与实际输出 $\boldsymbol{i}_s$ 之间产生偏差。由观测误差构成修正环节，通过 $\boldsymbol{K}$ 对修正项的加权作用，便可以调节观测器的动态响应。

通常采用极点配置的方式来确定矩阵 $\boldsymbol{K}$ 以保证观测器在所有速度下的稳定性。由系统的动态误差方程（8－52）可知，误差矢量 $\boldsymbol{e}_1$ 的收敛速度取决于矩阵（$\boldsymbol{A}-\boldsymbol{KC}$）的极点位置，即误差响应的动态特性是由矩阵（$\boldsymbol{A}-\boldsymbol{KC}$）的特征值决定的，通过合理地设计 $\boldsymbol{K}$ 可使矩阵（$\boldsymbol{A}-\boldsymbol{KC}$）的极点位置满足系统的动态要求，使误差矢量渐近稳定且以足够快的速度收敛。

可以采用式（8－50）构建全阶观测器来在线辨识定子电阻 R_s。但要将状态矩阵 $\hat{\boldsymbol{A}}$ 中的定子电阻作为可调参数 $\hat{R}_s$，即有

$$\frac{1}{\hat{T}'_{sr}} = \frac{\hat{R}_s}{L'_s} + \frac{1}{L'_s}\left(\frac{L_m}{L_r}\right)^2 R_r \qquad (8-66)$$

由式（8－66），可得误差状态矩阵

$$\Delta\boldsymbol{A}' = \begin{bmatrix} -\dfrac{1}{L'_s}(\hat{R}_s - R_s)\boldsymbol{I} & 0 \\ 0 & 0 \end{bmatrix} \qquad (8-67)$$

采用与转速估计同样的方法，可得

$$\hat{R}_s = -\left(K_p + \frac{K_i}{p}\right)[(i_\alpha - \hat{i}_\alpha)\hat{i}_\alpha + (i_\beta - \hat{i}_\beta)\hat{i}_\beta] \qquad (8-68)$$

3. 转子磁链矢量及磁链矢量速度估计

由全阶自适应观测器得到的转子磁链估计值 $\hat{\psi}_d$ 和 $\hat{\psi}_q$，可以获得转子磁链矢量的幅值和相位的估计值，即

$$|\hat{\boldsymbol{\psi}}_r| = \sqrt{\hat{\psi}_d^2 + \hat{\psi}_q^2} \qquad (8-69)$$

$$\hat{\theta}_M = \arcsin\frac{\hat{\psi}_q}{|\hat{\boldsymbol{\psi}}_r|} \qquad (8-70)$$

式中 $\hat{\theta}_M$——$\hat{\boldsymbol{\psi}}_r$ 在静止 $\alpha\beta$ 轴系中的空间位置。

由于可以估计到转子磁链矢量 $\boldsymbol{\psi}_r$，因此，转子磁链观测器比较适合于基于转子磁场定向的矢量控制。

转子磁链矢量的旋转速度 $\hat{\omega}'_s$ 可由式（8－70）得到，即有

$$\hat{\omega}'_s = \frac{d\hat{\theta}_M}{dt} = \frac{\hat{\psi}_d\dfrac{d\hat{\psi}_q}{dt} - \hat{\psi}_q\dfrac{d\hat{\psi}_d}{dt}}{\hat{\psi}_d^2 + \hat{\psi}_q^2} \qquad (8-71)$$

由估计值 $\hat{\omega}'_s$ 和 $\hat{\omega}_r$ 可获得转差频率的估计值

$$\hat{\omega}'_f = \hat{\omega}'_s - \hat{\omega}_r \qquad (8-72)$$

这里，$\hat{\omega}'_f$ 是指转子磁链矢量 $\boldsymbol{\psi}_r$ 相对转子的旋转速度。

8.4 扩展卡尔曼滤波

卡尔曼滤波器是由美国学者 R. E. Kalman 在 20 世纪 60 年代初提出的一种最优线性估计算法,其特点是考虑了系统的模型误差和测量噪声的统计特性。卡尔曼滤波器的算法采用递推形式,适合在数字计算机上实现。扩展的卡尔曼滤波器(Extended Kalman Filters, EKF)是卡尔曼滤波器在非线性系统中的一种推广形式,属于非线性估计算法。近年来,为了解决交流调速系统中的状态估计和参数辨识问题,不少学者开展了扩展的卡尔曼滤波器在交流调速系统中的应用研究。但是,扩展的卡尔曼滤波器的算法复杂,需要矩阵求逆运算,计算量相当大,为满足实时控制的要求,需要用高速、高精度的数字信号处理器,这使无机械传感器交流调速系统的硬件成本提高。另一方面,扩展的卡尔曼滤波器要用到许多随机误差的统计参数,由于模型复杂、涉及因素较多,使得分析这些参数的工作比较困难,需要通过大量调试才能确定合适的随机参数。

8.4.1 结构与原理

EKF 的一般形式可表示为

$$\frac{\mathrm{d}\hat{\boldsymbol{x}}}{\mathrm{d}t}=\boldsymbol{A}(\hat{\boldsymbol{x}})\hat{\boldsymbol{x}}+\boldsymbol{B}\boldsymbol{u}+\boldsymbol{K}(\boldsymbol{y}-\hat{\boldsymbol{y}}) \tag{8-73}$$

$$\hat{\boldsymbol{y}}=\boldsymbol{C}\hat{\boldsymbol{x}} \tag{8-74}$$

EKF 的结构框图如图 8-5 所示。

卡尔曼滤波的目的是利用电动机的测量状态来得到非测量状态。图 8-6 上半部虚框内表示的是电动机实际状态,通常将定子电压和电流矢量作为测量矢量,即 $\boldsymbol{u}=\boldsymbol{u}_s$, $\boldsymbol{y}=\boldsymbol{i}_s$,另外测量状态就是噪声统计,即系统噪声矢量 $\boldsymbol{V}$ 和测量噪声矢量 $\boldsymbol{W}$。图 8-6下半部是 EKF 状态估计框图,符号“^”表示状态矢量估计,$\boldsymbol{K}$ 称为 EKF 增益矩阵。

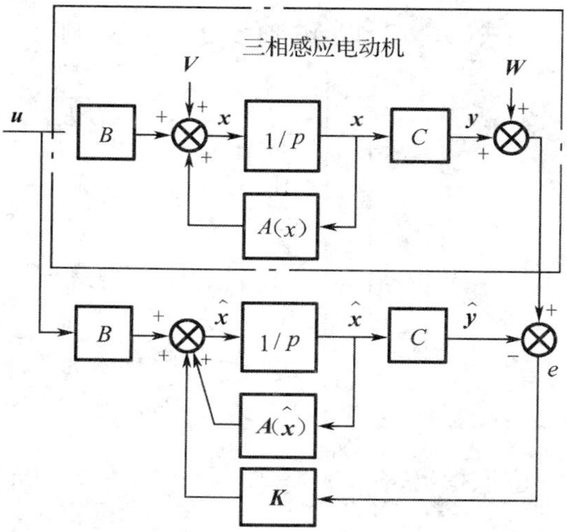

图 8-5 EKF 结构图

EKF 的增益矩阵 $\boldsymbol{K}$ 在状态估计中是非常重要的,通过选择合理的增益矩阵 $\boldsymbol{K}$ 可使状态的估计误差趋于最小,因为 $\boldsymbol{K}$ 是基于均方误差最小原理而确定的,所以在矩阵 $\boldsymbol{K}$ 的加权作用下,在递推计算中的每一步都可为下一次提供最有可能的状态估计或者说是最优的输出。“最优”的含义是指能使状态变量的均方估计误差同时为最小,因此,又称 EKF 为递推优化随机状态估计器。

8.4.2 数学模型

EKF 实质上仍然是依据电动机模型的一种状态观测器,因此数学模型的选择很重要。

一般应选择由定子静止轴系表示的电动机数学模型，因为静止轴系模型中将定子电压和电流的测量值变换到同步旋转轴系时，变换矩阵中不含有转子磁链矢量空间相角的正余弦函数，不会额外加重数学模型的非线性；可以节省计算时间，进而缩短采样周期，有利于实时估计和提高 EKF 的稳定性。

三相感应电动机以定子 ABC 轴系表示的定、转子电压矢量方程为

$$\boldsymbol{u}_{\mathrm{s}} = R\boldsymbol{i}_{\mathrm{s}} + \frac{\mathrm{d}\boldsymbol{\psi}_{\mathrm{s}}}{\mathrm{d}t} \tag{8-75}$$

$$0 = R_{\mathrm{r}}\boldsymbol{i}_{\mathrm{r}} + \frac{\mathrm{d}\boldsymbol{\psi}_{\mathrm{r}}}{\mathrm{d}t} - \mathrm{j}\omega_{\mathrm{r}}\boldsymbol{\psi}_{\mathrm{r}} \tag{8-76}$$

应将 $\boldsymbol{i}_{\mathrm{s}}$ 作为状态变量，由于定子电流矢量 $\boldsymbol{i}_{\mathrm{s}}$ 在滤波估计中是必须测量的，也是修正环节中的反馈量，另外，在以转子磁场定向的矢量控制中，转子磁链矢量 $\boldsymbol{\psi}_{\mathrm{r}}$ 是需要实时估计的空间矢量，因此也将 $\boldsymbol{\psi}_{\mathrm{r}}$ 作为状态变量。

同时将转子速度 ω_{r} 也作为状态变量，这也体现了 EKF 与状态观测器的不同，在状态观测器中 ω_{r} 只是作为状态矩阵 $\hat{\boldsymbol{A}}$ 中的可调参数。

在式(8－47)的基础上，增加一个状态变量 ω_{r}，就可以构成用于 EKF 观测转子磁链矢量 $\boldsymbol{\psi}_{\mathrm{r}}$ 和转速 ω_{r} 的状态方程，即有

$$\frac{\mathrm{d}}{\mathrm{d}t}\begin{bmatrix} \boldsymbol{i}_{\mathrm{s}} \\ \boldsymbol{\psi}_{\mathrm{r}} \\ \omega_{\mathrm{r}} \end{bmatrix} = \begin{bmatrix} -\dfrac{1}{T'_{\mathrm{sr}}} & -\dfrac{L_{\mathrm{m}}}{L'_{\mathrm{s}}L_{\mathrm{r}}}\left(-\dfrac{1}{T_{\mathrm{r}}} + \mathrm{j}\omega_{\mathrm{r}}\right) & 0 \\ \dfrac{L_{\mathrm{m}}}{T_{\mathrm{r}}} & -\dfrac{1}{T_{\mathrm{r}}} + \mathrm{j}\omega_{\mathrm{r}} & 0 \\ 0 & 0 & 0 \end{bmatrix}\begin{bmatrix} \boldsymbol{i}_{\mathrm{s}} \\ \boldsymbol{\psi}_{\mathrm{r}} \\ \omega_{\mathrm{r}} \end{bmatrix} + \begin{bmatrix} \dfrac{\boldsymbol{u}_{\mathrm{s}}}{L'_{\mathrm{s}}} \\ 0 \\ 0 \end{bmatrix} \tag{8-77}$$

将式(8－77)以 $\alpha\beta$ 轴系分量表示，则有

$$\frac{\mathrm{d}}{\mathrm{d}t}\begin{bmatrix} i_{\alpha} \\ i_{\beta} \\ \psi_{d} \\ \psi_{q} \\ \omega_{\mathrm{r}} \end{bmatrix} = \begin{bmatrix} -\dfrac{1}{T'_{\mathrm{sr}}} & 0 & \dfrac{L_{\mathrm{m}}}{L'_{\mathrm{s}}L_{\mathrm{r}}T_{\mathrm{r}}} & \omega_{\mathrm{r}}\dfrac{L_{\mathrm{m}}}{L'_{\mathrm{s}}L_{\mathrm{r}}} & 0 \\ 0 & -\dfrac{1}{T'_{\mathrm{sr}}} & -\omega_{\mathrm{r}}\dfrac{L_{\mathrm{m}}}{L'_{\mathrm{s}}L_{\mathrm{r}}} & \dfrac{L_{\mathrm{m}}}{L'_{\mathrm{s}}L_{\mathrm{r}}T_{\mathrm{r}}} & 0 \\ \dfrac{L_{\mathrm{m}}}{T_{\mathrm{r}}} & 0 & -\dfrac{1}{T_{\mathrm{r}}} & -\omega_{\mathrm{r}} & 0 \\ 0 & \dfrac{L_{\mathrm{m}}}{T_{\mathrm{r}}} & \omega_{\mathrm{r}} & -\dfrac{1}{T_{\mathrm{r}}} & 0 \\ 0 & 0 & 0 & 0 & 0 \end{bmatrix}\begin{bmatrix} i_{\alpha} \\ i_{\beta} \\ \psi_{d} \\ \psi_{q} \\ \omega_{\mathrm{r}} \end{bmatrix} + \begin{bmatrix} \dfrac{1}{L'_{\mathrm{s}}} & 0 \\ 0 & \dfrac{1}{L'_{\mathrm{s}}} \\ 0 & 0 \\ 0 & 0 \\ 0 & 0 \end{bmatrix}\begin{bmatrix} u_{\alpha} \\ u_{\beta} \end{bmatrix} \tag{8-78}$$

应该指出，在式(8－77)和式(8－78)中，已假定

$$\frac{\mathrm{d}\omega_{\mathrm{r}}}{\mathrm{d}t} = 0 \tag{8-79}$$

这相当于假定包括转子在内的机械传动系统的转动惯量 J 为无限大。

系统的机械运动方程为

$$T_{\mathrm{e}} = J\frac{\mathrm{d}\Omega_{\mathrm{r}}}{\mathrm{d}t} + R_{\Omega}\Omega_{\mathrm{r}} + T_{\mathrm{L}}$$

式中　Ω_{r}——机械角速度，$\Omega_{\mathrm{r}} = \dfrac{\omega_{\mathrm{r}}}{p}$；

R_Ω——阻尼系数；

T_L——负载转矩；

T_e——电磁转矩。

显然，假定 J 为无限大是不符合实际的。但在 EKF 状态观测中，可将这种不准确性作为系统的状态噪声来处理，在递推计算中由 EKF 予以必要的修正，或者在数字化系统中，由于采样周期很短，在每个采样周期内，都可以认为 ω_r 是恒定的。

还应强调，式(8－78)是非线性的，因为在系统矩阵 $\boldsymbol{A}$ 中含有转速 ω_r。为简化计算，将式(8－78)表示为

$$\frac{\mathrm{d}\boldsymbol{x}}{\mathrm{d}t} = \boldsymbol{Ax} + \boldsymbol{Bu} \tag{8-80}$$

$$\boldsymbol{y} = \boldsymbol{Cx} \tag{8-81}$$

式中 $\boldsymbol{x} = [i_\alpha \quad i_\beta \quad \psi_d \quad \psi_q \quad \omega_r]^{\mathrm{T}}$；

$\boldsymbol{u} = [u_\alpha \quad u_\beta]^{\mathrm{T}}$；

$\boldsymbol{C} = \begin{bmatrix} 1 & 0 & 0 & 0 & 0 \\ 0 & 1 & 0 & 0 & 0 \end{bmatrix}$；

$$\boldsymbol{A} = \begin{bmatrix} -\dfrac{1}{T'_{sr}} & 0 & \dfrac{L_m}{L'_s L_r T_r} & \omega_r \dfrac{L_m}{L'_s L_r} & 0 \\ 0 & -\dfrac{1}{T'_{sr}} & -\omega_r \dfrac{L_m}{L'_s L_r} & \dfrac{L_m}{L'_s L_r T_r} & 0 \\ \dfrac{L_m}{T_r} & 0 & -\dfrac{1}{T_r} & -\omega_r & 0 \\ 0 & \dfrac{L_m}{T_r} & \omega_r & -\dfrac{1}{T_r} & 0 \\ 0 & 0 & 0 & 0 & 0 \end{bmatrix};$$

$$\boldsymbol{B} = \begin{bmatrix} \dfrac{1}{L'_s} & 0 \\ 0 & \dfrac{1}{L'_s} \\ 0 & 0 \\ 0 & 0 \\ 0 & 0 \end{bmatrix}。$$

为了构建 EKF 数字化系统，需要对电动机方程式(8－80)和式(8－81)进行离散化处理，可得

$$\boldsymbol{x}(k+1) = \boldsymbol{A}'\boldsymbol{x}(k) + \boldsymbol{B}'\boldsymbol{u}(k) \tag{8-82}$$

$$\boldsymbol{y}(k) = \boldsymbol{C}'\boldsymbol{x}(k) \tag{8-83}$$

式中，$\boldsymbol{A}'$和 $\boldsymbol{B}'$是离散化的系统矩阵和输入矩阵，可近似地表示为

$$\boldsymbol{A}' = \mathrm{e}^{\boldsymbol{A}T_c} \approx 1 + \boldsymbol{A}T_c + \left(\frac{\boldsymbol{A}T_c}{2}\right)^2 \tag{8-84}$$

$$\boldsymbol{B}' = \int_0^{T_c} A^{\mathrm{e}\tau}\boldsymbol{B}\mathrm{d}\tau \approx \boldsymbol{B}T_c + \frac{\boldsymbol{AB}T_c^2}{2} \tag{8-85}$$

式(8－84)和式(8－85)中,T_c 是采样时间,$T_c = t_{k+1} - t_k$。

采样时间很短时,可以忽略 $\boldsymbol{A}'$ 和 $\boldsymbol{B}'$ 中的二次项。采样时间应比电动机电气时间常数小,以得到满意的精度,同时要考虑 EKF 程序执行的时间及系统的稳定性。式(8－83)中,离散化的输出矩阵 $\boldsymbol{C}' = \boldsymbol{C}$,$\boldsymbol{x}(k)$ 表示 $\boldsymbol{x}$ 在 t_k 时刻的采样值。

若忽略 $\boldsymbol{A}'$ 和 $\boldsymbol{B}'$ 中的二次项,则可得 $\boldsymbol{A}'$,$\boldsymbol{B}'$ 和 $\boldsymbol{C}'$ 的离散化表达式,即为

$$\boldsymbol{A}' = \begin{bmatrix} 1-\dfrac{T_c}{T'_{sr}} & 0 & \dfrac{T_c L_m}{L'_s L_r T_r} & \omega_r \dfrac{T_c L_m}{L'_s L_r} & 0 \\ 0 & 1-\dfrac{T_c}{T'_{sr}} & -\omega_r \dfrac{T_c L_m}{L'_s L_r} & \dfrac{T_c L_m}{L'_s L_r T_r} & 0 \\ \dfrac{T_c L_m}{T_r} & 0 & 1-\dfrac{T_c}{T_r} & -T_c \omega_r & 0 \\ 0 & \dfrac{T_c L_m}{T_r} & T_c \omega_r & 1-\dfrac{T_c}{T_r} & 0 \\ 0 & 0 & 0 & 0 & 1 \end{bmatrix};$$

$$\boldsymbol{B}' = \begin{bmatrix} \dfrac{T_c}{L'_s} & 0 \\ 0 & \dfrac{T_c}{L'_s} \\ 0 & 0 \\ 0 & 0 \\ 0 & 0 \end{bmatrix};$$

$$\boldsymbol{C}' = \begin{bmatrix} 1 & 0 & 0 & 0 & 0 \\ 0 & 1 & 0 & 0 & 0 \end{bmatrix}。$$

且有

$$\boldsymbol{x}(k) = [\, i_\alpha(k) \quad i_\beta(k) \quad \psi_d(k) \quad \psi_q(k) \quad \omega_r(k) \,]^{\mathrm{T}}$$

$$\boldsymbol{u}(k) = [\, u_\alpha(k) \quad u_\beta(k) \,]^{\mathrm{T}}$$

在实际系统中,模型参数存在不确定性和可变性,定子电压和电流中不可避免地会存在测量噪声,对连续方程的离散化也会产生固有的量化误差,可将这些不确定因素纳入到系统状态噪声矢量 $\boldsymbol{V}$ 和测量噪声矢量 $\boldsymbol{W}$ 中。于是,由图 8－5 可将式(8－82)和式(8－83)改写为

$$\boldsymbol{x}(k+1) = \boldsymbol{A}'\boldsymbol{x}(k) + \boldsymbol{B}'\boldsymbol{u}(k) + \boldsymbol{V}(k) \tag{8-86}$$

$$\boldsymbol{y}(k) = \boldsymbol{C}'\boldsymbol{x}(k) + \boldsymbol{W}(k) \tag{8-87}$$

式中 $\boldsymbol{V}(k)$——系统噪声;

$\boldsymbol{W}(k)$——测量噪声。

假设 $\boldsymbol{V}(k)$ 和 $\boldsymbol{W}(k)$ 都是零均值白噪声,即有

$$E\{\boldsymbol{V}(k)\} = 0$$

$$E\{\boldsymbol{W}(k)\} = 0$$

式中 $E\{\ \}$——数字期望值。

在 EKF 的递推计算中,并不直接利用噪声矢量 $\boldsymbol{V}$ 和 $\boldsymbol{W}$,而需要利用 $\boldsymbol{V}$ 的协方差(covariance)矩阵 $\boldsymbol{Q}$ 以及 $\boldsymbol{W}$ 的协方差矩阵 $\boldsymbol{R}$,协方差矩阵 $\boldsymbol{Q}$ 和 $\boldsymbol{R}$ 被定义为

$$\mathrm{cov}(\boldsymbol{V}) = E\{\boldsymbol{V}\boldsymbol{V}^{\mathrm{T}}\} = \boldsymbol{Q} \tag{8-88}$$

$$\mathrm{cov}(\boldsymbol{W}) = E\{\boldsymbol{W}\boldsymbol{W}^{\mathrm{T}}\} = \boldsymbol{R} \tag{8-89}$$

此外,假定 $\boldsymbol{V}(k)$ 和 $\boldsymbol{W}(k)$ 是不相关的,初始状态 $\boldsymbol{x}(0)$ 是随机矢量,也与 $\boldsymbol{V}(k)$ 和 $\boldsymbol{W}(k)$ 不相关。

8.4.3 状态估计

EKF 状态估计的一般形式为

$$\frac{\mathrm{d}\hat{\boldsymbol{x}}}{\mathrm{d}t} = \boldsymbol{A}(\hat{\boldsymbol{x}})\hat{\boldsymbol{x}} + \boldsymbol{B}\boldsymbol{u} + \boldsymbol{K}(\boldsymbol{y} - \hat{\boldsymbol{y}}) \tag{8-90}$$

同样,应将式(8-90)进行离散化,若暂且不考虑修正项 $K(\boldsymbol{y}-\hat{\boldsymbol{y}})$,则由式(8-86)可得

$$\hat{\boldsymbol{x}}(k+1) = \boldsymbol{A}'\hat{\boldsymbol{x}}(k) + \boldsymbol{B}'\boldsymbol{u}(k) + \boldsymbol{V}(k) \tag{8-91}$$

式中,符号“^”表示状态估计。

EKF 状态估计的程序是由 k 次状态估计 $\hat{\boldsymbol{x}}(k)$ 来获取 $(k+1)$ 次的状态估计 $\hat{\boldsymbol{x}}(k+1)$,即由目前的状态来确定系统下一步可能出现的状态。式中,$\hat{\boldsymbol{x}}(k)$ 是第 k 次取得的已经过 1,2,…,k 次估计的结果,每次估计都是利用上一次估计来推算下一次的估计结果,这是一种递推估计(计算)过程。

由于系统噪声 $\boldsymbol{V}(k)$ 是零均值的,因此,可将式(8-91)简化为

$$\hat{\boldsymbol{x}}(k+1) = \boldsymbol{A}'\hat{\boldsymbol{x}}(k) + \boldsymbol{B}'\boldsymbol{u}(k) \tag{8-92}$$

EKF 状态估计大致分为两个阶段:第一个阶段是预测阶段,第二个阶段是修正阶段。

在第一阶段,首先由第 k 次的估计结果 $\hat{\boldsymbol{x}}(k)$ 来推算下一次估计的预测值 $\tilde{\boldsymbol{x}}(k+1)$,符号“~”表示预测值,“预测”的含义是由式(8-92)确定的还没有被修正环节修正的预测量,此预测量 $\hat{\boldsymbol{x}}(k+1)$ 对应的输出 $\tilde{\boldsymbol{y}}(k+1)$ 为

$$\tilde{\boldsymbol{y}}(k+1) = \boldsymbol{C}'\tilde{\boldsymbol{x}}(k+1) \tag{8-93}$$

因 $\boldsymbol{W}(k)$ 是零均值噪声,所以没有出现在式(8-93)中。

考虑到 EKF 的反馈修正环节,可将式(8-90)最后离散化为

$$\hat{\boldsymbol{x}}(k+1) = \boldsymbol{A}'\hat{\boldsymbol{x}}(k) + \boldsymbol{B}'\boldsymbol{u}(k) + \boldsymbol{K}(k+1)[\boldsymbol{y}(k+1) - \tilde{\boldsymbol{y}}(k+1)] \tag{8-94}$$

将式(8-92)和式(8-93)代入式(8-94),可得

$$\hat{\boldsymbol{x}}(k+1) = \tilde{\boldsymbol{x}}(k+1) + \boldsymbol{K}(k+1)[\boldsymbol{y}(k+1) - \boldsymbol{C}'\tilde{\boldsymbol{x}}(k+1)] \tag{8-95}$$

式中,$\boldsymbol{y}(k+1)$ 是实测值,这里代表了定子电流在 $(k+1)T_c$ 时刻的测量值。

式(8-95)为 EKF 状态估计的第二个阶段,利用实测输出和预测输出的偏差对预测状态 $\tilde{\boldsymbol{x}}(k+1)$ 进行反馈修正,以此来获得满意的状态估计 $\hat{\boldsymbol{x}}(k+1)$。

式(8-95)反映了卡尔曼滤波的实质,但是,能否取得满意的结果,关键是在对增益矩阵 $\boldsymbol{K}(k+1)$ 的选择上。因为反馈修正的结果取决于加权矩阵 $\boldsymbol{K}(k+1)$ 的作用,直接关系到状态估计的准确性。

EKF 对 $\boldsymbol{K}(k+1)$ 的选择原则,是使 $[\boldsymbol{x}(k+1) - \hat{\boldsymbol{x}}(k+1)]$ 均方差矩阵取值极小,则应使 $E\{[\boldsymbol{x}(k+1) - \hat{\boldsymbol{x}}(k+1)]^{\mathrm{T}}[\boldsymbol{x}(k+1) - \hat{\boldsymbol{x}}(k+1)]\}$ 取值极小,式中的 $\boldsymbol{x}(k+1)$ 为准确值,$\boldsymbol{x}(k+1) - \hat{\boldsymbol{x}}(k+1)$ 为估计误差。

通常,利用协方差矩阵 $\boldsymbol{P}(k+1)$ 来推导 $\boldsymbol{K}(k+1)$,因为 $\boldsymbol{E}\{[\boldsymbol{x}(k+1) - \hat{\boldsymbol{x}}(k+1)]^{\mathrm{T}}[\boldsymbol{x}(k+1) - \hat{\boldsymbol{x}}(k+1)]\}$ 取值极小可等同于 $\boldsymbol{P}(k+1)$ 取值极小,$\boldsymbol{P}(k+1)$ 为

$$\boldsymbol{P}(k+1) = [\boldsymbol{x}(k+1) - \hat{\boldsymbol{x}}(k+1)][\boldsymbol{x}(k+1) - \hat{\boldsymbol{x}}(k+1)]^{\mathrm{T}} \tag{8-96}$$

将式(8-95)代入式(8-96)可得出协方差矩阵 $\boldsymbol{P}(k+1)$,再令 $\boldsymbol{P}(k+1)$ 对 $\boldsymbol{K}(k+1)$ 的导数为零,可推导出 $\boldsymbol{K}(k+1)$。$\boldsymbol{K}(k+1)$ 可使 $\boldsymbol{P}(k+1)$ 取得极小,最终可得到如下的 EKF 递推公式

$$\tilde{\boldsymbol{x}}(k+1) = \boldsymbol{A}'\hat{\boldsymbol{x}}(k) + \boldsymbol{B}'\boldsymbol{u}(k) \tag{8-97}$$

$$\tilde{\boldsymbol{P}}(k+1) = \boldsymbol{G}(k+1)\hat{\boldsymbol{P}}(k)\boldsymbol{G}^{\mathrm{T}}(k+1) + \boldsymbol{Q} \tag{8-98}$$

$$\boldsymbol{K}(k+1) = \tilde{\boldsymbol{P}}(k+1)\boldsymbol{H}^{\mathrm{T}}(k+1)[\boldsymbol{H}(k+1)\tilde{\boldsymbol{P}}(k+1)\boldsymbol{H}^{\mathrm{T}}(k+1) + \boldsymbol{R}]^{-1} \tag{8-99}$$

$$\hat{\boldsymbol{x}}(k+1) = \tilde{\boldsymbol{x}}(k+1) + \boldsymbol{K}(k+1)[\boldsymbol{y}(k+1) - \tilde{\boldsymbol{y}}(k+1)] \tag{8-100}$$

$$\hat{\boldsymbol{P}}(k+1) = \tilde{\boldsymbol{P}}(k+1) - \boldsymbol{K}(k+1)\boldsymbol{H}(k+1)\tilde{\boldsymbol{P}}(k+1) \tag{8-101}$$

最后应指出,EKF 程序计算量大,比状态观测器更费时,这会影响到它的在线应用,为此可以考虑利用降阶的数学模型。

事实上,除了上面介绍的方法外,目前还有多种方法可以估计转速和辨识电动机参数。

例如,高频信号注入法,其基本原理是向电动机定子中注入高频电压信号,使其产生幅值恒定的旋转磁场,或者产生沿某一轴线脉动的交变磁场,如果转子具有凸极性,这些磁场定会受到转子的调制作用,结果在定子电流中将会呈现与转子位置及速度相关联的高频载波信号,从这些载波信号中可进一步提取出转子位置及速度信息。这种方法的特点是可以实现低速甚至零速时的位置及速度估计。

此外,还有一种基于转子槽谐波的三相感应电动机转速估计方法,它是从转子槽谐波的物理信号中直接提取转速信息,因此,其特点是完全不受电动机参数的影响。但目前还只是处于研究阶段,具体应用还有待于新的研究发现。

第 9 章　交流调速系统在船舶控制中的应用

9.1　交流调速系统在船舶推进系统中的应用

9.1.1　电力推进装置的组成和分类

船舶电力推进装置一般是指采用电动机械带动螺旋桨来推动船舶运动的装置。采用电力推进装置的船舶称为电力推进船舶或电动船。

船舶电力推进系统一般由原动机、发电机、配电模块、推进模块和螺旋桨等部分组成，如图 9－1 所示。

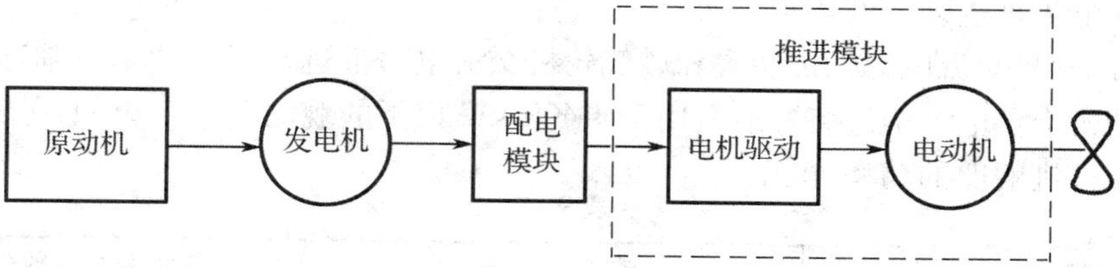

图 9－1　船舶电力推进系统组成

其中，原动机的机械能经发电机变为电能，传递给推进电动机，由电动机将电能变为机械能，传递给螺旋桨，推动船舶运动。由于螺旋桨所需功率很大（一般为 $10^2 \sim 10^3$ kW），推进电动机不能由一般船舶电网供电，必须设置单独发电机或其他大功率的电源；另一方面，由于功率相差悬殊，船舶的一般电能用户（如辅机、照明等）也不能由推进电站供电，因此，电力推进船舶一般有两个独立的电站，即电力推进电站和辅机电站。

电力推进用的原动机可以采用柴油机、汽轮机或燃气轮机，大功率时多用汽轮机或燃气轮机；发电机可以采用直流他励、差复励电动机或交流同步发电机；电机可以采用直流他励电动机或交流同步电动机、异步电动机、同步－异步电动机等。因为螺旋桨尺寸小且效率高，所以船舶推进器一般都采用螺旋桨。交流电力推进装置由交流主发电机、拖动主发电机的原动机、交流推进电动机及其控制装置组成。

因为交流电动机没有换向器，所以，交流电力推进装置与直流电力推进装置相比，具有一系列优点。

（1）交流电动机的极限容量大。交流电动机的极限容量通常为

$$P \cdot n \leqslant 450 \times 10^6 \text{ kW} \cdot \text{r} \cdot \text{min}^{-1}$$

式中　P——电动机功率，kW；

　　n——电动机转速，r · min^{-1}。

而直流电动机的容量极限只有交流电动机的 1%。因此，在大功率交流电力推进装置中，可以采用高速大功率的原动机和发电机，使推进装置的质量轻、尺寸小。

(2)降低了电动机的总损耗,提高了效率。交流电动机的效率比直流电动机高2%~3%。

(3)可以采用较高的电压。目前,直流电力推进装置采用的最高电压为1 000 V。而交流电力推进装置的电压可达6 300 V或7 500 V,这样就使电动机、电器和电线的质量都减轻了。

(4)交流电动机的结构比直流电动机简单,因而,交流电动机维护方便、成本低廉。

除上述优点外,交流电力推进装置也存在一些缺点,主要是交流电动机的调节精度和稳定性比直流电动机差。因此,在交流电力推进装置中,为了在较宽范围内调节电动机的转速,必须改变原动机的转速;为了使推进电动机反转,必须换接主电路的相序;当交流发电机并联运用时,为了在调速、反转过程中使各台发电机负载分配均匀,还必须保证所有的发电机同步运行。这些都增加了交流配电设备和控制装置的复杂性。

交流电动机推进装置的上述特点,使得它主要应用在大型游轮、集装箱船、LNG船、货轮、穿梭油轮、渡轮、拖轮、敷缆船、破冰船、起重船、钻探船、科考船、供应船、海上平台、潜艇、护卫舰、驱逐舰等舰船上。

9.1.2 交流电力推进装置的功率、电压和频率

1. 交流电为推进装置的功率

通常,汽轮机交流电力推进装置和燃气轮机交流电力推进装置的功率每轴达4 400 kW以上。柴油机交流电力推进装置通常用于4 400 kW以下的舰船上。表9-1列出了国外一些交流电力推进舰船的功率、电压。

表9-1

船　名	变频器类型	变频器主要参数建造年份
Aranda 考察船	直接变频器 1 MW	1983
Karhu Ⅱ破冰船	直接变频器 2×7.5 MW	1986
Otso 破冰船	直接变频器 2×7.5 MW	1986
Hailuoto 破冰船	直接变频器 2×1.5 MW	1987
Taimyr 核破冰船	直接变频器 3×12 MW	1987
Vaygach 核破冰船	直接变频器 3×12 MW	1988
NB474 核动力破冰船	直接变频器 3×12 MW　6 300 V	1988
KOTIO 破冰船	直接变频器 3×7.5 MW 8 800 V	1987
“幻想”号游轮	直接变频器 2×14 MW　1 000 V	1989
“狂喜”号游轮	直接变频器 2×14 MW　1 000 V	1990
“晶莹和谐”号游轮	直接变频器 2×12 MW　1 000 V	1990
STATENDAM 游轮	直接变频器 2×12 MW　1 240 V	1992
SENSATION 游轮	直接变频器 2×14 MW　1 000 V	1993
MAASDAM 游轮	直接变频器 2×12 MW	1993
“魔力”号游轮	直接变频器 2×14 MW　1 000 V	1994
Crystal Symphony 游轮	直接变频器 2×11.5 MW	1994

2. 交流电力推进装置的电压

交流电力推进装置所采用的电压主要与推进装置的功率有关,目前尚未标准化。我国规定最高电压为6 300 V,美国则规定为7 500 V。根据已建造和使用的交流电力推进舰船

来看，随装置功率不向所使用的电压等级上限大致如下：

1 000 kW 以下	525 V
1 000 ~ 2 500 kW	1 050 V
2 500 ~ 15 000 kW	2 150 V
15 000 kW 以上	6 300 V

相应地，推进电动机每相电流通常在下述范围内：

小功率装置	1 000 ~ 1 200 A
中功率装置	1 200 ~ 1 500 A
大功率装置	1 500 ~ 2 000 A

特殊情况下，电流可超出上述范围。

3. 交流电力推进装置的频率

交流电力推进装置的频率没有作出规定，一般采用 50 Hz 的工业频率。在推进主发电机与船用电网联合工作时，也是如此。在汽轮机电力推进中，当采用转速超过 3 000 $r \cdot min^{-1}$ 的汽轮发电机时，或者在燃气轮机电力推进装置中，以及在用同步电动机作推进电动机，而要求功率因数在一定范围内时，提高推进装置的频率是合适的。频率通常由原动机和推进器之间的减速比来选择，减速比等于推进电动机与主发电机极对数之比。

例如，当采用一台 5 600 $r \cdot min^{-1}$ 的原动机和一个 200 $r \cdot min^{-1}$ 的螺旋桨时，若发电机采用二极同步发电机，则推进电动机的极数为

$$
\begin{aligned}
2p_m &= 2p_g \frac{n_g}{n_j} \\
&= 2 \times 1 \times \frac{5\,600}{200} \\
&= 56(\text{极})
\end{aligned}
$$

式中 p_m——推进电动机极对数；

p_g——主发电机极对数；

n_g——原动机（发电机）转速；

n_j——螺旋桨转速，$r \cdot min^{-1}$。

而交流发电机的频率为

$$f = \frac{p_g n_g}{60} = \frac{1 \times 5\,600}{60} = 93.3\ (\text{Hz})$$

推进电动机的同步转速为

$$n_0 = \frac{60f}{p_m} = \frac{60 \times 93.3}{28} = 200\ (r \cdot min^{-1})$$

上面的计算是在没有减速齿轮的情况下进行的。

4. 交流电力推进装置的调速

(1) 发电机电压 U_1 和频率 f 均为常数，改变转子绕组电阻调速。

由 1.2.1 可知，此方法属于改变转差率来调速，绕线式异步电动机推进装置采用的就是这种调速。转子电阻增大时，最大转矩不变，而对应的临界转差率增大，特性变化如图 9－2 所示。随着转子电阻的增大，螺旋桨的工作点将从点 1 变到点 2 和点 3。

(2)发电机频率 f 和电动机转子回路的 r'_2 保持不变,改变电动机供电电压 U_1 调速。

该方法可用于调速性能要求不高的小功率推进装置。异步电动机的晶闸管变压调速就属于这种情况,如图 9－3 所示。

由临界转矩和临界转差率的公式可见,最大转矩与电压的平方成正比,而最大转差率为恒定值。随着晶闸管导电角度的减小,电压也减小。螺旋桨将从工作点 1 移至点 2 和点 3。

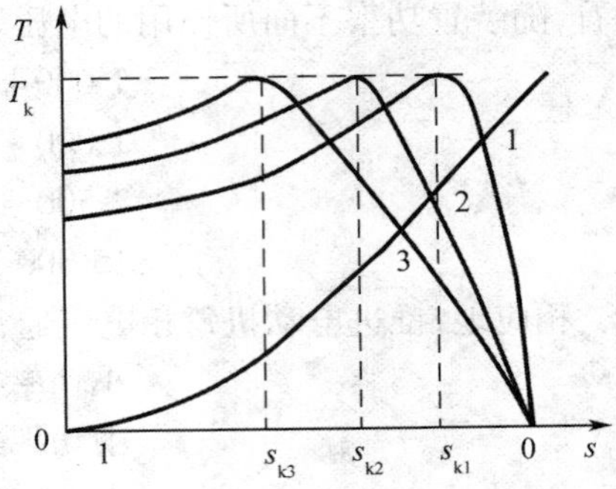

图 9－2　改变转子电阻调速

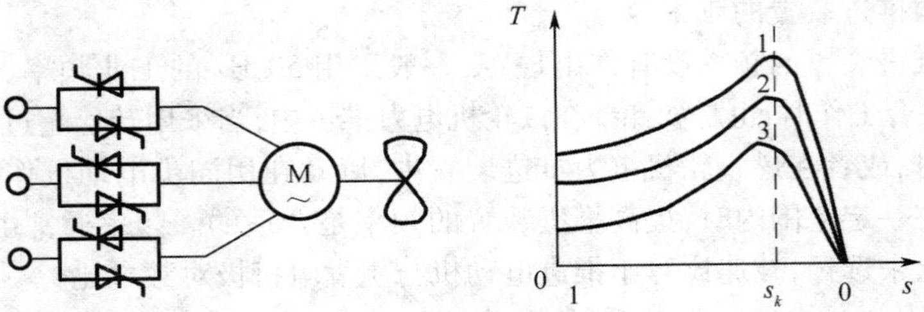

图 9－3　晶闸管变压调速的推进装置及其特性

(3) $\frac{U_1}{f}=\text{const}$。

由临界转矩和临界转差率公式可知,转矩为恒定值,而 s 与频率 f 成反比变化。如图 9－4所示,当频率从 f_1 变到 f_2 时,螺旋桨工作点将由点 1 变到点 2。

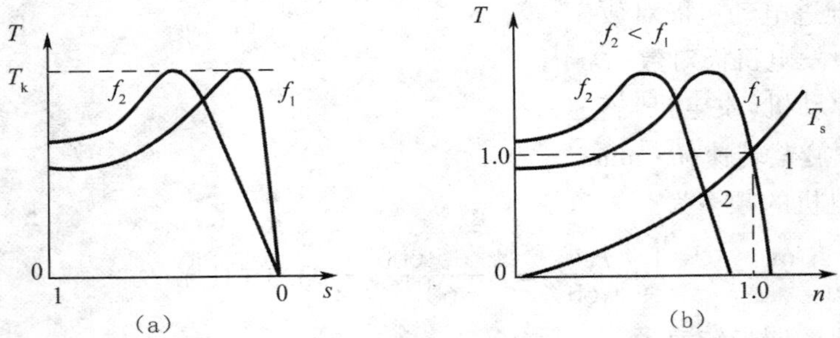

图 9－4　$\frac{U_1}{f}$ = 常数时的调速特性曲线

(a) $T-s$ 曲线;(b) $T-n$ 曲线

(4) U_1/f^2 = 常数。

当维持 U_1/f^2 为常数时,异步电动机的临界转矩与频率的平方成正比变化,而临界转差率则与频率成反比变化。

对于 $T\propto f^2$ 的负载(螺旋桨就属于这种负载),在变频调速时,若保持 U_1/f^2 = 常数,则异步电动机的效率、功率因数、转差率和过载能力均不变,如图 9－5 所示。对发电机来说,效率也比按 U_1/f = 常数进行调速时高。

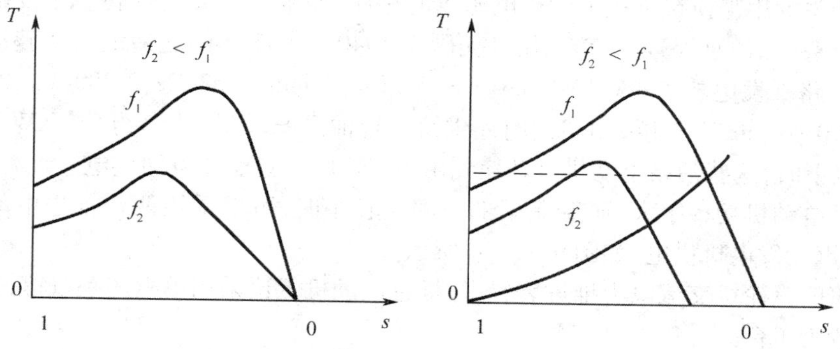

图 9-5　U_1/f^2 = 常数，r_2' = 常数时的调速特性

上述四种调速方法中，第 1，2 种调速方法较简单，不需要调节原动机，但是改变 r_2' 调速时转子损耗较大，而改变 U_1 调速时调速范围又小。因此，这两种方法只在小功率推进装置中采用。第 3，4 种调速方法有足够的调速范围，损耗低。按 U_1/f^2 调速时效率最高。因此，这两种方法应用较多，而且它们对同步电动机推进装置也同样适用。

9.1.3　交流电力推进装置的主电路

交流电力推进装置是通过改变原动机的转速来实现调速的，因此主电路十分简单。尤其在汽轮交流电力推进装置中，电动机数目少，发电机不并联运行，线路更简单。随着电力半导体器件的发展，使交流电力推进装置不改变原动机的转速实现调速，主电路就比较复杂了。

1. 汽轮机交流电力推进装置的主电路

（1）单桨船

单桨船最简单而又最常用的汽轮机交流电力推进装置的主电路如图 9-6 所示。它由一台主汽轮发电机向一台推进电动机供电。

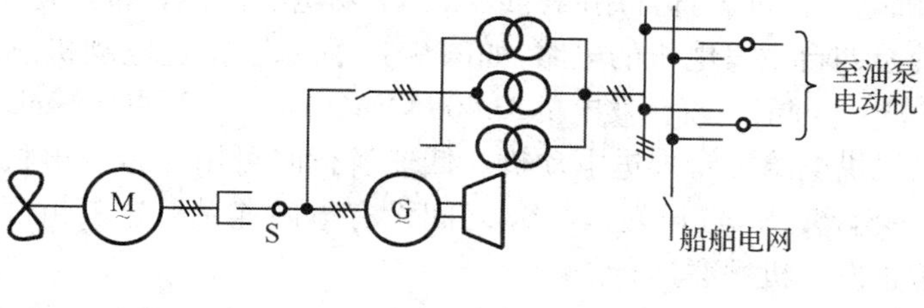

（a）

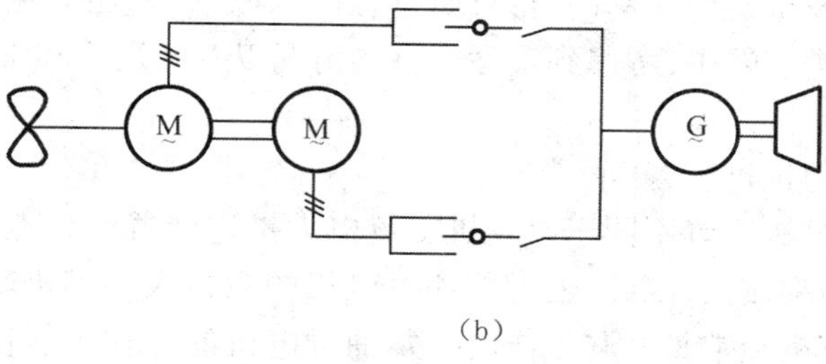

（b）

图 9-6　单轴汽轮机交流电力推进装置主电路图

反向开关 S 用来换接推进电动机电源线的相序，使推进电动机反转。主发电机还可供一些专门设备（如油泵等）电气传动用。美国于 1940～1945 年间建造的 500 艘油船采用的就是这种线路。发电机 5 400 kVA，$\cos\varphi$ = 13 715 $r \cdot min^{-1}$，62 Hz，2 300 V。推进电动机 4 400 kW，90 $r \cdot min^{-1}$。主发电机同时还供给 5 台油泵电动机，功率约 515 kW。当频率降到 50 Hz 以下时，这些油泵电动机可转换到由 50 Hz 的恒频船舶电网供电。

当推进电动机功率很大，而船舶尾部空间又较小时，可以采用两台推进电动机机械串联，由一台汽轮发电机供电，如图 9－6(b)所示。

在单桨船汽轮机交流电力推进装置中，推进电动机无论采用单枢还是双枢，其主发电机的数量一般为 1 台。

(2) 双桨船

图 9－7(a)所示为具有两台主发电机和两台推进电动机的双轴交流电力推进装置。这是双轴交流电力推进装置中最常用的线路。正常航行时，左舷发电机经开关 S_1 向左舷推进电动机供电，右舷发电机经开关 S_2 向右舷推进电动机供电。两台发电机不并联运行。低速航行时，开关 S_1 或 S_2 被打开，开关 S_3 闭合，由一台发电机向两台推进电动机供电。这时航速约为额定航速的 70%。推进电动机的反转是靠反向开关 S_4，S_5 实现的。采用这种线路的"波茨坦"号船的推进设备为，主发电机 10 000 kVA，3 200 $r \cdot min^{-1}$，53.3 Hz，6 kV，2 台；推进电动机 9 555 kW，160 $r \cdot min^{-1}$，2 台。

图 9－7(b)是由一台发电机供电给两台推进电动机的线路，这种线路适合应用在用燃气轮机作原动机或核动力船舶上。

图 9－7(c)是由两台主发电机供电给四台推进电动机的双轴推进电路。每根轴上有两台推进电动机机械串联在一起。这种电路的生命力强，电动机外径较小，便于在船尾布置设备。1960 年建成的"堪培拉"号邮船用的就是这种线路。每台发电机 32 200 kVA，3 087 $r \cdot min^{-1}$，6 000 V，51.5 Hz。推进电动机为具有笼型启动绕组的同步电动机，每轴 31 240 kW，147 $r \cdot min^{-1}$。当异步启动时，汽轮发电机的转速为最大转速的 25%。

(3) 四桨船

四桨船汽轮机电力推进装置常用四台或二台主发电机向四台推进电动机供电。"诺曼底"号战舰采用的是四台主发电机的电路，如图 9－8 所示。推进电动机总功率117 600 kW，每台 29 400 kW，243 $r \cdot min^{-1}$；每台发电机 33 400 kVA，$\cos\varphi$ = 1，2 340 $r \cdot min^{-1}$，6 000 V。正常运行时，一台发电机供电给一台推进电动机。低速航行时可由一台发电机供电给两台推进电动机。开关 S_1～S_4，S_8，S_{11}与开关 S_5～S_7 之间设有电磁连锁。这三组开关中间只能有两组同时闭合，以防止发电机并联运行。

在汽轮机交流电力推进装置中，主发电机的数量通常等于或少于推进电动机的数量。这是因为大功率汽轮发电机组效率高、相对质量轻的缘故，另外还避免了发电机并联运行。在汽轮机交流电力推进装置中，考虑到实际运行的情况以及使运行和维护简单，发电机不采用并联运行。

2. 柴油机交流电力推进装置

柴油机交流电力推进装置不同于汽轮机交流电力推进装置的特点是，高速柴油机单机功率较小，而推进轴功率较大，因此，通常柴油发电机的数目大于推进轴数。这就带来第二个特点：柴油交流发电机经常是并联工作的。柴油发电机的并联工作使电力推进装置的启动、反转、调速等情况复杂了。当改变柴油机的转速来改变螺旋桨的转速时，必须使并联工作的各台柴油发电机的转速同样变化，这就是对柴油机的调速器提出的要求，比直流电力推进中对柴油机调速器的要求高得多。如果各柴油机调速器的特性不一致，那么在频率变化或反转时，各柴油发电机之间的负载分配就会不均匀，会破坏发电机的并联运行。

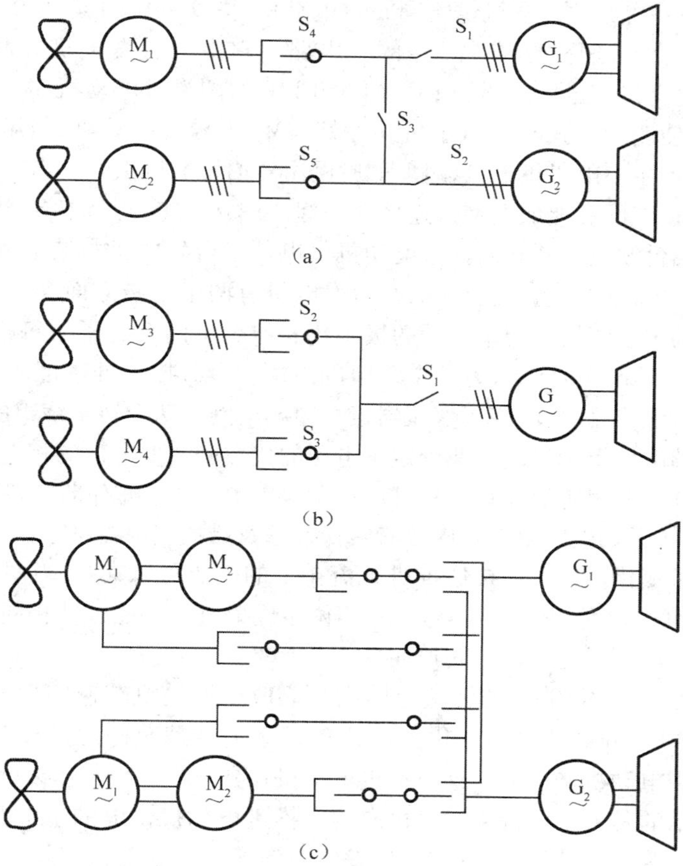

图 9-7　双桨船汽轮机电力推进装置的主电路图

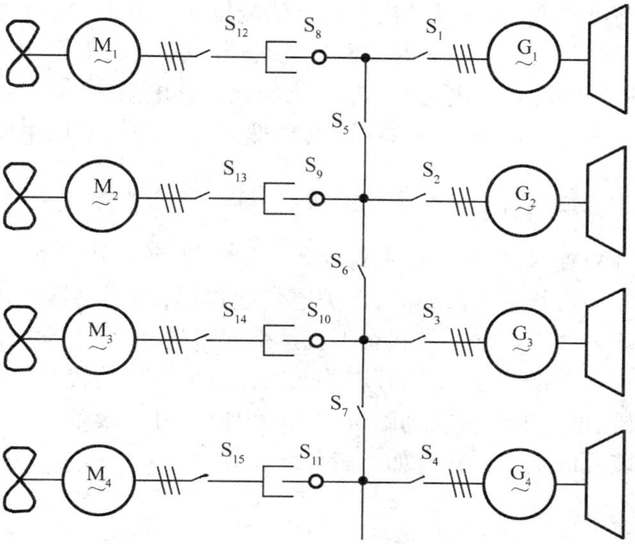

图 9-8　四轴船汽轮机电力推进装置主电路图

柴油机交流电力推进装置的推进轴数目较少，大都不超过两个。图 9 - 9 表示单轴柴油机交流电力推进装置主电路的一些连接形式；图 9 - 10 表示双轴柴油机交流电力推进装置主电路的一些连接形式。

图 9 - 9(a)为一台柴油发电机供给同一台电动机，图 9 - 9(b)是两台柴油发电机供给一台电动机，图 9 - 9(c)是"伍被特"号的主电路。它由三台发电机并联向船舶电网或 5 000 kW主推进电动机 M_1 供电，此外还可向 660 kW 的副推进电动机 M_2 供电。这台电动机用作低速航行，使船舶在狭窄航道中机动性好。M_2 为异步电动机，当用电动机 M_2 推进时，只需由一台柴油主发电机供电，这时船舶电网由停泊发电机供电。当三台主柴油发电机都用于推进时，推进电网和船舶电网被连接在一起。图 9 - 9(d)是油船"奥瑞斯"号的主电路原理图。它由四台发电机并联向推进电动机供电。三台发电机由柴油机拖动，另一台由燃气轮机拖动。发电机的构造比较特殊，每台发电机有两个电磁方面互相独立的转子励磁绕组和两个分开的定子绕组。两个转子的极轴仍相符合。两个定子的每相绕组相互串联，一个绕组的一端接成星形(c 点)，另一个绕组的一端(b 点)接到推进汇流排。两个绕组的连接点 a 接到同步汇流排，再经降压变压器接至船舶电网。两个转子绕组的极轴相符合，使得推进汇流排上的电压等于发电机两个定子电压的代数和。发电机的相电势和线电势的向量图如图 9 - 9(d)左下侧所示，图 9 - 9(d)右下侧所示的发电机右半的转子励磁绕组由恒定电压励磁；左半转子励磁绕组电路内接有转换开关及磁场变阻器，使发电机左半定子电势的大小和方向均可变化。这种连接使推进汇流排上的电压可以在 0(当两个励磁绕组励磁极性相反时) ~ 1 600 V(原动机额定转速下，当两个励磁绕组励磁极性相同时)之间变化，而同步汇流排上的电压则只随原动机转速而变。

推进电动机在 50% ~ 100% 的转速范围内是靠改变原动机转速实现调速的。这时，同步汇流排电压在 400 ~ 800 V 之间变化。在 50% 以下的转速范围内是靠改变励磁，降低推进汇流排电压实现电动机调速的。这时推进电动机在异步状态下工作，其励磁断开。

图 9 - 10 所示的是采用四台主发电机向两台推进电动机供电的主电路，发电机并联工作。推进汇流排分为两部分，每部分与一半发电机连接。两部分汇流排之间设有连接开关 S_1。这样两部分汇流排可以分开工作，也可以并联工作。分开工作时，左舷发电机经左半汇流排向左舷推进电动机供电，右舷发电机经右半汇流排向右舷推进电动机供电。通常，在机动时，两半汇流排分开工作；全速航行时，两半汇流排并联工作。L 是粗同步电抗器，用来减小两半汇流排并联过程中的均衡电流。R_1，R_2 为能耗制动电阻。

现代柴油机交流电力推进装置的另一特点是推进汇流排与船舶电网并联工作。这样，可以提高设备的利用率。

3. 交流电力推进装置的保护

在交流电力推进装置内，保护的基本对象是主发电机、推进电动机和励磁机。当任何装置元件损坏或其正常工作状态被破坏时，保护电器起作用，使断路器动作，损坏部分断开成不正常工作电路。若某些不正常工作状态不直接引起事故，而可由维护人员来消除的话，则保护电器仅发出不正常工作信号，不断开电路。交流电力推进装置保护的特点是，一切保护最后都作用到发电机、推进电动机或励磁机的励磁电路的开关设备。

交流电力推进装置的基本形式有如下三种。

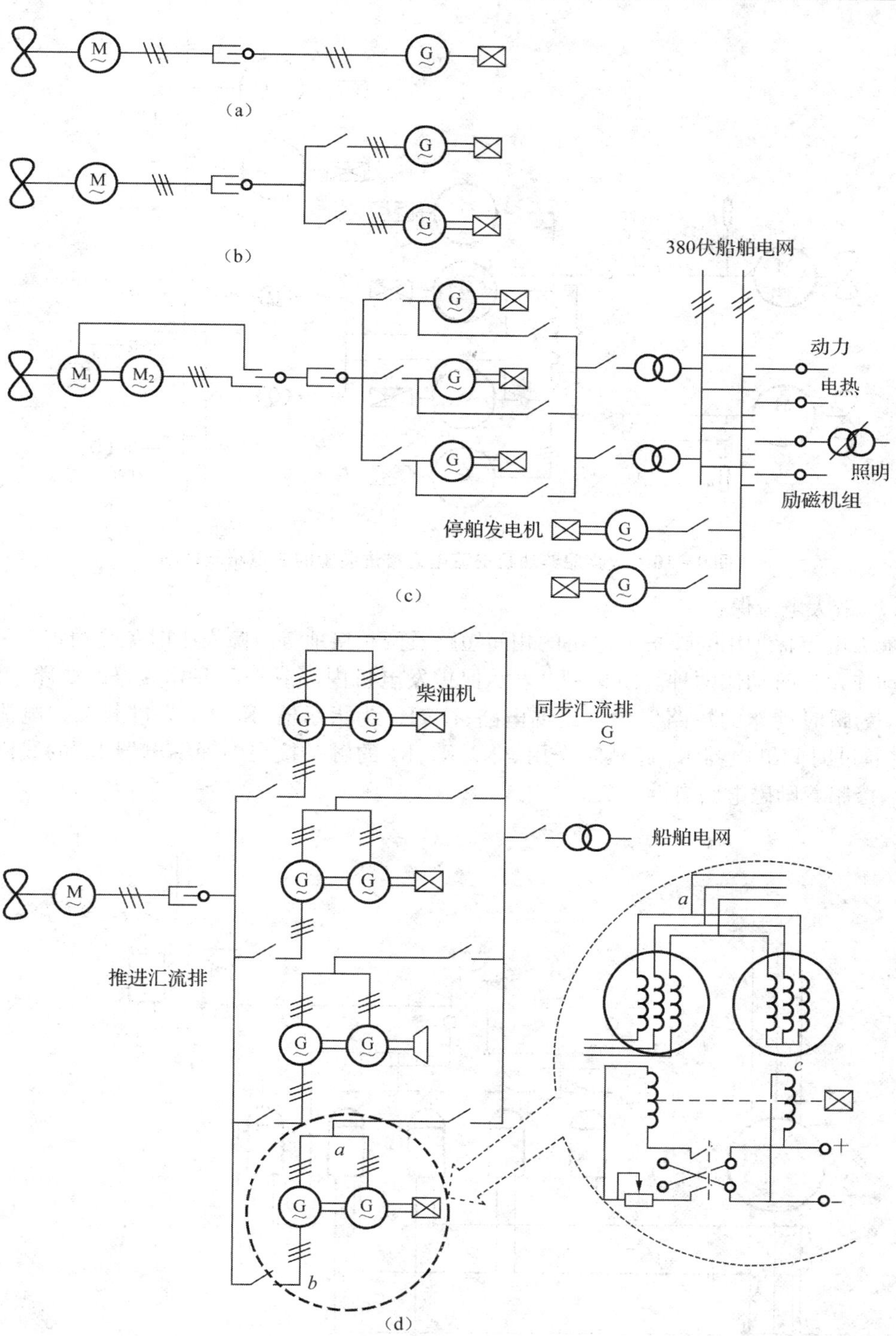

图 9－9 单轴柴油机交流电力推进装置主电路原理图

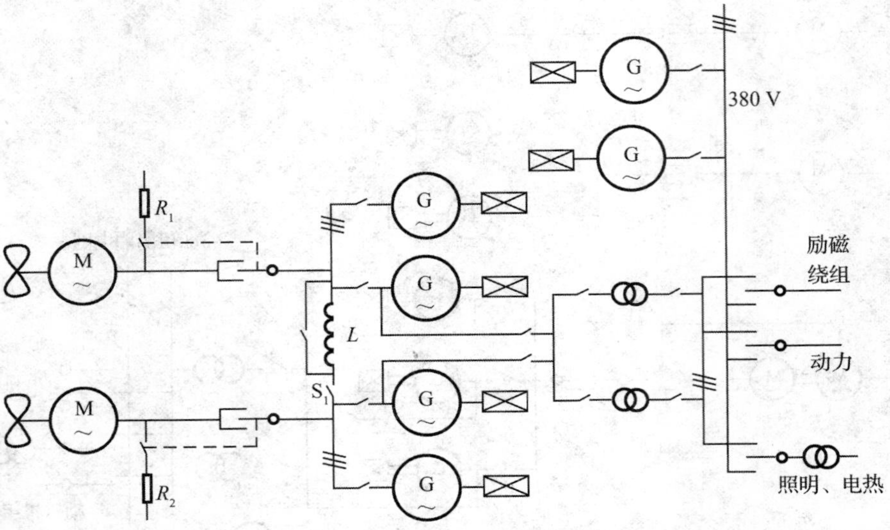

图 9－10　双桨船柴油机交流电力推进装置的主电路原理图

(1)最大电流保护

最大电流保护用来保护发电机的相间短路及两相接地等故障发生时免受损害。可分为瞬时动作及延时动作两种。图 9－11 表示保护发电机内部或外部多相短路的线路。图中，K_1，K_2 为瞬时动作的短路保护电流继电路；H_1，H_2 为指示器；K_3，K_4 为过载保护电流继电器，它通过时间继电器 K_5 起延时作用。K_1，K_2，K_5 的触头接在中间继电器 K_6 的线圈电路中，K_6 控制着励磁电路自动开关。

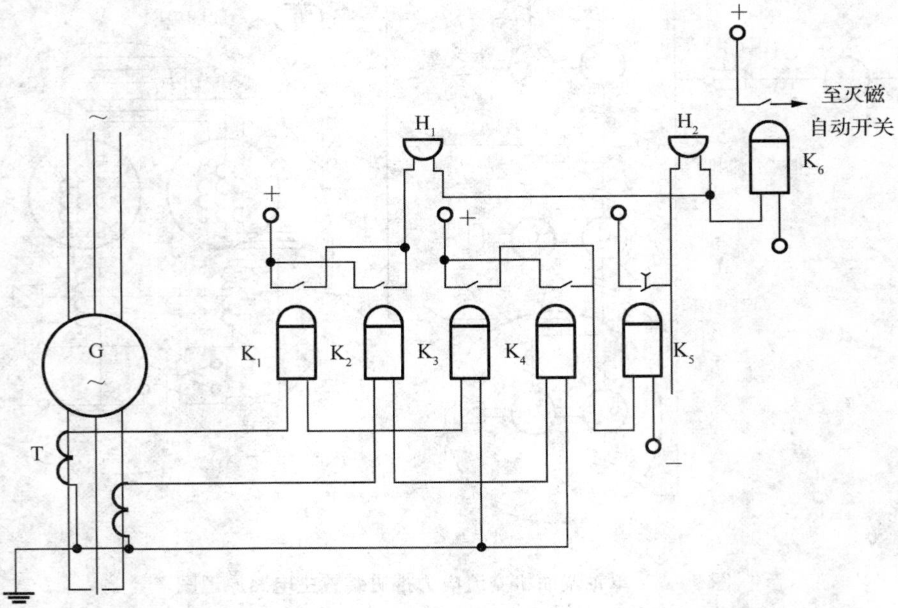

图 9－11　最大电流保护

为了在启动和反转时，最大电流保护不致引起装置的切断，最大电流继电器的动作电流应选择得比强迫励磁下电动机的启动电流大一些。电流保护所能忍受的过载电流的时间应大于启动和反转的时间，或在启动、反转过程中将过载继电器线圈短接。

(2)差动保护

差动保护用来保护发电机或推进电动机内部短路。图 9－12 是发电机差动保护原理图。

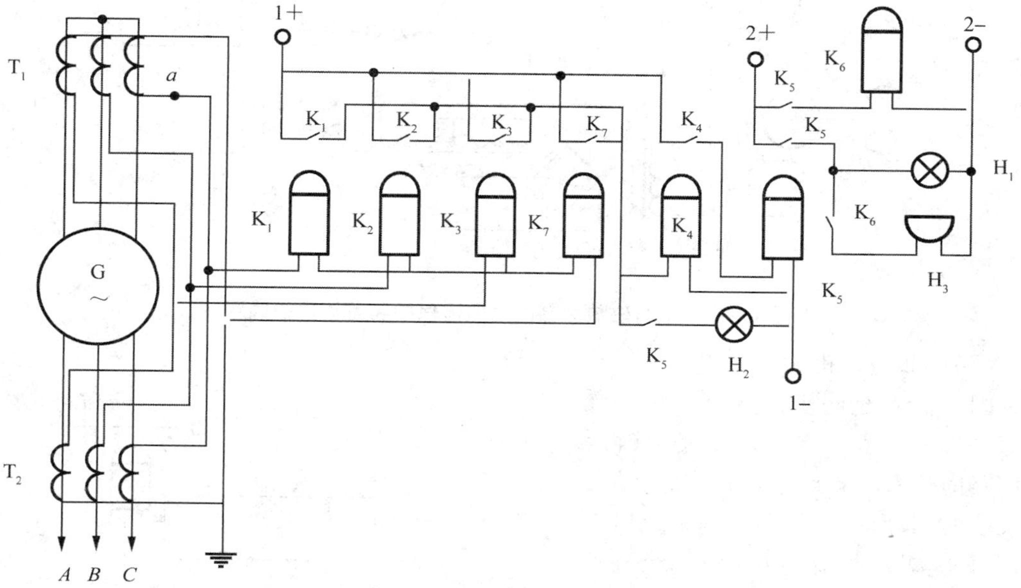

图 9－12 差动保护

主发电机的每相定子绕组的前后接入完全一样的电流互感器 T_1 和 T_2，构成纵向差动保护。当主发电机内部绕组相间发生短路时，流过前后电流互感器的电流就不相同。因此，电流互感器次级感应出电流之差流经电流继电器 $K_1 \sim K_3$，$K_1 \sim K_3$ 动作。经过时间继电器 K_4 延时后，中间继电器 K_5 动作，一方面使继电器 K_6 动作，断开主发电机励磁；同时发出声光信号。

在电流互感器次级接线发生断线时(例如图中 a 点断开时)，C 相下面的一个电流互感器的次级电流就流过电流继电器 $K_1 \sim K_3$，它会使继电保护误动作。为了能够区别这种断线而引起的误动作，在线路中加装了一个电流继电器 K_7。当主发电机的相间短路时，没有电流通过 K_7，但当电流互感器次级断线时，电流即通过 K_7，使 K_7 动作，并使 H_2 信号灯亮，以示区别。

实际上，因为两个电流互感器不可能完全相同，所以正常的继电器内有一个数值不大的不平衡电流通过。通常继电器动作电流按电流互感器次级电流的 20% ~60% 来选取。

20 世纪 70 年代以来，无触点保护装置得到了广泛应用。图 9－13 是一种用磁放大器的最大电流保护和差动保护线路。

当过电流时，变压器 T_2 输出信号至磁放大器 A_2 的控制绕组，A_2 输出使中间继电器 K 工作，当电动机内部短路或相间短路时，差动保护用变压器 T_1 输出信号至磁放大器 A_1 的控制绕组，A_1 输出至中间继电器 K。K 动作使电动机励磁切断，并发出声光信号。

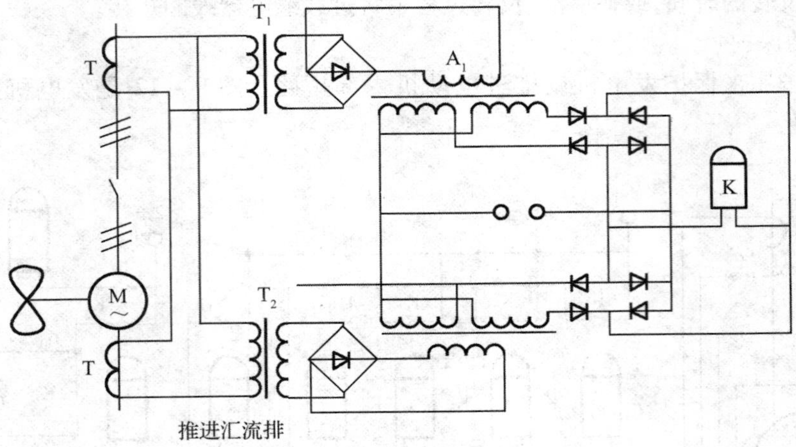

图 9–13　带有磁放大器的过电流保护和差动保护线路

(3)同步电动机失步保护

图 9–14 是同步推进电动机失步保护原理线路。在电动机励磁绕组回路内接入电流互感器 T。当电动机失步时,其励磁绕组回路内感应出交流,T 次级绕组感生出电压,经整流桥通过电流继电器 K 线圈,使信号电路接通,发出失步声光信号。

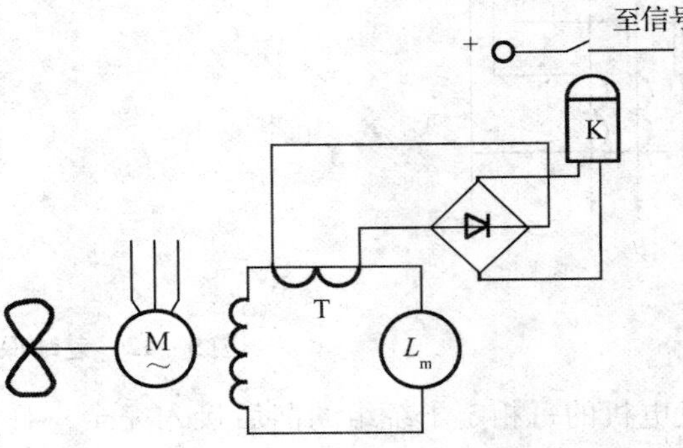

图 9–14　同步电动机失步保护

除以上保护外尚有其他各种保护形式,如定子一相绕组接地保护、超湿保护、火警保护、连锁保护、磁场切断保护(灭磁环节)等,可参阅有关文献。

9.2　交流调速控制系统零航速减摇鳍伺服系统的应用

现有的减摇鳍全部采用电液伺服系统,液压伺服系统的优点是最大输出扭矩较大、响应速度快、系统刚度大,但是液压系统也有自身的缺点,例如,液压系统能源的获取不如电动机系统方便,而且对工作环境要求较高,抗污染能力差。另外,与电动伺服系统相比,液压伺服系统的结构比较复杂,可靠性较低。由于零航速减摇鳍由鳍角反馈改为角度和角加速度反馈,对伺服系统的可靠性、动态性能和能量利用效率均有较高的要求。以下讨论如何将传统的电液伺服系统改进为电动伺服系统。

9.2.1　零航速减摇鳍负载特性分析

这里只对单翼零航速减摇鳍的升力特性进行分析。对于单翼零航速减摇鳍,它们受到的流体阻力 F_R 可以表示成如下形式:

$$F_R = k_1\omega_f|\omega_f| + k_2\dot{\omega}_f \qquad (9-1)$$

式中 k_1,k_2——常数;

ω_f——减摇鳍的旋转角速度。

如图 9－15(a)所示,在浪级较高时减摇鳍角速度曲线在半个周期内近似为梯形。根据式(9－1)进行仿真分析,得到如图 9－15(b)所示的减摇鳍阻力曲线。另外半个周期 ω_f 与 L 的对应关系与图 9－15(b)相似,只是二者的符号发生变化。

式(9－1)中的微分项 $k_2\dot{\omega}_f$ 代表流体惯性,由于这一项在流体阻力中所占比例很大,因此,减摇鳍在加速和减速过程中受到的阻力远远大于匀速运动阶段。另外,零航速减摇鳍的工作环境比较复杂,鳍的重力和浮力产生的力矩也在不断变化,所以零航速减摇鳍是一种周期性的大惯性、强扰动负载。

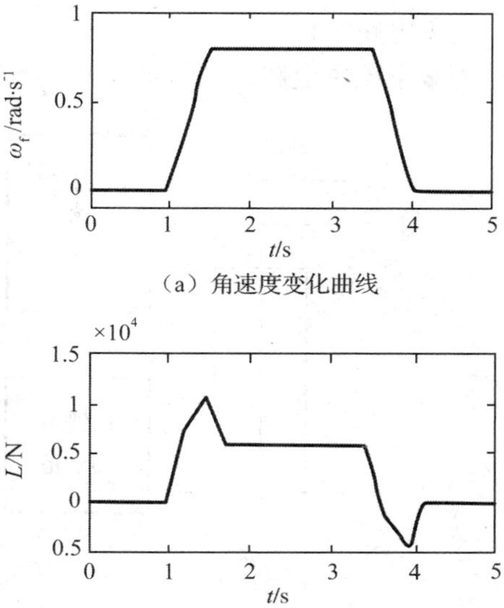

(a) 角速度变化曲线

(b) 流体阻力变化曲线

图 9－15 零航速减摇鳍的负载特性

9.2.2 驱动电动机及主电路结构的选择

1. 驱动电动机的选择

因为零航速减摇鳍启动和制动转矩很大,所以必须合理选择驱动电动机的种类。大功率电动伺服系统常用的驱动电动机有直流电动机、异步电动机和同步电动机三种。

(1)直流伺服电动机

直流电动机在高性能运动控制系统中得到了广泛应用,这是因为直流电动机具有启动转矩大、调速性能好的优点;另外,直流电动机控制方便、工作线性度好,低速性能好。但是直流电动机带有电刷和换向器,电刷下的火花使换向器需要经常维护,使其不能在易燃易爆的场合使用,而且会产生无线电干扰;又因控制电源是直流,使得放大元件变得复杂,所以制造大容量、高转速的直流电动机十分困难,难以应用在大功率驱动场合。

(2)异步电动机

异步电动机在工农业、交通运输业、国防工业等领域有非常广泛的应用,但是因为调速性能不够理想,所以大多用作拖动电动机,而很少应用在伺服领域。随着电力电子技术、微电子技术、计算机技术及控制理论的发展,以交流伺服电动机为执行电动机的交流伺服驱动具有可与直流伺服驱动相比拟的性能,从而使得交流电动机固有的优势得到了充分的发挥,现代伺服系统逐渐倾向于交流伺服电动机的驱动。

(3)永磁同步电动机

近年来,随着稀土永磁材料性能的提高,永磁同步电动机被广泛应用于交流伺服领域,并且出现了逐步取代直流伺服系统的趋势。

永磁同步电动机与直流电动机相比较,无机械换向器和电刷,结构简单,体积小,运行可靠;易实现高速运行,调速范围宽,环境适应能力强,易实现正反转切换,快速响应性能好;工作电压只受功率开关器件的耐压限制,可以采用较高的电压,容易实现大容量伺服驱动。

永磁同步电动机转矩/电流比高、动态响应快,启动转矩可达额定转矩的 3.5 倍以上,而且过载能力强，这样可以选用功率相对较小的电动机。另外，它可以在 25% ~120% 额定负载范围内保持较高的效率和功率因数，节能效果显著。由于零航速减摇鳍属于大惯性负载，对动态性能和能量消耗的要求都很高，因此，综合考虑以上因素，永磁同步电动机是最佳选择。

2. 主电路结构

伺服系统主电路的结构如图 9 - 16 所示，采用电压型逆变器为永磁同步电动机供电。

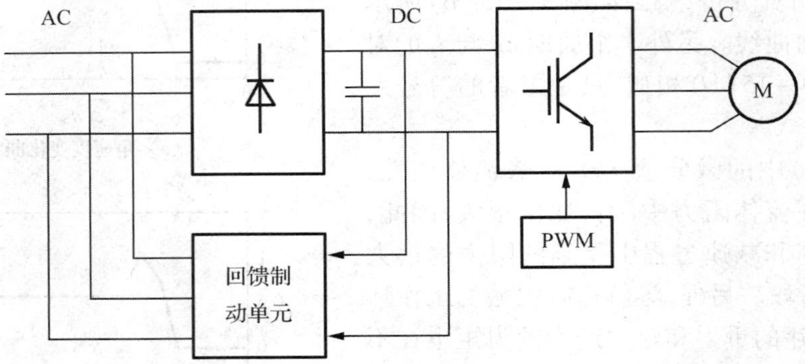

图 9 - 16　主电路结构

由于零航速减摇鳍是一种大惯量、强扰动负载，对系统的起、制动性能有较高的要求。在启动过程中，由于启动力矩较大，逆变器电流迅速增加到输出限幅电流，使直流侧电压下降，电动机电流不能动态跟随给定值。直流侧滤波电容越大，瞬时压降越小，所以应在可能的条件下尽量加大滤波电容容量。在制动过程中，电动机处于发电状态，减摇鳍的动能转化成电能回馈到逆变器的直流侧，使直流侧主电容两端产生高电压，通常这部分能量可通过串接电阻消耗掉。由于系统启动、制动比较频繁，可以在直流侧加装回馈制动单元，把这部分电能回馈到电网或者用来给蓄电池充电，从而大幅度减少系统的能量消耗。

9.2.3　零航速减摇鳍电伺服系统的广义预测控制

零航速减摇鳍是一种大惯性、强扰动负载，对伺服系统的动态性能要求较高，传统控制方法（如 PID 控制参数鲁棒性差）难以得到理想的效果。广义预测控制（GPC）是一种自适应控制算法，具有多步预测、在线滚动优化和反馈校正等特征，对系统模型精度要求低，具有良好的跟踪性能及较强的鲁棒性。GPC 的在线计算比较简单，不需要像神经网络控制那样进行离线训练和在线学习，进一步提高了系统的响应速度。为此，本章在构造零航速减摇鳍电伺服系统 CARIMA 模型的基础上，设计了广义预测控制器，并根据零航速减摇鳍的特点对基本广义预测算法进行了扩展。

1. 广义预测控制的基本原理

预测控制不是某一种理论的产物，而是在工业实践过程中发展起来的，并在实际中得到了成功的应用。1977 年，W. H. Kwon 等人提出了滚动时域控制（Receding Horizon Control，RHC），以一种反复在线进行的次优控制代替最优控制中的一次性离散全局优化，这已经引入了自校正的思想。考虑到模型与对象的不完全匹配以及噪声干扰等因素，滚动时域控制比最优控制能够获得更理想的动态特性。1973 年瑞典学者 K. J. Astrom 等人提出了预测控制的雏形——最小方差控制（Minimum Variance Control，MVC）。为了解决最小方差控制小、适用于非最小相位系统的问题，英国学者 D. W. Clarke 和他的同事通过引进对控制的加权项,得到了广义最小方差控制(Generalized Minimum Variance Control,GMV)。广义最小方差控制还只是一种单步预测控制,对控制变时滞等系统的鲁棒性比较差,多步预测控制应运而生。最早产生于工业过程的预测控制算法,有 1978 年 Richalet,Mehra 等提出的建立在脉冲响应基础上的模型预测启发控制(或称模型算法控制(MAC)),以及 Cutler 等提出的建立在阶跃响应基础上的动态矩阵控制(DMC)。因为这类响应易于从工业现场直接获得,并不要求对模型的结构有先验知识,所以不必通过复杂的辨识过程便可设计控制系统。

法国 ADERSA 公司的 Richalet 和德国 ITTB 公司的 Kuntze 等人于 1986 年在模型预测控制原理的基础上提出了预测函数控制(PFC),并发表了基于 PFC 的工业机器人快速高精度跟踪控制系统的有关论文。PFC 具有同于一般预测控制算法的三项基本原理,即预测模型、滚动优化、反馈校正。而它与其他传统预测控制算法的最大区别是注重控制量的结构形式,将控制输入结构化,即把每一时刻的控制输入看作是若干事先选定的基函数的线性组合,然后通过在线优化求出线性加权系数,进而算出未来的控制输入。预测函数控制方法的最大特点是:实时控制计算量小,适用于快速系统的控制;可以处理小稳定、时滞、带约束等的系统。

20 世纪 80 年代初期,人们在自适应控制的研究中发现,为了增加自适应控制系统的鲁棒性,有必要在最小方差控制的基础上,汲取预测控制中的多步优化策略,提高自适应系统的实用性。因此,出现了辨识被控过程参数模型且带有自适应机制的预测控制算法,其中最具代表性的就是 Clarke 等人提出的广义预测控制(Generalized Predictive Control,GPC)。GPC 是新型计算机控制方法,是预测控制中最具代表性的算法之一。它具有如下的特点:

(1)广义预测控制基于传统的参数模型,因而模型参数少,而其他类型的预测控制算法(如模型算法控制和动态矩阵控制)都基于非参数化模型,即脉冲响应模型或阶跃响应模型;

(2)广义预测控制是在自适应控制研究中发展起来的,保留了自适应控制的优点,但比自适应控制方法具有更好的鲁棒性;

(3)由于采用多步预测、滚动优化和反馈校正等策略,因而控制效果好,更适合于工业生产过程的控制。

由于这些优点,它一出现就受到了国内外控制理论界和工业控制界的重视,成为研究领域最为活跃的一种预测控制算法。

预测控制是以计算机为实现手段的,因此,其数学模型的建立和控制算法的推导都是基于离散时间的。预测控制算法无论其算法形式有何不同,都是建立在以下三个基本特征之上的。

(1)预测模型

预测控制是一种基于模型的控制算法,这一模型称为预测模型。预测模型的功能是根据对象的历史信息和未来输入预测其未来输出。状态方程、传递函数这类传统的模型都可以作为预测模型。对于线性稳定对象,甚至阶跃响应、脉冲响应这类非参数模型也可以直接作为预测模型使用。此外,非线性系统、分布参数系统的模型,只要具备上述功能,对这类系统进行预测控制时也可以作为预测模型使用。

(2)在线滚动优化

预测控制是一种优化控制算法,它是通过对某一性能指标的最优化来确定未来的控制作用。这一性能指标涉及到系统未来的行为,而系统未来的行为是根据预测模型由未来的控制策略决定的。它不是用一个对全局相同的优化性能指标,而是在每一时刻有一个相对于该时刻的优化性能指标。因此,在预测控制中,优化不是一次离线进行,而是反复在线进行，这就是滚动优化的含义，也是预测控制区别于传统最优控制的根本点。

(3)反馈校正

预测控制是一种闭环控制算法，在通过优化确定了一系列未来的控制作用后，为了防止模型失配或环境干扰引起控制对理想状态的偏离，它通常不是把这些控制作用逐一全部实施，而只是实现本时刻的控制作用。到下一采样时刻，则首先检测对象的实际输出，并利用这一实时信息对基于模型的预测进行修正，然后再进行新的优化。预测控制把优化建立在系统实际的基础上，并力图通过优化对系统未来的动态行为作出准确的预测。因此，预测控制中的优化不仅基于模型，而且利用了反馈的信息，因而构成了闭环优化。

因此，预测控制是一种基于模型、滚动实施并结合反馈校正的优化控制算法。它汲取了优化控制的思想，利用滚动的有限时段优化取代了一成不变的全局优化。这虽然在理想情况下不能导致全局最优，但由于实际上不可避免地存在着模型误差和环境干扰等，这种建立在实际反馈信息基础上的反复优化，能不断考虑不确定性的影响，并及时加以校正，反而比只依靠模型的一次优化更能适应实际过程，有更强的鲁棒性。

2. 建立电伺服系统的 CARIMA 模型

在预测控制理论中，需要有一个描述系统动态行为的基础模型，称为预测模型。它应具有预测的功能，即能根据系统的历史数据和未来的输入，预测系统未来输出值。广义预测控制采用 CARIMA 模型作为预测模型，CARIMA 是 Controlled Auto-Regressive Integrated Moving-Average 的缩写，又被称为受控自回归积分滑动平均模型。为了实现零航速减摇鳍电伺服系统的广义预测控制，首先要建立电动机传动系统的数学模型。根据 9.2 的分析，选择永磁同步电动机作为伺服系统驱动电动机，永磁同步电动机在转子同步旋转坐标系 dq 轴系下的数学模型为

$$\begin{cases}\psi_d = L_d i_d + \boldsymbol{\psi}_{\mathrm{f}} \\ \psi_q = L_q i_q \\ u_d = R_{\mathrm{s}} i_d + p\psi_d - \omega\psi_q \\ u_q = R_{\mathrm{s}} i_q + p\psi_q + \omega\psi_d \\ T_{\mathrm{e}} = \dfrac{3}{2}P_n[\boldsymbol{\psi}_{\mathrm{f}} i_q + (L_d - L_q) i_d i_q]\end{cases} \tag{9-2}$$

式中 ψ_d,ψ_q——定子磁链分量；

i_d,i_q——定子电流分量；

L_d,L_q——定子绕组等效电感；

$\boldsymbol{\psi}_{\mathrm{f}}$——转子永磁磁链；

u_d,u_q——定子电压分量；

R_{s}——定子绕组电阻；

p——微分算子；

ω——转子机械角速度；

T_{e}——电磁转矩；

P_n——电动机极对数。

电动机传动系统的动态方程为

$$\frac{\mathrm{d}\omega_{\mathrm{r}}}{\mathrm{d}t} = \frac{T_{\mathrm{e}} - T_{\mathrm{L}} - B\omega}{J} \tag{9-3}$$

式中 T_e——电磁转矩；

T_L——负载转矩；

B——黏滞系数。

由式(9－2)可知，当采用直轴电流为0(即 $i_d=0$)的矢量控制策略时，电磁转矩 T_e 正比于 q 轴电流 i_q，其表达式如下

$$T_e = \frac{3}{2}P_n \boldsymbol{\psi}_f i_q \tag{9-4}$$

为了建立系统的CARIMA模型，令 $T_L=0$，并对式(9－3)进行拉氏变换，采用零阶保持器进行 Z 变换后得到系统的传递函数为

$$G(z) = \frac{bz^{-1}}{1+az^{-1}} \tag{9-5}$$

式中 $a=-e^{\frac{-T_s B}{J}}$；

$b=3P_n\boldsymbol{\psi}_f\dfrac{(1-e^{\frac{-T_s B}{J}})}{2}B$。

式中 T_s——采样周期。

把式(9－5)写成差分方程的形式，并将周期性负载转矩 T_L 看作系统扰动折算后写入方程，则伺服系统可以表示成如下形式

$$(1+az^{-1})\omega(t) = bi_q(t-1)+cT_L \tag{9-6}$$

系统的CARIMA模型为

$$A(z^{-1})\omega(t) = B(z^{-1})i_q(t-1)+\frac{\xi(t)}{\Delta} \tag{9-7}$$

式中 $A(z^{-1})=(1+az^{-1})$；

$B(z^{-1})=b$；

$\Delta=1-z^{-1}$，表示差分算子；

$\xi(t)=cT_L\Delta$，为负载转矩波动的函数，可以看作系统的噪声。

9.2.4 广义预测伺服控制器设计

1. 广义预测控制规律

建立伺服系统的CARIMA模型后，引入如下的Diophantine方程计算 j 步后输出 $\omega(t+j)$ 的最优预测值

$$1 = E_j(z^{-1})A(z^{-1})\Delta + z^{-j}F_j(z^{-1}) \tag{9-8}$$

其中 j 为预测时域，且有

$$E_j(z^{-1}) = e_0 + e_1 z^{-1} + \cdots + e_{j-1}z^{-j+1}$$

$$F_j(z^{-1}) = f_0^j + f_1^j z^{-1} + \cdots + f_{na}^j z^{-na}$$

式(9－7)两边同时乘以 $E_j(z^{-1})\Delta$，则 $\omega(t)$ 的 j 步超前预测方程为

$$\omega(t+j) = G_j\Delta i_q(t+j-1)+F_j\omega(t)+E_j\xi(t+j) \tag{9-9}$$

式中，$G_j(z^{-1})=E_j(z^{-1})B(z^{-1})$，并注意到 $\xi(t)$ 的均值为零，则对未来输出的预测值为

$$\hat{\omega}(t+j) = G_j\Delta i_q(t+j-1)+F_j\omega(t) \tag{9-10}$$

为了把已知的控制作用和未知的控制作用分开，考虑如下等式

$$G_j(z^{-1}) = G'_j(z^{-1}) + z^{-j}\Gamma_j(z^{-1}) \tag{9-11}$$

把上式带入式(9－10)得

$$\hat{\omega}(t+j) = G'_j\Delta i_q(t+j-1) + f(t+j) \tag{9-12}$$

式(9－12)中$f(t+j)$表达式如下

$$f(t+j) = \Gamma_j\Delta i_q(t-1) + F_j\omega(t) \tag{9-13}$$

这里表示已知控制量的响应。把式(9－12)写成向量形式有

$$\hat{\omega} = G'\Delta i_q + f \tag{9-14}$$

广义预测控制的目的是使被控对象的输出尽可能地接近给定值，因此定义如下性能指标函数来对控制效果进行评估。

$$J = \sum_{j=N_1}^{N_2}[\omega(t+j) - \omega_r(t+j)]^2 + \lambda\sum_{j=1}^{N_c}[\Delta i_q(t+j)]^2 \tag{9-15}$$

式中 $\omega_r(t)$——输出量的给定值，$rad \cdot s^{-1}$；

N_1——最小预测时域；

N_2——最大预测时域；

N_c——控制时域；

λ——加权常数。

性能指标的第一项代表对转速误差的度量，第二项代表对转矩电流增量的度量。若λ很小则系统稳定，但Δi_q较大，可逐渐增加λ直到取得满意的控制效果为止。与其他优化算法不同的是，广义预测控制的性能指标只涉及当前t时刻至未来$t+j$时刻的预测值，而到下一采样时刻，这一优化时间段同时向前推移，实现在线滚动优化。

由于广义预测控制采用多步预测的方式，与一般的单步预测相比较，增加了N_1，N_2和N_c这三个参数，它们和控制加权常数λ的选择将对控制性能产生重要影响，以下是选择上述参数的一般性原则。

(1)最小预测时域N_1

若已知被控对象的时滞为d，则应取$N_1 \geqslant d$；而当d未知或变化时，一般可取$d=1$。

(2)最大预测时域N_2

为了使滚动优化真正有意义，应使N_2包括被控对象的真实动态部分，也就是说应把当前控制影响较多的响应都包括在内，一般取N_2接近于系统的上升时间。N_2的大小对于系统的稳定性和快速性有很大影响。N_2较小，虽然快速性好，但稳定性和鲁棒性较差；N_2较大，虽然鲁棒性好，但动态响应慢，增加了计算时间，降低了系统的实时性。实际选择时，可在上述两者之间取值，使闭环系统具有所期望的鲁棒性，又具有所要求的快速性。

(3)控制时域N_c

由于优化的输出预测最多只受到N_2个控制增量的影响，所以应有$N_c \leqslant N_2$。一般情况下，N_c越小，则跟踪性能越差。为改善跟踪性能，就要求增加控制步数来提高对系统的控制能力，但随着N_c的增大，控制的灵敏度得到提高，系统的稳定性和鲁棒性随之降低。而且当N_c增大时，矩阵的维数增加，计算量增大，使系统的实时性降低。因此，N_c的选择要兼顾快速性和稳定性，两者综合考虑。对于简单被控对象，一般取$N_c=1$即可。

(4)控制加权常数λ

λ的作用是用来限制控制增量的剧烈变化，以减少对被控对象的过大冲击。通过增大

λ 可以实现稳定控制,但同时也减弱了控制作用。一般 λ 取得较小,实际选择时,可先令 λ 为 0 或是一个较小的数。此时若控制系统稳定但控制量变化较大,则可适当增加 λ,直到取得满意的控制效果为止。

永磁同步电动机的电磁功率 $P_e = T_e\omega/P_n$,代入式(9-4)得

$$P_e = \frac{3}{2}\boldsymbol{\psi}_f i_q \omega \tag{9-16}$$

可见对 Δi_q 的优化实际上是对电磁功率的优化,性能指标 $\boldsymbol{J}$ 的物理意义就是用尽可能少的能量使电动机转速跟踪给定值。

把式(9-15)写成向量形式有

$$\boldsymbol{J} = [\omega - \omega_r]^T[\omega - \omega_r] + \lambda\Delta i_q^T \Delta i_q \tag{9-17}$$

用 ω 的最优预测值 $\hat{\omega}$ 代替上式中的 ω,并且令 $\partial \boldsymbol{J}/\partial \Delta i_q = 0$,可得控制向量的表达式

$$\Delta i_q = (\boldsymbol{G}'^T\boldsymbol{G}' + \lambda \boldsymbol{I})^{-1}\boldsymbol{G}'^T(\omega_r - f) \tag{9-18}$$

式中

$$\boldsymbol{G}' = \begin{bmatrix} g_0 & 0 & \cdots & 0 \\ g_1 & g_0 & \cdots & 0 \\ \vdots & \vdots & \vdots & \vdots \\ g_{N_u-1} & \cdots & g_1 & g_0 \\ \vdots & \vdots & \vdots & \vdots \\ g_{N_2-1} & g_{N_2-2} & \cdots & g_{N_2-N_u} \end{bmatrix}$$

实际控制时,如果每次仅将第一个分量加入系统,则

$$i_q(t) = i_q(t-1) + g^T(\omega_r - f) \tag{9-19}$$

式中 g^T——$(\boldsymbol{G}'^T\boldsymbol{G}' + \lambda \boldsymbol{I})^{-1}\boldsymbol{G}'^T$ 的第一行。

2. 电伺服系统的误差校正

由于每次实施控制只采用了第一个控制增量 $\Delta i_q(t)$,故对未来时刻的输出可采用下式预测

$$\hat{\omega}_p = a\Delta i_q(t) + \omega_{p0} \tag{9-20}$$

式中 $\hat{\omega}_p = [\hat{\omega}(t+1), \hat{\omega}(t+2), \cdots, \hat{\omega}(t+p)]^T$,表示在 t 时刻预测的有 $\Delta i_q(t)$ 作用时未来 p 个时刻的系统输出;

$\omega_{p0} = [\omega_0(t+1), \omega_0(t+2), \cdots, \omega_0(t+p)]^T$,表示在 t 时刻预测的无 $\Delta i_q(t)$ 作用时未来 p 个时刻的系统输出;

$a = [a_1, a_2, \cdots, a_p]^T$,为单位阶跃响应在采样时刻的值。

由于系统模型及外部环境的不确定性,在 t 时刻施加控制作用后,在 $t+1$ 时刻的实际输出与预测输出可能不相等,令误差 $e(t+1) = \omega(t+1) - \hat{\omega}(t+1)$。可以用此误差来修正预测值,即

$$\tilde{\omega}_p = \hat{\omega}_p + e(t+1) \tag{9-21}$$

式中,$\tilde{\omega}_p = [\tilde{\omega}(t+1), \tilde{\omega}(t+2), \cdots, \tilde{\omega}(t+p)]^T$ 为误差校正后的系统输出,校正后的 $\tilde{\omega}_p$ 作为下一时刻的系统初值。通过不断地进行在线误差校正,可以减小系统模型不精确以及参数变化对系统性能产生的不利影响。

3. 输入输出受限的广义预测控制

由于零航速减摇鳍的工作方式比较特殊,因此在实际应用过程中也带来了一些新的问

题，其中最主要的是驱动功率问题。在有航速减摇时，两套减摇鳍随船体一起运动，伺服系统只是把鳍转到某一特定角度，鳍上的升力是由船舶航行时鳍和水流的相互作用产生的，它间接利用了船舶推进的能量。在零航速减摇时，对抗横摇所消耗的能量完全由减摇鳍的伺服系统提供，但是目前大多数船舶的电站能量有限，导致在浪级较高的情况下减摇效果不理想。例如，某船舶装备的零航速减摇鳍在有义波高为 0.5 m 时减摇效果为 80%，而当有义波高为 2 m 时减摇效果下降为 40%。因此，为了得到理想的减摇效果，零航速减摇鳍的驱动电动机需要经常工作在满负荷状态，而无法在功率上留有余量。

前面介绍的基本广义预测算法没有考虑控制量受到限制的情况，而接近额定功率时必须考虑永磁同步电动机转矩电流 i_q 的极限值。另外，零航速减摇鳍的旋转角速度越大，鳍上产生的升力也越大，为了防止升力过大对鳍轴等机械结构造成疲劳损伤，电动机的旋转角速度和角加速度也必须限制在一定范围内，因此，需要考虑电动机转速 ω 和转矩电流变化率 Δi_q 的约束条件。当输入输出受到物理条件限制时，系统的瞬时给定输入可能远远超过电动机的驱动能力，因此，需要对基本广义预测算法进行扩展，以防止系统性能变坏。

下面考虑上述三种约束情况，即输入增量 Δi_q 受限，输入幅值 i_q 受限和输出幅值 ω 受限。

$$\begin{cases}\Delta i_{q\min} \leqslant \Delta i_q(t) \leqslant \Delta i_{q\max} \\ i_{q\min} \leqslant i_q(t) \leqslant i_{q\max} \\ \Omega_{\min} \leqslant \omega \leqslant \Omega_{\max}\end{cases} \tag{9-22}$$

式中 $\Omega_{\min} = [\omega_{\min}, \cdots, \omega_{\min}]^{\mathrm{T}}$，为角速度下限，$\mathrm{rad \cdot s^{-1}}$；

$\Omega_{\max} = [\omega_{\max}, \cdots, \omega_{\max}]^{\mathrm{T}}$，为角速度上限，$\mathrm{rad \cdot s^{-1}}$；

$\omega = [\omega(t+N_1), \cdots, \omega(t+N_2)]^{\mathrm{T}}$，为角速度，$\mathrm{rad \cdot s^{-1}}$。

由于式(9-7)所示为线性系统，因此，以上的输入和输出幅值约束可以简化成输入增量约束的线性组合。当控制时域 $N_c = 1$ 时，$i_q(t) = i_q(t-1) + \Delta i_q(t)$，$\omega = \boldsymbol{G}'\Delta i_q(t) + f$。因此，约束条件可以转化成如下形式：

$$\begin{cases}\Delta i_{q\min} \leqslant \Delta i_q(t) \leqslant \Delta i_{q\max} \\ i_{q\min} - i_q(t-1) \leqslant i_q(t) \leqslant i_{q\max} - i_q(t-1) \\ \dfrac{\boldsymbol{G}'^{\mathrm{T}}(\Omega_{\min} - f)}{\boldsymbol{G}'^{\mathrm{T}}\boldsymbol{G}'} \leqslant \Delta i_q(t) \leqslant \dfrac{\boldsymbol{G}'^{\mathrm{T}}(\Omega_{\max} - f)}{\boldsymbol{G}'^{\mathrm{T}}\boldsymbol{G}'}\end{cases} \tag{9-23}$$

这样约束条件中只包含一个变量 $\Delta i_q(t)$，因此，在约束条件下使性能指标最小就转变为把无约束条件下求得的变量 $\Delta i_q^*(t)$ 限制在一个合适的区间内，即

$$\Delta i_q(t) = \begin{cases} a & \Delta i_q^*(t) < a \\ \Delta i_q^*(t) & a \leqslant \Delta i_q^*(t) \leqslant b \\ b & b < \Delta i_q^*(t)\end{cases} \tag{9-24}$$

其中，a 和 b 的表达式通过如下方法确定

$$a = \max\left\{\Delta i_{q\min}, i_{q\min} - i_q(t-1), \frac{\boldsymbol{G}'^{T}(\Omega_{\min} - f)}{\boldsymbol{G}'^{T}\boldsymbol{G}'}\right\} \tag{9-25}$$

$$b = \min\left\{\Delta i_{q\max}, i_{q\max} - i_q(t-1), \frac{\boldsymbol{G}'^{\mathrm{T}}(\Omega_{\max} - f)}{\boldsymbol{G}'^{T}\boldsymbol{G}'}\right\} \tag{9-26}$$

4. 数值仿真

零航速减摇鳍电伺服系统广义预测控制的原理如图 9－17 所示，在伺服系统中预测控制器代替了传统的 PI 调节器。

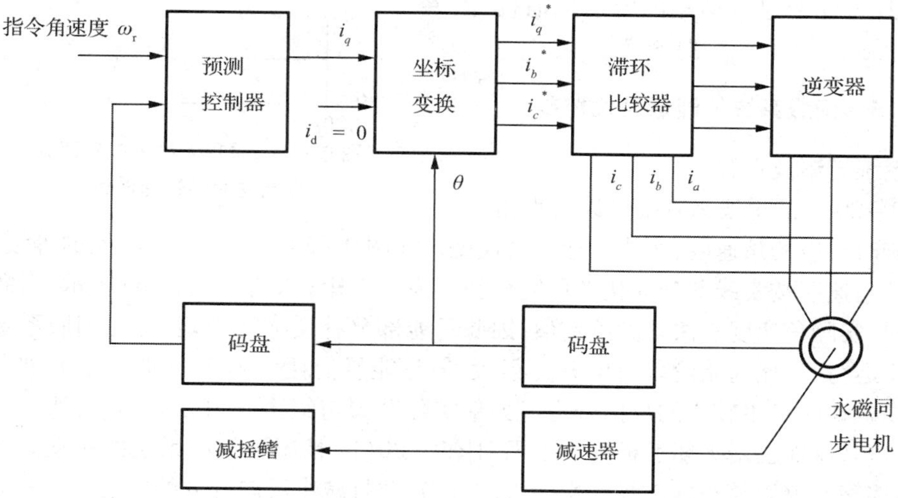

图 9－17 电伺服系统广义预测控制原理图

在 Matlab 平台上对采用电伺服系统的零航速减摇鳍控制系统进行数值仿真，永磁同步电动机参数如下：定子电阻 $R_s = 1.5\Omega$，交直轴电感 $L_q = L_d = 12$ mH，永磁磁链 $\boldsymbol{\psi}_r = 0.5$ Wb，极对数 $P_n = 4$，转动惯量 $J = 0.15$ kg · m^2。令永磁同步电动机分别经历匀加速、匀速和匀减速三个阶段，减速器的减速比为 100∶1。当采用传统的 PI 调节器时，电动机的实际转速如图 9－18(a)所示。由于负载惯性较大，系统在加减速过程中的跟踪性能不是很好，而且有比较明显的超调现象。当采用广义预测控制器时，取 $N_1 = 1, N_2 = 10, N_c = 1, \lambda = 12$。电动机的实际转速如图 9－18(b)所示，系统在加减速阶段的加速度基本为恒定值，超调量也较小。

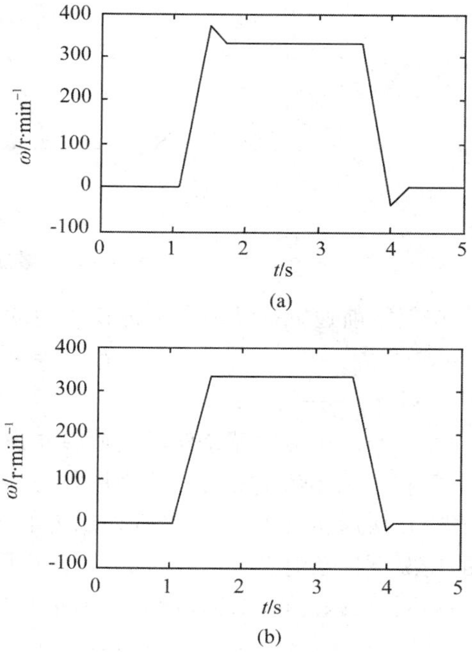

图 9－18 永磁同步电动机转速曲线

(a)采用 PI 调节器时的转速曲线；
(b)采用广义预测控制器时的转速曲线

假设图 9－18(b)所示的加减速过程中给定的转矩电流变化率已经超过其极限值 $\Delta i_{q\max}$，如果在广义预测算法中不考虑这一约束，会使给定的输入远大于实际值，使电动机在加速或减速停止时超调量变大，系统输出要经过更长的时间才能重新达到稳定状态，此时的转速曲线如图 9－19 所示。

由式(9－1)可知，零航速减摇鳍的升力主要由它的旋转角速度决定。由于海浪作用于船体的扰动力矩具有很强的随机性，而且零航速减摇鳍是一种大惯性、强扰动负载，因此，要求伺服系统的动态响应快、超调小，这样才能通过减摇鳍的转动抵消扰动力矩的影响，从而减小船舶横摇角。

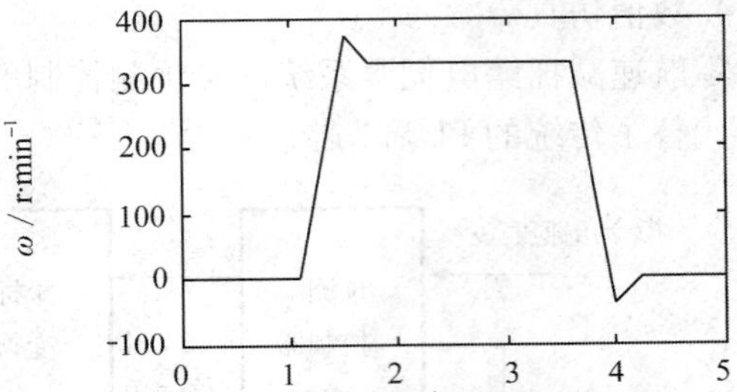

图 9－19　采用无约束广义预测控制器时的转速曲线

9.2.5　伺服系统的能量最优控制

1. 系统模型及求解

图 9－20 中的虚线为减摇鳍以最大角速度旋转时对应的角速度，实线为指令角速度。如图 9－20(a)所示，当海浪的等级较低时，减摇鳍的角速度按实线部分变化即可完全补偿横摇力矩；如图 9－20(b)所示，当海浪的等级较高时，实际角速度无法达到给定值，因此只能部分补偿横摇力矩，此时伺服系统必定以额定功率运行，虽然起始阶段正向升力很大，但是能量消耗也随之增加。另外，如图 9－15 所示会在减速时产生较大的反向升力。如果实际升力与给定升力方向相反，那么减摇鳍不但不能减摇，反而会增大船舶横摇。下面对图9－20(b)情况下伺服系统的驱动方式进行研究，使减摇鳍能够以较小的能量产生最大的升力，并且减小反向升力的影响。

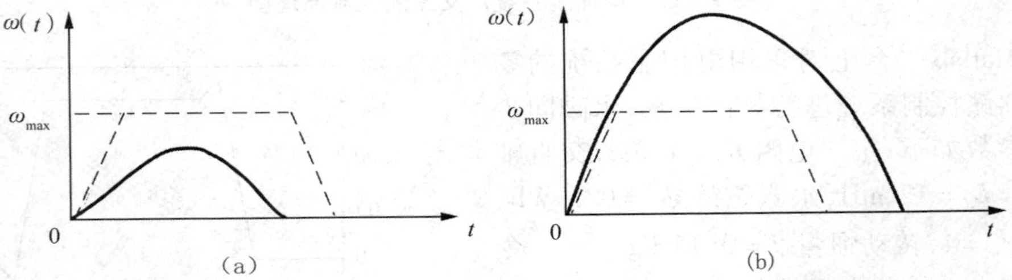

图 9－20　零航速减摇鳍角速度曲线

单翼零航速减摇鳍所受流体作用力的表达式如下

$$F(t) = k_1'\omega(t)^2 + k_2'\dot{\omega}(t) \tag{9-27}$$

式中　k_1', k_2'——常数；

$\omega(t)$——减摇鳍绕鳍轴的旋转角速度。

零航速减摇鳍主要可以分为形阻力、附加质量力和漩涡作用力，前两种力的压力中心只和鳍的几何形状有关，只有漩涡作用力的作用点会随着涡的演化而改变。减摇鳍在没有来流的情况下摆动时，尾涡在大部分时间内附着在鳍面上而没有下泄，这样压力中心位置的变化并不明显，因此可以假设鳍上压力中心与鳍轴距离为常数 l，则减摇鳍的驱动力矩 $M(t)$ 为

$$M(t) = F(t)\cdot l = k_1\omega(t)^2 + k_2\dot{\omega}(t) \tag{9-28}$$

把式(9－28)改写成状态方程形式

$$\dot{\omega}(t) = -\frac{k_1}{k_2}\omega(t)^2 + \frac{1}{k_2}M(t) \tag{9-29}$$

式中，状态变量的约束条件如下

$$\begin{cases} |\omega(t)| \leqslant \omega_{\max} \\ |\dot{\omega}(t)| \leqslant \dot{\omega}_{\max} \\ \int_0^{t_f} \omega(t)\mathrm{d}t \leqslant \alpha_{\max} \end{cases} \tag{9-30}$$

式中 $\omega_{\max}$，$\dot{\omega}_{\max}$——系统能够提供的最大角速度和角加速度；

t_f——末端时刻；

$\alpha_{\max}$——减摇鳍最大转角。

控制量的约束条件为

$$|M(t)| \leqslant M_{\max} \tag{9-31}$$

因为该问题属于非线性、状态变量、状态变量的导数和控制量都受约束的问题，所以无法用经典最优控制理论中的变分法求解。为了对这一类最优控制问题进行求解，前苏联学者庞特里亚金等人在总结并运用古典变分法的基础上，提出了极小值原理，成为控制向量受约束时求解最优控制问题的有效工具，最初用于连续系统，以后推广用于离散系统。极小值原理是求出控制量受约束时的最优控制必要条件，这是经典变分法求泛函极值的扩充，因为经典变分法不能处理这类控制向量受约束的最优控制问题，所以这种方法又称为现代变分法。

下面应用极小值理论对这个问题进行分析，若要求伺服系统的驱动能量最小，定义如下表示驱动能量的性能指标

$$J = \int_0^{t_f} |M(t)| \cdot \omega(t)\mathrm{d}t \tag{9-32}$$

能量最优控制的目的就是找到最优运动规律，使性能指标取得极小值，即减摇鳍能够以最小的能量消耗产生最大的升力。与古典变分法一样，首先定义如下的哈密尔顿函数

$$H = |M(t)|\omega(t) + \lambda(t)\left[-\frac{k_1}{k_2}\omega(t)^2 + \frac{1}{k_2}M(t)\right] \tag{9-33}$$

其中，$\omega(t)$和$\lambda(t)$满足如下正则方程

$$\begin{cases} \dot{\omega}(t) = \dfrac{\partial H}{\partial \lambda} \\ \dot{\lambda}(t) = -\dfrac{\partial H}{\partial \omega} \end{cases} \tag{9-34}$$

能量指标取得最小值的条件是存在最优控制量$M^*(t)$，使得

$$|M^*(t)| \cdot \omega(t) + \frac{\lambda(t)}{k_2} \cdot M^*(t) \leqslant |M(t)| \cdot \omega(t) + \frac{\lambda(t)}{k_2} \cdot M(t) \tag{9-35}$$

即

$$\min H \to \min\left[|M(t)| \cdot \omega(t) + \frac{\lambda(t)}{k_2} \cdot M(t)\right] \tag{9-36}$$

由于式(9-36)中存在$|M(t)|$项，所以下面分两种情况进行讨论。

(1)$0 \leqslant M(t) \leqslant M_{\max}$

此时有如下等式成立

$$\min\left[|M(t)| \cdot \omega(t) + \frac{\lambda(t)}{k_2} \cdot M(t)\right] = \min\left[M(t) \cdot \left(\omega(t) + \frac{\lambda(t)}{k_2}\right)\right] \tag{9-37}$$

①当$\omega(t) + \dfrac{\lambda(t)}{k_2} < 0$时，取$M(t) = M_{\max}$；

②当 $\omega(t)+\dfrac{\lambda(t)}{k_2}=0$ 时,$M(t)$不确定,切换区间;

③当 $\omega(t)+\dfrac{\lambda(t)}{k_2}>0$ 时,取 $M(t)=0$。

(2) $-M_{\max}\leqslant M(t)\leqslant 0$

此时有如下等式成立

$$\min\left[\,|M(t)|\cdot\omega(t)+\frac{\lambda(t)}{k_2}\cdot M(t)\right]=\min\left[M(t)\cdot\left(\frac{\lambda(t)}{k_2}-\omega(t)\right)\right]\tag{9-38}$$

①当 $\omega(t)+\dfrac{\lambda(t)}{k_2}<0$ 时,取 $M(t)=0$;

②当 $\omega(t)+\dfrac{\lambda(t)}{k_2}=0$ 时,$M(t)$不确定,切换区间;

③当 $\omega(t)+\dfrac{\lambda(t)}{k_2}>0$ 时,取 $M(t)=-M_{\max}$。

由于以上的分析结果中存在 $M(t)$无法确定的区间,此时最优控制量 $M^*(t)$是否能够完全确定取决于函数 $\lambda(t)$的性质,若在某一区间内 $\omega(t)+\dfrac{\lambda(t)}{k_2}=0$ 只在有限个点上成立,则属于正常情况;若在某一连续区间内成立,则属于奇异情况,无法通过极小值定理求解。下面应用反证法来判断在切换区间内是否存在奇异控制。

证明:假设 $0\leqslant M(t)\leqslant M_{\max}$ 时存在奇异控制,则存在一个连续区间 $[t_1,t_2]\subset[0,t_f]$,在该区间内有 $\omega(t)+\dfrac{\lambda(t)}{k_2}=0$,即

$$\lambda(t)=-k_2\omega(t)\tag{9-39}$$

另外,由式(9-34)中的协态方程得

$$\dot{\lambda}(t)=-\frac{\partial H}{\partial\omega}=-M(t)+2\lambda(t)\frac{k_1}{k_2}\cdot\omega(t)\tag{9-40}$$

把式(9-28)和式(9-39)代入式(9-40)得到

$$\lambda(t)=\frac{k_2}{2}\omega(t)\tag{9-41}$$

综合式(9-39)和式(9-41)可得 $k_2=0$,显然这与实际情况不符合,因此,在该区间不存在奇异控制。

同理可以证明,当 $-M_{\max}\leqslant M(t)\leqslant 0$ 时也不存在奇异控制。

2. 伺服系统最优控制规律的实现

由极小值定理可知,当系统为非奇异时,减摇鳍的最小能量控制为三位控制,即最优驱动力矩 $M^*(t)$可取 $-M_{\max}$,0,$M_{\max}$ 三个值。也就是说,随着时间的推移,如果 $M^*(t)$在这三个值之间不断切换,可以在满足性能要求的情况下实现能量最优。当 $M^*(t)$取 $M_{\max}$,$-M_{\max}$ 和 0 时分别对应全力加速、全力减速和惰行(即不施加驱动力矩)三种工作状态,为了在消耗较少能量的前提下产生足够的升力,需要对每种工况的持续时间作出合理规划。

把减摇鳍看作转动的刚体,则其运动方程为

$$M(t)-k_1\omega(t)^2-k_2\dot{\omega}(t)=J\dot{\omega}(t)\tag{9-42}$$

式中 J——减摇鳍转动惯量。

设减摇鳍各参数如下：展长 $a=2$ m，弦长 $b=3$ m，鳍轴距前缘距离 $c=0.5$ m，转动惯量 $J=1\ 000\ \text{kg}\cdot\text{m}^2$，$M_{max}=3\ 000\ \text{N}\cdot\text{m}$。根据式（9－42），当 $M(t)=M_{max}$ 时，角速度曲线如图9－21所示，减摇鳍逐渐加速，当达到最大角速度时驱动力矩和流体的阻力矩相等，此时减摇鳍产生的升力如图9－22所示。当 $M(t)=0$ 时，角速度曲线如图9－23所示，减摇鳍的转动速度逐渐下降，经过足够长的时间后下降到零。此时虽然减摇鳍仍然受到流体作用力，但是鳍轴上的有效升力为零。

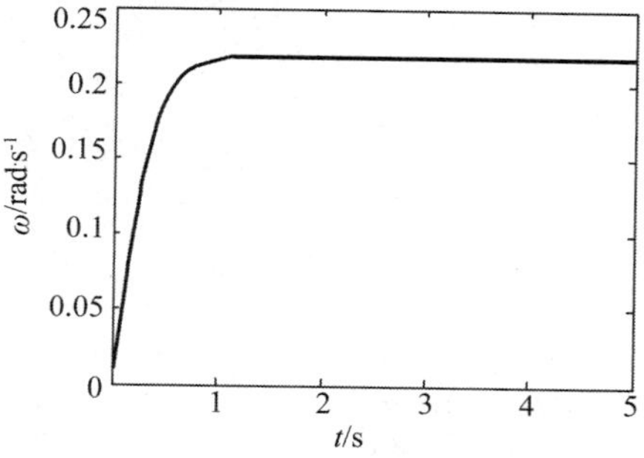

图9－21　全力加速情况下的角速度曲线

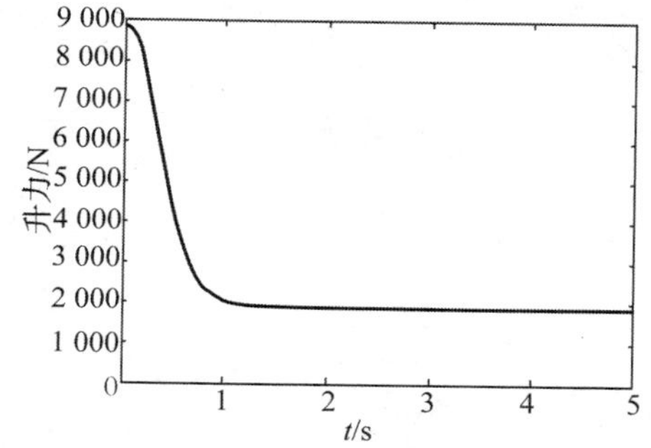

图9－22　全力加速情况下的升力

下面对施加各种控制力矩时对应角速度和升力曲线的形状进行分析，如图9－24所示，首先确定减摇鳍转动角速度与驱动力矩的对应关系。在 $[0,t_1)$ 时间内驱动力矩为 M_{max}，反映在运动方式上表现为减摇鳍首先全力加速旋转，由于伺服系统驱动功率有限，当转动角速度上升到 ω_{max} 时驱动力矩与水阻力矩平衡，此后减摇鳍处于匀速转动状态；在 $[t_1,t_2)$ 时间内减摇鳍处于惰行状态，伺服系统驱动力矩为零，减摇鳍的转动角速度逐渐下降；在 $[t_2,t_3)$ 时间内驱动力矩为 $-M_{max}$，反映在运动方式上表现为减摇鳍全力减速，转动角速度迅速下降到零，随后进入另外半个运动周期。在 $[t_2,t_3)$ 时间内虽然角速度为正，但是升力为负，会出现短暂的增摇现象。

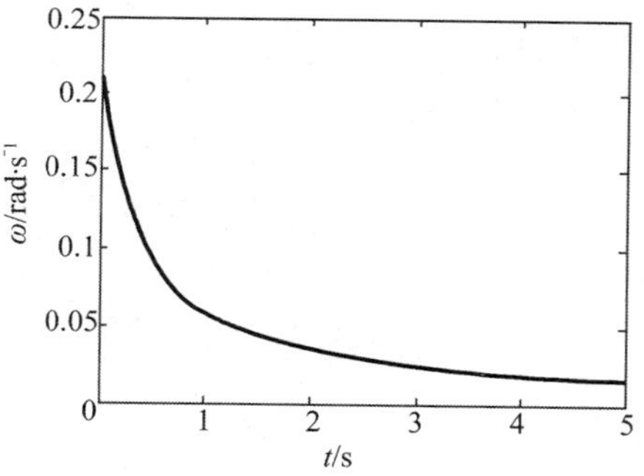

图9－23　惰行情况下的角速度曲线

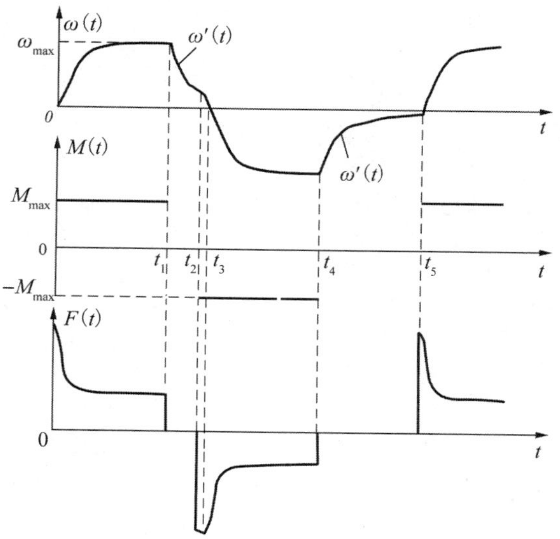

图9－24　驱动力矩与角速度和升力的对应关系

角速度曲线与时间轴所围的面积就是减摇鳍的单向最大摆动角度,因为减摇鳍摆动角度有限,所以转动速度越快升力持续的时间也越短。若船舶横摇周期较大,减摇鳍的角速度曲线如图 9－24 中的[t_3,t_5]时间段所示,此时减摇鳍在反向加速后进入惰行区间,转动角速度逐渐减小。因为不再出现全力减速阶段,所以不但节省了制动能量,而且不会因为制动过快而产生反向升力,避免了增摇现象的出现。

参考文献

[1]王成元,等.电动机现代控制技术[M].北京:机械工业出版社,2007.
[2]王成元,等.现代电动机控制技术[M].北京:机械工业出版社,2009.
[3]张承慧,等.交流电动机变频调速及其应用[M].北京:机械工业出版社,2008.
[4]Vas Peter. Vector Control of AC Machine[M]. New York:Oxford University Press,1990.
[5]Vas Peter. Sensorless Vector and Direct Torque Control[M]. New York:Oxford University Press,1998.
[6]Vas Peter. Artificial-Intelligence-Based Electrical Machine and Drives[M]. New York:Oxford University Press,1999.
[7]Bimal K, Bose. Power Electronics and Variable Frequency Drives[M]. New York:The Institute of Electrical and Electronics Engineers Inc,1996.
[8]胡崇岳.现代交流调速技术[M].北京:机械工业出版社,2003.
[9]李崇坚.交流同步电动机调速系统[M].北京:科学出版社,2006.
[10]陈国呈.PWM 逆变技术及应用[M].北京:中国电力出版社,2007.
[11]汤蕴璆.交流电动机动态分析[M].北京:机械工业出版社,2005.
[12]曲学基.逆变技术基础与应用[M].北京:电子工业出版社,2008.
[13]顾绳谷.电动机及拖动基础[M].北京:机械工业出版社,2008.
[14]海老原大树.电动机技术实用手册[M].北京:科学出版社,2006.
[15]冯垛生.无速度传感器矢量控制原理与实践[M].北京:机械工业出版社,2006.
[16]Andrzej M. Trzynadlowski.异步电动机的控制[M].北京:机械工业出版社,2003.
[17]马晓亮.大功率交-交变频调速及矢量控制技术[M].北京:机械工业出版社,2004.
[18]姜泓.电力拖动交流调速系统[M].武汉:华中科技大学出版社,2003.
[19]陈伯时.交流调速系统[M].北京:机械工业出版社,2007.
[20]坪岛茂彦.电动机实用技术指南[M].北京:科学出版社,2003.
[21]李永东.交流电动机数字控制系统[M].北京:机械工业出版社,2003.
[22]陶永华.新型 PID 控制及其应用[M].北京:机械工业出版社,2003.
[23]三菱电动机株式会社.变频器原理与应用教程[M].北京:国防工业出版社,2003.
[24]El-Sousy, Fayez F M. Analysis and design of indirect field orientation control for induction machine drive system[M]. Proceedings of the SICE Annual Conference,1999:901-908.
[25]李华德,等.交流调速控制系统[M].北京:电子工业出版社,2004.
[26]黄俊,王兆安.电力电子变流技术[M].3 版.北京:机械工业出版社,2004.
[27]林渭勋.现代电力电子技术[M].北京:机械工业出版社,2006.
[28]赵伟峰,朱承高.直接转矩控制的发展现状与前景[J].电气传动,1999(3):3-10.
[29]Thomas G Habetler, Francesco Profumo, Michele Pastorelli, et al. Direct Torque Control of Induction Machines Using Space Vector Modulation[C]. IEEE Transactions On Industry Applications[J],1992,28(5):1045-1052.

[30] Domenic Casadei, Giovanni Serra, Angelo Tani. Implementation of a Direct Torque Control Algorithm for Induction Motors Based on Discrete Space Vector Modulation[C]. IEEE Transactions On Power Electrons, 2000, 15: 769-777.

[31] 徐艳平,钟彦儒. 基于空间矢量 PWM 的新型直接转矩控制系统仿真[J]. 系统仿真学报. 2007(1): 344-348.

[32] 李夙. 异步电动机直接转矩控制[M]. 北京:机械工业出版社, 1999.

[33] marino P, D'lncecco M, Visciano N. A Comparison of Direct Torque Control Methodologies for induction Motor[C]. IEEE Porto Power Tech Conference 10th -13th September, Porto, Portugal, 2001: 1044-1050.

[34] Casadei D, ProfumoETaniA. FOC and DTC: two viable schemes for Induction motors torque control[C]. IEEE Trans On Power Electrons, 2002, 17(5): 779-787.

[35] 孙笑辉,张曾科,韩曾晋. 基于直接转矩控制的感应电动机转矩脉动最小化方法研究[J]. 中国电动机工程学报, 2002(8): 109-115.

[36] 李春杰, 李旭春. 一种改进的直接转矩控制系统定子磁链观测方法[J]. 电动机与控制应用, 2006: 32-35.

[37] Lai Yenshin, Chen Jianho. A new approach to direct torque control of induction motor driver for constant inverter switching frequency and torque ripple reduction[C]. IEEE Transactions On Energy conpersion, 2001, 16(3): 220-227.

[38] Marian P, Kazmierkowski, Andrzej B. Improved Direct Torque and Flux Vector Control of PWM Inverter-Fed Induction Motor Drives[C]. IEEE Transactions On Power Electrons, 1995, 42(4): 344-350.

[39] Mir S, Elbuluk ME. Precision torque control in inverter-fed induction Machines using fuzzy logic[C]. Atlanta, GA, USA: 26th IEEE Power Electron Spec Conf(PESC), 1995: 581-586.

[40] Kang J K, Sul S K. New direct torque control of induction motor for minimum torque ripple and constant switching frequency[C]. IEEE Transaction On Industry Application, 1999, 35(5): 1076-1082.

[41] Rodriguez J, Pontt J, Kouro S, etal. Direct torque control with imposed switching frequency in an 11-level cascaded inverter[C]. IEEE Trans On Industrial Electronics, 2004, 51(4): 827-833.

[42] Zhu Xiaolin, Shen Anwen. Speed Estimation of Sensorless Vector Control System Based on Single Neuron PI Controller[C]. Proceedings of the 6th World Congress on Intelligent Control and Automation, June 21-23, 2006: 8251-8255.

[43] 陈伯时,谢鸿鸣. 交流传动系统的控制策略[J]. 电工技术学报. 2000(5): 11-15.

[44] 陈伯时. 电力拖动自动控制系统[M]. 2 版. 北京:机械工业出版社, 1999.

[45] 胡寿松. 自动控制原理[M]. 4 版. 北京:科学出版社, 2001.

[46] Ryu Hyoung Joon, Lee Kwang Won, Lee Ja Sung. A Unified Flux and Torque Control Method for DTC—Based Induction—Motor Drives[J]. IEEE Trans On Power Electronics, 2006, 21(1): 234-242.

[47] R A Gupta Rajesh, Kumar Borra, Suresh Kumar. Direct Torque Controlled Induction Motor Drive with Reduced Torque Ripple[J]. Department of Electrical Engineering, Malaviya Na-

tional Institute of Technology, 2002: 2073-2078.

[48] PhD P Vas, Ceng DSc. Electrical Machines and Drives: Present and Future[J]. IEEE, 1996: 67-74.

[49] Pillay P, Krishnan R. Development of digital models for a vector controlled Permanent magnetic synchronous machine drives[J]. IEEE, 1998: 476-482.

[50] Freere P, Pillay P. Design and evaluation of current controllers for PMSM drives[C]. IEEE Transactions on Industry APPlications, 1990: 1193-1198.

[51] Texas Instruments. Field Orientated Control of Three Phrase AC-motors[J]. Texas Instrument Incorporated, 1997: 5-8.

[52] Moersehell, Tursino M. A New Vector Control Seheme for Inverter-fed Permanent Magnet Synchronous Motor Using DSP. Con. Rec[J]. IV European Conference in Power Electronics and Application, Firenze, 1991: 100-104.

[53] Bon Gwan, Kwanghee Nam. A Vector Control Scheme for a PM Linear Sychronous Motor in ExtenedRegion[J]. IEEE Transactions on Industry Application, 2003(29): 1280-1287.

[54] Chen H C, Liaw C M. Sensorless Control Via Intelligent Commutation Tuning for PMSM Servor System[J]. IEE Proc-Electric, Power Appl, 1999: 678-684.